KUR'ÂN-I KERÎM'E GÖRE KABİR AZABI

Mehmet Okuyan

DÜŞÜN YAYINCILIK

İÇİNDEKİLER

GİRİŞ

BİRİNCİ BÖLÜM
KABİR KAVRAMI VE RUHUN MAHİYETİ

İKİNCİ BÖLÜM
KABİR SORGUSU VE KABİR AZABI

ÜÇÜNCÜ BÖLÜM
KABİRDE AZABIN İDDİA EDİLEN DELİLLERİ VE BUNLARA KARŞI YAKLAŞIMIMIZ

Bu çalışmamı
merhum babama, değerli anneme
ve bütün Kur'ân talebelerine ithaf ediyorum.

Kısaltmalar

Age.: Adı Geçen Eser

Agmd.: Adı Geçen Madde

Agmk.: Adı Geçen Makale

as.: Aleyhisselâm

b.: İbn

bk.: Bakınız

c.: Cilt

K.: Kitâb

md.: Maddesi

s.: Sayfa

ÖNSÖZ

Yüce Allah'ın genel bir yasası olarak insanlar doğarlar, yaşarlar ve günü gelince de ölürler. Ölüm bir son gibi gözükse de sahip olduğumuz âhiret inancı gereği biz Müslümanlar, ölümün bir son olmadığına, aksine yeni bir hayatın başlangıcı olduğuna inanmak zorundayız. Bununla birlikte hayatı bu dünya ile sınırlandıran ve âhirete inanmayan insanlar da elbette vardır.

Kişi henüz ölmeden önce yani ölüm döşeğindeyken başlayan birtakım dinî pratikler, daha sonra ölünün yıkanması, süslenmesi, mezarıyla ilgili hazırlıklar, mezarda yaşanacağına inanılan olaylar doğrultusunda insanlık tarihi kadar eski pek çok uygulama bugünkü arkeolojik araştırmalarla ortaya konulmaktadır. Öyle anlaşılıyor ki âhirete inanan ya da inanmayan hemen herkes, ölüm ve kabir konuları hakkında bir şeyler düşünmekte ve bazı faaliyetler yaparak onu hayatının ve inanç yapısının bir parçası hâline getirmektedir.

Genelde dinî inanç sahiplerinin, özelde İslâm dini mensuplarının ölüm sonrası ve kabir meselesi hakkında farklı kanaatlere yol açacak çeşitli kabullere sahip oldukları bilinmektedir. İşte bu cümleden olarak, biz de ana hatlarıyla diğer bazı kültürlerdeki inanış ve uygulamalara kısaca temas ederek, İslâm kültüründe kabirle ilgili kabulleri ve bunların Kur'ân'a uygun olup olmadığı konusunu değerlendirme ihtiyacı hissettik.

İlk baskısını "Kur'ân-ı Kerîm'e Göre Kabir Azabı Var mı?" şeklinde yayınladığımız bu eserimizin ikinci baskısını "Kur'ân-ı Kerîm'e Göre Kabir Kavramı ve Kıyamet-Âhiret Süreci" adıyla çıkarmayı tercih etmiştik. Önceki baskıların geniş hacmi nedeniyle ve bazı kardeşlerimizin önerileri doğrultusunda bu defa söz konusu çalışmamızı iki müstakil kitap olarak çıkarmaya karar verdik.

Çalışmamız "giriş" ve "üç bölüm"den oluşmaktadır. Girişte "Metodumuz ve Farklı İnançlarda Kabir Hayatı Mefhumu", birinci bölümde "Kabir Kavramı ve Ruhun Mahiyeti", ikinci bölümde "Kabir Sorgusu ve Kabir Azabı", üçüncü bölümde ise "Kabirde Azabın Varsayılan Delilleri ve Bunlara Yaklaşımımız" konularını incelemeye çalıştık. En sonunda ise Kur'ân bütünlüğü çerçevesinde genel bir değerlendirme yapmaya gayret ettik.

Bu kitabın hazırlanışında çok büyük desteğini gördüğüm Kur'ân talebesi oğlum Ahmet Selim Okuyan'a, yeğenim Sümeyye Yeşilyurt'a ve kardeşim Abdurrahman Okuyan'a özellikle teşekkür ediyor, Rabbimden kendilerine istikametli bir ömür nasip etmesini niyaz ediyorum.

İnsan hatalarıyla var olan bir varlık olduğu için, çalışmamızda gözden kaçan birtakım hatalarımızın olması doğaldır. Bu nedenle yapıcı her eleştiriyi, kitabı tamamlayan yeni unsurlar olarak kabul edeceğimizi ifade ederek, bu anlamda katkı sağlayacak kardeşlerimize şimdiden şükranlarımızı arz ediyor, çalışmamızın ilim dünyasına naçiz bir katkı sağlamasını Yüce Allah'tan niyaz ediyoruz.

Mehmet OKUYAN

GİRİŞ

A. METODUMUZ

"Ölüm sonrasında ne olacaktır? Kabirde hayat var mıdır? Buna inanmak imanın bir gereği midir? Kabirde hayat varsa bir sorgulama ve yargılama yapılacak mıdır? Oradaki yargılama sonrası bir azap ya da ödüllendirme olacak mıdır? Olacaksa bu bedene mi, ruha mı, yoksa her ikisine yönelik mi gerçekleştirilecektir? Eğer kabirde sorgulama olacaksa âhiretteki diriltilmede ikinci bir sorgulama olacak mıdır? Zaten kabirde bir sorgulama yapılıp karşılığı verildiğine göre ikinci sorgulamanın anlamı ve gerekçesi nedir?" gibi sorular ilim adamlarının ve halkın cevaplarını merak ettiği önemli sorulardır.

Kur'ân-ı Kerîm'de azabın doğrudan kabre nispet edildiği hiçbir âyet yoktur; çünkü Kur'ân-ı Kerîm'de kabir hayatına dair herhangi bir bilgi yoktur. Bu nedenle kabirle ilgili meseleler gaybın konusudur. Öte yandan, vahiyle açıklananlar hariç, gayba ait bilgilerin insanlar ve hatta melekler tarafından dahi bilinemeyeceği Kur'ân-ı Kerîm'de açıkça ifade edilmiştir.[1] Buna rağmen yukarıdaki sorulara cevap aramak üzere bazı ilim adamları kabirle ilgili eserler vermişlerdir. Nitekim İbn Kayyim el-Cevziyye'nin *er-Rûh*, İbn Receb'in *Ehvâlu'l-Kubûr ve Ahvâlu Ehlihâ ile'n-Nuşûr*, Suyûtî'nin *'Âlemu'l-Berzah* ile Süleyman Toprak'ın *Kabir Hayatı* gibi bazı eserler doğrudan bu konuyla ilgilidir. Ayrıca, İbn Teymiye, Gazâlî,

1 Neml 27/65.

Taftazânî ve İbn Hazm gibi pek çok ilim adamı da eserlerinde kabirle ilgili konulara değinmişlerdir.

Kur'ân'da hakkında bilgi bulunmadığından kabir hayatıyla ilgili eserler büyük oranda rivayetlere dayanmaktadır. Ancak söz konusu ilim adamları eserlerinde Kur'ân'dan delil gösterme ihtiyacı hissetmişler ve daha sonra ayrıntılı bir şekilde ele alacağımız üzere, konuyla ilgisi bulunmayan bazı âyetleri de delil olarak kullanmışlardır. Öte yandan bu kitapların etkisiyle kabir hayatı geniş bir kitle tarafından iman konusu olarak görülmüş, hatta buna inanmayanlar küfürle itham edilmiştir.[1]

"Kabirde hayat" inancı, kanaatimize göre, kıyametle başlayacak âhiret sürecinin büyük ölçüde anlamını yitirmesine ve cevabı imkânsız soruların sorulmasına neden olacaktır. Bu kadar önemli sonuçları olan bir konu acaba Kur'ân-ı Kerîm'de nasıl ele alınmaktadır? İşte bizce cevaplanması gereken en önemli soru budur. Zaten bizi bu çalışmaya sevk eden husus da bu olmuştur.

Bu çalışmanın amacı ölümden hemen sonrasına Kur'ân-ı Kerîm'in penceresinden bakmak ve inanç esası hâline getirilmiş hatalı kabullerin ayıklanmasına yardımcı olmaktır. Bu çalışmada ağırlıklı olarak "tümdengelim", yani bütünden parçaya geliş yöntemi kullanılmıştır. Bu metot "bilinenden bilinmeyene ulaşma yöntemi" olarak da bilinir. Bu yöntemde öncüller doğru ise bunlardan elde edilen çıkarımlar da doğru kabul edilir. Dolayısıyla İslâm inancının gereği olarak Kur'ân âyetlerinin mutlak doğru olduğuna inanılmış, âyetlere aykırı kabuller ise yanlış sayılmalıdır. Çalışmada özellikle verilerin değerlendirilme aşamasında "tümevarım" yönteminden de yararlanılmıştır.

---

1 Ebû Hâmid Muhammed b. Muhammed el-Gazâlî, *İhyâu 'Ulûmi'd-Dîn*, Kahire, 1987, IV, 525.

Bu kitapta yöntem gereği olarak, daha önce konuyla ilgili fikir beyan edenlerin aksine, rivayetlerden değil, âyetlerden hareket edilmiştir. Dolayısıyla Hz. Muhammed'e atfedilenler de dâhil olmak üzere, ilgili rivayetler Kur'ân âyetleri ışığında değerlendirip, ulaşılan sonuçlar okuyucuyla paylaşılmaya çalışılmıştır.

Kabir ve ölüm sonrasıyla ilgili konular dinin asıl kaynağında, yani Kur'ân-ı Kerîm'de ortaya konulmuştur. Diğer kaynaklarla inanç esası oluşturulamayacağı açıktır. Bu bağlamda okuyucuya, bir taraftan kabir konusundaki hatalı kabullerin nereden kaynaklandığı, diğer taraftan da doğru bilgiye ulaşmanın yolu gösterilmeye çalışılmıştır.

Rivayetleri eleştirmek veya sıhhatlerini tartışılır görmek ya da zayıf veya uydurma olabileceklerini düşünerek onlara karşı mesafeli durmak vahyi inkârla eşdeğer tutulmamalıdır. Bir rivayetin doğru kabul edilebilmesinin en önemli ölçüsü, o rivayetin Kur'ân'a, onun ilkelerine ve mantığına uygunluğudur. Bu ölçüye uyan rivayetler eğer senetleri de sahih ise elbette doğrudur ve kabul edilebilir; ancak ölçüyü başka türlü belirleyip sonra da buna inanılmasını beklemek Kur'ân'a ve onun ilkelerine karşı tutarsızlıktır.

Rivayetleri esas alıp âyetleri yorumlamak yerine, bunun tam tersinin yapılması gerektiğine inanmaktayız; yani âyetler esas alınmalı, rivayetler -eğer âyetlere uyuyorlarsa- kabul edilmeli, uymuyorlarsa "Hz. Peygamber Kur'ân'a aykırı bir şey söylemez" diyerek reddedilmelidir. Öncelikle başka kaynaklar esas alınarak fikir veya kanaat sahibi olduktan sonra Kur'ân'a müracaat etmek ya Kur'ân'ın aydınlığını gölgeler ya da onun öğretisinin ikinci plana itilmesine sebep olur. Kur'ân'ı kanaatimize uydurmamalı, Kur'ân'dan kanaat sahibi olmalıyız.

Eğer bir sözü Hz. Peygamber'in söylediği kesin olarak bilinecek olsaydı, ona ilk inanan olma konusunda hiçbir müminin herhangi bir tereddüdü kalmazdı. Çünkü vahiy bir insan olarak ilk defa Hz. Peygamber'in dilinden telaffuz edilmiştir. Vahyin döküldüğü bu kıymetli ağızdan vahye aykırı ifadelerin çıktığını kabul etmek anlamına gelebilecek yaklaşımlar sağlıklı olamaz. Buradaki asıl sorun, Hz. Peygamber'den geldiği söylenen rivayetlerin ondan gelip gelmediğinin kesin olarak bilinememesidir; yani bir anlamda aidiyet sorunu yaşanmaktadır. Dahası, Hz. Peygamber'in Kur'ân'a aykırı olan, onun anlamını değiştiren herhangi bir sözü söylemeyeceği de inanan herkes tarafından kabul edilen veya kabul edilmesi gereken bir gerçektir.

"Kabir hayatı" ve "kabirde azap" gibi önemli bir kabul halini almış ve müminlerin, hakkında mutlaka doğru bir kanaat sahibi olmaları gereken bir konuyu dinin asıl kaynağı olan Kur'ân'dan inceleyip kavramak küçümsenemeyecek bir önem arz eder. Bu itibarla elinizdeki bu kitapta hayat için vazgeçilemez kaynağımız olan Kur'ân'ın kabir azabı konusuna bakışını önyargı ve ön kabuller taşımadan ortaya koymaya çalışacağız.

B. FARKLI İNANÇLARDA KABİR HAYATI MEFHUMU

Kabir hayatı konusunu işlerken öncelikle İslâm dışı inançlardaki veya dinî geleneklerdeki kabullere göz atmak gerektiği kanaatindeyiz. Çünkü insanlığın geçmişi hakkındaki bilgiler, bazı bozulmuşluklara veya birtakım değişikliklere uğramış olsa da, tarih kabir hakkında çeşitli uygulamalarla doludur.

İnsanlar inanmış olsa da olmasa da kendilerini ölen yakınlarıyla ilgili birtakım işlemler ve uygulamalar gerçekleştirmek zorunda hissetmişlerdir. Ölen yakınını "artık bu ceset beni ilgilendirmiyor" deyip ona karşı kayıtsız kalmamışlardır.

İnsanlık tarihinin ilk dönemlerinden itibaren bazı insanların ölümle birbirinden ayrılan ruh ve bedenlerinin ayrı ayrı olarak yaşamaya devam ettiklerine, ruhun bir süre bedenden ayrılmasından sonra yeniden bedene döneceğine ve bedeni dirilteceğine inandıkları ifade edilmektedir. Bu nedenle ruhla cesedin kolayca buluşabilmesi için cesedin sağlam kalması gerektiğine, bunu gerçekleştirmek için de cesetlerin piramit, timülüs/tümülüs ve benzeri yerlerde korunmasının zorunlu olduğuna inanıldığı nakledilmektedir.[1]

Başta Mısırlılar olmak üzere, çeşitli milletlerin, ölülerini mumyalamalarının nedeni, ruhun tekrar bedene gelip onu

---

1 Cemil Senâ, *Hz. Muhammed'in Felsefesi*, İstanbul, 1975, s. 151-153.

diriltmesi için cesedi korumaya alma çabası olduğu söylenebilir.[1] Buna karşılık Brahmanizm gibi bazı inançlarda kabir hayatı kabulünü aramak doğru değildir. Çünkü onlara göre "ruh göçü" denen ve Nirvana'ya ulaşana kadar devam eden bir süreç yaşanacaktır. Bu nedenle onların ölüm sonrası veya kabir hayatını kabulüne rastlamayız.[2]

Bu genel ifadelerden sonra, şimdi de konu hakkında diğer bazı dinî geleneklerdeki mevcut anlayışları nakletmek ve bu arada bazı değerlendirmeler yapmak istiyoruz.

1. Eski Mezopotamya İnançları

Eski Mezopotamya'da Sümerlerin ölümden sonra ruhun yaşadığına inandıkları, mezarlarına koydukları eşyalardan anlaşılmaktadır. Onlara göre ruh, yeraltı âlemine, yeraltında bulunduğuna inanılan Habur nehrini geçerek giderdi.[3]

O dönemde ölenlerin mezarlarına bazı eşyalarının konulması, ilgili kişilerde veya inançlarda âhiret inancının varlığı kadar, ölümden hemen sonra kabirde hayatın devam ettiği kabulünü de hatırlatmaktadır.

2. Eski Bâbil ve Âsur İnançları

Eski Bâbil ve Âsur inançlarında, insanın ölümünden sonra vardığı yerin dünyanın batısında bulunduğu, ölülerin tozlarla kaplı ve karanlık bir yerde oturdukları, arkalarından içki ve yiyecek kurbanı yapılmadığı sürece bulanık su içtikleri ve toprak parçaları yedikleri, gömülmeyenlerin ve arkasında nesil bırakmayanların durumunun çok daha kötü olduğu, ancak savaşta ölenlerin durumlarının daha iyi olup temiz su içtikleri

---

1 Ömer Rıza Doğrul, *Yeryüzündeki Dinler Tarihi*, İstanbul, 1947, s. 72-75.

2 Doğrul, *age.*, s. 89-90.

3 Ekrem Sarıkçıoğlu, *Başlangıçtan Günümüze Dinler Tarihi*, Isparta, 2002, s. 22.

belirtilmekte, bazı bilgilere göre de ölülerin girişte (muhtemelen ölümden hemen sonra kabirde) Anunakis tarafından muhakeme edildiklerinden bahsedildiği ifade edilmektedir.[1]

Bu inançlarda kabir hayatı kabulünü çağrıştıran ilginç hususlar vardır: Mesela, kötü olan veya ardından nesil bırakmayanların karşılaşacağına inanılan felaketler ve kötü muamele kabir azabını çağrıştırmaktadır. Savaşta ölenlerin durumu kabirde nimetlendirilmeye benzemektedir. Biz her iki benzetmeyi de Kur'ân'a uygun bulmamaktayız. Çünkü Kur'ân'a göre bu tür karşılıkların verileceği yer yalnızca âhirettir.[2] Ölülerin, girişte (muhtemelen ölümün hemen sonrasında veya kabirde) Anunakis tarafından sorgulandığı inancı ise kabul edenlerince savunulan kabirdeki Münker-Nekir sorgulamasını çağrıştırmaktadır.

3. Eski Mısır İnançları

Kaynaklardaki bilgilere göre Eski Mısır'da insanlar ölen kişinin mezarda yaşamaya devam ettiğine inandıkları için mezarlara yiyecek ve içecek koyarlar, hatta belirli zamanlarda onlara kurban sunarlardı. Yeni İmparatorluk devrinde ölülerin cesetlerinin mumyalanma işlemi vb. uygulamalar, ölülerin mezarlarında yaşamaya devam ettiği inancını göstermektedir. Mısırlıların, önceleri ölülerin uzak bir ülkede ikamet ettiklerine, daha sonraki dönemlerde ise dünyadan ayrılanların gökte oturduklarına ve bir merdivenle yukarı çıktıklarına inandıkları nakledilmektedir.[3]

Mısırlılara ait bu kabullerde kabir hayatının varlığına dair bir anlayışlarının bulunduğu, özellikle onlara yönelik

---

1 Sarıkçıoğlu, *age.*, s. 27.

2 Şehitlerle ilgili hususa "Kabirde Rızıklandırılma" başlığında değineceğiz.

3 Sarıkçıoğlu, *age.*, s. 41.

gerçekleştirilen sunuların bunu desteklediği görülmektedir. Ayrıca ölen kişilerin ruhlarının gökte oturduğu inancı da, "ölen kişinin ruhunun göğe çıkarılacağı inancı"nı çağrıştırmaktadır. Hatta bu inanış ve kabuller Hz. Peygamber'in yaşadığına inanılan mi'râc olayında daha önce vefat etmiş olan peygamberlerin göğün çeşitli katlarında oturdukları ve Hz. Peygamber'in, giderken ve gelirken onlara uğradığı şeklindeki kabullerin İslâm kültürüne nereden girdiği konusunda az da olsa fikir vermektedir.

Eski Mısırlıların bir kısmının ölen kişi hayatta iken sevdiği ne varsa hepsini ölü ile birlikte mezara koydukları, ölünün sağlığında okumaya başlayıp da bitiremediği kitabı bile bu şekilde ölüyle birlikte kabre koydukları ifade edilmektedir ki, geçmişe ait tarihi eserlerin büyük çoğunluğunun bu şekilde muhafaza edildiği görülmektedir.[1] Eski Mısırlıların bu uygulamaları onların, kabir hayatı konusunda bedenle birlikte ruhun da yaşadığı kabulüne sahip olduklarını göstermektedir.

Ayrıca Mısırlıların, ölülerin biri yerde diğeri gökte iki hayatı birlikte sürdürdüklerine inandıkları, aynı zamanda bulundukları yerdeki hayatın mumyanın mezardaki hayatı olduğu, bu hayatı devam ettirebilmesinin gıda almasına bağlı bulunduğu, bu nedenle mumyalara zaman zaman gıda takdim edildiği, mezarlarına bu tür takdimelerin yapılması anlamında yazılar yazdırdıkları, ölülerin Osiris âlemine geçtikleri ve orada yaşadıkları, muhakeme edildikleri, bu arada ölülerin yapacakları seyahatlerin haritalarının da kâhinler tarafından çizildiği nakledilmektedir.[2]

Eski Mısır inançlarının, İslâm kültüründeki "kabir azabı" konusundaki kabullere ne kadar benzediğini göstermesi bakı-

---

1 Senâ, *age.*, s. 153.

2 Doğrul, *Yeryüzündeki Dinler Tarihi*, s. 61-63.

mından birtakım bilgiler aktarmak istiyoruz. Tarihçi Ahmet Refik'ten eski Mısırlıların kabir ve sonrasıyla ilgili inançlarını uzun bir alıntı yaparak şöyle aktarmak istiyoruz:

"Eski Mısırlılar, ölünün sağ bir insan gibi aynı ihtiyaçlarının ve aynı hissiyatının bulunduğuna inanırlardı. Ölünün bir insan gibi yemesi, içmesi ve giyinmesi gerekliydi; fakirler cenazeyi kuma gömmekle yetinirken, zenginler ölülere bir mesken, içerisinde ebedî olarak kalacağı bir ikametgâh hazırlarlardı. İlk dönemlerde ölüler genellikle piramit türü mezarlara konurdu. Menfis civarında piramitlerden oluşan âdeta büyük bir mahalle vardı. Bu mahallenin en yüksek piramitlerine krallar, daha küçüklerine ekâbir denen yetkililer defnedilirdi. Piramitlere gömülmek için mutlaka zengin olmak, bir piramit yaptırabilecek derecede servete sahip olmak gerekirdi."

"Yine nakledildiğine göre mezarlar birkaç bölümden oluşurdu; her bir bölüm çeşitli ihtiyaçları karşılamaya yönelik olarak hazırlanırdı. Mesela mabet bunlardan biriydi. Kapıyı andıran bir taş levha ve bunun eteğinde hediye koymaya ait taştan alçak bir masa bulunurdu. Mabede canlı insanlar girerler, hediyeler takdim ederlerdi. Ancak ölünün bulunduğu bölüme girilmemesi için o bölümün kapısı yoktu. Arada uzun ve karanlık bir koridor bulunurdu ki buraya ölünün heykelleri konurdu. Heykellerin konulma nedeni de ölüye ait mumya eğer telef olursa yerine heykellerin konulmasıydı."

"Mezarın bir köşesinde yere doğru 22, 25 metre derinliğinde bir çukur daha kazılırdı ve içine pembe, siyah ve beyaz taşlardan bir tabut konur ve cenaze de işte bu tabutun içine yerleştirilirdi. Tabutun etrafına içinde su, hurma ve buğday konulacak kırmızı topraktan yapılmış kaplar konulurdu. Mezarın etrafını çevreleyen duvarlara da çeşitli resimler çizerlerdi. Bütün bunlar ölünün yaşamaya devam ettiği inancının sonucu olarak yapılırdı. Daha sonraki dönemlerde ölülere maddi gıdalar sunma yerine, bu defa dua ederek söz konusu maddelerin onlara ihsan edilmesi uygulamasına başlanmıştı."

"Eski Mısırlılara göre -önceki inançlarının tersi olarak-ruh, cesedinin bulunduğu mezara gelmezdi. Onlara göre bütün ruhlar yeraltında güneşin battığı noktada toplanırlardı. Oranın hâkimi Oziris idi ve muhakeme etmeden ruhları yanına kabul etmezdi. Bedenden ayrılan ruh karanlık bir yere gider, yerin altında bir nehirde kayıkla seyahat eder, bu sırada çeşitli tehlikeler atlatır, o esnada çakal başlı Anûbis ile leylek başlı kuş onu korur ve böylece muhakeme edileceği yere getirilirdi. Mahkemenin başkanı Oziris'ti; etrafında 42 günahtan hangisinin işlendiğini ortaya çıkarmak veya sorgulamak için 42 üye vardı. Ruh, hâkim huzuruna gelir gelmez adalet terazisinde tartılır; ağır veya hafif oluşuna göre ceza görür veya affedilirdi. Eğer cezaya çarptırılırsa çok kötü bir yere düşer, akrepler ve yılanlarla kamçılanır, nihayet yok olup gider. Eğer ödülü hak ederse çeşitli şekillerde ödüllendirilir, mabudların arasına katılırdı."

"Ruh, muhakeme edilirken Oziris'in huzurunda kendisini savunma hakkına da sahipti. Bunun için ölü ile beraber bir "ölü kitabı" konur, ölünün kendisini savunmak için söyleyeceği sözler bu kitaba yazılırdı. Mesela bir ölü, Oziris'in huzuruna geldiği zaman onu tebcil edici ifadelerden sonra şunları söylemek zorundaydı: 'Adını ve seninle beraber bulunan 42 mabudun isimlerini bilirdim; insanlara karşı hiçbir hilede bulunmadım; dul kadına eziyet etmedim; mahkemelerde yalan söylemedim; tembellik etmedim; mabudların istemediği şeyleri yapmadım; hile ile kimseyi öldürmedim; mabudların ekmeğini ve onlara hediye edilen şeyleri geri çevirtmedim; ölülerin azıklarını ve sargılarını almadım; azık paralarını bozmadım; arazi kapatmadım; sahte terazi kullanmadım; meralarda mukaddes hayvanları vurmadım; mukaddes balıkları avlamadım; kanalları kapatmadım; safım, safım (suçsuzum).' Ruh bu cümleleri 42 üyeye aynı şekilde tekrar eder, sonra da iyi işlerini hatırlar. İşte bu savunmaları içeren ölü kitabından her mezara konur, bunun bazı bölümleri de heykeller, tablolar, mumyalar ve duvarlara da yazılırdı."[1]

Bu bilgilerle İslâm dünyasında yaygın olan kabir hayatı kabulleri arasında benzerliklerin bulunduğu daha sonra vereceğimiz ayrıntılı bilgilerden anlaşılacaktır. Burada şu kadarını söylemekle yetinelim: Mısırlılardaki "kabirde hayatın devam ettiği inancı" -daha sonra Suyûtî'den yaptığımız alıntılarda da görüleceği üzere- "kabirde maddi hayatın devam ettiği, ruhların bedenlerine girdiği ve maddi bir azap veya ödülün varlığı kabulünü" çağrıştırmaktadır. "Ruhların yerin derinliklerinde bulunması ve kötü ruhların yeri" noktasında benzerlik arz etmektedir. Cezaya çarptırılanların çukura düşmesi, akrepler ve yılanlarla kamçılanılma vb. kabuller de bazı Müslümanların kültüründeki Kur'ân dışı kabir azabı kabulleriyle büyük benzerlikler içermektedir. Dahası kabirdeki sorgulama ve oradaki itiraflar kabir sorgusunun değişik bir şeklini oluşturduğu gibi "ölü kitabı" denen ölüye kopya verme teşebbüsü de "telkîn" ile benzerlikten öte neredeyse aynılık teşkil etmektedir.

4. Eski Anadolu İnançları

Kaynaklarda, eski Anadolu inançlarında mezarlara konulan eşyalardan, onların öldükten sonra da yaşamaya devam

---

1 Bu bilgiler için bk. Ahmet Refik, *Büyük Târîh-i Umumi*, İstanbul, 1328, II, 132-135.

ıda oldukları ifade edilmektedir.[1] Mezarlara yalar, ilgililerin ölüm sonrasına dair birtakım olduğunu göstermektedir. Ancak bu kabuller doğrudan kabir hayatıyla mı ilişkilendiriliyor, yoksa âhirete yönelik bir kabul müdür, bu kapalı bir konudur.

5. Eski Yunan, Roma, Cermen, Kelt ve Slav İnançları

Eski Yunan, Roma, Cermen, Kelt ve Slavların dinlerinde de birbirine benzer kabir hayatı kabulleri vardır. Bazıları kabri evin yanına kazarak eve veya dünyaya geri dönüşü bekledikleri halde, bazıları ölenlerin aileleriyle birlikte hayatlarını devam ettirdiklerine inanıyorlardı. Ruh göçüne inanan Keltler, intihara daha yatkın olan Cermenlere göre hayata daha sıkı bağlıydılar. Slavlar ise ölen kişilerin ruhlarının çeşitli hayvanlar şeklinde dolaştığına, ölen çocukların ruhlarının ise su cinleri ve perileri olduklarına inanırlardı.[2] Keltlerin, ölüleri kımıldayan ve gezip dolaşan gölgeler olarak kabul etmeleri onların iyilik de kötülük de etmeye güçlerinin bulunduğuna inandıklarını göstermektedir. Ayrıca ölülerin ve tabiat ruhlarının hayata ve cihana hâkim olduğuna inanmaları da yaşadıkları yerlerde meydana gelen olayları onlarla ilişkilendirmelerine neden olduğu ifade edilmektedir.[3]

6. Eski Amerikan İnançları

Eski Amerikan yerlilerinden Aztekler, ölümden sonraki kaderlerini ölüm şekillerinin belirlediğine, ihtiyarlayarak

---

1 Sarıkçıoğlu, *age.*, s. 47.

2 Bu dinlerin ölüm sonrası hayat anlayışları hakkında geniş bilgi için bk. Sarıkçıoğlu, *age.*, s. 81-100.

3 Bu konuda genişbilgi için bk. Doğrul, *Yeryüzündeki Dinler Tarihi*, s. 34.

ölenlerin yeraltı dünyasına, boğulanların mavi bir boya ile boyanarak yağmur tanrısının yanındaki cennetine, savaşta, kurbanlık sunularında veya doğum esnasında ölenlerin ise güneş tanrısının gökteki cennetine ulaştıklarına inanırlardı.[1] Buradaki gök cenneti kavramı ve mavi renk de kabir hayatını benimseyenlerin kaynaklarındaki kabullerini çağrıştırmaktadır. Zira ileride zikredeceğimiz rivayetlerde görüleceği üzere, bazı rivayetlerde iyi ruhların göklerde kalacağı, kötülerin ise geriye bedenlerine veya kabre gönderileceği, sorgu meleklerinin mavi renkte olduğu ifade edilmektedir.

Bazı Amerikan kabilelerinde ölüyle beraber karısı, köleleri ve bazı arkadaşlarının da gömüldüğü, âhirette dinî hizmetleri yapılsın diye bir kâhinin de öldürüldüğü bildirilmektedir.[2] Bu uygulamalar genel itibarıyla ilgili milletlerdeki âhiret inancına ilaveten kabir hayatı inancının da varlığına delil sayılabilir.

7. Mecûsîlik

Mecûsîlik inancına göre insanlar ölümden sonra üç grup olacaklardır. Kabirde hem azaba hem de nimetin varlığına inandıkları için iyiler cennete, dindarlar kendilerine özel ayrı bir yere, kötüler ise cehenneme gideceklerdir.[3] Mecûsîlikte gördüğümüz bu üçlü tasnif, onların ölümden sonra hemen ödül veya cezayla buluşmaları anlamında kabir hayatına bedensel olarak inandıklarını göstermektedir.

---

1 Sarıkçıoğlu, *age.*, s. 104.

2 Kemalettin Tâi, *Min Hüde'n-Nübüvve*, Bağdat, 1973, s. 87-88.

3 Abdülkerim Hatip, *Allah ve'l-İnsan*, Beyrut, 1975, s. 458-459.

8. Sâbiîlik

Sâbiîlik inanışına göre ölüm bir yok oluşun değil, yeryüzünden ayrılışın ve yeni bir hayatın başlangıcıdır. Bedenden ayrılan ruh, yeryüzündeyken ilahi mesajla ilişkisine uygun bir pozisyonda bulunur. Eğer iyi bir insan olarak yaşamışsa beyaz bir elbise giymiş olarak bedenlerinden ayrılır; 40 gün sürecek uzun bir yolculuğa başlar ve yedi gezegenden (Matarta) oluşan bu süreci kurşun gibi geçer. Eğer kötü biri ise o zaman da kara bir elbiseyle bedenden ayrılır ve şiddetli azaplarla karşılaşır. Her iki ruh grubu, ölümden sonraki bu ilk aşamayı geçince bu defa Abatur terazisine ulaşırlar. İyi ruhlar bu tartıyı geçerek Işık âleminde, dünyadayken paylaştığı bedenine ait can ile birleşir. Işık âleminde kendisine ayrılan mekâna yükselirken kötü ruhlar, günahları oranında geriye, tekrar diğer gezegenlere gönderilirler; ta kıyamet sonrası genel hesap gününe kadar işkence ortamında kalırlar. Yine Sâbiîlere göre kıyamet olayı meydana gelecektir ve ruhlar için de genel bir hesap başlayacaktır. Kötü ruhlar için yaşanacak olan bu hesaptan sonra cezasını çeken ruhlar peyderpey Işık âlemine yükseleceklerdir. İyi ruhlar zaten daha önce oraya iletilmişlerdi.[1]

Bu bilgilerden anlaşıldığına göre Sâbiîlikte, adına kabir hayatı denmese de ölüm sonrası kıyamet öncesi bir hayat inancı vardır. Üstelik hem iyiler için ifade edilen ödül anlayışı, hem de kötüler için sözü edilen azap merhaleleri, rivayete dayalı kabir hayatı kabulleriyle benzeşmektedir. Dahası, daha sonra ele alacağımız gibi kötü ruhların, yani kabir azabını hak edenlerin melekler tarafından yükseltilirken geri gönderilmelerini içeren kabuller, rivayetlerdeki gök katlarını hatırlatması açısından oldukça dikkat çekmektedir. Ayrıca 40 gün sürecek uzun yolculuk da bazı Müslümanlarda yerleşik olan "ölümden sonraki 40. gün" kabulünü çağrıştırmaktadır.

---

1 Şinasi Gündüz, *Sâbiîler Son Gnostikler*, Ankara, 1995, s. 130-137.

Buraya kadar sekiz maddede ele aldığımız inançların konuyla ilgisi çok dikkat çekici bir mahiyet arz etmektedir. Ancak daha yakın bir konumda bulunmaları nedeniyle Yahudilik, Hıristiyanlık ve Eski Arap inançlarını özellikle ele almak gerekmektedir.

9. Yahûdîlik

Yahûdîlikte, Tekvin'de anlatıldığına göre ölen kişiyle ilgili olarak Hz. İbrahim örneği işlenerek şu bilgiler verilmektedir: "Ve İbrahim'in yaşadığı ömrünün yıllarının günleri bunlardı, yüz yetmiş beş yıl. Ve İbrahim kocamış ve günlere doymuş olarak güzel ihtiyarlıkta son soluğu verip öldü ve kavmine katıldı. Ve oğulları İshâk ve İsmâîl onu Mamre karşısında olan Makpela mağarasına, Hitti Tsohar oğlu Efronun tarlasına, İbrahim'in Het oğullarından satın aldığı tarlaya gömdüler; İbrahim ve karısı Sara oraya gömüldüler."[1] Bu bilgiden hareketle Yahudilikte ölen insanların mezara gömüldükleri, orada daha önce vefat edenlerin arasına katıldıkları inancının bulunduğu görülmektedir.

Yahudiliğin ilk dönemlerinde ölenlerin yerin derinliklerine indirildiği, buranın yani mezarın "çukur" diye tabir edildiği, bu arada kabir kelimelerinin de sıkça kullanıldığı Kitab-ı Mukaddes'te ifade edilmektedir.[2] Dahası İşaya'da "gömülmek" bir erdemlilik işareti olarak kabul edilmekte, memleketi tahrip edenin kendi kavmini öldürenin ve kötülük işleyenin "gömülmeyi" hak etmediği, zürriyetinin de ebediyen anılmayacağı belirtilmektedir.[3] Eyüb kitabında belirtildiğine

1 Kitab-ı Mukaddes, Tekvin 25: 7-10, İstanbul, 1997.

2 Hezekiel 32: 18-25; İşaya 14: 15.

3 İşaya 14: 20.

göre ölüler, suların ve içinde oturanların altında titremektedirler ve Allah'ın karşısında ölüler diyarı çıplaktır.[1]

Ahmet Güç'ün değerlendirmesine göre "başlangıçta Yahudilikte ölümün herhangi bir şekilde telafisi imkânsız olarak sona erdiği ve ölümden artakalan, yani ruhun Şeol'de kasvetli bir hayata gittiği inancı vardı. Bu herkes için ortak bir kader olduğundan o dönemde ölüm sonrasına ait bir yargı inancına da rastlanmamaktadır. Nihayet M.Ö. ikinci asrın sonuna doğru Yahudilikte öldükten sonra bir dirilişin olacağına ve ölünün yargılanacağına inanç, belirli çevrelerde ihdas edilmişti. M.S. 70'den sonra ise iman hâline gelmişti..."

"Yahudilerin insan doktrinine göre yeniden diriliş fizikî olacaktır... Yahudilikte ölüm sonrası ile ilgili diğer bir düşünceye göre ruhun mezarla ve gömülmüş bedenle ilişkisi vardır. Bu düşünceye işaret olarak Rahel'in çocuğu için onun Roma'daki mezarında ağladığı, ruh çağırıcıların zaman zaman ölü ruhlarından haber alma düşüncesiyle geceyi mezarlıkta kabirler arasında geçirdikleri örnek verilmiştir."[2]

Demirci'nin ifadesine göre ise "Yahudilikte kabir anlayışını şekillendiren ana tema, ölmüş kişinin veya cesedin "kirli" olduğu şeklindeki inançtır; bu kirlenmenin sebebi ise artık ruhun bedeni terk etmiş olmasıdır. Ruhsuz beden et yığınıdır ve bir an evvel terk edilmeli veya topluluğun yaşayan üyelerinden uzaklaştırılmalıdır."[3] Burada referans olarak gösterilen *Kitab-ı Mukaddes* ifadesi şöyledir: "Ve Rab Musa'ya dedi: Harun oğullarına, kâhinlere söyle ve onlara de. Kendisine yakın olan akrabasından, anasından ve baba-

---

1 Eyub 26: 5-6.

2 Ahmet Güç, "Yahudilik'te Defin ve Sonrasına Ait Gelenekler", *Uludağ Üniversitesi İlâhiyat Fakültesi Dergisi,* cilt: X, sayı: 1, Bursa, 2001, s. 65-66.

3 Kürşat Demirci, "Kabir" maddesi, *Diyanet İslam Ansiklopedisi,* İstanbul, 2001, XXIV, 34.

sından ve oğlundan ve kızından ve kardeşinden başka kavmi arasında ölü için hiçbiri kendini murdar etmesin; kendisinin yakını kocaya varmamış kız olan kız kardeşi için de kendisini murdar edebilir. Kavmi arasında reis olarak kendisini bozmak üzere kendisini murdar etmeyecektir."[1] Bu bölümde anlatılan hususun, ölünün kirliliğinden ziyade, ölüm olgusuna neden olan olayların kirliliği olduğu anlaşılmaktadır.

Bu konuda sözü edilen bir diğer alıntı ise *Sayılar* kitabındadır: "Kendini Rabbe ayırdığı bütün günlerde ölüye yaklaşmayacak. Babası ve annesi ve kardeşi ve kız kardeşi öldüğü zaman onlar için kendini murdar etmeyecektir, çünkü Allah'a ayrılık alameti başının üzerindedir."[2] Burada da konu ölünün kirliliğinden ziyade, bir adak konusu akla gelmektedir. Zaten bu bölümün öncesinde şu bilgilere yer verilmektedir: "Bir erkek veya bir kadın adanan nezir adağını adamak için kendini Rabbe ayırırsa, şaraptan ve içkiden çekinecek, şarap sirkesi ve içki sirkesi içmeyecek ve hiç üzüm suyu içmeyecek ve yaş yahut kuru üzüm yemeyecek. Bütün ayrılık günlerinde çekirdekten kabuğa kadar asmadan yapılan hiçbir şey yemeyecek."[3] Anlatılanlara bakıldığında bu bölümde özel bir zühd hayatı, inziva hayatı ya da itikâftan söz edildiğini görmekteyiz; bu yüzden ölünün bizzat kirliliğinden söz edilmediği kanaati bizde oluşmaktadır. Çünkü ifadelerden anlaşıldığına göre, nezir adağını adamak için kendini Rabbine ayırmak, bazı özel uygulamaları beraberinde getirmektedir. Şarap ve içki içilmemesi, sirke içilmemesi, üzüm suyu içilmemesi, yaş veya kuru üzüm yenmemesi, hatta asmadan yapılan hiçbir şeyin yenmemesi

---

1 Levililer 21: 1-4.
2 Sayılar 6: 6-7.
3 Sayılar 6: 2-4.

veya içilmemesi bir çeşit özel zamanları veya özel adaklar için belirlenen şartları hatırlatmaktadır.

Bu bilgilerin ötesinde Yahudilikte ölünün murdarlığını gösteren en önemli delil, *Sayılar* kitabının şu bölümüdür: "Herhangi bir insan ölüsüne dokunan yedi gün murdar olacaktır; üçüncü günde ve yedinci günde kendisini onunla tathir edecek ve tahir olarak; fakat üçüncü günde ve yedinci günde kendisini tathir etmezse tahir olmayacak. Bir ölüye, herhangi bir insan cesedine dokunan ve kendisini tathir etmeyen adam Rabbin meskenini murdar eder ve o can İsrail'den atılacaktır; murdarlık suyu onun üzerine serpilmediği için murdar olacaktır; onun murdarlığı daha kendisindedir. Şeriat şudur: çadırda bir adam öldüğü zaman, çadıra giren her adam ve çadırda olan herkes yedi gün murdar olacaktır ve üzerinde örtüsü bağlı olmayan her açık kap murdar olacaktır ve kırda kılıçla öldürülmüş olana yahut bir ölüye yahut kabre kim dokunursa yedi gün murdar olacak..."[1] İşte bu bölümde anlatılanlar, Yahudilikte gerçekten ölünün murdar sayıldığını göstermektedir.

Yine Demirci'nin ifadesine göre "Yahudilikte ölümle ruhun bedenden uzaklaştığına ve bu dünya ile ilişkisinin bitti-

---

1 Sayılar 19: 11-16. Sayılar kitabında yer alan bu ifadelerin benzerleri bizim hadis kaynaklarımızın bir bölümünde geçmiştir. Mesela Ebû Hureyre'nin "cenazeyi yıkayanın gusletmesi gerektiği"ne ve "ölüyü taşıyanın da abdest alması gerektiği"ne dair rivayeti buna örnek olarak zikredilebilir (Rivayet için bk. Ebû Dâvûd Süleyman b. Eş'as es-Sicistânî, *es-Sünen*, İstanbul, 1992, Cenâiz, 39; Ebû Abdillah Ahmed b. Hanbel, *Müsned*, İstanbul, 1992, II, 280, 433, 454; IV, 236; Ebû Abdillâh Muhammed b. Yezîd ibn Mâce, *es-Sünen*, İstanbul, 1992, Cenâiz, 8). İki rivayet arasındaki benzerlik oldukça ilgi çekmektedir. Ancak bu rivayet Hz. Ayşe'ye ulaşınca onun gösterdiği tepki bizce çok daha anlamlıdır. Hz. Ayşe şöyle demiştir: "Yoksa Müslümanların ölüleri necis mi? Bir ağacı (tabutu) taşıdığından dolayı bir kimseye ne (diye abdest) gereksin?" (bk. Bedruddîn ez-Zerkeşî, *el-İcâbe li Îrâdi me'stedrekethu 'Âişe 'ale's-Sahâbe*, çev: Bünyamin Erul, Ankara, 2000, s. 147). Ebû Dâvûd ve Ahmed b. Hanbel'deki rivayetin kaynağının neresi olduğu konusunda kanaat sahibi olmamız zor değildir.

ğine inanılır, kabirde yatan cesedin herhangi bir ıstırap çekeceği düşünülmez.[1] Bu görüş, Kur'ân'a uygun görünmektedir.[2]

Aslında *Kitab-ı Mukaddes*'in bugün elimizde bulunan tercümelerinde anlatılan bu konunun asıl Tevrat metinlerine uygun olup olmadığı şüphelidir. Çünkü daha önce ifade ettiğimiz gibi ölünün kabre konulması uygulaması ilk insandan itibaren başlatılmış bir işlemdir ve uygulamanın öğreticisi de Yüce Allah'tır.[3] İslâm inancına göre ölünün murdar olmadığı, insanın cesedine hürmet gösterilmesi gereği, onun ölümünden sonra da devam etmektedir. Ölen bir insanın kabre temiz konulması için onun yıkanması, temiz bir kefene sarılması, kabrinin üzerine basılmaması gibi uygulamalar hep cesedin muhteremliğini göstermektedir. Ayrıca sahipsiz insanların veya kendileri vasiyet edenlerin cesetlerinin tıpta araştırmalar yapılması için kadavra olarak kullanılması veya organ bağışı gibi çok önemli bir konuda insan cesedinden yararlanılmasının önünü kesecek böyle bir anlayışın savunulur bir tarafı olmadığı açıktır. Oysa Yahudilikte cesetle ilgili anlatılanlar, bu uygulamalara uygunluk arz etmemektedir. Beden, ruha giydirilen elbisedir; ruhun maddi hayattaki görüntüsüdür. Onun murdar sayılmasını gerektirecek bir husus

---

1 Demirci, *agmd.*, XXIV, 34.

2 Bakara sûresinin وَقَالُوا لَنْ تَمَسَّنَا النَّارُ اِلَّٓا اَيَّامًا مَعْدُودَةً "İsrailoğulları, 'Sayılı birkaç gün hariç, ateş bize dokunmayacaktır' dediler" şeklindeki 80. âyetinde Yahudilerin veya İsrailoğulları'nın "ölüm sonrası hayat hakkındaki kabulleri" dikkat çekmektedir. Âyette söylenen şey, İsrailoğulları'nın kabir azabı hakkında değil de kıyamet sonrası cehennem ateşi hakkında fikir beyan etmeleridir. Eğer onlara göre de kabir azabı olsaydı bizce bu ateş azabı hakkındaki ifadeleri arasında, âhirete göre daha erken gerçekleşeceğine inanılan kabir azabı ile ilgili ifadeler de âyette yer alırdı. En azından bu âyet indirildiğinde onların sadece cehennem ateşine yönelik "birkaç sayılı gün" sözlerine karşılık Müslümanların da, Hz. Peygamber'in Yahudilerin kabirlerinde çektiği azabla ilgili sözlerini hatırlatması beklenirdi. Oysa ilgili âyetin tefsirinde böyle bir rivayete rastlanmamaktadır.

3 Mâide 5/31; 'Abese 80/21.

söz konusu edilmemelidir. Sadece ölmüş bir cesedin bozulması ve bir süre sonra etrafa kötü kokular salması nedeniyle bir kirlilikten söz edilebilir ki bu da ölünün mümkün olan en kısa sürede erken toprağa gömülmesiyle Müslümanlar arasında çözümlenmiştir. Durum böyle olunca inançlar arasındaki farklılıklara örnek olabilecek bu tür uygulamaların daha iyi yorumlanması gerektiği açıkça ortadadır. Belki de Yahudilikteki cesedin murdar oluşu kabulünü, -çadırla ilgili verilen bilgi hariç- cesede kötü niyetle gerçekleştirilecek bir fiilin çirkinliğini belirtmek amacına yönelik olarak değerlendirmek de mümkün olur.

Eski ve yeni dönem Yahudilikte kabir ve âhiret hakkındaki bu değerlendirmeleri aktardıktan sonra İşaya'da yer alan şu cümleleri aktararak konuyu toparlamak istiyoruz: "Ya Rab... Senin ölülerin dirilecekler; benimkilerin cesetleri kalkacaklar. Ey sizler, toprak içinde yatanlar, uyanın ve terennüm edin; çünkü çiğler otların çiği gibidir ve yer ölülerini dışarı atacak. Gel ey kavmim, kendi iç odalarına gir ve ardında kapılarını kapa; gazap geçinceye kadar biraz gizlen. Çünkü işte kötülüklerinden ötürü dünyada oturanları cezalandırmak için Rab yerinden çıkıyor ve dünya kanını açığa koyacak ve öldürülenlerini artık örtmeyecek."[1] İşte bu alıntılarda da görüleceği üzere Yahudilikte ölülerin diriltileceği, cesetlerin kalkacağı,[2] hesaba çekileceği, yerin ölüleri dışarı atacağı[3] gibi inanışlar Kur'ân'la benzeşmekte, hatta bazı noktalarda aynîlik arz etmektedir.

---

1 İşaya 26: 19-21.
2 Yâsîn 36/52.
3 Zilzâl 99/2.

10. Hıristiyanlık

Hıristiyanlık'ta ölüm, ilk insan çiftinin işlediği günahın (Peccatum Originis) sonucuyla ilişkilidir ve bu nedenle ölüm günaha kefarettir, kabir de günahın bedelini temsil eder.[1] Hıristiyanlık'taki bu anlayış, asli günah kabulünün bir sonucu olarak görülmektedir. Bu kabul, İslâm inanç esaslarına uygun değildir. Çünkü Kur'ân'da ifade edilenlere göre sorumluluk ferdîdir; herkes yaptığının karşılığını görür; kimse kimsenin sorumluluğunu yüklenemez.[2] Hıristiyanlık'taki bu görüş, kendi sistemleri içerisinde doğru kabul edilse de ifade ettiğimiz gerekçelerden dolayı bizce doğru kabul edilemez.

Yuhanna'da bulunan, "Buna şaşmayın. Mezarda olanların hepsinin O'nun sesini işitecekleri saat geliyor. Ve onlar mezarlarından çıkacaklar. İyilik yapmış olanlar yaşamak, kötülük yapmış olanlar yargılanmak üzere dirilecekler"[3] ifadeleri ile ayrıca, "Bunlar sonsuz azaba uğrayacak, doğrular ise sonsuz yaşama kavuşacaklar"[4] şeklindeki ifadeler, yargılamadan sonra iki ebedî hayatın olduğu bilgisini vermektedir. Dolayısıyla bu iki alıntı, Hıristiyanlıkta ölümden sonra diriltilen insanlara nelerin yapılacağı konusunda bilgi bulunmadığı iddialarının[5] doğru olmadığını göstermektedir. Çünkü burada açıkça diriltilmeden sonra iki gruptan söz edilmekte, birincilerin nimetler içinde yaşayacakları, kötülük yapanların ise yargılanacakları açıkça ifade edilmektedir. Yuhanna'daki bu ifadelerden, Hıristiyanlık'ta mezarlardan

---

1 Demirci, *agmd.*, XXIV, 34.

2 Bu konuda âyetler için bk. Bakara 2/286, İsrâ 17/15, Lokman 31/33, Fâtır 35/18, Yâsîn 36/54, Zümer 39/7, Fussılet 41/46, Câsiye 45/15, Necm 53/39-41, ...

3 Yeni Ahit, Yuhanna 5: 28-29, İstanbul, 1996.

4 Matta 25: 46.

5 Süleyman Toprak, *Ölümden Sonraki Hayat Kabir Hayatı*, Konya, 1991, s. 56.

diriltilme inanışının olduğu açıkça anlaşılmaktadır. Bir de, "Mezarlar açıldı, ölmüş olan birçok kutsal kişinin cesetleri dirildi. Bunlar mezarlarından çıkıp İsa'nın dirilişinden sonra kutsal kente girdiler ve birçok kimseye göründüler"[1] şeklindeki ifadelerden, Hıristiyanık'ta kabir hayatının bir çeşit uyku hali olduğu, ancak bu durumun birçok kutsal kişi için geçerli olduğu anlaşılmaktadır.

Hıristiyanlık'ta cesetleri yakma geleneğinin IV. yüzyıldan önce mevcut olmasına rağmen genel eğilim daima toprağa gömme şeklinde idi. Bugün Protestan çevrelerinde ceset yakma işlemi az da olsa devam etmektedir. Katolik ve Ortodokslarda yaygın olan uygulama, toprağa gömmedir. Beden, iyice temizlendikten sonra kabre tabutla birlikte konulur. Bazen ceset de mumyalanmaktadır. Hıristiyanlık'ta ölümle birlikte ruhun bedenden ayrıldığına, beden bozulurken ruhun yüceltilmiş vücuduyla yeniden bir araya gelmenin arzusu içinde Tanrı'ya gittiğine ve son günde insanların yeniden diriltileceğine inanılmaktadır.[2] Buradaki ifadelerde sözü edilen "yüceltilmiş vücut"tan neyin kastedildiği açık olmamakla birlikte genel hatlarıyla bu tür kabullerin İslâm'a uygunluğundan söz edilebilir.

Mark Hitchcock, *55 Answers to Questions About Life After Death* adlı eserinde Hıristiyanların ölüm sonrası hayatla ilgili kabulleri hakkında şu bilgileri vermektedir:

"Luka İncili 16. bölümde geçen zengin adam ve Lazarus'un ilginç hikâyesinde, İsa, ölüm örtüsünü köşeye kaldırır ve bütün insanlar için iki gidilecek yer, cennet ve cehennem için iki kısa bakış ortaya koyar. Bu hikâyede İsa'nın

---

1 Matta 27: 52-53.

2 Demirci, *agmd.*, XXIV, 34.

hem Lazarus hem de zengin adamın öldükleri zaman bir yere gittiğini söylediğini görüyoruz. Ölümden sonra gidilecek bir yer söz konusudur.

"Zengin bir adam varmış. Mor renkli ve ince ketenden giysiler giyer, bolluk içinde her gün eğlenirmiş. Buna karşılık, her tarafı yara içinde olup bu zenginin kapısının önüne bırakılan Lazarus adında yoksul bir adam, zenginin sofrasından düşen kırıntılarla karnını doyurmaya can atarmış. Bir yandan da köpekler gelip onun yaralarını yalarmış. Bir gün yoksul adam ölmüş, melekler onu alıp İbrahim'in yanına götürmüşler. Sonra zengin adam da ölmüş ve gömülmüş. Ölüler diyarında ıstırap çeken zengin adam başını kaldırıp uzakta İbrahim'i ve onun yanında Lazarus'u görmüş".[1]

"Bir kişi öldüğünde -kadın veya erkek- İsa Mesih'le olan ilişkisine göre onun ruhu derhal iki yerden birine gider. Mesih'e inanan insandan ayrılan ruh derhal Rabbin huzuruna gider. Beden ise uykuya dalar. Cesaretimiz vardır diyorum ve bedenden uzakta, Rabbin yanında olmayı yeğleriz".[2] "Çünkü benim için yaşamak Mesih'tir, ölmek kazançtır. İki seçenek arasında kaldım. Dünyadan ayrılıp Mesih'le birlikte olmayı arzuluyorum: Bu çok daha iyi."[3]

"İnanan için, ölümde hakiki kişi, insanın ruhu, kabuğundan ayrılır ve Rable beraber olmaya gider. Beden uykuya dalar ve toprağa gömülür. Mesih'in ikinci gelişinde beden, bozulmamış ve ölümsüz olarak diriltilecek ve mükemmelleştirilmiş ruha katılacaktır.[4]

---

1 Luka 16: 19-22.
2 2 Korintliler 5: 8.
3 Filipeliler 1: 21, 23.
4 1 Selanikliler 4: 14-16.

"İnanmayan için de durum farklı olmayacaktır. Bir inanmayan öldüğü zaman - kadın veya erkek - kendisinden ayrılan ruh acı çekmek üzere derhal ölüler diyarına gider. Luka 16: 19-31'de anlatıldığı üzere, inanmayan zengin adam öldüğünde onun ruhu derhal ölüler diyarına gönderilir. "Sonra zengin adam öldü ve gömüldü. Ölüler diyarında ıstırap çeken zengin adam başını kaldırıp uzakta İbrahim'i ve onun yanında Lazarus'u gördü."

"Ölüm son değildir. O, iki yerden birinde sonsuz bir yaşamın başlangıcıdır. Ölüm gidilecek bir yerle takip edilir. Fakat ölüm, yaşamımızı sonlandırmıyor ise de pek çok şeyi sonlandırır."[1]

Hitchcock'un ifadelerine göre Luka İncili'nden yapılan alıntılarla birlikte ölen kişi eğer inanan biri ise ruhu Rabbin yanına gider; inanmayan biri ise acı çekmek üzere ölüler diyarına gider. Böylece ona göre kabirde sorgulama değil de hemen sonuç yaşanmış olacak ve ruhlar layık oldukları yere gitmiş olacaktır. Gerçi açıklamasının başında tüm insanların gidebileceği iki yerin bulunduğunu, bunların da cennet ve cehennem olduğunu belirtmiş, ancak referans verdiği İncillerde cennet ve cehennemden değil de inanan için İbrahim'in arkadaşlığı veya Rabbin yanı ile inanmayan için acı çekmesi gayesiyle ölüler diyarından söz edilmiştir ki değerlendirme ile referanslar arasında bir uyumsuzluğun olduğu görülmektedir.

Aslında genel Hıristiyan bakışını veya İncillerdeki bilgileri tamamen yansıtması tartışılır olsa da bir Hıristiyan olan İtalyan yazar Padre Raimondo Bardelli, Hıristiyanlar için ölümden sonra iki türlü yargılama olduğunu; bunların

---

1 Mark Hitchcock, *55 Answers to Questions About Life After Death* (Mulnomah Publishers, Oregon 2005), s. 17-18.

özel yargılama ve kıyamet günü yargılaması olduğunu, özel yargılamanın ölümden hemen sonra olduğunu, ikincisinin ise kıyamet gününde olduğunu ifadeyle şunları belirtmiştir: "Ölümden sonra vücut toprağa konulur; çünkü topraktan gelmiştir, toprağa gider. Vücut, burada son gün dirilişini beklemek için kalır. Ölümden hemen sonra insan ruhu Mesih İsa'nın karşısına gider. Mesih İsa, Allah'ın şanı içindedir, birden insan ruhunun karşısına çıkar. İnsan ruhunun ve Mesih İsa'nın karşılaştığı bu anda Mesih İsa'dan parlayan Allah ve insan sevgisi, tıpkı aynada yansıyan bir ışık gibi insan ruhuna yansır. Böylelikle insan ruhu, yeryüzünde yaptıklarını Mesih İsa'dan gelen bu ışıkla karşılaştırarak kendi kendini yargılar..."

Bu ifadelerin ardından ölümden hemen sonra Bardelli, Hıristiyanların üç ayrı yere gidebileceklerini; bu gidilecek yerlerin de Araf, cehennem veya cennet olabileceğini belirtmiştir. Allah'ın, insanların günahlarını tam olarak temizlemek için hazırladığı yerin Araf olduğunu, burada günahlardan tam olarak temizlenen insan ruhunun bu temizlenme gerçekleştikten sonra cennete gireceğini, bu dünyadan giden Hıristiyanların hafif veya ağır günahlarının izlerini taşıyorsalar Allah'ın yanına gidemeyeceklerini ifade etmiş, Araftaki acının nasıl olacağını da şu benzetmeyle anlatmıştır: İnsan, Allah'ın yüzünü doğrudan görebilmek için çok isteklidir.

"İnsan kalbindeki Allah'ı görme ve O'nunla birleşebilme isteğini, yeryüzünde kazandığı sevgi derecesinde hisseder. Bu isteği duyar, fakat kalbindeki günahlar onun bu arzusunu tam olarak gerçekleştirmesini engeller ve ona acı verir..." Bu benzetmenin ardından yazar, Araf'ta kalış süresini herkesin kendi günahlarının belirlediğini, günahlardan tam olarak temizlendikten hemen sonra cennete gireceğini, son kıyamet gününde Araf durumunun bütün insanlar için sona ereceğini ifade ederek konuyu bitirmiştir.[1]

Hıristiyanlıktaki kabirle ilgili bu bilgilerde, Mesih İsa'nın kabirdeki ilk sorgulaması ile Müslümanların Kur'ân'a dayalı olmayan anlayışındaki Münker-Nekir'in sorgulaması birbirine benzer görünmektedir. Ayrıca kabir/berzah ile Hıristiyanlık'taki Araf hayatı da isim değişikliği ve bazı mâhiyet farklılıklarına rağmen dünya ve âhiret hayatının dışında bir üçüncü sürecin bulunduğu fikri de birbirilerine benzemektedirler. Burada asıl önemli olan nokta bizim kültürümüze yerleşen ve Kur'ânî dayanaktan yoksun olan bu tür kabullerin kaynağı hakkında fikir vermesidir.

11. Eski Arap İnançları ve Câhiliye Dönemi

Eski Arap inançlarına bakıldığında Güney Yemen'de ölülerin kayalara oyulan odacıklara gömüldüğü, mezar hediyesi olarak ölülerin yanına çeşitli mücevherler, mühürler, muskalar ve mutfak eşyaları konulduğu ifade edilmektedir.[2] Bu durum, onlarda bir âhiret inancının bulunduğunu gösterdiği gibi ölen kişilerin kabirde hayatlarını devam ettirdiğine inanıldığını da gösteriyor olabilir.

Şehristânî, eski Arap topluluklarında bazı insanların ölürken çocuklarına bineklerini de birlikte gömmelerini vasiyet ettiklerini nakletmektedir. Ancak câhiliye Arap topluluklarında ölüyü yıkayıp, onu kefenleyen ve bir hasır üzerine yatırıp etrafındakilere iyiliklerinin sayılması şeklinde birtakım törenler yapılarak ölülerin defnedildikleri de

---

1 P. Raimondo Bardelli, *Sevgi Yolumuz Mesih İsa*, baskı yeri ve yılı yok, s. 298-302.

2 Sarıkçıoğlu, *age.*, s. 75.

bildirilmektedir.[1] Eski Arabistan'daki bu uygulama, en azından Arapların bir bölümünde kabir hayatının varlığına dair inançların bulunduğunu göstermektedir.

Câhiliye dönemi müşrik Araplarının ölüm sonrası döneme dair *hâme* denen ve katili belli olan, ancak intikamı alınmayan kişinin ruhunun büründüğüne inanılan bir "kuş inanışı"nın bulunduğu da konuyla ilgili kabuller arasındadır. Bu kuş, geceleri, ölen kişinin mezarının üstünde uçar ve su ister. Bu durum maktulün intikamının alındığı zamana kadar böylece devam eder.[2] Bu arada Hz. Peygamber'in, *hâme* kuşuyla ilgili anlayışın doğru olmadığını açıkça beyan ettiğini de burada hatırlatmakta yarar vardır.[3] Yukarıdaki bilgileri de aktaran Mehmet Paçacı'nın değerlendirmesinde ifade ettiği gibi "müşrik Araplardaki bu ruh anlayışı hiçbir zaman ba's, haşr ve hesap gibi safhaları ihtiva etmemektedir. Yine ruhun ölümsüz olduğu gibi bir düşünce görülmemektedir. Ruhun bir süre daha kuş olarak varlık kazandığı hame inanışında bile ruhun bu varoluşunu sonunda takip edememekte, ne olduğunu, ne olacağını bilememekteyiz. Sonuç olarak, bu da bizi müşrik Arapların, ruhun da insanın bedeni gibi ölüm ile yok olduğuna inandıkları fikrine götürmektedir."[4]

---

1 Ebü'l-Feth Muhammed b. Abdülkerim eş-Şehristânî, *el-Milel ve'n-Nihal*, Beyrut, 1975, II, 245.

2 Bu konuda geniş bilgi için bk. Abdullah Draz, *Kur'an'ın Anlaşılmasına Doğru*, tercüme: Salih Akdemir, Ankara, 1983, s. 85-86; Cevad Ali, *Târîhu'l-Arab Kable'l-İslâm*, Bağdat, 1956, V, 279-280. Burada hame kuşu anlayışıyla ilgili söylenenler, başka eserlerde eşi öldürülen bir kadının, katil bulununcaya kadar ağlamaması şeklinde ifade edilmektedir (Bilgi için bk. Neşet Çağatay, *İslam Öncesi Arap Tarihi ve Câhiliye Çağı*, Ankara, 1982, s. 138).

3 Ebû Abdillâh Muhammed b. İsmail el-Buhârî, *el-Câmi'u's-Sahîh*, İstanbul, 1992, Tıbb, 19; 25; 45; 53.

4 Mehmet Paçacı, *Kutsal Kitaplarda Ölümötesi*, Ankara, 2001, s. 47. Paçacı'nın bu değerlendirmesi yanında Neşet Çağatay, bazı Arapların ruhun tenasühüne inandığını, ölenlerin cesedinden her yüz yılda bir kuş meydana geldiği ve bu kuşun ölünün gömülü olduğu mezarın başucuna geldiğine inandığını

Paçacı'nın Ryckmans'tan yaptığı alıntıya göre Güney Arabistan mezarlarındaki bazı kitabelerde yağmura ve akan suya işaret edilmesi, muhtemelen suyun varlığının ölünün susuzluğunu söndüreceği düşüncesinin ortaya atılmasına neden olmuş olabilir. Nöldeke'den yaptığı alıntıya göre de bunun ölülerin serinlenmesinden ziyade mezarlık çevresinde yeşilliğin gelişmesi için istenmiş olması daha uygundur.[1] Bütün bu ifadeler "Cahiliye Araplarının ölümden sonra hiç olmazsa bir süre daha ruhun hayatiyetini devam ettirdiğine inandıklarını göstermektedir" diyebiliriz. Ayrıca mezarın suyla buluşturulması, mezarlığa ağaç veya fidan dikilmesi uygulamasının İslâm öncesi inançlardan kaynaklanmış olabileceği fikrini akla getirmektedir.

Bu bilgilerin ardından kısa bir değerlendirme mahiyetindeki şu ifadeleri aktarmakta yarar görmekteyiz: "Ölümden sonra bedenler zamana ve coğrafyaya göre değişik şekillerde defnedilmiştir. İnsanlığın başlangıcında cesetlere ne gibi işlemler yapıldığı konusundaki bilgiler kısıtlıdır. Kabir uygulamasının sağlık ve bilinmeyenden korkma gibi sebeplerden dolayı ölü bedenden uzaklaşma ile cesedi koruma arzusuyla ilişkili olduğu anlaşılmaktadır. Ölüm fikrindeki tarihî değişimlere paralel olarak her din, gerek mimarî açıdan, gerekse onun etrafında örülü inançlar bakımından kabre farklı değerler yüklemiştir."[2]

Burada değişik nedenlere bağlanan bu kabre konulma uygulamasının Kur'ân'daki âyetlere göre kurulu/ilâhî öğre-

(Bilgi için bk. Çağatay, *age.*, s. 138) belirtmektedir ki ruhun bir süre sonra kuşa dönüştüğü bilgisi, genel olarak tenasüh tanımlarına uymamaktadır. Zira tenasühte standart bir hal alış değil de sürekli bir değişim söz konusudur. Öte yandan ruhun kuşa dönüştüğü kabulü, bazı İslamî kaynaklardaki kabirde müminin ruhunun cennette bir kuş şeklini alacağı inancını çağrıştırmaktadır.

1 Paçacı, *age.*, s. 48.

2 Demirci, *agmd.*, XXIV, 33.

tiler için uygunluğu tartışılabilir. Özetle, daha önce de ifade ettiğimiz gibi, bunun eski inançlar için doğru olmasında herhangi bir engel yoktur. Çünkü sağlık veya korku gerekçesi ilâhî öğretiler için doğru olamaz. Özellikle Mâide 5/31. âyete göre ilk insanın toprağa gömülmesi işleminin insanoğluna Yüce Allah tarafından öğretildiğinde şüphe yoktur. Tâhâ 20/55. âyete bakıldığında ise insanın yaratıldığı kaynak olan bu toprak, onun aynı zamanda kabri olacaktır ve ayrıca haşr için yine aynı topraktan diriltilecektir. Daha önce de belirttiğimiz gibi 'Abese 80/21 ile Leyl 92/11. âyetleri, kabre konulma işleminin ilâhî bir kaynağının bulunduğuna işarettir.

BİRİNCİ BÖLÜM

KABİR KAVRAMI VE RUHUN MAHİYETİ

A. KABİR HAKKINDA MÜLAHAZALAR

Çalışmamızın bu bölümünde kabirle ilgili bazı kavramları ele alacağız. Bu bağlamda önce قبر / القبر *kabr/el-kabr* kelimesini, ardından konuyla yakından alakalı olan بَرْزَخ *berzah* kavramı ile bununla ilgili وَرَآء *verâ'* kelimesinin manasını incelemeye çalışacağız.

1. *KABR*

قبر / القبر *kabr/el-kabr* kelimesi, "ölümle başlayıp mahşerdeki diriltilişle sona erecek olan ve kendine özel bir mahiyet arz eden yer"in adıdır. Bu kelimenin kökeni, Kur'ân'daki kullanımı, kabir anlamına alınan diğer kelimeleri ve kabre konulmanın dinî dayanaklarını incelemek kabir konusunu doğru anlamada son derece önemlidir.

a) *Kabr* Kelimesinin Anlamı

Kabr kelimesi, "ölen insanın gömüldüğü yer" anlamına gelen القبر / القبور *el-kabr/el-kubûr* sözcüklerinin isim halidir. "Kabrin bulunduğu yer" anlamında المقبر / المقابر *el-makber/el-*

mekâbir kelimeleri kullanılmaktadır. المقبرة *el-makberah* kelimesi de "mezarların bulunduğu yer" anlamında bir isimdir.[1] *Kabr* kelimesinin lügat manasında "yerin çukurluğu"[2] anlamı da bulunduğu için, bu anlam, mezarın işlevsel olarak ifade ettiği anlama uygun düşmektedir. Yine bazı müfessirlere göre bu kelimenin أقبر *akbera* şeklindeki fiil kalıbında "kişinin nasıl defnedileceğini ilham etmek"[3] ve "kabre konulanlar arasına katmak" manası da vardır. Kelimenin anlamını bu şekilde özetledikten sonra, şimdi de القبر / قبر*kabr/el-kabr* kelimesiyle aynı anlama gelen ya da onun yerine de kullanılan diğer ifadeleri incelemeye başlayabiliriz.

b) *Kabr* Kelimesinin Kur'ân'daki Kullanımı

القبر/قبر *kabr/el-kabr* kelimesi, Kur'ân'da القبر *el-kabr* ve المقابر *el-mekâbir* kalıplarında birer, القبور *el-kubûr* kalıbında ise beş kez kullanılmaktadır. Bu kelimelerin Kur'ân'da kullanılış şekli ve kullanıldıkları yerlere göre ifade ettikleri anlamları şöyledir:

1. وَلَا تُصَلِّ عَلٰٓى اَحَدٍ مِنْهُمْ مَاتَ اَبَدًا وَلَا تَقُمْ عَلٰى قَبْرِهٖ اِنَّهُمْ كَفَرُوا بِاللّٰهِ وَرَسُولِهٖ وَمَاتُوا وَهُمْ فَاسِقُونَ "Onlardan ölen hiçbirine asla dua etme ve kabri başında durma. Çünkü onlar Allah'ı ve Elçisini inkâr

---

1 Ebü'l-Hüseyin Ahmed b. Zekeriyya İbn Fâris, *Mu'cemü Mekâyîsi'l-Lüğa*, Beyrut, 2001, s. 841; Hüseyin b. Muhammed er-Râğıb el-Isfehânî, *Müfredâtü Elfâzı'l-Kur'ân*, Beyrut, 1997, s. 651; Muhammed b. Ebî Bekir b. Abdilkâdir er-Râzî, *Tefsîru Ğarîbi'l-Kur'âni'l-'Azîm*, Tahkik: Hüseyin Elmalı, Ankara, 1997, s. 235; Ebû Nasr İsmail b. Hammâd el-Cevherî, *es-Sıhâh fi'l-Lüğa ve'l-'Ulûm*, Beyrut, 1974, II, 272; Cemâüddîn Muhammed b. Mükerrem İbn Manzûr, *Lisânü'l-Arab*, Kahire, baskı tarihi yok, V, 3509; Ebû Mansûr Muhammed b. Ahmed el-Ezherî, *Mu'cemü Tehzîbi'l-Lüğa*, Beyrut, 2001, Tahkik: Rıyâd Zekî Kâsım, III, 2870-2871; Asım Efendi, *Kâmus Tercemesi*, İstanbul, 1888, II, 614.

2 İbn Fâris, *Mecmû'u Mekâyîsi'l-Lüğa*, Kahire, 1972, V, 47; *Mu'cemü Mekâyîsi'l-Lüğa*, s. 841; *Mücmelü'l-Lüğa*, Beyrut, 1986, III, 740.

3 İbn Fâris, *Mu'cemü Mekâyîsi'l-Lüğa*, s. 841.

ettiler ve yoldan çıkmış olarak öldüler."[1] Bu âyette kabrinden söz edilen kişinin veya kişilerin münafık olduğu, ayrıca onların kabrinin başında durulmaması gerektiği ifade edilmektedir. Buradaki قَبْرِ *kabr* kelimesi, tekil haldedir ve "kabir/mezar" anlamında kullanılmaktadır.

11. وَاَنَّ السَّاعَةَ اٰتِيَةٌ لَا رَيْبَ فِيهَا وَاَنَّ اللّٰهَ يَبْعَثُ مَنْ فِي الْقُبُورِ "Son Saat (kıyamet) kuşku götürmez bir biçimde mutlaka gelecektir ve Allah kabirlerde olanları diriltecektir."[2] Âyette işlenen konu, kıyametin kopmasının kesin olduğu ve kabirlerde bulunanların mutlak surette Yüce Allah tarafından diriltileceğidir. مَنْ فِي الْقُبُورِ *men fi'l-kubûr* "kabirlerde olanlar" ifadesi "ölmüş kişiler" demektir. Ölen insanların bedenleri toprak olduğu için, yani beden toprağa iade edilip topraklaştığı için artık kabirlerdekiler demek "topraklaşmış bedenler" anlamına gelmektedir. Söz konusu diriltilme mahşer için kıyamet sonrasında gerçekleştirileceği için kişilerin ruhları kendilerine verilmiş olacak ve ruh-beden birlikteliği ile diriltilme yaşanacaktır. Bu ifade ölen kişilerin ruhlarının bedenleriyle birlikte kabirlerde olduğunu kesinlikle göstermez; çünkü bedeni ölen ruhların Allah'ın katında olduğu Zümer 39/42'de açıkça beyan edilmektedir. "Ruhun konumu"nu daha sonra geniş bir şekilde ele alacağız.

Bu âyet, -kendi özel şartlarına uygun olarak- kabirlerden maddeten (fiziksel olarak) diriltilmenin gerçekleşeceğini gösteren ve (daha sonra "Diriltilme" başlığında da ayrıntısıyla ele alacağımız üzere) kabirden diriltilme için gerçekleştirilen kullanımlardan birini teşkil etmektedir. Âyette ilgili kelime الْقُبُورِ *el-kubûr* şeklinde çoğul olarak "kabirler/mezarlar" anlamında kullanılmaktadır.

---

1 Tevbe 9/84.

2 Hacc 22/7.

III. يَٓا اَيُّهَا الَّذ۪ينَ اٰمَنُوا لَا تَتَوَلَّوْا قَوْمًا غَضِبَ اللّٰهُ عَلَيْهِمْ قَدْ يَئِسُوا مِنَ الْاٰخِرَةِ كَمَا يَئِسَ الْكُفَّارُ مِنْ اَصْحَابِ الْقُبُورِ "Ey iman edenler, Allah'ın kendilerine gazap ettiği kâfirlerin mezarlık halkından umut kestiği gibi âhiretten umudu kesmiş olan bir topluluk ile dostluk etmeyin."[1] Bu âyette, müminlere yönelik bir emir söz konusudur. Yüce Allah, müminlerin gazaba uğratılanları dost edinmemelerini, zira onların âhiretten yana umutsuz olduklarını belirtmekte, daha sonra da kâfirlerin, kabirlerde bulunanlardan yardım ya da herhangi bir beklenti içerisinde bulunmadıklarını ve ümitsizlik içerisinde olduklarını beyan etmektedir. "Kabir ashâbı" demek, tıpkı bir önceki âyette olduğu gibi "ölüler" demektir. Burada kabirle ilgili kelime الْقُبُورِ *el-kubûr* şeklinde çoğul olarak "kabirler/mezarlar" anlamında kullanılmıştır.

Bu âyette gazaba uğratılanların âhiretten ümitsiz olduğu ve bunların kabirlerde bulunanlardan ümit kesenlere benzediği belirtilmektedir. Kabir ehlinin dünyadakilere etkisinin olamayacağını ifade eden bu âyet, (ileride Fâtır 22. âyette söyleyeceğimiz gibi) manen kör ve ölü sayılan insanlara da etkide bulunmasının imkânsızlığını ortaya koymaktadır. İki âlem birbirinden çok farkıdır. Biri dirilerin, diğeri ölülerin âlemi olarak nitelendirilen bu iki âlemin muhatapları arasında olumlu veya olumsuz bir iletişimin olamayacağı dolaylı olarak da olsa bu âyetten anlaşılmaktadır.

IV. وَاِذَا الْقُبُورُ بُعْثِرَتْ "Kabirlerin içi dışına getirildiği zaman (kabirler alt-üst edildiği zaman)."[2] Bu âyetteki الْقُبُورُ *el-kubûr* kelimesi, kıyameti ve mahşerdeki diriltilmeyi ele alan bir bağlamda kullanılmaktadır. Âyetteki ilgili kelime الْقُبُورُ *el-kubûr* şeklinde çoğul olarak "kabirler/mezarlar" anlamında

---

1 Mümtehıne 60/13.

2 İnfitâr 82/4.

kullanılmaktadır. Bu âyet, şeklen gizlenmiş olan şeylerin fiilen ortaya çıkartılacağını, kabirlerde bulunan insanların haşr için diriltileceklerini ve bu diriltilmenin de haşrin de kendi şartlarına göre maddi olacağını göstermektedir. Âyetin bu anlamı, kendisinden sonraki âyetle uyum içindedir. Zira zikrettiğimiz âyetten bir sonraki âyette, her nefsin neyi takdîm ettiği ve neyi yapmayıp te'hîr ettiği bilgisine sahip olacağı ifade edilmektedir. Bu vesileyle haşrın manevi olacağını söylemenin bu âyete ters bir görüş olduğunu da okuyucuya hatırlatmakta yarar görmekteyiz. İlgili âyet aynı zamanda kıyamet esnasındaki fiziksel çöküşü de ifade etmektedir. Çünkü sûrenin ilk âyetlerinde Yüce Allah, göğün/uzayın yarılmasından, yıldızların etrafa saçılmasından ve denizlerin fışkırtılmasından söz etmektedir. Bu konu akışına bakıldığında söz konusu 4. âyette kısmen bu fiziksel değişime işaret edildiği de söylenebilir.

v. اَفَلَا يَعْلَمُ اِذَا بُعْثِرَ مَا فِي الْقُبُورِ "O (inkârcı insan) kabirlerde olanların dışarı atıldığı zaman (halinin nice olacağını) bilmez mi?"[1] Bu âyetteki kullanım da konu olarak bir önceki âyete benzemektedir. Bu âyette de hem maddi bir diriltilmeden söz edilmekte, hem de bir sonraki âyetin işaretiyle manen gizli kaldığı sanılan hallerin mahşerde açıkça ortaya konulacağı belirtilmektedir. Âyette kabirle ilgili kelime الْقُبُور *el-kubûr* şeklinde çoğul olarak "kabirler/mezarlar" anlamındadır.

vı. اَلْهٰيكُمُ التَّكَاثُرُ حَتّٰى زُرْتُمُ الْمَقَابِرَ "(Mal ve evlat) çoğaltma yarışı sizi o kadar oyaladı ki nihayet mezarlıkları ziyaret ettiniz."[2] Sûrenin ilk âyetlerindeki konu, âhiret hayatını görmezden gelen, hayatı sadece dünyadan ibaret sayıp mal ve evlat çoğaltma yarışına giren ve bunlarla övünenlerin, sonuçta işi

---

1 'Âdiyât 100/9.

2 Tekâsür 102/1-2.

kabirleri ziyarete kadar götürdüğü veya kendileri bizzat kabre girene kadar, yani ölene kadar bu yanlışa devam ettiklerini hatırlatma meselesidir. Burada ilgili kelime الْمَقَابِرَ *el-mekâbir* şeklinde çoğul olarak "kabristanlar/mezarlıklar" anlamında kullanılmıştır.

VII. وَمَا يَسْتَوِي الْاَحْيَٓاءُ وَلَا الْاَمْوَاتُۜ اِنَّ اللّٰهَ يُسْمِعُ مَنْ يَشَٓاءُۚ وَمَٓا اَنْتَ بِمُسْمِعٍ مَنْ فِي الْقُبُورِ "Dirilerle ölüler bir olmaz. Allah dileyene işittirir. Sen kabirlerde bulunanlara hiçbir şekilde işittiremezsin."[1] Çeşitli hatırlatmaların yapıldığı bu bölümde Yüce Allah, kabirlerde bulunanlara Hz. Peygamber'in bile hiçbir şey duyuramayacağını ifade etmekte, kabirlerle ilgili kelimeyi de الْقُبُورِ *el-kubûr* şeklinde çoğul olarak "kabirler/mezarlar" manasındadır.

Bu âyetin de içerisinde bulunduğu bağlam, körle görenin, karanlıklarla aydınlığın, gölge (soğuk) ile sıcaklığın ve dirilerle ölülerin bir olmadığıdır. Yüce Allah, 8 zıddı bir arada saymak suretiyle zıtlıklara işaret ederek, en sonunda hakikati "dileyene" duyuracağını belirtmektedir. Bu âyette sözü edilen ve مَنْ فِي الْقُبُورِ *men fi'l-kubûr* şeklinde ifadesini bulan "kabirlerde oluş", manen ölüm, yani "hidayetten uzak oluş" anlamına gelmektedir. Zaten bizim de tercümede tercih ettiğimiz anlam, konunun hidayetle ilişkili olduğunu göstermektedir. Gerçi Kur'ân meallerinde bu ifade "Allah, dilediğine duyurur" şeklindedir.[2] Ancak bu tarz bir tercüme,

---

1 Fâtır 35/22. Bu âyeti sona bırakma nedenimiz ise âyette işlenen ve insan iradesiyle doğrudan ilgili olan "gerçeği duyma veya duymama" konusunu içermesi ve bu konuda bizim açıklama yapma gereksinimi duymamızdır.

2 Örnekler için bk. M. Hamdi Yazır, *Hak Dini Kur'ân Dili*, Azim Neşriyat, İstanbul, baskı tarihi yok, VI, 380; Ömer Nasuhi Bilmen, *Kur'ân-ı Kerîm'in Türkçe Meâl-i Âlîsi ve Tefsîri*, İstanbul, 1979, VI, 2898-2899; Muhammed Esed, *Kur'an Mesajı Meal-Tefsir*, tercüme: Cahit Koytak, Ahmet Ertürk, İstanbul, 1997, s. 890; Hasan Basri Çantay, *Kur'ân-ı Hakîm ve Meâl-i Kerîm*, İstanbul, 1984, s. 774; Mehmed Vehbi, *Hulâsatü'l-Beyân fî Tefsîri'l-Kur'ân*, İstanbul, 1968, XI, 4575; Ali Turgut, *Kur'ân-ı Kerîm ve Açıklamalı Meâli*,

hidayet ve insanın dileme özgürlüğü ilkesiyle çelişmektedir. Hidayetin, sadece Yüce Allah tarafından dileyene verileceği gerçeğinden hareketle, ilgili ifadeyi "Allah, dilediğine duyurur" şeklinde değil de "Allah, dileyene duyurur" şeklinde tercüme etmeyi uygun bulduk. Süleyman Ateş ilgili âyette "Hakk'ın sesini dinlemeyen müşriklerin ölülere benzediğini" belirtmektedir. Ölü insanın cesedi nasıl sesi duyamazsa, bunlar da öyle ruhsuz cesetler gibi söz duymamaktadırlar.[1] İşte inançsızlık, maddi olarak kabirde bulunmaya benzediği için isteyen inanabilir, gerçeği duyabilir; ancak kişi kendisini inançsızlık kabrine atmış ise artık ona Hz. Peygamber dâhil hiç kimsenin yapabileceği bir şey yoktur.

Burada asıl gözden kaçırılmaması gereken nokta, inanmak istemeyen kişilerin asla duyamayan ölülere benzetilmesidir. Bu duyamamada ölüler, gerçeği duymak istemeyen, ancak sağ olan kâfirlerden çok daha ileri bir haldedirler. Eğer ölüler herhangi bir şekilde duyabilecek olsaydı ya da onların duyamaması daha hafif bir duyamama olsaydı o zaman benzetmenin mantığı kaybedilmiş olurdu; yani daha kuvvetli olan bir durum daha az kuvvetli olana benzetilmiş olurdu. Bu durumda ya "odun gibi odun" sözünde olduğu gibi iki denk şey birbirine benzetilmiş olurdu -ki bunun hiçbir anlamı yoktur-; ya da bir konuda daha kuvvetli olan daha az kuvvetli olana benzetilmiş olurdu ki bu da "mum gibi güneş" şeklinde bir benzetmeye dönüşürdü. Şüphesiz her iki ifade de benzetmenin amacına aykırıdır.

Türkiye Diyanet Vakfı, Ankara, 1993, s. 436; Halil Altuntaş, Muzaffer Şahin, *Kur'ân-ı Kerîm Meâli*, Türkiye Diyanet Vakfı, Ankara, 2001, s. 436; Mehmet Nuri Yılmaz, *Kur'ân-ı Kerîm ve Meâli*, Ankara, 1998, s. 436; Suat Yıldırım, *Kur'ân-ı Hakîm ve Açıklamalı Meâli*, İstanbul, 1998, s. 436; Heyet, *Kur'ân Yolu*, Türkiye Diyanet İşleri Başkanlığı, Ankara, 2004, IV, 409.

1 Süleyman Ateş, *Yüce Kur'ân'ın Çağdaş Tefsîri*, İstanbul, 1990, VII, 300.

Eğer inanmama veya gerçeği duymama hususunda kâfirler ölülere benzetilmişse bunun tek anlamı vardır; o da ölülerin herhangi bir şekilde hiçbir şey duyamayacaklarıdır.

"Yüce Allah, Hz. Peygamber'e ve dini tebliğ etmekle yükümlü olanlara, iman etmesi imkânsız olan yaşayan ölülere hiçbir şey duyuramayacağını söylemektedir. Ölüye duyurursan, beynini ve gönlünü hakikate kapayana da duyurabilirsin. İnsanlara bir mesajı duyurmak, bir eğitim faaliyetidir. Bu eğitim faaliyetinin etkili olabilmesi için, o kişinin mesaja ilgi duyması, bilgiye veya gerçeğe niyetli olması gerekir. Yüce Allah, insan psikolojisini, insanın hakikat karşısındaki durumunu çeşitli benzetmelerle açıklamaktadır. İman etmeyen kâfirler köre, karanlığa, yakıcı sıcağa ve ölüye benzetilmektedir. İman eden de gören kişiye, aydınlığa, gölgeye ve diriye benzetilmektedir. Böylece Yüce Allah, eğitimin kimlere etki edeceğini de açıklamış olmaktadır. Eğitim, bilgiye psikolojik olarak hazır olanlara etki edecektir. Manen mezarda olana gerçeği duyurmak mümkün değildir."[1]

İşte Fâtır 35/22. âyetteki "kabirlerdekilere duyuramamak" ifadesinden maksat, bu tür kalbi inkâra şartlanmış olan kişilerdir. Zaten Neml 27/80 ve Rûm 30/52. âyetlerde geçen "ölüye işittirememe" ifadesi de bu görüşü desteklemektedir.

Bütün bu âyetlerin bağlamlarına ve içerdikleri mesajlara bakıldığında قبر *kabr* ve الْقُبُور *el-kubûr* kelimelerinin kullanıldığı yerlerin hiçbirinde ölüm sonrası kıyamet öncesi bir hayattan söz edilmediği rahatlıkla görülmektedir. Yani bizim, kabir veya berzah konusunda ele alacağımız âyetler, sözünü ettiğimiz bu kelimelerin geçtiği 7 âyet değil, daha sonra inceleyeceğimiz diğer âyetlerdir.

1 Bayraktar Bayraklı, *Yeni Bir Anlayışın Işığında Kur'ân Tefsîri*, İstanbul, 2005, XV, 503.

c) Kabir Anlamında Kullanılan Diğer Kelimeler ve Terimler

I. Kur'ân'da *kabr* kelimesinin genel olarak ifade ettiği anlamı veren bir başka kelime الجدث *el-cedes* kelimesinin çoğulu olan الأجداث *el-ecdâs* sözcüğüdür. Yâsîn 36/51, Kamer 54/7 ve Me'âric 70/43. âyetlerde geçen الأجداث *el-ecdâs* kelimesi, mekân olarak "kabir/kabirler" anlamına gelmektedir.[1] Bu kelimenin قبر *kabr* kelimesinden şeklen de olsa farklı olması ikisi arasında ayrıntıda fark olabileceğini akla getirmektedir. Zira القبر *el-kabr*, "mutlak anlamda cesedin bulunduğu toprak altı mekân" anlamına geldiği halde, الأجداث *el-ecdâs* kelimesi "diriltilme öncesinde herkesin bulunduğu değişik özellikteki yerler" anlamına alınabilir. Nitekim İbn Manzûr, dolaylı olarak da olsa bu manaya işaret etmiştir.[2]

II. Kur'ân'da "kabir" anlamında kullanılan kelimelerden bir diğeri ise Yâsîn 36/52'de geçen المرقد *el-merkad* sözcüğüdür. Bu kelime, "uyku"[3] anlamından hareketle "kıyamet öncesinde ve diriltilme esnasında bulunulan yer" demektir ve المضجع *el-madca'* kelimesiyle eş anlamlıdır.[4] مرقد *merkad* kelimesinin anlamı düşünüldüğünde, herkesin mutlak sûrette bir kabrinin bulunduğunu söylemek gerekmediği anlaşılır. Yâsîn sûresindeki مرقد *merkad* şeklindeki kullanımına uygun olarak söylemek gerekirse, çürümüş de olsalar, kâfirlerin/ce-

---

1 İbn Fâris, *Mu'cemü Mekâyîsi'l-Lüğa*, s. 190; *Mücmelü'l-Lüğa*, I, 180; Ezherî, *age.*, I, 551; Râzî, *Tefsîru Ğarîbi'l-Kur'âni'l-'Azîm*, s. 134; Isfehânî, *age.*, s. 188-189; Cevherî, *age.*, I, 173; İbn Manzûr, *age.*, I, 559. Bu kelimenin çoğulunun *ecdüs* şeklinde olduğu da aynı kaynaklarda ifade edilmektedir.

2 İbn Manzûr, *age.*, I, 559.

3 Bu kelimenin "uyku" anlamı için bk. Ezherî, *age.*, II, 1449-1450; İbn Fâris, *Mu'cemü Mekâyîsi'l-Lüğa*, s. 397; *Mücmelü'l-Lüğa*, II, 394; Râzî, *Tefsîru Ğarîbi'l-Kur'âni'l-'Azîm*, s. 165.

4 Bu anlam için bk. Cevherî, *age.*, I, 498. Ayrıca *rukûd* kelimesinin "uyumak" anlamına geldiği bir kullanım için bk. Kehf 18/18.

hennemliklerin ve genelde bütün insan cesetlerinin bulundukları yerlerden diriltilip kaldırılacakları anlaşılmaktadır.

ııı. Türkçede kullanılan "mezar" kelimesi, زار/زور *zâra/zevr* kökünden türemiştir ve ziyaretle ilgili olarak mastar sigasında "ziyaret edilen yer" anlamına gelmektedir.[1]

ıv. Bu anlamda مشهد *meşhed* kelimesi ise bazı özel kişilerin türbeleri manasında mezar için kullanılan kelimelerden biri olarak kabul edilmektedir.

v. Leyl 92/11'de geçen تردّي *tereddâ* fiilinin "devrilmek" anlamının değişik bir ifadesi olarak "cehenneme girmek" manasının yanında "kabre konulmak" anlamına da geldiği tefsirlerde nakledilmektedir.[2]

قبر *kabr* kelimesinin Kur'ân'daki kullanımını ve "kabir" anlamına gelen diğer kelimeleri/terimleri bu şekilde ifade ettikten sonra, şimdi de ölen insanların kabre konulması uygulamasının hangi temele dayandığı konusunu incelemek istiyoruz.

d) Kabre Konulmanın Dinî Dayanakları

Ölen insanların kabre konulma uygulaması Kur'ân'da da ifade edildiği üzere, Hz. Âdem'in bir oğlunun (Kâbil'in), öldürdüğü kardeşini (Hâbil'i)[3] nasıl gömeceğini yeri eşeleyen bir kargadan öğrenip onu toprağa gömmesiyle başlamıştır. Konuyla ilgili âyet şöyledir:

---

1 Bu anlam için bk. Ferit Devellioğlu, *Osmanlıca Türkçe Ansiklopedik Lügat*, Ankara, 1970, s. 764.

2 Ebû Abdillah Muhammed b. Ömer Fahruddîn er-Râzî, *Mefâtîhu'l-Ğayb*, Beyrut, baskı tarihi yok, XXXI, 201; Yazır, *age.*, IX, 260; Ateş, *Çağdaş Tefsîr*, X, 501.

3 Söz konusu âyetin de içinde bulunduğu bağlamda geçen, نَبَاَ ابْنَيْ اٰدَمَ ifadesi eğer "iki âdemoğlu" şeklinde tercüme edilirse o zaman Hz. Âdem'in iki oğlundan biri değil de "iki âdemoğlu, herhangi iki kişiden biri" kastediliyor demektir.

I. فَبَعَثَ اللّٰهُ غُرَابًا يَبْحَثُ فِي الْاَرْضِ لِيُرِيَهُ كَيْفَ يُوَارِي سَوْاَةَ اَخِيهِ "Allah, kardeşinin cesedini nasıl gömeceğini ona göstermek için yeri eşeleyen bir karga gönderdi."[1] Kabre konulma uygulamasının, bu haliyle ilk insan neslinin yaşadığı dönemde Yüce Allah'ın öğretmesiyle başladığı ve ondan sonra da insanlar tarafından uygulanageldiği anlaşılmaktadır.

II. مِنْهَا خَلَقْنَاكُمْ وَفِيهَا نُعِيدُكُمْ وَمِنْهَا نُخْرِجُكُمْ تَارَةً اُخْرٰى "Sizi yerden (topraktan) yarattık; yine oraya döndüreceğiz (yani toprak yapacağız) ve sizi bir kere daha oradan çıkaracağız."[2] Bu âyet, toprağa gömülme işleminin, ilâhî dinlerin kaynaklarında yer alan önemli ilkelerden olduğunu göstermektedir. Ayrıca topraktan yaratıldığı için ilk insan topluluğundan itibaren toprağa gömülme uygulamasının gerekçesi de ortaya konmaktadır. Yani "toprağa döndürme işlemini insana Yüce Allah bildirmiştir" diyebiliriz.

Kabre konulmanın dini gerekçeleri arasında sayılabilecek delillerden biri de şu âyetlerde yer almaktadır:

III. قُتِلَ الْاِنْسَانُ مَٓا اَكْفَرَهُ مِنْ اَيِّ شَيْءٍ خَلَقَهُ مِنْ نُطْفَةٍ خَلَقَهُ فَقَدَّرَهُ ثُمَّ السَّبِيلَ يَسَّرَهُ ثُمَّ اَمَاتَهُ فَاَقْبَرَهُ ثُمَّ اِذَا شَٓاءَ اَنْشَرَهُ "Kahrolası insan! Ne inkârcıdır! Allah onu hangi şeyden yarattı? Bir nutfeden (zigottan) yarattı da ona şekil verdi. Sonra ona yolu kolaylaştırdı. Sonra onun canını aldı ve kabre koydurdu. Sonra dilediği bir vakitte onu yeniden diriltecektir."[3] İşte bu âyetlerde, insanın nankörlüğünün ne kadar yanlış olduğu geçirdiği hayat evreleri hatırlatılarak ele alınmaktadır.

İnsanın hangi nesneden yaratıldığı, yaratılış süreci, ardından da ölümü zikredildikten sonra Yüce Allah'ın insanı

---

1 Mâide 5/31.

2 Tâhâ 20/55. Benzer bir anlam veren A'râf 7/25. âyeti de bu bağlamda hatırlatmak gerekir.

3 'Abese 80/17-22.

kabre koydurduğu, en sonunda da dilediği zaman onu yeniden dirilteceği mesajı verilmektedir. Durum böyle olunca, genelde insanoğlunun tüm fertlerini içine alacak bir kabir uygulamasının ilâhî iradenin bir isteği ve tecellisi olduğu açıkça ortaya çıkmaktadır.

IV. وَمَا يُغْنِي عَنْهُ مَالُهُ اِذَا تَرَدّٰى "Düştüğü zaman (kabirde veya âhirette) malı kendisine hiç fayda vermez."[1] Önceki başlıkta da ifade ettiğimiz üzere, âyette geçen تردّي *tereddâ* fiili "devrilmek" anlamına gelmekte, bunun "cehenneme girmek" manasının yanında "kabre konulmak" anlamına da geldiği tefsirlerde nakledilmektedir.[2]

Bazı inançlarda görülen ya da bilinen ceset yakma uygulaması bir tarafa bırakılacak olursa, büyük çoğunluğun uygulaması olan toprağa ya da kabre koyma işleminin, dinlerin ortak uygulaması olduğu ve dinî kabullerde bu uygulamada ortak yönlerin bulunduğu anlaşılmaktadır. Öte yandan, yakılan, boğulan veya yırtıcıların parçalayıp yediği cesetler de sonuç itibarıyla doğrudan veya dolaylı olarak toprak olmakta veya toprağa karışmaktadır. Toprağa konulmak veya toprak olmak noktasında bütün bedenler eşit bir durumda olacaklardır.

2. *BERZAH*

Bir önceki başlıkta detaylı bir şekilde ele aldığımız üzere قبر *kabr* kelimesi, "ölümle başlayıp mahşerdeki diriltilişle sona erecek olan yer"in adıdır. İşte bu dönemi ifade ettiği kabul edilen kelimelerden biri de بَرْزَخ *berzah* sözcüğüdür.

1 Leyl 92/11.

2 Ebû Abdillâh Muhammed b. Ömer Fahruddîn er-Râzî, *Mefâtîhu'l-Ğayb*, Beyrut, baskı tarihi yok, XXXI, 201; Yazır, *age.*, IX, 260; Ateş, *Çağdaş Tefsîr*, X, 501.

Çeşitli kabullere göre "İslâm inancına göre, ölen kişi nerede ve hangi durumda bulunursa bulunsun, kabir ve berzah âlemi safhasından geçer."[1] İddia veya inanç bu şekilde olduğu için بَرْزَخ *berzah* kavramının yakından tanıtılmasında çok büyük bir zorunluluk vardır.

a) *Berzah* Kelimesinin Anlamı

بَرْزَخ *berzah*, sözlükte "iki şey arasındaki engel/sınır" anlamına gelmektedir. Terim olarak *berzah*, "dünya ile ölümden sonra mahşerdeki diriltilmeye kadarki dönem"[2] olarak anlaşılmaktadır. Kısaca "ölüm ile haşr arası dönem" anlamında kabul edilen بَرْزَخ *berzah* kelimesinin, "dünya ile âhiret arasındaki âlem" ve "kabir hayatı" karşılığında kullanıldığı ifade edilmektedir.[3]

Kökü Farsça "barzan" olan بَرْزَخ *berzah* kelimesinin yukarıda zikrettiğimiz anlamlarının dışında "cennet ile cehennemi ayıran sınır" anlamına geldiği de ifade edilmektedir. Ayrıca bu kelimenin âhirete dair bahislerde "gök, arz ve âlem-i esfelden ibaret olan bu dünya ile Allah ve iyi ruhlar arasındaki sınır" anlamına geldiği de kabul edilmektedir.[4] Kıyametteki بَرْزَخ *berzah* ise "insan ile âhirette yüksek menzillere ulaşma arasındaki engel"i ifade etmektedir.[5]

بَرْزَخ *berzah* kelimesi Kur'ân'da toplam üç yerde geçmektedir. Biz bu üç kullanımı iki başlıkta ele almak istiyoruz.

---

1 Süleyman Toprak, "Kabir" maddesi, *Diyanet İslam Ansiklopedisi*, İstanbul, 2001, XXIV, 37.

2 İbn Manzûr, *age.*, I, 256.

3 Cüneyt Gökçe, "Berzah" maddesi, *Diyanet İslam Ansiklopedisi*, İstanbul, 1992, V, 525.

4 B. Cara de Vaux, "Berzah" maddesi, *Milli Eğitim Bakanlığı İslam Ansiklopedisi*, İstanbul, 1944, II, 566.

5 Isfehânî, *age.*, s. 118.

I. *Berzah* Kelimesinin "Maddi" Anlamı

بَرْزَخ *berzah* kelimesinin Kur'ân'daki kullanımlarının iki tanesi "tatlı ve tuzlu denizler arasındaki engel" anlamındadır. Âyetler şöyledir:

وَهُوَ الَّذِي مَرَجَ الْبَحْرَيْنِ هٰذَا عَذْبٌ فُرَاتٌ وَهٰذَا مِلْحٌ اُجَاجٌ وَجَعَلَ بَيْنَهُمَا بَرْزَخًا وَحِجْرًا مَحْجُورًا "Biri tatlı-susuzluk giderici, diğeri tuzlu-acı olan iki denizi salıp katan da, aralarına bir engel, (yani birbirine karışmalarına) mâni bir perde koyan da O'dur."[1]

مَرَجَ الْبَحْرَيْنِ يَلْتَقِيَانِ بَيْنَهُمَا بَرْزَخٌ لَا يَبْغِيَانِ "(Allah) iki denizi birbirine kavuşmak üzere salıvermiştir. Aralarında birbirlerine karışmamaları için bir engel vardır."[2]

Meallerinden de anlaşılacağı üzere, bu âyetlerdeki بَرْزَخ *berzah* kelimeleri, iki denizin birbirine karışmalarına mâni olan "engel" anlamına gelmektedir. Bu anlamı farklı şekillerde anlamayı gerektirecek herhangi bir durum bulunmamaktadır. Çünkü ilk âyetteki حِجْرًا مَحْجُورًا *hıcr-i mahcûr* "Aşılamaz sınır" ifadesi ile diğerindeki لَا يَبْغِيَانِ *lâ yebğiyâni* "Birbirlerine karışmazlar" ifadesi her iki âyetteki بَرْزَخ *berzah* kelimesinin de "engel" manasına geldiğini açıkça göstermektedir. Ayrıca Neml 27/61'de konuyla ilgili olarak iki denizin birbirine karışmasını engelleyen bir *hâciz*'den yani "engel"den de söz edilmektedir. Buradaki engelin iki tür suyun kimyasal yapısından kaynaklanan bir mahiyet arz ettiğini hatırlatmakta özellikle yarar görmekteyiz.

II. *Berzah* Kelimesinin "Metafizik" (Fizik Ötesi) Anlamı

بَرْزَخ *berzah* kelimesinin çalışmamıza konu olan, yani ölüm sonrası kıyamet öncesinden söz eden kullanımı ise şu âyet grubunda geçmektedir:

---

1 Furkân 25/53.

2 Rahmân 55/20.

حَتّٰٓى اِذَا جَٓاءَ اَحَدَهُمُ الْمَوْتُ قَالَ رَبِّ ارْجِعُونِ لَعَلّٖٓي اَعْمَلُ صَالِحًا ف۪يمَا
تَرَكْتُ كَلَّا اِنَّهَا كَلِمَةٌ هُوَ قَٓائِلُهَا وَمِنْ وَرَٓائِهِمْ بَرْزَخٌ اِلٰى يَوْمِ يُبْعَثُونَ فَاِذَا نُفِخَ فِي
الصُّورِ فَلَٓا اَنْسَابَ بَيْنَهُمْ يَوْمَئِذٍ وَلَا يَتَسَٓاءَلُونَ فَمَنْ ثَقُلَتْ مَوَازٖينُهُ فَاُو۬لٰٓئِكَ هُمُ
الْمُفْلِحُونَ وَمَنْ خَفَّتْ مَوَازٖينُهُ فَاُو۬لٰٓئِكَ الَّذٖينَ خَسِرُٓوا اَنْفُسَهُمْ ف۪ي جَهَنَّمَ خَالِدُونَ

"Nihayet onlardan birine ölüm geldiği zaman, 'Ey Rabbim, beni geri çeviriniz ki terk ettiğim (dünyada) yararlı işler yapayım' der. Hayır, bu onun söylediği (boş bir) sözdür. Arkalarında, diriltilecekleri güne kadar bir berzah vardır. Sûr'a üflendiği zaman artık o gün aralarında soylar (nesep bağları) yoktur ve (insanlar birbirlerine herhangi bir şey de) soramazlar. Kimlerin (amellerinin) tartıları ağır gelirse işte onlar kurtuluşa erenlerdir. Kimlerin (amellerinin) tartıları da hafif gelirse işte onlar da kendilerine yazık etmiş olanlardır; cehennemde kalıcıdırlar."[1]

Genelde adına "kabir âlemi" de denen ve kabul edenlerince sıkça dile getirilen "âlem", işte bu son grup âyette yer alan بَرْزَخ *berzah* kelimesiyle ifade edilmektedir. Şimdi âlimlerin ve bazı müfessirlerin bu âyetlerde geçen بَرْزَخ *berzah* kelimesi hakkındaki değerlendirmelerine kısaca göz atmak istiyoruz.

Bazı ilim adamlarına göre بَرْزَخ *berzah*, "ölüm ile dünyaya geri dönme arasındaki engel" (Mücâhid); "ölümle diriltilme gününe kadarki süre" (Mücâhid; Ebû Ümâme, İbn Zeyd); "dünya ve âhiret arasındaki dönem" (Dahhâk); "iki şey arasındaki her türlü engel", "Sûr'a iki üfleme arası dönem" (Kelbî); "dünyanın bakıyesi" (Katâde); "dünya ve âhiret arasındaki kabir (dönemi)" (Hasan el-Basrî); "engel ve mühlet, belli bir zamana kadarki süre" (İbn Abbâs) anlamlarına gelmektedir.[2] *Berzah* kelimesinin "engel" veya "çeşitli dönemler

1 Mü'minûn 23/99-103.

2 Bu kelimenin anlamı için bk. Nasr b. Muhammed b. Ahmed Ebu'l-

arası süre" anlamlarının yanı sıra, "(ölmüş) kişilerle âhiret arasındaki kabirler" (Hasan el-Basrî) şeklinde mekân ifade eden bir anlamından daha söz edilmektedir.[1]

Kurtubî, بَرْزَخ *berzah* hakkındaki tüm görüşleri naklettikten sonra, bu dönemi âhiretten sayan bir görüşün eleştirisi olarak Şa'bî'den şöyle bir olay nakletmektedir: Adamın biri, ölen birisi için, "Allah, filancaya rahmet etsin; artık âhiret ehlinden oldu" demiş; Şa'bî de ona şu cevabı vermiş: "O kişi âhiret ehlinden olmadı (henüz); berzah ehlinden oldu, yani o kişi artık dünya ehlinden de değil, (henüz) âhiret ehlinden de değil."[2] Buna benzer bir görüş de Muhammed b. Ka'b'dan nakledilmektedir. Ona göre بَرْزَخ *berzah*, dünya ve âhiret arası bir dönemdir. Bu dönemde ölüler dünya ehliyle birlikte değillerdir ki onlarla birlikte yesinler ve içsinler; âhiret ehliyle de birlikte değillerdir ki amellerinin karşılığı kendilerine gösterilsin."[3]

Diğer bazı müfessirler de بَرْزَخ *berzah*ı tıpkı biraz önce Mücâhid'den ilk görüş olarak naklettiğimiz gibi "ölüm ile

---

Leys es-Semerkandî, *Bahru'l-'Ulûm*, Beyrut, 1996, II, 512; Ebû Ca'fer Muhammed b. Cerîr et-Taberî, *Câmi'u'l-Beyân 'an Te'vîli Âyi'l-Kur'ân*, Beyrut, 1988, XVIII, 53; Ali b. Muhammed b. Habîb el-Mâverdî, *en-Nüketü ve'l-'Uyûn*, Beyrut, baskı tarihi yok, IV, 66-67; Cemalüddîn Abdurrahman b. Ali. b. Muhammed İbnü'l-Cevzî, *Zâdü'l-Mesîr fî 'Ilmi't-Tefsîr*, Beyrut, 1994, V, 356; Ebû Ali b. Hasan et-Tabresî, *Mecme'u'l-Beyân*, Beyrut, 1994, VII, 186; Râzî, *Mefâtîhu'l-Ğayb*, XXIII, 121; Vehbe ez-Zuhaylî, *et-Tefsîru'l-Münîr*, Beyrut, 1991, XVIII, 99-101; Zeynü'd-Dîn Abdurrahman b. Ahmed b. Receb, *Ehvâlü'l-Kubûr ve Ahvâlü Ehlihâ ile'n-Nüşûr*, Beyrut, 1985, s. 3; Ateş, *Tefsîr*, VI, 118. Bu görüşlere ilaveten Süddî'nin, berzahın 40 yıl süreceğini söylediği de nakledilmektedir (Muhammed b. Ali b. Muhammed eş-Şevkânî, *Fethu'l-Kadîr el-Câmi' Beyne'r-Rivâye ve'd-Dirâye fî İlmi't-Tefsîr*, Kahire, 1964, III, 499.)

1 İbn Receb, *age.*, s. 3-4.

2 Ebû Abdillah Muhammed b. Ahmed el-Kurtubî, *el-Câmi' li Ahkâmi'l-Kur'ân*, Kahire, 1952, XII, 100.

3 Ebu'l-Fidâ İsmail İbn Kesîr, *Tefsîru'l-Kur'âni'l-'Azîm*, İstanbul, 1986, III, 256.

dünyaya geri dönme arasındaki engel" olarak anlamlandırmışlardır.[1]

Bekir Topaloğlu, insanoğlunun yaratılıştan itibaren manevi bir tekâmül çizgisi takip ettiğini, bunu genellikle vahiy kaynaklı dinlerin benimsediğini, ilâhî ruhun üfleniş iyle insanın hayat sahnesine çıkarıldığını beyan ettikten sonra berzah ve âhiret hayatı için şu değerlendirmeyi yapmıştır:

"İnsanın ikinci ve ebedî hayat sahnesine çıkarılışının da benzer bir *nefha* (Sûr'a üfleniş) ile olacağı Kur'ân'da haber verilmiştir. Bu iki nefha arasında dünya hayatı ile berzah âlemi vardır. İnsanın irade ve tercihini kullanarak tekâmülünü sürdürebileceği yer dünya hayatıdır ve buradaki manevi tekâmül iman ve sâlih amel ölçüsüne bağlanmıştır. 'Bir bekleyiş merhalesi olan berzah dönemi'nden sonra başlayacak olan âhiret hayatında, dünyada tekâmüllerini sekteye uğratmayanlar öyle anlaşılıyor ki fizyolojik ve psikolojik yönlerden son bir operasyona ve arınmaya tabi tutulduktan sonra cen-

1 Mahmûd b. Ömer b. Muhammed ez-Zemahşerî, *el-Keşşâf 'an Hakâikı Ğavâmidı't-Tenzîl*, Beyrut, 1995, III, 198; Muhammed ibn Muhammed el-İmâdî Ebu's-Suûd, *İrşâdu'l-Akli's-Selîm ilâ Mezâye'l-Kur'âni'l-Kerîm*, Beyrut, 1990, VI, 150; Ebû Sa'îd Abdullah Ebû Ömer b. Muhammed Kadı Beydâvî, *Envâru't-Tenzîl ve Esrâru't-Te'vîl*, Beyrut, 1996, IV, 168; Ebu'l-A'lâ Mevdûdî, *Tefhîmu'l-Kur'ân*, Kur'ân'ın Anlamı ve Tefsiri, tercüme: Heyet, İstanbul, 1996, III, 434'te 93. not. Berzah için ölüm-âhiret arası âlem diyen Öztürk şu değerlendirmeyi yapmıştır: "İslam tasavvuf literatürü berzah konusunda çok zengin bilgiler sunmaktadır. Müslüman mistiklerin ruhsal deneyimlerine dayanarak verdikleri bilgilere göre berzah hayatı bir tür rüyadır. Öyle bir rüya ki müstesna ruhlar bir yana o rüyadan ona bir uyanış ancak âhiretle mümkün olur. Bu rüya her ferdin, âhirette hak edeceği karşılığa uygun bir seyir içinde geçer. Âhiret hesaplarını başarılı bir şekilde verecek benliklerin berzah hayatları mutluluk ve güzelliklerle, diğerlerininki ise acılar ve sıkıntılar içinde geçecektir..." Bu ifadelerinden sonra Öztürk, Muhammed İkbal, Şah Veliyullah Dehlevî ve İbn Arabî'nin görüşleri doğrultusunda berzahı "İnsanın üç boyutlu plana adapte olmuş idrakini daha üst planları kavramaya hazırlandığı, bu yolda bir tekâmül geçirdiği ara âlem" şeklinde değerlendirilmiştir. Bilgi için bk. Yaşar Nuri Öztürk, *Kur'an'ın Temel Kavramları*, İstanbul, 1994, s. 63-64.

nete alınacaklardır."[1] Bu sözleriyle Topaloğlu, "berzah hayatı ve sorgulamaları"na dair kabulleri devre dışı bırakmış ve berzahı "bekleme yeri" olarak nitelendirmiştir.

Bu konuda Celal Kırca da benzer bir değerlendirme yaparak şunları belirtmiştir: "... İnsan öldükten sonra ruhu adına berzah veya ruhlar âlemi dediğimiz bir yere gidecek ve orada yeniden dirilişin olacağı güne kadar bekleyecektir. Fakat bu gidişin dünyaya bir başka bedende dönüşü asla olmayacaktır... Amel safhası bitmiş, hesap vermek için bekleme dönemi başlamıştır..."[2]

Bütün bu görüşlerden iki farklı sonuç çıkmaktadır:

Birincisine göre بَرْزَخ *berzah*, ölümle kıyametin kopması arasındaki dönemdir. İşte kabir hayatı denen dönem de budur. Bu dönemde bazılarına göre bedenler ölüdür; ancak ruhlar hayatiyetini devam ettirmektedir. Ödül ya da cezalandırmanın ruha yönelik kısmı işte bu dönemde gerçekleşmiş olacaktır. Bu bakış açısı Mü'minûn 23/100. âyetin sonundaki اِلٰى يَوْمِ يُبْعَثُونَ "Diriltilecekleri güne kadar" ifadesiyle uyuşuyor gibi görünmektedir. Bu takdirde âyetteki الوراء *el-verâ'* kelimesi "önünde" anlamına alınmaktadır. İlgili kabule göre söz konusu âyette "Onların önünde berzah, yani kıyamete kadar geçecek olan bir süre"den söz edildiği iddia edilmektedir.

İkincisi görüşe göre ise بَرْزَخ *berzah*, "ölüm ile dünyaya geri dönme arasındaki engel"dir. Bu durumda "berzah âlemi" diye ifade edilebilecek herhangi bir âlem veya dönem söz konusu değildir. Kişi öldükten sonra onun âhiret yolculuğu başlamıştır; ölüm sonrası ile kıyamet öncesinde geçecek za-

---

1 Bekir Topaloğlu, "Cennet" maddesi, *Diyanet İslam Ansiklopedisi*, İstanbul, 1993, VII, 381.

2 Celal Kırca, "İslâm Dinine Göre Reenkarnasyon", *Erciyes Üniversitesi İlâhiyât Fakültesi Dergisi*, sayı: 3, Kayseri, 1986, s. 234.

manda yaşanacak maddi herhangi bir âlem veya dönem yok-tur. Bu anlayış, Mü'minûn 23/99 ve 100. âyetteki şu ifadelere de uygun düşmektedir:

حَتّٰٓى اِذَا جَٓاءَ اَحَدَهُمُ الْمَوْتُ قَالَ رَبِّ ارْجِعُونِۙ لَعَلّٓي اَعْمَلُ صَالِحًا فٖيمَا تَرَكْتُ "Nihayet onlardan birine ölüm geldiği zaman, 'Rabbim' der; beni geri çeviriniz ki terk ettiğim yerde (dünyada) yararlı bir iş yapayım..." Burada istemeye konu edilen şey, "dünyaya geri döndürülmek"tir. Bu anlama göre بَرْزَخ *berzah*, bulunulan hal ile öncesinin irtibatını kesen bir nitelik arz etmektedir. Bu durumda âyetteki وَمِنْ وَرَٓائِهِمْ بَرْزَخٌ "Arkalarında berzah vardır" ifadesinde yer alan الوراء *el-verâ'* kelimesi, önceki yaklaşımdaki anlamın zıddına "arka" anlamına gelmektedir.

Bütün bu açıklamalar ışığında بَرْزَخ *berzah*, Topaloğlu'nun da kısmen değindiği üzere, süresi dünyadaki zaman ölçüleriyle karşılaştırılamayacak bir mahiyet arz eder. Zira zaman, insanın ruh ve beden birlikteliğiyle kavrayabileceği ve fizikî âlemin farklı unsurlarının buluştuğu bir kavramdır. Yani salise, saniye, dakika, saat, gün, hafta, ay, yıl, asır gibi zaman kavramları, insanın dünya hayatında anlayabileceği ve duyu organlarıyla kavrayabileceği kavramlardır. Ruh bedenden ayrılınca bütün bunların anlamı kalmamaktadır. Dolayısıyla asırlar önce vefat eden birisiyle kıyametin hemen öncesinde vefat edecek kişinin berzah açısından herhangi bir farkından da söz edilemez.

Tekrar بَرْزَخ *berzah* kelimesinin geçtiği âyete dönersek, بَرْزَخ *berzah* kelimesinin "engel" anlamı bu yorumun doğruluğunu desteklemektedir. Şöyle ki: Kur'ân'da bu kelime yukarıda ifade edildiği üzere iki âyette de sadece "engel" anlamında kullanılmıştır. Çok zorunlu gerekçeler bulunmadığı sürece, bir kelimeye Kur'ân'dan referanslar bulmadan başka anlamlar yüklemek, zorlamadan başka bir şey değildir. Üstelik üretilen bu anlamdan dolayı Kur'ân'ın hayata dair temel zaman kabulleri zedelenmiş, iki tane diye belirlenen "dünya ve âhiret hayatı"nın dışında bir de "berzah âlemi" diye yeni bir süreç veya zaman dilimi kabul edilmiş olmaktadır.

بَرْزَخٌ *berzah* kelimesinin asıl anlamı "engel" demek olduğuna, Kur'ân'da kullanıldığı diğer iki örnekte de bu anlamda geçtiğine ve üstelik "tekrar diriltilmeyi isteyen kişi"ye bunun kıyamet gününe kadar gerçekleşemeyeceği cevabının verildiği yerde de yine بَرْزَخٌ *berzah* kelimesi kullanıldığına göre ilgili kelimenin Mü'minûn 23/100. âyette de "engel" anlamına alınması en doğru tercihtir.

Bütün bu söylediklerimize ilave olarak şu hususu da özellikle belirtmek durumundayız: بَرْزَخٌ *berzah* kelimesi "engel" anlamına geldiği için bazı insanlar tarafından iddia edilen "reenkarnasyon", yani yeniden bedenlenme kabulü de kökten reddedilmektedir. Bedeni ölen insanın ruhu sağdır ve sadece mahşerde âhiret şartlarına uygun olarak yeniden bedenlenecektir. İyilerin ruhlarının aksine, kötülerin ruhlarının tutuklu kalacaklarına bu âyette dolaylı bir işaretin bulunduğunu da özellikle belirtmek durumundayız.

b) *Berzah* ile *Verâ'* Kelimelerinin Anlam İlişkisi

Sözün burasında âyetteki بَرْزَخٌ *berzah* kelimesinin manasını doğru kavramamıza yardımcı olacak وَرَاءٌ *verâ'* kelimesine de değinmekte yarar görmekteyiz.

وَرَاءٌ *verâ'* kelimesinin asıl ve sözlük anlamının bazılarınca "ön" anlamına geldiği iddia edilse de esasen "arka" demektir.[1] Bu kelime Kur'ân'da oldukça fazla yer almakta ve farklı anlamlara gelmektedir. Bu anlamları çeşitli başlıklarda zikredebiliriz:

1 Râğıb el-Isfehânî, *Müfredât, v-r-y* maddesi.

1. Arka

1. فَإِذَا سَجَدُوا فَلْيَكُونُوا مِنْ وَرَآئِكُمْ "...Secde ettiklerinde (diğerleri) arkanızda olsunlar..."[1] Buradaki وَرَاءٌ *verâ'* kelimesi "arka" anlamındadır; âyetteki konu savaşta (cephede) kılınan namazla ilgilidir. Cephede bir grup namaz kılarken, diğerlerinin onların arkasında bulunması kendilerinden istenmektedir.

2. وَلَقَدْ جِئْتُمُونَا فُرَادٰى كَمَا خَلَقْنَاكُمْ اَوَّلَ مَرَّةٍ وَتَرَكْتُمْ مَا خَوَّلْنَاكُمْ وَرَآءَ ظُهُورِكُمْ "Andolsun ki, sizi ilk defa yarattığımız gibi teker teker bize geleceksiniz ve (dünyada) size verdiğimiz şeyleri arkanızda bırakacaksınız."[2] Buradaki وَرَاءَ *verâ'* kelimesi de "arka" anlamına gelmekte ve âhiretteki hesaplaşmada, kendilerine dünyada verilen şeylerin geride kalmış olacağı insanlara ifade edilmektedir.

3. وَاِنّ۪ي خِفْتُ الْمَوَالِيَ مِنْ وَرَآءِي "(Zekeriyya şöyle dedi): Ben, arkamdan gelenlerden endişeliyim."[3] Bu âyetteki وَرَاءِي *verâî* kelimesi de "arkama bıraktıklarım, arkamdan gelenler" demektir.

4. وَمِنْ وَرَآئِهِمْ بَرْزَخٌ "Arkalarında berzah vardır."[4] Konuyla ilgili kullanım burada söz konusu olduğu için bu âyeti zikretme gereği duyduk. Bu ifadede yer alan وَرَاءٌ *verâ'* kelimesinin "arka" anlamına geldiği ve bu anlamın konu bağlamına daha uygun olduğu açıkça görülmektedir.

5. وَاِذَا سَاَلْتُمُوهُنَّ مَتَاعًا فَسْـَٔلُوهُنَّ مِنْ وَرَآءِ حِجَابٍ "Peygamber'in hanımlarından bir şey istediğiniz zaman perde arkasından isteyin."[5] Bu âyetteki وَرَاءٌ *verâ'* kelimesi de "(perde) arkası" manasındadır.

---

1 Nisâ 4/102.
2 En'âm 6/94.
3 Meryem 19/5.
4 Mü'minûn 23/100.
5 Ahzâb 33/53.

6. وَمَا كَانَ لِبَشَرٍ اَنْ يُكَلِّمَهُ اللّٰهُ اِلَّا وَحْيًا اَوْ مِنْ وَرَآئِ حِجَابٍ اَوْ يُرْسِلَ رَسُولًا فَيُوحِيَ بِاِذْنِهِ مَا يَشَآءُ "Allah bir insanla ancak vahiy yoluyla, yani perde arkasından konuşur, yani bir elçi gönderip izniyle ona dilediğini vahyeder." Buradaki وَرَآء *verâ'* kelimesi vahyin perde "arkası"ndan gönderildiğini ifade eder.

7. اِنَّ الَّذِينَ يُنَادُونَكَ مِنْ وَرَآءِ الْحُجُرَاتِ اَكْثَرُهُمْ لَا يَعْقِلُونَ "(Ey Peygamber!) Sana odaların arka tarafından bağıranların çoğu aklı ermez kimselerdir."[1] Hz. Peygamber'in odalarının arkasından ona seslenilmesini ayıplayan bu âyette de وَرَآء *verâ'* kelimesi "arka" anlamına gelmektedir.

8. يَوْمَ يَقُولُ الْمُنَافِقُونَ وَالْمُنَافِقَاتُ لِلَّذِينَ اٰمَنُوا انْظُرُونَا نَقْتَبِسْ مِنْ نُورِكُمْ قِيلَ ارْجِعُوا وَرَآءَكُمْ فَالْتَمِسُوا نُورًا "Münafık erkeklerle münafık kadınların, müminlere, 'Bizi bekleyin, nurunuzdan bir parça ışık alalım' diyeceği günde kendilerine, 'Arkanıza dönün de bir ışık arayın!' denilecektir." Âyetteki وَرَآء *verâ'* kelimesi de "arka" anlamındadır.

9. لَا يُقَاتِلُونَكُمْ جَمِيعًا اِلَّا فِي قُرًى مُحَصَّنَةٍ اَوْ مِنْ وَرَآءِ جُدُرٍ "Onlar müstahkem şehirlerde veya siperler arkasında bulunmaksızın sizinle toplu halde savaşamazlar." Bu âyetteki وَرَآء *verâ'* kelimesi de "arka" demektir.

10. وَاَمَّا مَنْ اُوتِيَ كِتَابَهُ وَرَآءَ ظَهْرِهِ "Kimin de kitabı arkasından verilirse."[2] Bu âyette geçen وَرَآء *verâ'* kelimesi de çok açık bir şekilde "arka" manasındadır. Âyette verilmek istenen mesaj ise şudur: Dünya hayatında Yüce Allah'a ve O'nun emirlerine arkasını dönenlere amel defterleri mahşerde arkalarından verilecektir.

11. وَاللّٰهُ مِنْ وَرَآئِهِمْ مُحِيطٌ "Hâlbuki Allah onları arkalarından (hiç farkına varmadıkları bir şekilde) kuşatmıştır."[3] Bu âyet-

---

1 Hucürât 49/4.

2 İnşikâk 84/10.

3 Burûc 85/20.

teki وَرَآء *verâ'* kelimesi ise Yüce Allah'ın kâfirleri arkalarından çepeçevre kuşatmasını ifade etmektedir. وَرَآء *verâ'* kelimesinin bu ve benzeri örneklerde "arka" anlamına geldiği açıkça görülmektedir.

12. وَكَانَ وَرَآءَهُمْ مَلِكٌ يَأْخُذُ كُلَّ سَفِينَةٍ غَصْبًا "(Çünkü) onların arkasında, her (sağlam) gemiyi gasp etmekte olan bir kral vardı."[1] Burada geçen وَرَآء *verâ'* kelimesi her ne kadar bazılarınca "ön" anlamına alınsa da âyette verilmek istenen mesaj, gemileri takip eden, onların "arkasında/peşinde" olan zalim bir yöneticinin bulunduğunu bildirmektir.

11. Arka plan, kulak ardı etmek

1. وَلَمَّا جَآءَهُمْ رَسُولٌ مِنْ عِنْدِ اللّٰهِ مُصَدِّقٌ لِمَا مَعَهُمْ نَبَذَ فَرِيقٌ مِنَ الَّذِينَ اُوتُوا الْكِتَابَ كِتَابَ اللّٰهِ وَرَآءَ ظُهُورِهِمْ كَاَنَّهُمْ لَا يَعْلَمُونَ "Allah tarafından kendilerine, yanlarında bulunanı tasdik edici bir elçi gelince Ehl-i Kitaptan bir grup, sanki Allah'ın kitabını bilmiyormuş gibi onu arkalarına atıp terk ettiler."[2]

2. وَاِذْ اَخَذَ اللّٰهُ مِيثَاقَ الَّذِينَ اُوتُوا الْكِتَابَ لَتُبَيِّنُنَّهُ لِلنَّاسِ وَلَا تَكْتُمُونَهُ فَنَبَذُوهُ وَرَآءَ ظُهُورِهِمْ وَاشْتَرَوْا بِهِ ثَمَنًا قَلِيلًا فَبِئْسَ مَا يَشْتَرُونَ "Allah, kendilerine kitap verilenlerden, 'onu mutlaka insanlara açıklayacaksınız, onu gizlemeyeceksiniz' diyerek söz almıştı. Onlar ise bunu (kitabı) arkalarına attılar/kulak ardı ettiler, onu az bir dünyalığa değiştiler. Yaptıkları alış-veriş ne kadar kötüdür!"[3] Her iki âyetteki وَرَآء *verâ'* kelimesi de aynı konu içeriğinde "arka", "arka plan" veya "görmezlikten gelmek" anlamlarına gelmektedir.

---

1 Kehf 19/79.

2 Bakara 2/101.

3 Âl-i 'İmrân 3/187. Bu anlamda benzer bir örnek için bk. Hûd 11/92.

ııı. Başkası, ötesi, diğeri

وَاُحِلَّ لَكُمْ مَا وَرَآءَ ذٰلِكُمْ "Bunlardan başkası size helal kılındı."[1] Burada ve benzer âyetlerde geçen وَرَآءٌ *verâ'* kelimesi,[2] "başkası, ötesi, -den başka, diğeri" manalarındadır.

ıv. Arkasından

فَبَشَّرْنَاهَا بِاِسْحٰقَ وَمِنْ وَرَآءِ اِسْحٰقَ يَعْقُوبَ "Ona İshâk'ı, İshâk'ın ardından da Ya'kûb'u müjdeledik"[3] Bu âyette de وَرَآءٌ *verâ'* kelimesi, bir önceki anlama benzer mahiyette, ancak küçük de olsa fark içerecek şekilde "arkasından" anlamında kullanılmaktadır. Âyetteki konu Hz. İshâk'ın doğumunun ardından Hz. Ya'kûb'un müjdelenmesiyle ilgilidir.

Demek ki bu kelime konuya göre farklı anlamlar kazanan kelimelerdendir. Kur'ân'daki kullanım sıklıkları bize bu kelimenin genelde "arka" anlamına geldiğini, bazen "öte, ötesi, diğeri, -den başka" anlamını verdiğini, çok az da olsa "arkasından" şeklinde bir anlam kazandığını göstermektedir.

Kur'ân'daki bu kullanım özellikleri bağlamında söyleyecek olursak; وَرَآءٌ *verâ'* kelimesi Mü'minûn 23/100'de de "arka" anlamındadır. Dünyaya döndürülmek isteyen kişinin arkasında بَرْزَخٌ *berzah*, yani engel vardır ve *berzah* kişinin dünyaya geri gelmesini imkânsız hale getiren o "engel"dir. Âyetten açıkça anlaşılıyor ki söz konusu âyetteki *berzah* kelimesi "mahşerde insanların diriltileceği güne kadarki bir zaman veya âlem" için kullanılmamaktadır. Burada inkârcılara karşı bir tehdit vardır ve onların dünyaya geri döndürülme istekleri şiddetle reddedilmektedir. İnkârcıların arkalarından ta di-

---

1 Nisâ 4/24.

2 *Verâ'* kelimesinin "öte, -den başka, diğeri" anlamlarına geldiği diğer örnekler için bk. Bakara 2/91; İbrâhim 14/16-17; Mü'minûn 23/7; Câsiye 45/10; İnsân 76/27; Me'âric 70/31.

3 Hûd 11/71.

riltilecekleri güne kadar bir ölüm engeli dolanmıştır ve hiçbir şekilde dünyaya geri gelmeleri mümkün değildir.

Burada anlamlarını ve Kur'ân'daki kullanımlarını incelemeye çalıştığımız بَرْزَخ *berzah* ve وَرَآء *verâ'* kelimeleri "kabir hayatı" veya "berzah âlemi" kabulünün Kur'ân'dan ne kadar yoksun olduğunu ve bazı kavramların asıl anlamlarından nasıl saptırıldığını göstermektedir. بَرْزَخ *berzah* kelimesinin anlam dünyasını ve وَرَآء *verâ'* kelimesiyle mana ilişkisini bu şekilde ifade etmeye çalıştıktan sonra şimdi de ruhun mahiyeti ve ölüm sonrasındaki konumu hakkında bilgi vermek istiyoruz.

B. RÛHUN MAHİYETİ VE ÖLÜM SONRASI DURUMU

Kabirden söz edildiğinde, genel olarak akla "rûhun mahiyeti ve beden öldükten sonra konumu" gibi konular da gelmektedir. Bu nedenle kabir hayatı inancının daha iyi anlaşılabilmesi için bu konuları incelemeye çalışacağız.

1. RÛH VE MAHİYETİ

الرُّوح *er-rûh* kelimesi *r-v-h* kökünden türetilmiştir ve "nefs, hayat kaynağı, rüzgâr, rahmet vesilesi, rızık, gönül huzuru" gibi anlamlara gelmektedir.[1] Kur'ân'da ise bu kelime "Kur'ân",[2] "ilâhî destek",[3] "vahy, ilâhî mesaj",[4] "Cebrail"[5],

---

1 *Rûh* kelimesinin anlamları ve kullanımları için bk. İbn Fâris, *Mu'cemu Mekâyîsi'l-Lüğa*, s. 408-409; Isfehânî, *age.*, s. 369; Ezherî, *age.*, II, 1312-1313; Cevherî, *age.*, I, 517-520.

2 Bu anlamda âyetler için bk. Nahl 16/2; Mü'min 40/15; Şûrâ 42/52; Kadr 97/4.

3 *Rûh* kelimesi, *Kudüs* kelimesiyle birlikte Hz. İsa'yı desteklediği ifade edilen "kutsal ruh" tamlamasını oluşturmaktadır. Bu tamlamada maksat İncil de olabilir, Cebrail de olabilir. Âyetler için bk. Bakara 2/87, 253; Mâide 5/110.

4 *Rûh* kelimesi bazen müminler için kalb nuru veya Kur'ân'ın hidayet rehberliği anlamındadır. Âyet için bk. Mücâdele 58/22.

5 *Rûh* kelimesi bazen Kur'ân veya diğer vahyler için kullanıldığı gibi bazen

"Allah'ın insanlara üflediği ruh"[1] ve "ruh"[2] anlamlarında kullanılmaktadır.

Kur'ân'da الرُّوح *er-rûh* kelimesinin "insan ruhu" anlamı verdiğini destekleyen diğer bir kullanım da *nefs* kelimesidir. Isfehânî'ye göre *rûh* ile aynı anlama gelen *nefs* kelimesi,[3] Kur'ân'da "şahıs, kişi",[4] "şahıs zamiri/o",[5] "hücre",[6] "cins, tür",[7] "akıl, düşünce, hafıza"[8] gibi manalarda kullanılmaktadır.[9]

Ezherî, İbn Abbâs'a nispetle her insanın iki nefsi olduğunu, bunlardan birinin temyîz gücünü sağlayan akıl nefsi, diğerinin de hayatın devamlılığını sağlayan ruh nefsi olduğunu beyan etmiştir. Ardından Ebû Bekir el-Enbârî, bazı lügatçilerce ruhun ve nefsin aynı şeyler için kullanıldığını, ruhun müzekker, nefsin ise müennes kabul edildiği görüşünü be-

---

onu getiren melek için de kullanılmıştır. Âyetler için bk. Nahl 16/102; Meryem 19/17; Şu'arâ 26/193.

1 *Rûh* kelimesi bazen de Yüce Allah'ın ilk önce Hz. Âdem'e daha sonra da diğer tüm insanlara üflediği ruh anlamında kullanılmıştır. Âyetler için bk. Hıcr 15/29; Enbiyâ 21/91; Secde 32/9; Sâd 38/72; Tahrîm 66/12.

2 İsrâ 17/85.

3 Isfehânî, *age.*, s. 369. Bu kelimenin anlamı hakkında bk. İbn Fâris, *Mu'cemu Mekâyîsi'l-Lüğa*, s. 1003.

4 *Nefs* kelimesinin "insan, şahıs" anlamında pek çok örneği vardır. Bazı âyetler için bk. Bakara 2/72, 286; Nisâ 4/29; Mâide 5/32; En'âm 6/151; İsrâ 17/33; Kehf 18/74; Yâsîn 36/54; Şems 91/7; ...

5 Bu anlamda, ilgili kelime kişinin yerine kullanılan "o" zamirini karşılar ve Kur'ân'da pek çok örneği vardır. Bu konudaki âyetler için bk. Bakara 2/44; Mâide 5/116; En'âm 6/54; Tâhâ 20/41; Tevbe 9/70; Yûsuf 12/18; Nahl 16/118; 'Ankebût 29/40; ...

6 Bu anlamda *nefs* kelimesi, insan türünün yaratıldığı ilk canlıyı, yani hücreyi, embriyoyu, zigotu ifade etmektedir. Âyet için bk. Nisâ 4/1.

7 Ayrıca bu kelimenin cins diye isimlendirilmesi mümkün olan kullanımları da vardır. Bk. Âl-i 'İmrân 3/163; Rûm 30/21; Tevbe 9/128; ...

8 *Nefs* kelimesi bazen Kur'ân'da insanın zihnî gücünü, yani hâfızasını veya kalbinden geçirdiği şeyleri ifade için de kullanılmıştır. Âyetler için bk. Bakara 2/235, 284; Nisâ 4/63; Mâide 5/116; ...

9 Ruh ve nefs hakkında geniş bilgi için bk. Erkan Yar, *Ruh Beden İlişkisi Açısından İnsanın Bütünlüğü Sorunu*, Ankara, 2000, s. 52-58.

nimseyenlerin yanında, başka kanaatlere sahip âlimlerin de bulunduğunu nakletmiştir.[1]

Ruhun mahiyeti konusu İslâm âlimleri ve diğer ilim adamlarının ilgisini daima çekmiştir ve bu konuda pek çok fikir ileri sürülmüştür. Bu fikirleri ruhun mahiyeti "bilinemez" diyenler ve "bilinebilir" diyenler şekline iki ana kategoride ele almak mümkündür.

a) Ruhun Mahiyeti "Bilinemez" Diyenler

Genel olarak ruhun mahiyetinin bilinemeyeceğini ileri sürenler şu âyeti delil olarak zikrederler:

وَيَسْـَٔلُونَكَ عَنِ الرُّوحِ قُلِ الرُّوحُ مِنْ اَمْرِ رَبّ۪ي وَمَٓا اُو۫ت۪يتُمْ مِنَ الْعِلْمِ اِلَّا قَل۪يلًا

"Sana ruh hakkında soru sorarlar. De ki: Ruh, Rabbimin emrindendir. Size (o konuda) ancak pek az bilgi verilmiştir."[2] Bu âlimler, ruhun Allah'ın emriyle hareket eden bir varlık olduğunu, bu konuda insanlara fazla bilgi verilmediğini belirtmişlerdir. Dolayısıyla, İsrâ 17/36'deki وَلَا تَقْفُ مَا لَيْسَ لَكَ بِه۪ عِلْمٌ "Hakkında bilgin bulunmayan şeyin ardına düşme" emri doğrultusunda hakkında bilgi sahibi olunmayan meselelerin ardına düşülmemesi gerektiğinden hareketle, bu konuda fikir yürütmenin yanlış olacağını ifade etmişlerdir.[3]

Bu görüş sahipleri ruh hakkında araştırma yapılmaması gerektiğini İsrâ 17/36. âyete dayandırarak bizce isabetsiz bir delil kullanmışlardır. Çünkü söz konusu âyette yasaklanan husus, insanların başkaları hakkında kesin bilgi sahibi olmadıkları konularda bilirmiş gibi davranmaları ve muhtemelen onların zararına veya aleyhlerine karar vermeleridir. Kaldı ki söz konusu 36. âyetin devamında kulak, göz ve kalbin, dahası

---

1 Ezherî, *age.*, IV, 3629.

2 İsrâ 17/85.

3 Toprak, *age.*, s. 217-218.

bütün insan benliğinin uyguladığı veya karar verdiği her konudan sorumlu tutulacağı açıkça ifade edilmektedir. Durum böyle olunca, âyeti konu bütünlüğünden kopartıp ilgisi bulunmayan bir alanda delil olarak kullanmak doğru olmasa gerektir.

Dahası İsrâ 17/85. âyetin sonundaki, وَمَٓا اُو۫تٖيتُمْ مِنَ الْعِلْمِ اِلَّا قَلٖيلًا "Size (o konuda) ancak pek az bilgi verilmiştir" ifadesi, ruh hakkında hiçbir şeyin bilinemeyeceğini değil, aksine bazı bilgilerin verilmiş olduğunu göstermektedir. Dolayısıyla hiç olmazsa verilen kadarını elde etmek için bir konuda çalışıp fikir üretmek âyetin mesajına aykırı değildir.

Farklı anlamlarda ele alınması mümkün olan İsrâ 17/85. âyeti hakkında yapılan tartışmaların maksadı aştığını ve birden çok anlamı bulunan bir kelimeyi tek anlama sıkıştırmanın doğru olmadığını düşünmekteyiz. Yeniden hatırlatalım ki, bu âyetteki الرُّوح *er-rûh* kelimesinin "vahiy" veya "Kur'ân" anlamının ötesinde "Cebrâîl" ya da "insana üflenen ruh" olması da muhtemel olduğu için, onu bu genel anlam içeriğinde değerlendirmek daha doğru olacaktır.

b) Ruhun Mahiyeti "Bilinebilir" Diyenler

Diğer gruptaki âlimler ise ruhun mahiyetinin bilinebileceğini, hatta bilinmesi gerektiğini ileri sürmüştür. Bu grup, İsrâ 17/85'te sözü edilen ruhun insan ruhu olmadığını, bunun Şûrâ 42/52. âyetin de delâletiyle Kur'ân olduğunu ifade edip ilk görüş sahiplerini delilsiz bırakmaya çalışmışlar, dahası Allah'ı bilmenin vâcip olduğunu, O'nu bilmeyi sağlayacak olan ruhu bilmenin de bu nedenle vâcip olduğunu vurgulamışlardır.[1]

1 Ruhun mahiyeti hakkında değişik görüşler için bk. Toprak, *age.,* s. 213-233.

İlk etapta bu ikinci gruptaki âlimler haklı gibi görünse de aslında onların da ifadelerinde problemler vardır. İsrâ 17/85'teki الرُّوحُ *er-rûh* kelimesinin sadece "Kur'ân" olduğu yorumu sorunludur. Çünkü âyetin devamındaki, وَمَآ اُوتِيتُمْ مِنَ الْعِلْمِ اِلَّا قَلِيلًا "Size (o konuda) ancak pek az bilgi verilmiştir" ifadesi, Kur'ân'ın bütünlüğü konusunda şüphelerin doğmasına, "acaba Kur'ân'dan olup da bize bildirilmeyen konular da mı var?" ve benzeri soruların gündeme gelmesine neden olabilir. Onun için söz konusu âyetteki *rûh*u, bizzat "Kur'ân" anlamında değil de "vahyin kaynağı" şeklinde ya da "ruh" anlamında kabul etmek, diğerine göre daha doğru görünmektedir.

Kaldı ki bize göre bu âyetteki *rûh*tan maksat vahyi getiren melek Cebrail de olabilir. Buna delilimiz, نَزَلَ بِهِ الرُّوحُ الْاَمِينُ "O (Kur'ân'ı) güvenilir ruh indirdi"[1] âyetidir. Eğer maksat Cebrâîl ise buradaki mesajın o dönem müşriklerinin vahiy, risalet, melek veya vahyin kaynakları noktasındaki bilgisizlikleri beyan edilmiş olmaktadır. Âyetteki *rûh*u vahiy kurumuyla ilişkilendirip meseleyi vahyin kaynağı diye anlamanın diğer kanaatlere göre daha doğru bir yaklaşım olduğu kanaatindeyiz.

Ruh ve nefs hakkında bilgi veren Şerafettin Gölcük, her ikisinin de aynı şeyler olduğunu beyan etmiş, En'âm 6/93. âyeti delil getirerek söz konusu âyetteki, اَخْرِجُوٓا اَنْفُسَكُمْ "Canınızı verin" cümlesinde geçen اَنْفُس *enfüs* kelimesinin "ruh" anlamına geldiğini ifade etmiştir. Bu arada Kur'ân'da geçen "nefs-i emmâre", "nefs-i levvâme", "nefs-i mülhime" ve "nefs-i mutmainne" kullanımlarındaki *nefs* kelimelerinin de nefsin veya ruhun kısımları değil, sıfatları olduğunu belirtmiştir. Yani Gölcük'ün kanaatine göre nefsin sıfatlarından maksat ruhun halleridir.[2]

---

1 Şu'arâ 26/193.

2 Şerafettin Gölcük, *İslam Akâidi*, Konya, 1992, s. 165-166.

Süleyman Ateş ise ruhun mahiyetinin kesin olarak bilinemeyeceğini ve bu konuda çok az bilgi verildiğini beyan ettikten sonra şu ifadelere yer vermiştir:

"Ruh, canlılara hayat veren özdür, varlıkların temelidir, Allah'a en yakın yaratıktır. İlk yaratılan varlık ruhtur. Yaratılmış olduğu için başlangıcı vardır, fakat sonu yoktur, yani ölümsüzdür. Ebedî kalmak için yaratılmıştır. Çeşitli varlıklarda şekle girip görünür. Eşyadan insana doğru evrimleşir. Belli bir süre maddi varlıklarda kalır, fakat onlardan ayrıldıktan sonra onlar gibi yok olmaz, varlığını sürdürür."

"Bitkideki ruha nebâtî (bitkisel) ruh denir. Bitkisel ruhta canlılık varsa da yer değiştirme şeklinde bir hareket ve irade yoktur. Bunun bir derece üstü hayvansal ruhtur. Hayvanlara canlılık veren bu ruh da henüz tam anlamıyla düşünce yeteneğine sahip değildir. Bunun üstünde insani ruh vardır. Bu ruhta canlılık, hareket ve güç yanında düşünce yeteneği de vardır. Bu ruhlar madde ile birleşmek suretiyle onlara canlılık ve hareket veren ruhlardır... Ruh basit (yalın) bir cevherdir, 'ol' emriyle yaratılmıştır. Suyun, ağacın zerrelerine geçtiği gibi bedene geçip ona hayat veren, havâ gibi latîf bir varlıktır."

"Kâinatın özü olan ruh, şekilleri, cisimleri vücuda getirir. Esasında kendisi, yani soyut ruh olarak şekilsizdir, fakat sonlu varlıklarda görünerek şekle girer. Tüm canlılarda görünen, maddelere canlılık veren, bitkileri yeşerten, canlıları üreten ruhtur. Kendisi görünmez, eserleri görünür. Ruhu inkâr etmek mümkün değildir..."

"Ruh, nefsin ana elemanıdır. Ruhun bedenle birleşip medh veya zemm (övülme veya yerilme) ile nitelenmesi hâline nefs denilir ..."[1]

---

1 Süleyman Ateş, *İnsan ve İnsanüstü Varlıklar Ruh, Melek, Cin, İnsan*, İstanbul, 2002, s. 11-12 ve devamı.

Gerek Ezherî, gerek Isfehânî, gerek Gölcük, gerekse Ateş'in ifadelerinden de anlaşılacağı üzere, ruh ile nefs birbirinin yerine kullanılabilen iki isimdir. Mahiyeti hakkında çok fazla bilgi bulunmaması nedeniyle ruh hakkında daha fazla söz söylemeye gerek olmadığı kanaatindeyiz. Her konuda olduğu gibi bu konuda da Rabbimiz en doğruyu bilmektedir.

Bu çalışmamızda ele almayı düşündüğümüz konunun dışına çıkmak ve "hâsılı tahsil"den öteye geçmeyecek tartışmaları uzun uzadıya burada aktarmak istemediğimiz için, özetle "ruhun ölmediğini, beden ölse bile ruhun hayatiyetini devam ettirdiğini, kıyamet-âhiret süreci için kabirlerinden diriltilecek olan bedenlere aynı ruhun üfleneceğini" kabul ettiğimizi belirtmekle yetinmek istiyoruz.

2. BEDEN ÖLDÜKTEN SONRA RUHUN DURUMUNA DAİR YAKLAŞIMLAR

Beden öldükten sonra ruhun nerede bulunacağı konusu tartışmalı hususlar arasında yer almaktadır. Konuyla ilgili görüş açıklayan bazı ilim adamları şunları belirtmişlerdir:

"Ruhların ölümden sonra ne olacakları ve nereye varacakları hususu gayba ait meselelerdendir. Gayba ait doğru bilgiyi ise ancak kitap ve sünnetten öğrenebiliriz. Bu sebeple bu konuda ve âlem-i berzahta ruhların karşılaşacakları durumlar hususunda hep Kur'ân-ı Kerîm'e, sünnete ve onları açıklayan âlimlerin görüş ve fikirlerine müracaat edilecektir."[1]

Bu cümleler hakkında şu kadarını belirtmekle yetineceğiz: Bir konu hem gayba ait olur, hem de daha sonra ele alacağımız gibi hakkında bu kadar fikir ileri sürülebilir mi? Eğer

---

1 Toprak, *age.*, s. 233.

konu gayba aitse o zaman sadece Allah'ın kelâmına müracaat etmek gerekir. Çünkü gaybın anahtarları sadece O'nun katındadır.[1] Bir başkası, bırakınız gaybı bilmeyi, gaybın anahtarlarını dahi bilemez. İnsanlar da,[2] cinler de,[3] melekler de, hâsılı gökte ve yerde Yüce Allah'tan başka hiç kimse gaybı bilemez.[4] "Hz. Peygamber ve Gayb" başlığında da inceleyeceğimiz üzere, Yüce Allah, Hz. Peygamber'in de gaybı bilemediğini Kur'ân'da yine ona itiraf ettirmektedir.[5] Dolayısıyla Hz. Peygamber'in dahi bilemeyeceği ifade edilen bir konuda âlimlerin görüşlerini referans kabul etmek, özellikle de gayb konusunda isabetli bir yöntem olamaz.

Bedeni ölmüş insanların ruhlarının durumu veya ruhların da bedenlerle birlikte mezarlarda bulunduğu, hatta müminlerin ruhlarının kabirlerde birbirleriyle ziyaretleştikleri kabul edilmektedir. "Tutuklu olmayıp serbest olan yani nimet içindeki ruhlar birbirleriyle buluşup görüşürler, birbirlerini ziyaret ederler. Dünyadaki olmuş ve olacak şeyleri müzakere ederler. Her ruh, amelde kendi dengi ve kendi derecesinde olan arkadaşlarıyla beraber olur. Hz. Peygamber'in ruhu ise Refîk-ı A'lâ'dadır."[6] Bu ifadeler üstelik Nisâ 4/69. âyetiyle de desteklenmeye çalışılmıştır. İlgili âyet şöyledir:

---

1 Âyetler için bk. En'âm 6/59. Benzer ifadeler için de ayrıca bk. Bakara 2/33; Mâide 5/109, 116; En'âm 6/73; Tevbe 9/78, 94, 105; Hûd 11/123; Ra'd 13/9; Nahl 16/77; Kehf 18/26; Mü'minûn 23/92; Neml 27/75; Secde 32/6; Sebe' 34/3, 48; Fâtır 35/38; Zümer 39/46; Hucürât 49/18; Haşr 59/22; Cum'a 62/8; Teğâbün 64/18.

2 Yûsuf 12/81; Meryem 19/78; Neml 27/65; Tûr 52/41; Necm 53/35; Kalem 68/47.

3 Sebe' 34/14.

4 Neml 27/65.

5 Âyetler için bk. En'âm 6/50; A'râf 7/188; Yûnus 10/20; Hûd 11/31.

6 Bu bilgiler ve ruhların birbirleriyle kabirde ziyaretleşmeleri konusunda değişik rivayetler için bk. Toprak, *age.*, s. 246-255.

وَمَنْ يُطِعِ اللّٰهَ وَالرَّسُولَ فَاُو۬لٰٓئِكَ مَعَ الَّذ۪ينَ اَنْعَمَ اللّٰهُ عَلَيْهِمْ مِنَ النَّبِيّ۪نَ وَالصِّدّ۪يق۪ينَ وَالشُّهَدَٓاءِ وَالصَّالِح۪ينَۚ وَحَسُنَ اُو۬لٰٓئِكَ رَف۪يقًا "Kim(ler) Allah'a ve Rasûl'e itaat ederse işte onlar, Allah'ın kendilerine lütuflarda bulunduğu peygamberler, sıddîkler (gerçeği onaylayanlar), şâhitler (gerçeğe şahitlik edenler) ve sâlih (özü ve davranışı aynı olan) kişilerle beraberdirler. Bunlar ne güzel arkadaştır!" Söz konusu yaklaşımın bu âyetle ilişkilendirilmesi hakkında bazı değerlendirmelerde bulunmak istiyoruz:

Kabirdeki arkadaşlıklara ve ziyaretleşmelere delil olarak zikredilen bu âyet hakkında Taberî, söz konusu birlikteliğin dünyada ve âhirette gerçekleşeceğini ifade ederek, konuyu kabirle hiçbir şekilde ilişkilendirmemiştir.[1] Zaten âyetin iniş sebebi olarak anlatılan rivayetlerde, Hz. Peygamber'i çok seven Sevbân ve diğer arkadaşlarının cennette derece farklılıkları nedeniyle ondan ayrı kalmaya dayanamayacaklarını söylemeleri üzerine bu âyetin indirildiği belirtilmektedir.[2] Anlaşılıyor ki bu âyet dünya arkadaşlığını ve âhirette cennet birlikteliğini anlatmaktadır.

Rivayette yer alan "Her ruh, amelde kendi dengi ve kendi derecesinde olan arkadaşlarıyla beraber olur" ifadesi bu âyetle uyuşmamaktadır. Çünkü Allah'a ve Rasûlü'ne itaat edenlerin söz konusu dört grupla birlikte olacağından söz edilmekte, bu âyette herhangi başka bir sınıflama yapılmamaktadır. Bu arada Hz. Peygamber'in Refîk-ı A'lâ'da bulunacağı ifadesi de âyetin iniş sebebine ters düşmektedir. Çünkü ondan ayrı kalmaya dayanamayacağını söyleyen kişiye verilen cevap "birlikte olacakları şeklindeyken", Hz. Peygamber onlardan yine bir çeşit ayrılacağını söylemiş ol-

1 Taberî, *age.*, V, 162.
2 Semerkandî, *age.*, I, 316; Zemahşerî, *age.*, I, 520.

maktadır. Bu durumda soruyu soran Sevbân'ın, buna neden kayıtsız ve ilgisiz kaldığına rivayetlerde hiç değinilmemiştir.

Kabirdeki iyi ruhlar "Dünyadaki olmuş ve olacak şeyleri müzakere ederler" şeklindeki ifade de üzerinde düşünülmesi gereken bir mesaj içermektedir. Bu ruhların, dünyadaki olmuş ve olacak işleri müzakeresinin ne anlamı veya ne faydası vardır? Öyle anlaşılıyor ki bu kanaatleri kabul edenler, ölülerin de artık gaybı bildiklerine inanmaktadırlar. Üstelik bu bilmede Yüce Allah'ın bildirmesine değinilmemesi de ayrı bir sorundur. Çünkü berzahtakiler gaybla artık iç içe bir durumdadırlar. Bu kadarıyla yetinmeyen bu anlayış sahipleri dünyadakilerin berzahtakilerle iletişim kurabileceğine de inanmaktadırlar.[1] Öyleyse şimdi yaşayanlardan "sayılı bazı kullar" onlardan gaybî bilgileri alabilir; dünya ile ilgili olmuş ve olacak şeyleri rahatlıkla öğrenebilir ve etrafındakilere de bu doğrultuda çeşitli aktarımlarda bulunabilirler. Bu ve buna benzer pek çok rivayet, Kur'ân'ın evrensel ilkeleriyle yorum gerektirmeyecek şekilde açıkça çelişmektedir.

İşte konuyla ilgili genel durum böyle olmasına rağmen, beden öldükten sonra ruhlara yer tahsis edilen görüşlerden bir bölümünü burada aktarmak, bir kısmı hakkında ise kısa değerlendirmeler yapmak istiyoruz. Bu cümleden olarak, konuyla yakından ilgilenmiş olmalarını dikkate alarak önce İbn Hazm'ın, daha sonra da İbn Kayyim el-Cevziyye'nin ve İmâm Gazâlî'nin görüşlerine yer vermek istiyoruz.

a) İbn Hazm'ın Yorumu ve Bu Yorumun Eleştirisi

Kabir azabı hakkında olumlu bir kanaate sahip olan, ancak bunun bedene değil de sadece ruha yönelik olarak gerçekleştirileceğini savunan İbn Hazm, ölüm sonrası dönemde

---

1 Toprak, *age.*, s. 255-261.

ruhların konumu hakkında genel olarak şu kanaatleri ileri sürmektedir:

"Ruhların konumu hakkında insanlar görüş ayrılığı içerisindedirler. Tenâsuha (ruh göçü) inananların görüşlerinin batıllığı açıktır. Bir grup Râfızî'ye göre kâfirlerin ruhları Hadramût vadisindeki Berhût çukurundadır. Müminlerin ruhları ise başka bir yerde, muhtemelen Câbiye'dedir. Bu görüş de yanlıştır; çünkü delili yoktur; delili olmayan şey de geçersizdir. Kaldı ki bir başkası da kalkar, ruhlar için onların dediğinden farklı, ayrı bir mekândan söz edebilir."

"Ashâb-ı hadisin avamı (muhtemelen şöhret bulmamış, tanınmayan hadis rivayetçileri) ruhların kabirlerin kenarlarında, çevrelerinde bulunduğu kanaatindedirler ki bu da delilden yoksun bir görüştür. Bu tür zayıf haberler o kadar düşük bir durum arz ederler ki hadis âlimleri bunlarla hiç meşgul olmazlar..."[1]

Bu ve benzeri görüşleri naklettikten sonra İbn Hazm, ölen kişilerin ruhlarının yeri konusunda âyetler ve Nebî (as)'dan gelen kesin ve açık deliller bulunduğunu ifadeyle şu bilgileri vermiştir:

Yüce Allah şöyle buyurmaktadır:

وَاِذْ اَخَذَ رَبُّكَ مِنْ بَنٖيٓ اٰدَمَ مِنْ ظُهُورِهِمْ ذُرِّيَّتَهُمْ وَاَشْهَدَهُمْ عَلٰٓى اَنْفُسِهِمْ اَلَسْتُ بِرَبِّكُمْ قَالُوا بَلٰى شَهِدْنَا "Rabbin Âdem oğullarından, onların bellerinden zürriyetlerini çıkardı, onları kendilerine şahit tuttu ve dedi ki: 'Ben sizin Rabbiniz değil miyim?' (Onlar da): 'Evet (buna) şâhit olduk' dediler."[2]

Ayrıca; وَلَقَدْ خَلَقْنَاكُمْ ثُمَّ صَوَّرْنَاكُمْ ثُمَّ قُلْنَا لِلْمَلٰٓئِكَةِ اسْجُدُوا لِاٰدَمَ فَسَجَدُوٓا اِلَّآ اِبْلٖيسَ "Andolsun sizi yarattık, sonra size şekil verdik, sonra

1 Ebû Muhammed Ali b. Ahmed b. Hazm, *el-Fasl fi'l-Milel ve'l-Ehvâ' ve'n-Nihal*, Beyrut, 1996, II, 375-376.

2 A'râf 7/172.

da meleklere, 'Âdem için secde edin!' diye emrettik. İblîs'in dışındakiler secde ettiler"[1] âyeti de konuyla ilgili delillerden birisidir. Bu âyetlerden anlaşılıyor ki Yüce Allah ruhları bir anda, topluca nefisler olarak yaratmıştır.

Yine İbn Hazm, görüşüne destek mahiyetinde Nebî (as)'ın şöyle buyurduğu hadisini zikretmiştir:

ان الأرواح جنود مجندة فما تعارف منها إئتلف وما تناكر منها إختلف

"Ruhlar cünûd-i mücennededir (bölük bölüktür); birbirinden hoşlananlar kaynaşırlar, hoşlanmayanlar ise ayrılırlar."[2]

"Ruhlar, akıllı bir surette yaratılmışken Yüce Allah, meleklere Âdem'e secdeyi emretmeden önce, onları henüz cesetlere koymadan ve cesetler de toprak iken onlardan söz almış ve kendilerini bu duruma şahit tutmuştur. Çünkü Yüce Allah, bu âyette takip ve mühlet anlamı veren ثُمَّ *sümme* edatını kullanmış, dilediği gibi onu bir yere yerleştirmiştir ki orası ölüm anında döneceği yer anlamında berzahtır..."[3]

Bu ve benzer delilleri zikrettikten sonra İbn Hazm sonuç olarak, Yüce Allah'ın insanları dünyada dilediği gibi imtihan ettiğini, sonra onları vefat ettirdiğini belirtmiştir. Rasulullah (as)'ın İsrâ gecesi dünya semasında gördüğü üzere (ruhların) berzaha döndürüldüğünü, iyi insanların ruhlarının Âdem (as)'ın sağında, kötülerin ise onun solunda bulunduğunu dile getirmiş, peygamberlerin ve şehitlerin ruhlarının hemen cennete gönderildiğini beyan ederek kanaatini özetlemiş, ehl-i İslâm'ın bütününün bu kanaatte olduğunu ifade etmiştir. Vâkı'a 56/8-10. âyetleri ile 90-95. âyetlerinin de bunun

---

1 A'râf 7/11.

2 Bu hadis için bk. Buhârî, Enbiyâ 2; Ebu'l-Hüseyin Müslim b. Haccâc, *el-Câmi'u's-Sahîh*, İstanbul, 1992, Birr 159, 160; Ebû Dâvûd, Edeb, 16; Ahmed b. Hanbel, II, 295, 527, 537.

3 İbn Hazm'ın bu görüşü için bk. İbn Hazm, *el-Fasl*, II, 376-377.

delili olduğunu, bütün ruhların cesetlere üflenmesi tamamlanıncaya kadar ruhların bulundukları konumda devam edeceklerini, daha sonra ruhların sözü edilen berzaha döneceklerini, kıyametin kopacağını, Yüce Allah'ın, ruhları ikinci kez cesetlere üfleyeceğini, bunun da ikinci hayat olacağını, mahlûkatın hesaba çekileceğini, bir bölümünün cennete, bir bölümünün de ebedî olarak cehenneme gönderileceğini de konuyu izahında ifade etmiştir.[1]

İbn Hazm'ın bu görüşleri hakkında bazı değerlendirmeler yapmakta yarar görmekteyiz.

I. İbn Hazm'ın hadislerle ilgili yaklaşımına katılmadığımızı ifade etmek istiyoruz. Çünkü onun "avâm" dediği ve özellikle hadis âlimleri tarafından ciddiye dahi alınmadığını söylediği rivayetler "güvenilir" diye nitelendirilen kaynaklarda yer almaktadır. Dahası bu rivayetler, kabir azabını kabul eden diğer âlimlerce doğru kabul edilmekte, ilgili rivayetler görüşlerinin delilleri arasında sayılmaktadır. Bu tür rivayetlerin neler olduğunu ve kimler tarafından delil sayıldıklarını da "Kabir Azabının Varlığını Kabul Edenlerin İleri Sürdüğü Rivayet Kaynaklı Deliller" başlığında ele alacağız. Orada da ifade edeceğimiz üzere "bunlara itibar edilmemektedir" demekle işin bitmediği, gerekçelerin ortaya konulması ihtiyacı bütün açıklığıyla ortadadır.

II. İbn Hazm'ın A'râf 7/11 ve 172. âyetleri bütün ruhların bir anda yaratıldığına delil getirmesi de bizce gerçeği yansıtmamaktadır. Çünkü 172. âyette Yüce Allah, âdemoğlunun bellerinden zürriyetlerini aldığını yani onları yarattığını ifade ederek, bu işlemin her insanın yaratılışında gerçekleştiğini belirtmekte, bir anlamda yaratılışın devam etmekte olduğunu ve Yüce Allah'ın yaratmasının bitmediğini anlatmak

---

1 İbn Hazm, *el-Fasl*, II, 377-378.

istemektedir. Nitekim Kur'ân'da bu konuda pek çok âyet bulunmaktadır.[1] Ayrıca böyle bir anlayış Kitab-ı Mukaddes'teki "Allah'ın yorulup istirahat etmesi"[2] anlayışını çağrıştırdığı için yeni bir problem oluşturur. Çünkü Yüce Allah'ın yorulmayacağını, istirahat ihtiyacı hissetmeyeceğini,[3] ihtiyaç hisseden varlığın eksik olduğunu ve eksik varlığın da ilâh olamayacağını açıklamaya gerek bile yoktur. Sadece şu kadarını söyleyelim:

Ruhların bir anda yaratıldığı iddiası hem A'râf 7/172. âyete, hem de Mü'minûn 23/14. âyete uygun düşmemektedir. Mü'minûn 23/12. âyetten itibaren insanın biyolojik olarak yaratılış aşamalarından söz edilmekte ve 14. âyetin sonunda şöyle buyurulmaktadır: "Sonra ona başka bir yaratılış verdik." İşte bu cümledeki kasıt, aslında insanın maddi yaratılışı esnasında ona verilen "bambaşka bir yaratılış"tır ki bu, insana ruhun verilmesidir. A'râf 7/172 ile Mü'minûn 23/14. âyetler bir arada düşünüldüğünde Elest Bezmi'nin her insan için ayrı ayrı gerçekleştiği anlaşılmaktadır.

Dahası, bu söz alma işleminin ergenlik çağında olduğu, ergenliğe erişmemiş çocuklardan sorumluluğun kaldırılmasının bunu desteklediğini beyan eden ilim adamları da vardır.[4] Durum bu şekilde yorumlanınca farklı izahlara gerek kalmamaktadır.

Burada çok daha önemli olan nokta şudur: Rûm 30/30'da yer alan "insanın fıtrat üzere yaratılmış olması" ile Şems

---

1 Örnek âyetler için bk. A'râf 7/191; Nahl 16/8, 20; İsrâ 17/99; Nûr 24/45; Furkân 25/3; Kasas 28/68; Rûm 30/54; Zümer 39/4, 6; Şûrâ 42/49; Rahmân 55/29.

2 Kitab-ı Mukaddes, Tekvin 2: 1-3.

3 Bu konuda âyetler için bk. Bakara 2/255; Kâf 50/15.

4 Mustafa İslâmoğlu, *Hayat Kitabı Kur'ân Gerekçeli Meal-Tefsîr*, İstanbul, 2008, s. 299'da 2. not.

91/8'deki "nefse fücûrunun (yoldan çıkabilme özelliğinin) ve takvâsının (duyarlı olabilmesinin) ilham edilmesi" ifadesi Elest itirafının mecazi bir yönünün bulunduğunu, asıl olanın insanın fıtrat üzere programlanması olduğunu göstermektedir. Konuya böyle bakınca İbn Hazm'ın A'râf 7/172. âyeti delil göstererek ileri sürdüğü "ruhların bir anda akıllı bir surette yaratılmışlığı" iddiasının doğru olmadığı ortaya çıkmış olur. Ayrıca A'râf 7/11. âyetinden hareketle söylediği, "Yüce Allah, meleklere Âdem'e secdeyi emretmeden önce, onları henüz cesetlere koymadan ve cesetler de toprak iken onlardan söz almış ve kendilerini şahit tutmuştur" şeklindeki zorlama yorum da geçerliliğini yitirmiş olur.

İbn Hazm'ın, görüşüne delil olarak getirdiği Vâkı'a 56/8-10. âyetleri de kanaatimizce hatalı olarak bu konuyla ilişkilendirilmiştir. Çünkü ilgili sûrenin ilk 7 âyetine bakıldığında orada "kıyametin mutlaka gerçekleşeceği, onu hiç kimsenin yalanlayamayacağı, kâinatta her şeyin alt-üst olacağı, yerin sarsılacağı, dağların serpileceği ve toz duman hâline geleceği, ardından insanların üç grup halini alacağı"ndan söz edildiği açıkça görülmektedir. Konu bunca açıklığıyla kıyametle ilişkilendirilmişken âyetleri bağlamından kopartarak olayı ölüm sonrasıyla ilgili göstermek doğru bir delillendirme değildir.

Aynı şekilde Vâkı'a 56/90-95. âyetlerin berzahla ilişkilendirilmesi de bizce hatalıdır. Çünkü orada da 82. âyetten itibaren ölüm anında insanın durumu gündeme getirilmektedir. Ölüm anını ölüm sonrasına aitmiş gibi göstermek haklı gerekçelere sahip değildir. Zaten Nahl 16/28. âyetinde, kendilerine dünya hayatında zulmedenlerin canları alınırken meleklere, "Biz hiçbir kötülük yapmıyorduk" diye teslimiyet gösterecekleri, cevaben de kendilerine, "Hayır, Allah sizin yaptıklarınızı bilir" denileceği belirtilmektedir. Ayrıca yine Nahl 16/32. âyetinde bu defa iyi insanların canlarını alırken meleklerin kendilerine, "Selam size, yaptıklarınızdan dolayı cennete girin" diyeceği ifade edilmektedir. Bu iki âyette anlatılan olaylar, kişinin ölürken yaşayacaklarıyla ilgilidir.

İbn Hazm, ruhların konumunu izahının sonunda ikinci kez bedenlere üflenen ruhların hesaba çekileceğini, ardından ebedî olarak kalacakları cennete veya cehenneme gideceklerinden söz ederken, bizce ruhsal da olsa kabir azabını kabul eden biri olarak "ikinci hesap"tan söz etmeliydi. Çünkü o da kabirde bir sorgulamanın yapılacağı kanaatinde olan âlimlerdendir. Diğerlerinden farkı ise sorgulamada bedenin değil, sadece ruhun muhatap alınmasıdır.[1] "Kabir sorgusu" konusuna daha sonra değineceğimiz için burada detay vermek istemiyoruz.

Ölümden sonra ruhların konumu hakkında İbn Hazm'ın görüşlerini ve bunlar hakkındaki değerlendirmelerimizi kısaca ifade ettikten sonra şimdi de İbn Kayyim'in görüşlerine değinmek istiyoruz.

b) İbn Kayyim el-Cevziyye'nin Yorumları ve Bunların Eleştirisi

İbn Kayyim, *er-Rûh* adlı eserinde ölümden sonra ruhların konumunun büyük ve önemli bir konu olduğunu ve insanların bu konu hakkında ihtilaf ettiklerini belirtmiştir. Bunun ardından ölümden sonra ruhun konumu bağlamında konunun sadece nakle, yani âlimlerden işitilen bilgilere dayalı olduğunu beyan etmiş ve ilgili âlimlere nispetle de şu görüşleri ve delillerini nakletmiştir:

---

1 İbn Hazm, *el-Fasl*, II, 372.

Birinci Görüşü ve Delili

"Şehid olsun veya olmasın, işledikleri büyük günah veya üzerlerinde kalan borç kendilerini cennetten alıkoymamış, Rablerinden de kendilerine af ve rahmet ulaşan bütün müminlerin ruhları cennette Allah katındadır." Bu, İbn Kayyim'in, Ebû Hureyre ve Abdullah b. Ömer kaynaklı naklettiği görüştür. Ebû Hureyre ve İbn Ömer'e ait olduğu belirtilen bu görüş sahiplerinin delilleri Vâkı'a 56/88-89 ve Fecr 89/27-30 ile "Mümin ruhu diriltileceği gün cesedine dönünceye kadar cennette cennet meyvelerinden yiyen bir kuştur"[1] rivayetidir.[2]

Görüşün Değerlendirilmesi

I. Bu görüş sahiplerinin dile getirdiği; "şehid olsun veya olmasın... bütün müminlerin ruhları cennette Allah katındadır" ifadesi hakkında ilim adamları arasında fikir birliği bulunmamaktadır. Zira bir grup, bunun şehid olanı şehid olmayandan ayırdığını iddia ederken, diğer bir grup bunun Âl-i 'İmrân 3/169 ve 170. âyetlerine ve pek çok hadise aykırı olduğunu söyleyerek, söz konusu görüşteki ifadenin şehitlere özel olduğunu beyan etmişlerdir.[3]

II. Burada delil getirilen Vâkı'a ve Fecr sûrelerindeki her iki âyet grubu da insana âhirette gideceği yerin bildirilmesiyle, yani hangi davranışları yapanların nasıl bir sonla

---

1 İbn Mâce, Zühd, 32; Mâlik b. Enes, *el-Muvatta'*, İstanbul, 1992, Cenâiz, 16; Ebû Abdirrahman Ahmed b. Şuayb b. Ali en-Nesâî, *es-Sünen*, İstanbul, 1992, Cenâiz, 117. Benzer başka bir rivayet için de bk. İbn Mâce, Cenâiz, 4.

2 Bu deliller ve geniş izahları için bk. Ebû Abdillah Muhammed b. Ebî Bekir b. Eyyûb Şihabüddîn İbn Kayyim el-Cevziyye, *er-Rûh fi'l-Kelâm 'alâ Ervâhı'l-Emvât ve'l-Ahyâ'*, Beyrut, 1975, s. 93-99.

3 Bu görüşler ve delil olarak zikredilen rivayetler için bk. İbn Kayyim, *er-Rûh*, s. 95-96.

karşılaşacağı bilgisinin verilmesiyle ilgilidir. Bu âyetler, henüz hesaba çekilmeyen insanların cennete veya cehenneme gittiğini değil, hesaptan sonra yani kıyamet-âhiret sürecinde cennete veya cehenneme gideceklerini gösterir. Kaldı ki "cennet ve cehennemin Faaliyete Geçme Zamanı" başlığında ele alacağımız üzere, cennet ve cehennem zaten henüz yaratılmamıştır.[1] Henüz yaratılmamış olan bir mekân için önceden birtakım sakinler oluşturmak derin şüpheler içeren bir iddiadır.

III. Rivayette geçen "kuş meselesi" de Cahiliye Araplarındaki "hâme kuşu"nu çağrıştırmaktadır. M. Abdullah Draz, *Kur'ân'ın Anlaşılmasına Doğru* adlı eserinde bu konuyu şöyle ifade etmektedir: "Elimizde, ölümden sonra ruhun bir çeşit hayat yaşadığına dair müşrik Arapların anlaşılamayan bir fikre sahip olduklarını ileri sürmeye imkân veren birtakım deliller mevcuttur. İnançlarına göre katili bulunup da intikamı alınmayan bir kişinin ruhu "hâme kuşu" şekline girer, geceleri maktulün mezarı üzerinde uçar, intikamı alınıncaya kadar durmadan 'bana içecek verin, bana içecek verin' diye öter, intikamı alınınca gidermiş."[2]

Bu arada aynı konuda Cevad Ali de, rivayetler daha derinlemesine incelenince, hâme kuşunun sadece bir öldürme olayı sonucu cinayete kurban giden kişinin ruhu için değil, bütün ölülerin ruhunun kuşa dönüştüğü inancının bulunduğunu belirtmiştir.[3] İşte bu görüş, rivayetlerde yer alan "ölen kişinin ruhunun kuşa dönüştüğü" ifadelerinin güvenilirliğini şüpheli hale getirmektedir.

---

1 Topaloğlu'nun delillere dayalı ve isabetli tespiti için "Cennet ve Cehennemin Faaliyete Geçme Zamanı" başlığına müracaat edilebilir.

2 Draz, *age.*, s. 85-86.

3 Cevad Ali, *age.*, V, 279-280.

İkinci Görüşü ve Delili

"Ruhlar cennetin içinde değil, kapısının önündedirler. Cennetin kokusundan, nimetlerinden ve rızıklarından onlara gelir." Diğer bir görüşe göre de "Ruhlar cennette değiller, ama meyvelerinden yerler, kokusunu alırlar."

Bu, İbnü'l-Mübârek'in Mücâhid'den naklettiği bir görüştür. İlki kime ait olduğu açıklanmayan, diğeri Mücâhid kaynaklı olarak gösterilen bu görüş sahiplerinin delili şu rivayettir: "Şehitler, cennetin kapısında bulunan bir ırmağın kenarında, yeşil kubbenin üzerindedirler. Akşam sabah rızıkları cennetten çıkar."[1]

İbn Kayyim, cennetin içinde olmak ile kapısında olmak arasında herhangi bir zıtlık görülmediğini, kapıdaki ırmağın da rızıkların da cennetten geldiğini bildirerek konuyu izah etme yoluna gitmiştir.[2]

Görüşün Değerlendirilmesi

ı. Bu rivayetlerde göze çarpan husus, bir insan şehit bile olsa kıyamet-âhiret süreci yaşanmadan cennete girmiş olduğu iddiasıdır. Oysa ilk maddede de belirttiğimiz üzere, henüz yaratılmamış bir mekân için bu tür ifadeler gerçeği yansıtmaktan uzaktır. Çünkü kıyamet-âhiret sürecinde kişiler diriltilecek, toplanacak, Allah'a sunulacak, bilgilendirilecek, sorgulanacak, değerlendirilecek ve bütün bunların sonucunda hak ettiklerinin bir karşılığı olarak ya cennete ya da cehenneme gönderileceklerdir.

ıı. Rivayetler hakkında ileri sürülen "birbirleriyle çelişmeme" iddiası da rivayetleri kurtarma anlayışının bir sonucudur.

---

1 Ahmed b. Hanbel, I, 266.

2 İbn Kayyim, *er-Rûh*, s. 99-100.

Aynı konudaki rivayetlerin birinde cennet, diğerinde kapısı deniyorsa "bu iki rivayet birbirine zıttır" demektir. Mademki kapıya kadar gelinmiştir, o zaman içeriye neden girilemediği de izah edilmelidir. "Cennete girmek, hesaptan sonra gerçekleşecektir" kabulü onları böyle bir yorumu yapmaya zorlamıştır, diyebiliriz. Esasında Kur'ân-ı Kerîm'de cennetteki ırmaklardan söz eden âyetlerde ırmakların cennetin dışına uzandığına dair herhangi bir ifade veya işaret de bulunmamaktadır.

Üçüncü Görüşü ve Delili

"Ruhlar kabirlerinin çevresinde bulunurlar." Bu konuda benzer bir başka görüşe göre, "Ruhlar, ölünün defninden sonraki yedi gün kabirlerin çevresinde bulunurlar." İlk kaynağı Mücâhid olarak ifade edilen bu görüş sahiplerinin delili şudur: "Biriniz öldüğünüz zaman ona sabah-akşam oturacağı yer gösterilir. Cennet ehlinden ise cennet ehlindendir, cehennem ehlindense cehennem ehlindendir..."[1] İbn Kayyim, bu görüşte ileri sürülen "Ruhlar kabirlerinin çevresinde bulunurlar" sözünden maksadın devamlılık değil, zaman zaman orada bulunmuş olmak anlamına geldiğini özellikle beyan etmiştir.[2]

Görüşün Değerlendirilmesi

1. "Ruhların, kabirlerin çevresinde bulunduğu" iddiası bizce delilden yoksundur. Çünkü Yüce Allah, Zümer 39/42'de bedeni ölen insanların canlarını/ruhlarını katında tutacağını açıkça beyan etmektedir. Dahası, "acaba tüm ruhlar mı, yoksa iyilerin ruhları mı kabirlerin çevresinde bulunmaktadır?" sorusu da önemlidir. Çünkü en azından bu ifade, kabri olma-

---

1 Ebû Îsâ Muhammed b. Îsâ et-Tirmizî, *es-Sünen*, İstanbul, 1992, Cenâiz, 70.

2 İbn Kayyim, *er-Rûh*, s. 100-102.

yanlar için doğru değildir. Kaldı ki kabirlerin çevresinde bulunmak eğer ruh için bir ödül ise bu durumun sadece iyilerin ruhları için söz konusu olması gerekirdi.

Bu açıdan bakıldığında kötü insanların ruhlarına böyle bir ayrıcalığın verilmemesi gerekirdi. Ayrıca bu kabul, diğer rivayetlerde yer alan bedeni ölen ruhların "cennet veya cehennemde bulunması" kabulüyle de açıkça çelişmektedir.

ıı. Mücâhid'e nispet edilen "yedi gün kabirlerinin başında dururlar" görüşü de önceki gerekçelerden dolayı bizce delilden yoksundur. Çünkü ölen bir insan için kıyamet-âhiret süreci öncesinde saat, gün, hafta, ay, yıl, asır gibi dünyevî zaman kavramlarının kullanımı, vahye dayalı delillere muhtaçtır. Aksi takdirde bu yaklaşımlar, delilden yoksun ifadeler olarak insanların kendi kanaatlerini din diye aktardığı birtakım iddialardan ibaret kalacaktır. Bu tür iddiaları sorgulayanlar ve dinî kabullerini vahye dayalı delillerle buluşturmaya çalışanlar ise gerçeğin takipçileri olacaklardır.

ııı. "Biriniz öldüğünüz zaman ona sabah-akşam oturacağı yer gösterilir..." şeklindeki rivayetin sahih olabileceğini düşünmemize rağmen, bu rivayetin söz konusu iki görüşün delili olarak sunulmasını doğru bulmamaktayız. Rivayette ölmek üzere olan veya yeni ölmüş kişiye gideceği yerin gösterilmesinden söz edilmesine rağmen, ilgili görüşlerin birinde ruhlara mekân tahsis edilmekte, diğerinde ise zaman devreye sokulmaktadır. Rivayetteki bilgiyi esas alıp ona göre görüş sahibi olmak varken tersi yapılmakta, görüş esas alınıp rivayetler delil gibi sunulmaktadır. Bu yaklaşımın sağlıklı ve doğru olmadığını düşünmekteyiz.

Dördüncü Görüşü ve Delili

"Kâfirlerin ruhları cehennem'de, müminlerin ruhları ise cennet'tedir." Bu ifade, oğlu Abdullah'tan gelen rivayete göre İmam Ahmed'in görüşüdür. Benzer başka bir görüşe göre "şehitlerin ruhları cennettedir; diğer müminlerin ise kabirlerinin çevresindedir." Bu ifade, Ebû Amr b. Abdilberr'e aittir.[1]

Görüşün Değerlendirilmesi

İmam Ahmed'e ait olan bu görüşe konu olan "kâfirlerin ruhlarının cehennemde, müminlerin ruhlarının ise cennette olacağı" düşüncesi âhirette gerçekleşecek yargılama sonrası ile ilgili olarak zikredilmişse elbette doğrudur. Ancak âhirette gerçekleşecek yargılamadan önceki dönem içinse yukarıda zikrettiğimiz sakıncalar bu rivayet için de aynen geçerlidir. Ebû Amr b. Abdilberr'e ait görüşe bakılırsa burada kastedilen anlamın kabirle ilişkili olduğu anlaşılmaktadır.

Beşinci Görüşü ve Delili

"Müminlerin ruhları Allah katındadır."[2] Bu görüş, Abdullah b. Münde ile bir grup sahâbî ve tâbiîne nispet edilmektedir.

Görüşün Değerlendirilmesi

Bu yaklaşım diğerlerine göre kısmen doğrudur ve görüş sahipleri, kanaatlerine başka bir şey ilave etmemişlerdir. "Ölüm Sonrasında Ruhun Konumu" şeklindeki üçüncü başlıkta da ele alacağımız üzere, Zümer 39/42. âyet gereği sadece müminlerin ruhları değil, bütün ruhlar Allah'ın katındadır,

---

1 İbn Kayyim, *er-Rûh*, s. 102-104.

2 İbn Kayyim, *er-Rûh*, s. 104-105.

yani O'nun kontrolündedir. Burada sözü edilen "indiyyet" bir çeşit mekân tahsisi değil de "kontrolünde bulunmak" anlamına gelmektedir, diyebiliriz.

Ölenlerin ruhlarının Allah'ın kontrolünde bulunması elbette doğrudur. Ancak İbn Kayyim'in bu görüş sahiplerinin delili olarak naklettiği rivayet, görüşün güvenilirliğini zedeler mahiyettedir. İbn Kayyim'in naklettiğine göre Ebû Hureyre'den gelen bir rivayette Nebî (as) şöyle buyurmuştur: "Can bedenden çıkınca ruh, içinde Allah'ın bulunduğu göğe çıkar (yükselir). (Ruhun sahibi olan kişi) eğer kötü bir insan ise yine ruh göğe yükselir; fakat göğün kapıları ona açılmaz; gökten yere gönderilir ve kabre girer."

Buna benzer başka rivayetlerin de delil olarak zikredildiği[1] söz konusu görüş hakkında daha sonra "Kabir Azabının Varlığını Kabul Edenlerin İleri Sürdüğü Rivayet Kaynaklı Deliller" başlığında geniş izahlar yapacağız. Yeri gelmişken ancak fazla ayrıntıya da girmeden şu değerlendirmeyi yapmak istiyoruz: Bu rivayete konu olan anlatımlar başka kültürlerdeki yaklaşımlarla, özellikle eski Mısır inançları ve Sâbiîlik'teki kabullerle büyük bir benzerlik arz etmektedir.

Altıncı Görüşü ve Delili

Sahâbîlerden ve tâbiîlerden bir gruba göre; "müminlerin ruhları (muhtemelen kendileri gibi bir topluluğun da içerisinde bulunduğu) geniş bir alanda, kâfirlerin ruhları ise Hadramût kuyusunda (çukurunda), Berhût[2] vadisindedir." Benzer başka bir görüşe göre "Müminlerin ruhları Zemzem, kâfirlerinki ise Berhût kuyusundadır."

---

1 İbn Kayyim, *er-Rûh*, s. 104-105.

2 Berhût, Yemen'de bir vadinin adıdır (bk. Yakut el-Hamevî, *Mu'cemu'l-Büldân*, Beyrut, baskı tarihi yok, I, 481-482).

İbn Kayyim'in ifadesine göre Ebû Muhammed ibn Hazm, "Bu görüş, Râfizîlerin sözlerindendir" demiş, ancak İbn Kayyim'in kendisi, bu sözün Ehl-i Sünnet'e ait olduğunu belirtmiştir. Bir grup sahâbî ve tâbiîye aidiyeti ifade edilen bu görüş sahiplerinin delilleri arasında çeşitli rivayetler yer almaktadır. Buna göre müminlerin ruhları Câbiye denen yerde, kâfirlerin ruhları da Hadramût'ta Berhût adındaki dar bir çukurda toplanacaktır.

Bu ifadelere ilaveten yeryüzünün en hayırlı kuyusunun Zemzem, en şerlisinin de Hadramût'taki Berhût olduğu, en hayırlı vadinin Mekke, en şerlisinin de Hadramût'taki Ahkâf vadisi olduğu ve kâfirlerin ruhlarının burada toplandığı, suyunun gündüzün bile simsiyah olduğu ve hiç kimsenin orada bir gece geçirmeye dahi dayanamayacağı ifade edilmektedir. Bu rivayetleri nakleden İbn Kayyim, Câbiye'den maksadın yerinin geniş ve havasının temizliği nedeniyle bir temsil olması durumunda bunun mümkün olduğunu, aksi takdirde bunun güvenilirliğinin bilinemeyeceğini, belki sadece ona inanmak gerektiğini veya bunun Ehl-i Kitap'tan alınmış olabileceğini beyan etme ihtiyacını hissetmiştir.[1]

Görüşün Değerlendirilmesi

1. Bu izah elbette bir ihtiyaçtan doğmuştur. Çünkü herkes gibi İbn Kayyim de çok iyi biliyordu ki, artık dünya hayatı sona ermiş bir ruha bu dünyada somut bir mekân tahsisinin te'vili gerekir; rivayete olduğu gibi itibar edilemez. Rivayetlere bunun ötesinde bir anlam yüklemek ya da rivayetleri esas alıp kanaatleri de bu esaslara dayandırmak maalesef konuyu her zaman anlamayı sağlayamamaktadır. İşte kabir hayatı veya azabı konusunda da durum bundan çok farklı değildir.

1 İbn Kayyim, *er-Rûh*, s. 106-107.

ıı. Güven verme noktasında problemli olan herhangi bir şeye inanmak mümkün değildir. Dolayısıyla eğer bir konuda bilgi verilmişse o bilgi ya doğrudur ya da yanlıştır. Doğru olmadığı belli olan bir konuda ona inanmak nasıl mümkün olabilir? Bir insan hem bir şeyin doğru olmadığını ve o konuda verilen bilgilerin güvenilir olmadığını bilecek, hem de ona inanacak; böyle bir şey nasıl düşünülebilir? Durum böyle olunca Câbiye'yi "rahat veya ferah yer", Berhût'u da "sıkıntılı bir mekân" şeklinde yorumlamak kaçınılmaz olmaktadır. Öyle anlaşılıyor ki İbn Kayyim, bu mekân isimlendirmelerinden pek hoşlanmamıştır ki izahlarının sonunda bu tür mekân isimlerinin Ehl-i Kitab kaynaklı olabileceğini beyan etmek zorunda kalmıştır.

ııı. Aslında burada vurgulanması ve tekrar hatırlatılması kaçınılmaz olan husus, "kabir hayatına dair verilen haberlerin, ancak ilâhî bir kanaldan bildirilmesi gerektiği ve buna sayılı insanların sahip olabileceği" iddiasıdır. Daha sonra "Gaybın Bildirildiği Sayılı Kullar İddiası" başlığında ayrıntılı olarak ele alacağımız gibi, birileri "gaybın bildirildiği bazı insanların olduğu" şeklinde bir kapı aralarsa daha sonra o kapıdan kimlerin girebileceği konusunda herkes çaresiz kalacaktır. Gaybî bir konuda birisi kalkıp da, "bunu bana Allah öğretti" derse, bunun doğru olup olmadığına kim karar verecek? Konu eğer Kur'ân'da işlenmişse Kur'ân'a bakılıp bu karar verilebilir; ama eğer olay Kur'ân'da hakkında bilgi verilen konular arasında değil de gayba havale edilen konulardan ise, işte o zaman olacakları veya söylenebilecekleri insanın düşünesi dahi gelmemektedir.

İbn Kayyim'in de izahında zorluk çektiği ve tevile sığınmak durumunda kaldığı ya da güvenilirliği noktasında ikna olmaması sebebiyle konuyu Ehl-i Kitâb'a havale ettiği

Câbiye ve Berhût örneği, işte böyle bir kapının aralanmasından yararlananların ortaya koyduğu görüşlerdir. Üstelik bunlara inanmak da yine onlara göre inanç esasları arasında yer almaktadır. İnsanlar, kendi anlayışlarına hizmet eder diye düşündükleri ve kullandıkları bazı ifadelerin bir süre sonra kendi aleyhlerine dönüşebileceğini de unutmamalıdır. Böyle problemli bir duruma düşmekten kurtulmanın en güvenilir yolu konuyu Kur'ân'a götürmekten geçer.

ıv. Bu arada İbn Kayyim, ruhların toplanacağı yerin, Enbiyâ 21/105. âyet gereği "yeryüzü" olduğu görüşü hakkında da tereddüt göstermektedir. Ona göre eğer bu ifade, yani "ruhların toplanacağı yerin yeryüzü olduğu" görüşü, âyetin tefsiri ise bu yorum doğru değildir. Kaldı ki İbn Kayyim, İbn Abbâs'tan gelen ve çoğunlukla müfessirlerin de benimsediği bir rivayet gereği bunun "cennet" olduğunu ifade etmiştir. İbn Abbâs'tan gelen bir başka rivayete göre de bunun Yüce Allah'ın, Muhammed (as)'ın ümmetine fethini nasip ettiği topraklar olduğunu, doğru görüşün de bu olduğunu ifade etmiştir.

v. Ruhların yeri konusunda mekânı dünya ile ilişkilendiren yaklaşımları kabul etmediği anlaşılan İbn Kayyim, en sert eleştirisini "Müminlerin ruhları Zemzem kuyusundadır" görüşüne yöneltmiştir. Ona göre bu görüşün, Kitâb'dan ve sünnetten teslim olunabilecek (yani kabul edilebilecek) bir delili bulunmamaktadır; dolayısıyla bu görüş doğru değildir. Çünkü o kuyu bütün müminlerin ruhlarını alamaz; kaldı ki bu görüş "mümin kişi, cennet ağaçlarına asılı bir kuştur" şeklindeki sahih sünnete de aykırıdır. Sonuç olarak bu görüş en bâtıl görüşlerden biridir; hatta "ruhlar Câbiye'dedir" görüşünden de daha fâsiddir. Hiç olmazsa Câbiye, uzay boşluğu genişliğinde bir mekâna sahiptir. Diğeri ise dar bir kuyudan ibarettir.[1]

---

1 İbn Kayyim, *er-Rûh*, s. 108.

İbn Kayyim, bu görüşte sergilediği hassasiyeti diğer görüşlerde maalesef sergilememektedir. Bu son görüşün eleştirisinde kullandığı "mümin kişi, cennet ağaçlarına asılı bir kuştur" rivayeti dahi benzer sakıncalar içermektedir. Ruhları, henüz yaratılmamış bir yerin ağaçlarına asılı bir kuş olarak tanımlamak da, ruhu kuşa benzetmek de aslında izahı zor, hatta cahiliye kabullerini çağrıştıran bir yaklaşımdır. Ruhun kuşa benzetilmesi cahiliye Araplarının "hâme kuşu" anlayışını hatırlatmaktadır.

Diğer taraftan ruh soyut bir kavram olduğu için -iddia edilen görüş hatalı olsa da- onun bir mekâna sığmayacağını gerekçe göstermek de doğru değildir; çünkü soyut varlıklar için mekân darlığı söz konusu edilemez.

Yedinci Görüşü ve Delili

"Müminlerin ruhları yedinci kat gökte İlliyyûn'da, kâfirlerinki ise İblîs ordusunun altında yerin yedi kat altındaki Siccîn'dedir." Bu görüş, selef ve haleften bir gruba aittir.[1]

Görüşün Değerlendirilmesi

1. Önceki ve onlara göre daha sonraki âlimlerden bir gruba ait olan bu görüş sahiplerine göre "içinde Allah'ın da bulunduğuna inanılan yedinci kat gök"le ilgili açıklamamızı ileride "Kabir Azabının Varlığını Kabul Edenlerin İleri Sürdüğü Rivayet Kaynaklı Deliller" başlığında yapacağımız için burada diğer konuya, yani bu kabulün içerisinde yer alan *'Illiyyûn* ve *Siccîn* kelimelerine değinmek istiyoruz.

Bu kelimeler Kur'ân'da Mutaffifûn suresinde geçmektedir. Başka örneklerde de olduğu gibi, aslında kıyamet-âhi-

---

1 İbn Kayyim, *er-Rûh*, s. 108-109.

ret süreci hakkındaki bazı bilgiler, bağlamından kopartılıp başka konuların delili hâline getirilmektedir. Burada da aynı durum söz konusudur. Mutaffifûn suresinde *Siccîn*'le ilgili âyetler şöyledir:

اَلَا يَظُنُّ اُو۬لٰٓئِكَ اَنَّهُمْ مَبْعُوثُونَۙ لِيَوْمٍ عَظٖيمٍۙ يَوْمَ يَقُومُ النَّاسُ لِرَبِّ الْعَالَمٖينَۜ كَلَّٓا اِنَّ كِتَابَ الْفُجَّارِ لَفٖي سِجّٖينٍۜ وَمَٓا اَدْرٰيكَ مَا سِجّٖينٌۜ كِتَابٌ مَرْقُومٌۜ وَيْلٌ يَوْمَئِذٍ لِلْمُكَذِّبٖينَۙ اَلَّذٖينَ يُكَذِّبُونَ بِيَوْمِ الدّٖينِ "Onlar insanların, âlemlerin Rabbinin huzurunda divan duracakları büyük bir günde tekrar diriltileceklerini düşünmezler mi? Doğrusu günahkârların yazısı, muhakkak Siccîn'de olmaktır. Siccîn'in ne olduğunu sana bildiren ne olabilir ki! (Günahkârların yazısı, içinde amellerin) sayılıp yazıldığı bir kitaptır. O gün, ceza gününü yalan sayanların vay hâline!"[1]

Görüldüğü gibi Mutaffifûn sûresinin ilk âyetlerinde ölçü ve tartıda hile yapanların, âlemlerin Rabbinin huzurunda İlâhî Divan'da duracakları büyük günde, diriltilmeye inanıp inanmadıkları kendilerine sorulmaktadır. Ardından söz konusu hatayı yapan suçluların kitabının, yani amel defterinin Siccîn'de bulunduğu, Siccîn'in mühürlenmiş kitap olduğu, âhirette kendilerine "kıyamet gününü yalanlayanlara yazıklar olsun" deneceği açıkça belirtilmektedir. Durum bu şekilde olduğuna göre, kesinlikle kıyamet-âhiret süreciyle ilişkili olduğu açıkça ortada bulunan bir âyeti, bulunduğu bağlamdan kopartıp başka bir yere yerleştirmek, Kur'ânî bir bilgiyi çarpıtmak, anlam ve mesajını tahrif etmek demektir.

'Illiyyûn kelimesinin geçtiği âyetler grubu da şöyledir:

كَلَّٓا اِنَّ كِتَابَ الْاَبْرَارِ لَفٖي عِلِّيّٖينَۜ وَمَٓا اَدْرٰيكَ مَا عِلِّيُّونَۜ كِتَابٌ مَرْقُومٌۙ يَشْهَدُهُ الْمُقَرَّبُونَۜ اِنَّ الْاَبْرَارَ لَفٖي نَعٖيمٍۙ عَلَى الْاَرَٓائِكِ يَنْظُرُونَۙ تَعْرِفُ فٖي وُجُوهِهِمْ نَضْرَةَ النَّعٖيمِۚ يُسْقَوْنَ مِنْ رَحٖيقٍ مَخْتُومٍۙ خِتَامُهُ مِسْكٌۜ وَفٖي ذٰلِكَ فَلْيَتَنَافَسِ الْمُتَنَافِسُونَ

1 Mütaffifûn 83/4-11.

وَمِزَاجُهُ مِنْ تَسْنِيمٍ عَيْنًا يَشْرَبُ بِهَا الْمُقَرَّبُونَ "Hayır! Andolsun iyilerin kitabı 'ılliyyûn'dadır. 'Illiyyûn'un ne olduğunu sana bildiren ne olabilir ki! (İyilerin yazısı, içinde amellerin) sayılıp yazıldığı bir kitaptır. O kitabı, Allah'a yakın olanlar görür. İyiler muhakkak cennettedir. Onlar orada koltuklar üzerinde etrafa bakarlar. Onların yüzlerinde nimetlerin sevincini görürsün. Kendilerine mühürlü hâlis bir içki sunulur. Onun içiminin sonunda misk kokusu vardır. İşte yarışanlar ancak onda yarışsınlar. Karışımı Tesnîm'dendir. (O Tesnîm, Allah'a) yakın olanların içecekleri bir kaynaktır."[1]

İşte bu âyetlerde de görüldüğü üzere, konu tamamen kıyamet sonrası dönemle ilgilidir. Önceki âyet grubunda cehennemliklerin âhiretteki durumundan söz edilmişken, burada da -Kur'ân'ın mesânî oluşu (konuları ikişerli anlatma usûlü) gereği- cennetliklerin durumuna veya onların amel defterlerinin yerine değinilmiştir.

III. Ölüm sonrası için ruha yer arayanlar, Kur'ân'da kıyamet-âhiret süreci bağlamında verilen bilgileri ölüm sonrası kıyamet öncesiyle ilişkilendirmiş, kendi kabullerine Kur'ân'dan referanslar bulabilme yolunu zorlamışlardır. Ancak onlar âyetleri bu şekilde zorlama yorumlarla kendi görüşlerinin delili hâline getirmeye çalışırken, Kur'ân yorumcuları çoğunlukla kendilerini desteklememektedir. İşte bu cümleden olarak, ilgili âyetlere bazı müfessirlerin nasıl anlam verdiğini ve nasıl görüşler naklettiklerini hatırlatmak istiyoruz.

Semerkandî, bu âyetlerin izahında çeşitli âlimlerden *Siccîn*'de bulunan şeyin "cehennemliklerin amel defterleri olduğu" şeklinde görüşler nakletmiş, konuyu kabirle ilişkilen-

---

1 Mütaffifûn 83/18-28.

dirmemiştir. Cennetliklerin kitabının bulunduğu *'Illiyyûn*'un da yedi kat göğün üstünde bulunduğunu ifade ettikten sonra, âyetteki "kitap"tan maksadın bazılarına göre ruhlar ve ameller olduğunu beyan etmiş, ancak bunların kimler olduğuna ve delillerinin neler olduğuna değinmemiştir.[1]

İşte delili olmayan bu tür görüş nakilleri daha sonra inanç halini almakta, kimin neyi, niçin dediği anlaşılamadığı için de âyetlerin mesajları, ilgili olmadıkları konularla ilişkilendirilip doğru mesajın önü tıkanmış olmaktadır.

Zemahşerî'ye göre buradaki *Siccîn*, Yüce Allah'ın, içinde cin ve insan şeytanlarının, kâfir ve fâsıkların amellerini kaydettiği kötülük divanıdır.[2] Bir çeşit kayıt kütüğü demek olan bu kelimeyi, bu özelliğinin dışında farklı bir anlamda kullanmak hatalı yorumların meydana gelmesine neden olmaktadır.

Râzî ise şu bilgileri vermektedir: "Yüce Allah, kullarına bazı hususları, kendi aralarında ve büyükleri arasındaki teamüllerine göre ortaya koymuştur. *'Illiyyûn* yani cennet, yükseklik, arınmışlık Hakk'a yaklaştırılmış meleklerin bulunduğu yer olmakla, *Siccîn* ise alçaklık, karanlık, darlık ve lanetlenmiş şeytanların bulunduğu yer olmakla nitelendirilmiştir. Bütün bunlar, yani cennetle ilgili olanlar olgunluk ve izzet (şeref) sıfatlarından bir bölümü olduğu gibi diğerleri de noksanlık ve alçaklık sıfatlarındandır."

"Kâfirler ve kitapları, alçaklık ve hakaretle nitelendirilmek istenince o kitabın (amel defterinin), aşağıda, karanlık, dar ve şeytanların bulunduğu bir yerde olduğu, iyilerin kitabı da izzetle (şerefle) nitelendirilmek istenince bu defa da onların kitabının *'Illiyyûn*'da olduğu, dolayısıyla sadece Hakk'a

---

1 Semerkandî, *age.*, III, 556-558.

2 Zemahşerî, *age.*, IV, 708.

yaklaştırılmış meleklerin onu görebileceği ifade edilmiş olmaktadır."[1] Âyetlerin açık ifadesinden ve Râzî'nin de bu değerlendirmesinden kolayca anlaşılabileceği gibi, *Siccîn* veya *'Illiyyûn*'da bulunan şey, iddia edildiği gibi ölülerin ruhları değil, insanların davranışlarının kaydedildiği amel defterleridir.

Sekizinci Görüşü ve Delili

"Müminlerin ruhları yeryüzünde bir berzahtadır; diledikleri yere gidebilirler. Kâfirlerin ruhları ise Siccîn'dedir." Bu görüş Selmân-ı Fârisî'ye nispet edilmektedir.

Selmân-ı Fârisî kaynaklı bu görüşte yer alan "ruhların yeryüzünde bir berzahta bulunması"ndan maksadın ne olduğunu İbn Kayyim şöyle açıklamaktadır: Sözü edilen berzah, iki şey arasındaki bir engeldir. Ruh dünyadan tam ayrılmadığı, âhirete de tam ulaşmadığı, her ikisi arasında bir berzahta bulunduğu, müminlerin ruhlarının rahat, güzel koku ve nimetler içindeki geniş bir berzahta, kâfirlerin ise gam, sıkıntı ve azabın bulunduğu bir berzahta bulunacağını belirtmiş, delilinin de, وَمِنْ وَرَآئِهِمْ بَرْزَخٌ اِلٰى يَوْمِ يُبْعَثُونَ "Onların gerisinde ise, yeniden diriltilecekleri güne kadar bir berzah vardır"[2] âyeti olduğunu beyan etmiştir.[3]

Görüşün Değerlendirilmesi

1. Bu görüş, daha önce zikredilen pek çok görüşten farklıdır ve üzerinde durulması gereken bir öneme sahiptir. Çünkü Selmân-ı Fârisî, konuyu ne dünya ile ne de kabirdeki

---

1 Râzî, *Mefâtîhu'l-Ğayb*, XXXI, 92.

2 Müminûn 23/100.

3 İbn Kayyim, *er-Rûh*, s. 108.

maddi bir hayatla ilişkilendirmektedir. Sadece ruhların -özellikle bedenleri zikretmiyor- rahat veya sıkıntılı halinden, bir anlamda belki de bekleyişinden söz etmektedir. Bu itibarla ruha sorgudan ve kabirde cennet veya cehennemden söz etmemesi noktasında söz konusu bu yaklaşım, diğerlerinden farklı görünmektedir. Ancak *berzah*ın bir yer olarak nitelendirilmesi doğru değildir; çünkü böyle bir mekânın dünyada da âhirette de varlığına dair Kur'ânî hiçbir delil yoktur.

Eğer kabirdeki durumu manevi bir konum olarak ifade edilmişse delil olarak kullanılan âyetteki *berzah* kelimesi onlara göre "ara dönem" anlamına gelir. Oysa burada kastedilen anlam "engel", yani dünyaya geri gönderilme şeklinde bir önceki âyette yer alan isteğin imkânsız olduğudur.

11. Daha önce, "berzah" başlığında detaylı bir şekilde ele aldığımız gibi, söz konusu âyet hem yeni bir hayat beklentisini hem de ruhen veya bedenen dünyaya geri gönderilme beklentisini ortadan kaldırmaktadır. Bu tercihimiz, *verâ'* kelimesinin "arka" anlamından kaynaklanmaktadır. Zira daha önce de izah ettiğimiz üzere, söz konusu kelimenin Kur'ân'daki kullanımlarında "arka" anlamı, asıl ve yaygın olandır. Kaldı ki bu kelime "ön" anlamına da gelse âyetteki mesaj, geri döndürülme isteğinin diriltilecekleri güne kadar mümkün olmadığı, arada bir engelin bulunduğu şeklindedir.

Dokuzuncu Görüşü ve Delili

"Müminlerin ruhları Hz. Âdem'in sağında, kâfirlerin yani cehennemliklerin ruhları ise solundadır." Bu görüş sahipleri, delil olarak Hz. Peygamber'in Mi'râc'ında Hz. Âdem'in sağ ve solunda birtakım karartılar olduğunu, Cebrâîl (as)'a sorunca sağındakilerin cennetlikler, solundakilerin ise cehennemlikler olduğunu beyan ettiği[1] İsrâ/Mi'râc hadisini zikretmişlerdir. İbn Kayyim, buradaki sağ ve solun, Hz. Âdem'in sağı ve solu değil de ruhların Allah katındaki mertebeleri olabileceğini beyan etmiştir.[2]

Görüşün Değerlendirilmesi

I. Öyle anlaşılıyor ki beden öldükten sonra ruhun nerede bulunduğu sorusuna verilen cevaplar, izahı zor ifadeler olunca te'vil yoluna gidilmektedir. Mi'râc esnasında Hz. Peygamber'e gösterildiği iddia edilen ruhlar eğer tüm insanlığın ruhları ise o zaman insanların, henüz yaratılmadan önce nereye gidecekleri belirlenmiş olmaktadır. Bu durumda hayatın da imtihanın da iradenin de bir anlamda hesabın da mizanın da cennetin de cehennemin de hiçbir anlamı kalmamaktadır. Böyle bir kabul Kur'ân öğretilerine de uygun değildir.

II. Kur'ân'da pek çok âyette, hayat, insan, dünya, akıl, irade ve imtihan konuları ele alınmakta ve ödül veya azap kararının dünya hayatından sonra verileceğine temas edilmektedir. İşte söz konusu bu görüşte de ifade edildiği üzere, eğer insanların, henüz hayat imtihanına tâbi tutulmadan nereye gidecekleri belirlenmiş ve bunu Yüce Allah ezelî ilmi ile yapmış ise o zaman Kur'ân'daki bütün emir ve yasaklar anlamını kaybetmekte olduğu gibi, bu durum pratik gerçeklerle de uyuşmamaktadır. Zira Yüce Allah, ezelî ilmine göre hareket etseydi ve insanlara irade hürriyeti vermeseydi bu hayatı hiç yaratmaz, dilediğini cennetine, dilediğini de cehennemine koyardı. Oysa yaşanan gerçek hiç de böyle olmamıştır.

---

1 Buhârî, Salât, 1. Benzer rivayetler için ayrıca bk. Buhârî, Cenâiz, 83; Tefsîru sûre 92; Müslim, İman, 74; Kader, 6,7; İbn Hanbel, V, 143.

2 İbn Kayyim, *er-Rûh*, s. 108.

III. Hayat yaratılmıştır ve insanlar imtihanı kazanmak veya kaybetmek üzere sınava alınmıştır; âhiretteki değerlendirme de işte bu dünyadaki imtihana göre yapılacaktır. Yani iddia edildiği gibi senaryo yazılmış, roller herkes için belirlenmiş ve şimdi oyun oynanıyor değildir. Tabir caizse, hayata dair senaryo, yani hayatı yaşamaya dair kurallar Yüce Allah tarafından yazılmış, belirlenmiş, roller de tanıtılmıştır. İşte insanoğlu bu rollerden birini seçecektir. Dilerse hak yolun rolünü seçer, sonuçta cennetle buluşur; dilerse bâtıl yolun rolünü seçer, sonuçta cehenneme gider. Yüce Allah elbette her şeyi bilmektedir; ama kulun iradesi ve uygulamasına göre onunla ilgili kararını verecektir. Eğer yukarıda naklettiğimiz rivayet ve benzeri haberler doğru iseler o zaman yaşanan bu hayatın tanımlanması mümkün olmamaktadır.[1]

---

1 İnsanların henüz yaratılmadan önce cennetlik mi cehennemlik mi olduklarının belirlenmesiyle ilgili çeşitli rivayetler ve bunların Kur'ân'ın genel sorumluluk ve insan iradesine ait ilkelerine aykırı oldukları konusunda geniş değerlendirmeleri için bk. İbrahim Sarmış, *Hz. Muhammed'i Doğru Anlamak*, Konya, 2005, s. 475-478. Bu konuda çok çarpıcı bir rivayeti Kırbaşoğlu'nun tercümesi ve değerlendirmesiyle burada zikretmek istiyoruz: Abdullah b. Amr b. el-Âs anlatıyor: Bir gün Rasulullah elinde iki kitapla çıkageldi ve "Bu iki kitap nedir biliyor musunuz?" dedi. Biz, "Hayır ey Allah'ın Rasûlü! Ama sen söylersen o başka!" dedik. Sağ elindeki için dedi ki: "Bu, âlemlerin Rabbinden gelen bir kitaptır ve içinde cennetliklerin ve onların babalarının, kabilelerinin isimleri vardır. Bu isimler en sonuncusuna varıncaya kadar belirlenmiştir, sayıları kesinlikle ne artar, ne eksilir." Sonra sol elindeki için de şöyle dedi: "Bu da âlemlerin Rabbinden gelen bir kitaptır ve içinde cehennemliklerin isimleriyle onların babalarının ve kabilelerinin isimleri vardır. Bu isimler en sonuncusuna varıncaya kadar belirlenmiştir, sayıları ne artar ne eksilir." Ashâb, "Her şey önceden bu şekilde belirlenmişse o zaman niye amel ediyoruz ey Allah'ın Rasûlü?" derler. Bunun üzerine Rasulullah: "İstikameti muhafaza ediniz, (mükemmele) yaklaşmaya çalışınız, çünkü cennetlik olan, hangi (kötü) ameli işlerse işlesin sonunda onun cennetliklerin amelini işlemesi takdir olunur; cehennemlik olan da hangi (iyi) ameli işlerse işlesin, sonunda onun cehennemliklerin amelini işlemesi takdir olunur" dedi. Sonra Rasulullah iki eliyle işaret edip bu iki kitabı bıraktı/attı ve, "Rabbiniz kulları hakkında (kesin hükmü verip) işi bitirmiştir: Bir kısmı cennete, bir kısmı da cehenneme" dedi (Hadis için bk. Tirmizî, Kader, 8; Ahmed b. Hanbel, II, 167). Âdem'den kıyamete kadar gelip geçecek olan insanların -ki mantıken bir

Onuncu Görüşü ve Delili

"Ruhlar bedenlerden ayrıldıktan sonra, bedene girmeden önce bulundukları yere giderler." Bu görüş, içinde İbn Hazm'ın da bulunduğu bir gruba aittir.[1]

Bu görüşe göre ruhlar, henüz cesetler yaratılmadan önce nerede idiyseler, beden öldükten sonra da aynı yere giderler. Bu gruptan pek çok kişi arasında ruhların bedenlerden sonra yaratıldığını kabul edenler de vardır. İbn Kayyim'e göre ruhların bedenlerden önce yaratıldığını söyleyenlerin Kitab, sünnet ve icma'dan delilleri yoktur. Sadece kendilerinin görüşüne delalet ettiğini düşündükleri bazı Kur'ânî nassları ve sahih olup olmadığı belli olmayan rivayetleri kullanmaktadırlar. Mesela İbn Hazm -yukarıda naklettiğimiz gibi- A'râf 7/11 ve 172. âyetini delil olarak zikretmektedir. Ona göre Yüce Allah ruhları bir anda ve topluca yaratmıştır. Yine İbn Hazm, görüşüne destek mahiyetinde Nebî (as)'ın bir hadisini[2] de zikretmiştir.

---

kısmı cennetlik, bir kısmı da cehennemlik olmak durumundadır- tek tek isimlerinin, üstelik babalarının ve kabilelerinin isimleriyle birlikte, elde taşınabilecek iki kitaba sığmayacağı düşünüldüğünde; ayrıca bugün bile çoğumuzun baba isimleri bilinse de, kabile isimlerimizden söz edilemeyeceği, bu durumun hadisi uyduran Arap kültürünü ele verdiği ve bütün insanlar için geçerli olamayacağı göz önüne alındığında mantıken Hz. Peygamber'in bu kadar akıl ve mantık dışı bir sözü söyleyemeyeceği açıkça görülecektir. Kaldı ki Tebük Gazvesine katılmayanlardan Ka'b b. Mâlik, başından geçen bir olayla ilgili olarak Müslümanların çokluğundan bahisle "Müslümanlar bir kitaba sığmayacak kadar çoktu" derken Hz. Peygamber döneminde, sadece Müslümanların sayısının bile -bırakın kıyamete kadar gelip geçecek cennetlikleri ve cehennemlikleri- bir iki deftere sığmayacak kadar çok olduğunu açıkça ifade etmiş bulunmaktadır. (Bk. Hayri Kırbaşoğlu, *Alternatif Hadis Metodolojisi*, Ankara, 2004, s. 266-267.)

1 İbn Kayyim, *er-Rûh*, s. 108-109.

2 Bu hadis "ruhların cünûd-i mücennede" olduğu hadisidir. Hadis için ayrıca bk. Buhârî, Enbiyâ 2; Müslim, Birr 159, 160; Ebû Dâvûd, Edeb, 16; Ahmed b. Hanbel, II, 295, 527, 537.

Görüşün Değerlendirilmesi

İbn Kayyim'in, İbn Hazm'a yönelttiği eleştiriler, onun kullandığı delillerle ilgilidir. Bizce tarafların haklılığı veya haksızlığından çok daha önemli olan konu aslında İbn Kayyim'in, kendi benimsediği konulardaki delillerin de yer aldığı hadis kaynakları hakkındaki olumsuz kanaatidir. Kendileri delil getirirken eleştirmedikleri bu kaynakları, başkaları kullanırken gerekçe göstermeden, "Bu hadis sahih değildir" demek, kendilerinin güvenilirliğini şüpheli hale getirmek demektir. Bizce ruhların, bedenlerin ölümünden sonra, henüz bedenler yaratılmadan önce bulunduğu yere döndürülecekleri görüşü de en az diğerleri kadar saygı değerdir. Çünkü madde ile buluşmadan önce ruhun halini ve konumunu kabul edenler, bu görüşü de kabul etmelidirler.

Burada akla şöyle bir soru gelebilir: "Beden yaratılmadan önceki ruhun durumu ve konumu ile beden tecrübesinden sonraki durumu ve konumu, birbirinden farklı olmalı değil midir?" Bu soruya şu şekilde cevap verilebilir: "Konum veya makam, ruhun kazandığı derecelere göre Allah tarafından belirlenir ve ruh bu kazanımlarıyla ilâhî makamda mahşeri bekler." Bize göre bir önceki başlıkta da ifade ettiğimiz gibi ruhların yaratılışı toptan ve bir anda olmak zorunda değildir. Herkesin ruhu bedeni yaratıldığı anda kendisine üflenmektedir.

Onbirinci Görüşü ve Delili

"Şehitlerin ruhları yeşil bir kuş gibi Arş'a asılı durumdadırlar. Gıdalanırlar, cennet bahçelerine ait kokulardan yararlanırlar. Rableri her gün onlara selam vermek üzere yanlarına gelir."[1] Bu görüş de Sa'îd b. Süveyd'in İbn Şihab'a sorduğu ve onun verdiği cevaba dayalı bir görüştür. Bu görüşte daha önce söylediğimiz cahiliye Araplarındaki "hâme kuşu" anlayışı akla gelmektedir. Belki bundan daha önemlisi Yüce Allah'ın, onların yanına her gün selam vermek üzere gelmesi iddiasıdır ki bu, kabulü imkânsız bir ifadedir.

Bütün bu görüşleri naklettikten sonra İbn Kayyim, ruhların yok olacağını savunan veya ruhların başka bir şekle büründeceği bir çeşit tenâsüh inancını çağrıştıran görüşü Kur'ân ve sünnet dışı birer görüş olarak zikretmekle yetinmiştir.[2]

Özetle söylemek gerekirse;

İbn Kayyim'in konuya detaylı bakışı nedeniyle burada zikrettiğimiz bedenler öldükten sonra ruhların bulundukları konum hakkında eski âlimler tarafından da ileri sürülen görüşler şu beş başlıkta özetlenmektedir:

* Peygamberlerin ruhları cennete gider ve kendileri için hazırlanmış olan nimetlerle nimetlenirler.

* Allah yolunda şehit olanların ruhları cennette, cennet nimetlerinden yer ve rızıklanırlar.

* Müminlerin itaatkâr olanlarının ruhları cennettedir.

* Müminlerden âsi olanların ruhları sema ile arz arasındadır.

* Kâfirlerin ruhları ise yedi kat yerin altındaki siccînde siyah kuşların ağızlarında veya kursaklarında azaba uğramaktadırlar.[3]

Bu tasnife göre ilk üç grup için şu yorumu yapabiliriz:

---

1 İbn Kayyim, *er-Rûh*, s. 108-109.

2 Bu görüşler için bk. İbn Kayyim, *er-Rûh*, s. 90-93.

3 Bu görüşler ve izahları hakkında bk. Toprak, *age*, s. 233-245.

Cennet henüz yaratılmadığı ve kıyametten sonra yaratılacağı fikrinde olduğumuz için, bu kişilerin ölümleri anında, daha önceden verilen bilgiler gibi kendilerine aynı şekilde âhirette gidecekleri yer bildirilmiş olacaktır ve dolayısıyla mutluluk duyarak vefat ettirileceklerdir. Bu durum genel hatlarıyla Vâkı'a sûresindeki bilgilerden anlaşılmaktadır.

Âsi müminlere ait olarak gösterilen göklerle yer arası bölge de ruhların bedensiz olarak bulunacakları yer olması itibarıyla herhangi bir mekân tanımlamasına uygun değildir.

Kâfir ruhlara yönelik söylenen *siccîn*de siyah kuşların ağızlarında veya kursaklarında azap görmekte oldukları görüşü için de şunu söyleyebiliriz: Daha önce de ifadeye çalıştığımız üzere *siccîn* kelimesinin de geçtiği Mutaffifûn 83/4. âyetinden itibaren tamamıyla âhiret hayatından bahsedildiği için kâfirlere yönelik "*siccîn*de siyah kuşların ağzında veya kursaklarında azap olunma" iddiası, bunu ortaya atanların Kur'ânî bir dayanaktan yoksun olduklarını açıkça göstermektedir.

Doğruluğu ve güvenilirliği hakkında çeşitli tartışmaların ve şüphelerin bulunduğu rivayetlere dayanarak konuyu delillendirmek yerine, kâfirlerin ölüm halleri hakkında En'âm 6/93, Enfâl 8/51, Nahl 16/27, Vâkı'a 56/83-87 ve Muhammed 47/27. âyetlerden delil getirmek daha inandırıcı ve doğru olacaktır.

c) Gazâlî'nin Yorumu ve Bu Yorumun Eleştirisi

Bedenin ruhla ilişkisi konusunun incelendiği yerlerde "ölümün hakikati"nden de söz edilmesi kaçınılmazdır. Bu cümleden olarak İmâm Gazâlî bu başlığı verdiği bir pasajda insanların bu konuyla ilgili çeşitli kanaatlere sahip olduklarını beyanla şunları ifade etmiştir:

"Bazıları zannetmişlerdir ki ölüm yokluktur. Ne haşir vardır, ne de neşir. Ne hayır vardır, ne de şerrin neticesi vardır. İnsanların ölümü, hayvanların ölümü ve bitkilerin kuruması gibidir. Bu zan, Allah'ı inkâr edenlerin görüşüdür. Allah'a ve Son Gün'e iman etmeyen herkesin zannı böyledir. Bir kavim de zannetmiştir ki insan, ölümle yok olur. Kabirde kaldıkça ne bir azap ile elem duyar, ne de bir sevap ile nimetlenir. Ta ki haşr zamanında, dünyaya geri gönderilinceye kadar. Başkaları da demişler ki 'ruh bâkîdir. Ölümle yok olmaz. Ancak sevabdâr olan ve ceza çeken cesetler değil, ruhlardır. Cesetler ne diriltilirler, ne de hiçbir şekilde kabirlerinden haşre gönderilirler.' Bütün bunlar fâsık ve haktan kaymış zanlardır..."[1]

Şüphe yok ki Gazâlî'nin en başta zikrettiği üç grup insan içerisinden âhireti inkâr edenler için fâsık nitelendirmesi doğrudur. Ancak diğer iki görüş sahiplerini neden aynı kategoriye aldığını anlamak mümkün değildir.

Gazâlî, bu konudaki üç kanaati de küfür mesâbesinde gördüğünü beyan ettikten sonra, kabirde ruhun cesede dönüştürülmesinin veya kıyamet gününe kadar bu dönüştürülmenin ertelenmesinin de uzak bir ihtimal olmadığını belirterek,[2] en azından kabirde söz konusu edilen hayatın bedenî olmayabileceği kabulünü hissettirerek anlaşılmaz bir tutum izlemiştir. Çünkü konuyu açıklamaya devam ettiği ileriki cümlelerinde bu defa defnedilen insanın ruhunun başka bir çeşit azabı tatmak için cesede geri çevrilmesinden söz etmektedir.[3] Hatta daha sonra "Kabir Azabının Varlığını Kabul Edenlerin İleri Sürdüğü Rivayet Kaynaklı Deliller" başlığın-

1 Gazâlî, *İhyâ*, IV, 525.
2 Gazâlî, *İhyâ*, IV, 525.
3 Gazâlî, *İhyâ*, IV, 525.

da inceleyeceğimiz ve Ahmed b. Hanbel'in *Müsned*'inde yer alan "... Onlar bu sözü sizden daha iyi duyarlar, ancak cevap veremezler"[1] anlamındaki bir rivayeti naklederek şu değerlendirmeyi yapmıştır:

"İşte bu hadis, şakî (azgın) bir kimsenin ruhunun bâkî kaldığı hususunda kesin bir hükümdür. O ruhun idrakinin, marifetinin bâkî kaldığının kesin bir delilidir. Âyet ise,[2] şehitlerin ruhları hakkında kesin hükümdür. Ölü bir kimse ya sa'îd (mutlu/cennetlik) veya şakî (azgın, cehennemlik)tir..."[3]

Bu ve benzer rivayetleri bolca aktaran Gazâlî'nin kanaati tam da "kabirde ruh ve beden birliktedir, nimeti de azabı da ruh bedenle birlikte yaşar" şeklindedir diyecekken, bu defa Ebû Amr kaynaklı şöyle bir rivayete daha kitabında yer verdiğini görmekteyiz:

---

1 Ahmed b. Hanbel, II, 121.

2 Şehitlerin diri olduklarıyla ilgili âyet için bk. Âl-i 'İmrân 3/169.

3 Gazâlî, *İhyâ*, IV, 527. Gazâlî, İbn Ebi'd-Dünyâ kaynaklı olarak şehitlerin hallerini izah meyanında şöyle bir rivayete de yer vermiştir: Hz. Ayşe'den rivayet edildiğine göre Nebî (as), babası Uhud günü şehid olan Câbir'e hitaben şöyle buyurmuştur: "Ey Câbir sana müjde vereyim mi?" Câbir, "Evet..." deyince Nebî (as) şöyle buyurdu: "Muhakkak ki Yüce Allah senin babanı diriltti. İlâhî huzurda oturttu ve, 'Ey kulum, istediğini benden iste, sana vereyim' buyurdu. Baban dedi ki: "Ey Rabbim, kulluğunun gereği gibi sana kulluk yaptım. Senden istediğim beni dünyaya geri göndermendir. Ta ki peygamberinle birlikte harbedeyim. Senin uğrunda ikinci bir defa şehid edileyim." Cenâb-ı Hakk ona: "Durum şudur: Benden ezeli hüküm geçmiştir ki sen dünyaya döndürülmeyeceksin" buyurdu (Gazâlî, *İhyâ*, IV, 528). Gazâlî'nin, şehitlerin hayatlarının devam ettiğine delil diye aktardığı bu rivayet, şüphesiz şehadetin büyüklüğünü anlatmaya yönelik bir terğîb (özendirme) rivayetidir. Ancak bizce burada "kaş yaparken göz çıkartmak" türünden büyük bir hata söz konusudur: Yüce Allah, Câbir'in babasının ne isteyeceğini bilmiyor muydu ki kendisine istediği her şeyi vereceğini ifadeden sonra "bu isteğini karşılayamam" anlamında bir cevap vermiş ve şehidin isteği yerine getirilmemiş olsun. Gazâlî'nin böyle bir rivayeti hiçbir eleştiriye tabi tutmadan aktarması, onun bu konuda kararını vermişliğini ve sorgulamaya ihtiyaç hissetmediğini göstermektedir. Çünkü bu rivayetin ardından bu defa "ölen mü'min bir insanın ruhunun artık dünyaya dönmek istemeyeceği"ne dair rivayetler nakletmektedir (bk. Gazâlî, *İhyâ*, IV, 528).

"Biz çocukken İbn Ömer yanımızdan geçerken bir kabre baktı ve orada meydana çıkmış bir kafatası gördü. Bir kişiye kafatasını örtmeyi emretti. Kişi örttü. Sonra İbn Ömer buyurdu ki: Şu bedenlere şu toprak hiçbir zarar vermiyor. Kıyamete kadar ceza çeken veya sevaba nâil olan ruhlardır."[1] Rivayetlere yönelik herhangi bir değerlendirme yapmadığı ve çeşitli rivayetleri eleştirmeden naklettiği için Gazâlî'nin bu konudaki net kanaatini anlamaktan maalesef yoksunuz.

Gazâlî'ye göre ölen kişinin ruhu onunla birlikte kabirdedir; o kadar ki kendisini yıkayanı, taşıyanı ve kabre indireni dahi görür. Hatta kabir bile ölü ile konuşur. Bu konuda da Gazâlî, İbn Ebi'd-Dünyâ kaynaklı şöyle bir rivayet zikretmektedir:

Ölü kabre konulduğunda kabir ona şöyle der: "Yazık sana ey Âdemoğlu, benimle ilgili olarak seni aldatan neydi? Bilmedin mi ki ben fitne, karanlık, tenhalık ve böcek(lerin bulunduğu) evim. Yanımdan gururlu bir şekilde geçerken benim hakkımda seni aldatan neydi?" Ölen kişi eğer iyi bir kişiyse onun yerine kabir cevapçısı, "Bilmiyor musun, bu adam iyiliği emreder, kötülükten nehyederdi" der. Bunun üzerine kabir, "Öyleyse onun için ben yeşil bir hal alırım da onun cesedi nûra dönüşür, ruhu da Allah'a yükselir" cevabını verir.[2]

Bu son rivayette durumun daha da vahim olduğu anlaşılmaktadır. Çünkü daha önceki kabullere göre kabirde, ölen kişi ve sorgu melekleri varken, bu defa konuşan bir kabir ve ölen kişinin avukatlığını ya da sözcülüğünü yapan bir de "kabir cevapçısı" devreye girmektedir. Demek ki dünya ve âhiret hayatının dışında bir de kabir hayatı diye üçüncü bir hayat

1 Gazâlî, *İhyâ*, IV, 529.

2 Gazâlî'nin naklettiği bu ve benzer rivayetler için bk. Gazâlî, *İhyâ*, IV, 530-532.

kabul edilince, onun da bütün sakinleri çeşitli rivayetlerle gün yüzüne çıkarılmakta ve kabir hayatı, kabul edenlerince tüm fertlerine kavuşturulmaktadır.

Belki bütün bunlardan daha dikkat çekeni ise *İhyâu 'Ûlûmi'd-Dîn*'in çevirisini yapan mütercimin, söz konusu rivayetlerin senetlerinde yer alanlarla ilgili olarak "râvileri mutemeddir", yani "bu konudaki rivayetlerin aktarıcıları güvenilir insanlardır" demesidir. Demek ki bir insan, birilerine göre güvenilir ise onun hata yapma ihtimali ortadan kalkıyor ve her ne rivayet etmişse o rivayet de artık sorgulanmaz kabul edilip farklı düşünenler fâsıklık ve yoldan çıkmışlıkla itham edilebiliyor. Biz, bu tür değerlendirmeleri okuyucuların dikkatine sunmakla yetinmek istiyoruz.

3. ÖLÜM SONRASINDA RUHUN DURUMU

İkinci başlıkta bu konudaki genel yaklaşımları ortaya koymak üzere üç âlimimizin görüşlerini, delillerini ve bunların değerlendirmesini yapmaya çalıştık. Şimdi ise konuya dair bizim yaklaşımımızı ortaya koymaya gayret edeceğiz.

İnsanın ruhu ile vücudu birleştiğinde buna "nefs" veya "insan" denir. İkisi birbirinden ayrı olduklarında ruha da bedene de "nefs" veya "insan" denmez. Bu doğrultuda bakıldığında, beden öldükten sonra ruhun konumuna dair Kur'ân'da çok açık bilgilerin bulunduğunu ifade etmeliyiz.

Konuyla ilgili âyetlere değinmeden önce, ruhun konumu ve kabirde bedene tekrar dönüp dönmeyeceği hakkında çok önemli bir değerlendirmeyi burada aktarmak istiyoruz: Süleyman Ateş, kabir hayatının bedensel oluşu hakkındaki rivayetleri ve kabirde ruhun bedenle buluşmasının imkânsızlığı hakkında şu tespitte bulunmaktadır: "Ölen insanın ruhu, tâ kıyamete kadar bir daha bedene dönmez. Öldükten sonra yakılan yahut hayvanlar tarafından parçalanıp yenen, yanıp kül olan, zerre zerre parçalanıp hiç cesedi kalmayan insanlar da vardır. Olmayan cesede ruhun gelip girmesi mümkün değildir. Kuruyan ağaç nasıl canlanamazsa, ölen insan da dünyada bir an için dahi olsa canlanamaz. Nitekim tekrar dünyaya döndürülmek isteyen ruhlara, bunun olmayacağını Yüce Allah bildirmiştir... "Şekk üzerine yakîn kurulmaz" (şüphe ile kesin inanç oluşmaz) genel prensibi gereği, itikâdî meselelerin garip niteliğindeki âhâd haberi üzerine bina edilemeyeceği açık iken, maalesef garip âhâd haberlerine dayanılarak, ruhun kabirde tekrar cesedin içine sokulacağı Ehl-i Sünnet itikadı olarak asırlarca öğretilmiştir. Oysa bu kanaat, ilmî gerçeğe aykırı olduğu gibi naklî bakımdan da sağlam bir delilden yoksundur. Ruhun, cesedin içine tekrar gireceği varsayılırsa hiç kabre konulmayan, hayvanlar tarafından parçalanıp yenilen, yanıp kül olan cesede ruhun girmesi nasıl izah edilecektir? Çünkü bu takdirde ceset yoktur, tamamen ortadan kalkmıştır. Aslî elemanlara çözülmüş, değişmiştir. Yok olan bir maddeye ruhun girmesi, söz konusu olamaz."[1]

Ateş'in bu kanaatlerinin son derece isabetli olduğunu ve konuyu doğru kavramada çok önemli bilgiler içerdiğini özellikle belirtmekte yarar görmekteyiz. Bu ufuk kazandırıcı bilgileri aktardıktan sonra şimdi de ölüm sonrasında ruhun konumu ile ilgili âyetleri hatırlatmak istiyoruz.

a) Zümer 39/42

اَللّٰهُ يَتَوَفَّى الْاَنْفُسَ حِينَ مَوْتِهَا وَالَّتِي لَمْ تَمُتْ فِي مَنَامِهَا فَيُمْسِكُ الَّتِي قَضٰى عَلَيْهَا الْمَوْتَ وَيُرْسِلُ الْاُخْرٰىٓ اِلٰىٓ اَجَلٍ مُسَمًّى اِنَّ فِي ذٰلِكَ لَاٰيَاتٍ لِقَوْمٍ يَتَفَكَّرُونَ

"Allah, ölenin ölüm zamanı gelince, ölmeyenin de uykusun-

1 Ateş, *İnsan ve İnsanüstü Varlıklar*, s. 269-274.

da iken canlarını alır. Ölümüne hükmettiği canı yanında tutar; ötekini belirlenmiş bir vakte kadar bırakır. Şüphe yok ki, bunda düşünecek bir kavim için ibretler vardır."

Bu âyetin açık ifadesine göre bedeni ölen bütün insanların ruhları Allah'ın katındadır. Öyleyse insanların sorgulanmalarına muhatap olacak varlık da beden değil, ruhtur; çünkü insanların niyetlerine ve eylemlerine dair bütün bilgiler ruhta bulunmaktadır.

Âyette yer alan, فَيُمْسِكُ الَّتِي قَضٰى عَلَيْهَا الْمَوْتَ "Ölümüne hükmettiği canı yanında tutar" cümlesi, Yüce Allah'ın ölen bütün insanların ruhlarını yanında veya katında tutmakta olduğunu açıkça göstermektedir. Uykudaki insanların ruhları da Rabbimizin katındadır; ancak ölüm vakitleri henüz gelmediği için uyanacaklarında Yüce Allah, o ruhları insanlara geri gönderir. Demek ki geri gönderilen ruhlar uykusundan uyanacak kişilerin ruhlarıdır; yoksa bedeni ölüp kabre konulanların ruhlarının kabre gönderilmesi diye bir şey söz konusu değildir. Bu âyet gereği bu konuda söylenebilecek sözümüz budur.

Âyetin sonunda yer alan, اِنَّ فِي ذٰلِكَ لَاٰيَاتٍ لِقَوْمٍ يَتَفَكَّرُونَ "Şüphe yok ki, bunda düşünecek bir kavim için ibretler vardır" ifadesi, ölüm sonrasında veya uykudaki insan ruhunun konumunu kavramak için tefekkür gerektiğini ortaya koymaktadır. Belli ki mesele ulu orta ifadelerle geçiştirilecek, hakkında vahyin desteği olmadan hüküm verilebilecek bir konu değildir. Ayrıca yine söz konusu âyette ölüm ile rüyanın benzerliği ortaya konularak, haklarında sağlıklı bilgi için vahiy destekli tefekkürün zorunluluğu hatırlatılmaktadır.

b) Mü'minûn 23/99-100

حَتّٰى اِذَا جَاءَ اَحَدَهُمُ الْمَوْتُ قَالَ رَبِّ ارْجِعُونِ لَعَلّٖي اَعْمَلُ صَالِحًا فٖيمَا تَرَكْتُ كَلَّا اِنَّهَا كَلِمَةٌ هُوَ قَائِلُهَا وَمِنْ وَرَائِهِمْ بَرْزَخٌ اِلٰى يَوْمِ يُبْعَثُونَ "Nihayet onlardan birine ölüm geldiği zaman, 'Ey Rabbim, beni geri çeviriniz ki terk ettiğim (dünyada) yararlı işler yapayım' der. Hayır, bu onun söylediği (boş bir) sözdür. Arkalarında, diriltilecekleri güne kadar bir berzah vardır."

Daha önce *berzah* kelimesini incelerken de ifade ettiğimiz üzere, ölen kâfir kişi ölümünün hemen peşinden dünyaya geri gönderilme isteğini dile getirecektir. Beden ölürken yaşanacak sıkıntı ve azap bir tarafa, ölüm esnasında kâfir olan kişiye mahşerde gideceği azap mekânının gösterilmesi de ayrı bir sıkıntı nedeni olacaktır. Bütün bunların sonrasında, yani öldükten sonra kâfir olan kişi dünyaya geri gönderilmeyi isteyecektir; fakat bu istek hiçbir şekilde dikkate alınmayacaktır.

c) Zümer 39/58

اَوْ تَقُولَ حِينَ تَرَى الْعَذَابَ لَوْ اَنَّ لِي كَرَّةً فَاَكُونَ مِنَ الْمُحْسِنِينَ "Veya azabı gördüğünde, 'Keşke benim için bir kez (dönmeye) imkân bulunsa da iyilerden olsam!' demeden önce (gerçeğe dönün)."

Bu özlem, ölüm esnasında veya mahşerde gerçekleşecek olabilir. Ancak biz bunun ölüm sonrasında mahşer öncesinde gerçekleşeceği kanaatindeyiz. Çünkü Zümer 39/54-56. âyetlerde kâfirlere azabın ansızın gelmesinden ve dünyada Allah nezdindeki kabahatlerinden söz edilmektedir. Anlaşılıyor ki bu özlem veya istek ölümün hemen sonrasında yaşanacaktır. Kaldı ki, Zümer 39/59. âyette de kafirlerin kibrinden ve yalanlayıcılıklarından söz edildikten sonra, 60. âyette konu kıyamet gününe getirilmektedir. Bütün bu bağlam bize ölüm sonrasında ancak mahşer öncesinde ruhun yaşayacağı pişmanlıkları ve dile getireceği özlemleri hatırlatmaktadır.

Sonuç olarak;

Zümer 39/42. âyet gereği bedeni ölen insanların ruhlarının yeri gayet açık bir şekilde anlaşılıyor ki Yüce Allah'ın katıdır. Kötülük sahibi insanların ruhları bu veya benzer şekillerde sıkıntı ve manevi bir azap içerisinde olacakken, iyilik sahiplerinin ruhları da elbette huzur içerisinde bulunacaklardır. Bu tür iyilik sahiplerinin ruhlarına örnek ise şehitlerin durumdur ve onlarla ilgili âyetleri "Kabirde Rızıklandırma" başlığında ele alacağız.

Hacc 22/6'da sözü edilen *men fi'l-kubûr* "kabirdekiler" ifadesinin anlamını "Diriltilme" başlığında ele alacağız. Rabbimizin katında bulunan ruhların orada nasıl bir konumda olduklarını doğrudan ve ayrıntılı olarak bilmiyoruz. Sadece şunu söylemek mümkündür: Yukarıda verdiğimiz örneklerden de anlaşılacağı gibi, iyilik sahibi insanların ruhları ile kötülük sahiplerinin ruhları aynı durumda olmazlar. İyilerin ruhları muhtemelen serbest bırakılabilir ve şehitler örneğinde olduğu gibi çeşitli şekillerde rızıklandırılabilirken, kötülerinkiler böyle bir serbestîye sahip olamazlar; çünkü onlar tutuklu durumundadır.

Kötülük sahibi insanların ölen bedenlerinin durumu tıpkı tutuklanan bir zanlıya benzer. Artık onun kaçmaya veya yeni fiiller işlemeye imkânı kalmamıştır. İşlediği suçları hem kendisi bilmektedir; hem de onu yargılayacak yargıcın söz konusu suçları bildiğini bilmektedir. Üstelik alacağı cezanın da farkındadır veya en azından bunu tahmin etmektedir. Bu durumdaki ruhun rahat ve huzurlu olduğu elbette iddia edilemez. Mahiyetini bizim bilemeyeceğimiz şekilde ve sadece ruhu ilgilendirecek çeşitli manevi azaplar içerisinde olduğunu söylemek durumundayız. Mezar bu tür kötü insanların ölü bedenleri için bir nezârethanedir; orada ruhuyla buluşturulup yeniden diriltileceği ve yargılanacağı günü bekler.

Bu sıkıntılı bekleyiş bir tür azap gibi kabul edilebilir; ancak henüz yargılanma olmadığı için bu azaba cehennem azabı, sıkıntılardan oluşan manevi ateşe de cehennem ateşi denemez. Ölen insan için bedeniyle ilgili işlem anlamında saat durdurulmuştur; o saat bir daha kıyamet sonrasında, yani mahşerde çalışmaya başlatılacaktır.

İyi insanların ruhları da ödül almayı hak edip henüz onu alamayan, ancak alacağı günü heyecanla ve özlemle bekleyen kişiye benzer. Okuldaki bütün dersleri verip henüz diplomasını almamış bir öğrencinin diploma heyecanı ne ise iyilik sahibi insanların ruhlarının heyecanı bundan çok daha yüksektir. Ödülü veya diplomayı almak mahşerde gerçekleşeceği için ilgili kişiye mezun muamelesi yapılamaz. Bu insanlar ruhlarının bedenleriyle buluşacağı mahşere kadar huzurlu ve sevinçli bir bekleyiş içerisinde olacaklardır. Gerçeği sadece Allah bilir.

Yüce Allah'ın, Bakara 2/154'te وَلٰكِنْ لَا تَشْعُرُونَ "Ancak (şehitlerin hayatiyetini) siz bilemezsiniz" dediği meselede, vahiy referansı olmadan sayfalar dolusu bilgi verilmesi anlaşılır bir durum değildir. Allah katında olduğu ilan edilen ve hiçbir insanın bilemeyeceği bildirilen "bedeni ölmüş ruh"la ilgili olarak âlimlerin ihtilafının da, ihtilafları doğrultusunda ileri sürdükleri bazı gerekçelerin de aslında bir anlamı yoktur. Bizim bu çalışmayı yapmamızın nedeni ise, gayb olan bir konuda ileri sürülen fikirlerin Kur'ân'a uygun olup olmadığını ispata çalışmaktır.

Buraya kadar diğer inançlardaki kabir anlayışlarını, *kabr* kelimesi hakkındaki genel yaklaşımları, ruhun mahiyetini ve beden öldükten sonraki ruhun konumu meselesini ele alarak birinci bölümü tamamladık. İkinci bölümde, "Kabir Sorgusu ve Kabir Azabı" konularını ele alacağız.

İKİNCİ BÖLÜM

KABİR SORGUSU VE KABİR AZABI

A. KABİR SORGUSU

Kabir sorgusu hakkında yapacağımız açıklamalar, aslında mevcut olmayıp varmış gibi esas alınan bir kabulün incelenmesi adına yapılacaktır. Kabir sorgusu konusuna geçmeden önce, insanların ölümleri esnasında nelerin yaşanacağını Kur'ân çerçevesinde hatırlatmakta yarar görmekteyiz. Çünkü genelde ölüm esnasındaki hallerle ölümün hemen sonrasının karıştırıldığı kanaatindeyiz. Kabirde bir sorgulama varsa bunu ancak sorgulamayı gerçekleştirecek olan Yüce Allah söyler; hiçbir beşer Rabbimiz bildirmeden kabirde neler olacağını haber veremez. Bu nedenle Yüce Allah'ın, hakkında bilgi verdiği "ölüm anında yaşanacaklar" konusunu ele almak, sonra da diğer meselelere değinmek istiyoruz.

1. ÖLÜM ESNASINDA YAŞANACAKLAR

Bir sonraki başlıkta ele alacağımız "Sorgu Melekleri: *Münker-Nekîr*" konusu kabirle ilgili meselelerin anlaşılmasında son derece önemlidir. Ancak bundan daha önemlisi kabir öncesinde ölüm anında yaşanacakların bilinmesidir. Eğer bu konu doğru bilinirse muhtemel bazı karışıklıkların önü kesilecek, yanlış isimlendirmelerden kurtulmak mümkün olacak ve hatalı bir inançtan uzaklaşılması sağlanacaktır.

Ölecek insanın nasıl biri olduğu kendilerine bildirilmiş olacağı için, melekler söz konusu kişinin canını ona göre alırlar. Bu arada şu husus unutulmamalıdır: Ölüm anında meleklerle konuşanlar ölmek üzere olan insanların ruhlarıdır. Bu noktada bazı âyetleri hatırlatmakta yarar görmekteyiz.

a) En'âm 6/93

وَمَنْ اَظْلَمُ مِمَّنِ افْتَرٰى عَلَى اللّٰهِ كَذِبًا اَوْ قَالَ اُو۫حِيَ اِلَيَّ وَلَمْ يُوحَ اِلَيْهِ شَيْءٌ
وَمَنْ قَالَ سَاُنْزِلُ مِثْلَ مَٓا اَنْزَلَ اللّٰهُ وَلَوْ تَرٰٓى اِذِ الظَّالِمُونَ ف۪ي غَمَرَاتِ الْمَوْتِ
وَالْمَلٰٓئِكَةُ بَاسِطُٓوا اَيْد۪يهِمْ اَخْرِجُٓوا اَنْفُسَكُمْ اَلْيَوْمَ تُجْزَوْنَ عَذَابَ الْهُونِ بِمَا كُنْتُمْ
تَقُولُونَ عَلَى اللّٰهِ غَيْرَ الْحَقِّ وَكُنْتُمْ عَنْ اٰيَاتِه۪ تَسْتَكْبِرُونَ "Allah hakkında yalan uyduran ya da kendisine hiçbir şey indirilmediği hâlde 'Bana da indirildi' diyen ve 'Allah'ın indirdiğine benzer şeyleri ben de indirebilirim' iddiasında bulunan kimseden daha zalim biri olabilir mi? Ölüm sancısıyla kıvranırken melekler ellerini uzatarak 'Ruhlarınızı teslim edin! Doğru olmayan şeyleri Allah'a yalan iftira ettiğiniz için ve O'nun mesajlarına karşı kibrinizden dolayı bugün onur kırıcı bir cezaya çarptırılacaksınız!' dediklerinde, bir görmeliydin o zalimleri!"

Bu âyet hakkında detaylı bilgiyi "Kabirde Azabın İddia Edilen Delilleri: Kur'ânî Deliller" başlığında vereceğiz. Burada şu kadarını söyleyelim: İnkârcı, zalim ve Yüce Allah'a iftira eden kişiler, ölümleri anında meleklerin yoğun baskısına, yani ellerini boğazlarına uzatarak çeşitli eziyetlere maruz kalacaklardır. Bu durum canın çıkmasıyla, yani ölüm anıyla ilgilidir. Âyette sözü edilen "onur kırıcı azap" ise bir sonraki ayetin de işaretiyle mahşerle ilişkilidir. İşte ölüm esnasında yaşanacak bu olay bir anlamda azaptır; ancak buna cehennem azabı denemez.

b) Enfâl 8/50 ve Muhammed 47/27

وَلَوْ تَرٰى اِذْ يَتَوَفَّى الَّذِينَ كَفَرُوا الْمَلٰٓئِكَةُ يَضْرِبُونَ وُجُوهَهُمْ وَاَدْبَارَهُمْ وَذُوقُوا عَذَابَ الْحَرِيقِ "Melekler, küfre saplanıp kalanlara ölümü tattırdığında (kâfirlerin durumlarını) bir görmeliydin: (Melekler) onların suratlarına ve sırtlarına vurarak (diyecekler) ki: Tadın bakalım yakıcı azabı."

فَكَيْفَ اِذَا تَوَفَّتْهُمُ الْمَلٰٓئِكَةُ يَضْرِبُونَ وُجُوهَهُمْ وَاَدْبَارَهُمْ "Melekler onların suratlarına ve sırtlarına vurarak canlarını alacakları zaman halleri nice olacak?"

Her iki âyette de kâfirlerin ölümleri anında melekler tarafından eziyete uğratılacakları, mahiyetini bizim bilemeyeceğimiz şekilde yüzlerine ve arkalarına darbeler indirileceği beyan edilmektedir. Bu durum elbette bir azaptır; ancak bu aşamada henüz yargılama yapılmadığı için cehennem azabından söz edilmemelidir.

Âyetlerde sözü edilen darbeler hakkında Râzî şu değerli açılımı yapmıştır: "Yüzlerine vurmak, âhirette kendilerini bekleyen kötü akıbet, sırtlarına vurmak ise ardında bıraktıkları hiçbir dünyalığa ulaşamama ve hayrını görememenin verdiği hayal kırıklığı ve ıstıraptır."[1]

c) Nahl 16/28-29

اَلَّذِينَ تَتَوَفّٰيهُمُ الْمَلٰٓئِكَةُ ظَالِمِيٓ اَنْفُسِهِمْ فَاَلْقَوُا السَّلَمَ مَا كُنَّا نَعْمَلُ مِنْ سُوٓءٍ بَلٰٓى اِنَّ اللّٰهَ عَلِيمٌ بِمَا كُنْتُمْ تَعْمَلُونَ فَادْخُلُوٓا اَبْوَابَ جَهَنَّمَ خَالِدِينَ فِيهَا فَلَبِئْسَ مَثْوَى الْمُتَكَبِّرِينَ "Kendi kendilerine kötülük etmeyi sürdürürken melekler o kâfirlerin canlarını alırlar. Kâfirler o esnada çaresizlik içerisinde teslim olurlar ve '(canımızı niçin işkence ederek alıyorsunuz ki?) Biz kötü bir iş yapmıyorduk ki! (Yaptıklarımızı kötülük olsun diye yapmamıştık, diyecekler). Melekler de şu

---

1 Râzî, *age.*, XV, 178.

cevabı verecekler: 'Hayır! (Unutuyorsunuz ama), Allah yapmış olduğunuz her şeyi eksiksiz bilendir. 'Haydi, o hâlde içerisinde yerleşip kalmak üzere cehennemin kapılarından buyurun!' İşte, büyüklük taslamayı kişiliğinin bir parçası hâline getirenlerin düştüğü berbat konum budur!"

Bu ifadeler ölmek üzere olan kişilerin yalancılıklarını ve çaresizliklerini ortaya koymakta, kendilerinin cehennemlik olduğunu meleklerin onlara bildireceğini haber vermektedir.

"Cehennemliklerin cehennemin kapılarına girmeleri" cümlesi onların cehennemlik olduklarını ve girecekleri yerin cehennem olduğunu ortaya koymaktadır. Bir anlamda mahşerde gidecekleri yerin, yani ikametgâhlarının orası olduğunu kendilerine bildirmeleri demektir. Bu ifade cehenneme girmek anlamına alınamaz; çünkü henüz yargılamaları yapılmamış ve cehennem yaratılmamıştır. Âyeti "kapılarından cehenneme girmek" şeklinde anlarsak, bu durumda âyetteki bu son mesaj, ölürken kâfirlere durumlarının bildirilmesi ve ardından mahşerde bu durumun gerçekleşmesiyle ilgili olur.

d) Nahl 16/30-32

وَقِيلَ لِلَّذِينَ اتَّقَوْا مَاذَٓا اَنْزَلَ رَبُّكُمْ قَالُوا خَيْرًا لِلَّذِينَ اَحْسَنُوا فِي هٰذِهِ الدُّنْيَا حَسَنَةٌ وَلَدَارُ الْاٰخِرَةِ خَيْرٌ وَلَنِعْمَ دَارُ الْمُتَّقِينَ جَنَّاتُ عَدْنٍ يَدْخُلُونَهَا تَجْرِي مِنْ تَحْتِهَا الْاَنْهَارُ لَهُمْ فِيهَا مَا يَشَٓاؤُنَ كَذٰلِكَ يَجْزِي اللّٰهُ الْمُتَّقِينَ اَلَّذِينَ تَتَوَفّٰيهُمُ الْمَلٰٓئِكَةُ طَيِّبِينَ يَقُولُونَ سَلَامٌ عَلَيْكُمُ ادْخُلُوا الْجَنَّةَ بِمَا كُنْتُمْ تَعْمَلُونَ "Bir de sorumluluk bilincine sahip olanlara sorulacak: 'Rabbiniz size ne indirdi?' Onlar 'iyilik-güzellik!' diyecekler. İyilikte sebat gösterenler bu dünyada iyilik bulacaklar; ama âhiret yurdu ondan çok daha hayırlı olacak. Elbet pek güzeldir muttakilerin yurdu! Zemininden ırmakların çağladığı, kalıcı mutluluğun merkezi olan cennetlere girecekler; orada istedikleri her şeyi bulacaklar. Allah, sorumluluk bilincine sahip olanları işte böyle ödüllendirecek. Bunlar, meleklerin 'Sizlere selam olsun! Ne mutlu size! Yapmış olduklarınızdan dolayı girin cennete!' diyerek canlarını tertemiz (kolayca, acısız) aldığı kimseler olacaktır."

İşte bu ifadeler de ölmek üzere olan iyilik sahibi kişilerin mutluluklarını ortaya koymaktadır. Çünkü melekler kendilerini müjdeleyeceklerdir; onların cennetlik olduklarını kendilerine beyan edeceklerdir; mahşerde de cennete gireceklerdir.

Bu son iki grup âyette hem kâfirlerin hem de müminlerin ölümleri anında yaşayacakları haller haber verilmektedir. Elbette bu durum kâfirler için büyük bir sıkıntı, eziyet ve azap; müminler için ise derin bir huzur, mutluluk ve ödül olacaktır.

e) Vâkı'a 56/83-96

فَلَوْلَٓا اِذَا بَلَغَتِ الْحُلْقُومَ وَاَنْتُمْ حٖينَئِذٍ تَنْظُرُونَ وَنَحْنُ اَقْرَبُ اِلَيْهِ مِنْكُمْ وَلٰكِنْ لَا تُبْصِرُونَ فَلَوْلَٓا اِنْ كُنْتُمْ غَيْرَ مَدٖينٖينَ تَرْجِعُونَهَٓا اِنْ كُنْتُمْ صَادِقٖينَ فَاَمَّٓا اِنْ كَانَ مِنَ الْمُقَرَّبٖينَ فَرَوْحٌ وَرَيْحَانٌ وَجَنَّتُ نَعٖيمٍ وَاَمَّٓا اِنْ كَانَ مِنْ اَصْحَابِ الْيَمٖينِ فَسَلَامٌ لَكَ مِنْ اَصْحَابِ الْيَمٖينِ وَاَمَّٓا اِنْ كَانَ مِنَ الْمُكَذِّبٖينَ الضَّٓالّٖينَ فَنُزُلٌ مِنْ حَمٖيمٍ وَتَصْلِيَةُ جَحٖيمٍ اِنَّ هٰذَا لَهُوَ حَقُّ الْيَقٖينِ فَسَبِّحْ بِاسْمِ رَبِّكَ الْعَظٖيمِ "Hele can boğaza dayandığı zaman, o vakit siz bakar durursunuz. (O anda) biz ona sizden daha yakınız, ama göremezsiniz. Mademki ceza görmeyecekmişsiniz, o halde iddianızda doğru iseniz, onu (canı) geri çevirsenize! Fakat (ölen kişi Allah'a) yakın olanlardan ise, ona rahatlık, güzel rızık ve nimet cenneti vardır. Eğer o kişi, defterini sağ tarafından alanlardan ise (ona), 'Ey sağdaki! Sana selam olsun!' (denir). Ama yalanlayıcı sapıklardan ise, işte ona da kaynar sudan bir ziyafet vardır ve (onun sonu) cehenneme atılmaktır. Şüphesiz ki bu, kesin gerçektir. Öyleyse ulu Rabbinin adını tesbîh et."

Kabirde azabın iddia edilen delillerinden sayılan bu âyetlerde ölüm anıyla ilgili bilgilendirmeler yer almaktadır.[1] Âyet grubunun başında yer alan اِذَا بَلَغَتِ الْحُلْقُومَ "Can boğaza dayandığı zaman" ifadesi, burada anlatılan hususların ölüm anıyla ilgili olduğunu açıkça göstermektedir. Burada, Vâkı'a 56/88. âyetten itibaren sûrenin başında değinilen üç grup insanın âhirette nelerle karşılaşacaklarıyla ilgili mesajlar yer almaktadır. Bu bilgilendirmeler ya ölmekte olan kişilere ölümleri anında melekler tarafından gerçekleştirilecektir ya da 88. âyetten itibaren devam eden bölüm insanlara hayatlarında yapılan bilgilendirmelerle ilgilidir; konunun kabirle hiçbir ilgisi yoktur.

f) Münâfikûn 63/10-11

وَاَنْفِقُوا مِمَّا رَزَقْنَاكُمْ مِنْ قَبْلِ اَنْ يَاْتِيَ اَحَدَكُمُ الْمَوْتُ فَيَقُولَ رَبِّ لَوْلَٓا اَخَّرْتَنٖٓي اِلٰٓى اَجَلٍ قَرٖيبٍ فَاَصَّدَّقَ وَاَكُنْ مِنَ الصَّالِحٖينَ وَلَنْ يُؤَخِّرَ اللّٰهُ نَفْسًا اِذَا جَٓاءَ اَجَلُهَا وَاللّٰهُ خَبٖيرٌ بِمَا تَعْمَلُونَ "Herhangi birinize ölüm gelip de, 'Rabbim! Beni yakın bir süreye kadar geciktirsen de sadaka verip iyilerden olsam!' demesinden önce, size verdiğimiz rızıktan harcayın. Allah, eceli geldiğinde hiç kimseyi (ölümünü) ertelemez. Allah, yaptıklarınızdan haberdardır."

Yüce Allah bu âyetlerde infâkın önemini vurgulamakta, bu arada kişiler ölmeden önce infâk yapmaları gerektiği noktasında bilgilendirilmektedirler. Aksi olursa ölüm anında bir geciktirmenin isteneceği beyan edilerek bunun mümkün olmadığı ifade edilmektedir. İşte bu konuşmalar ölüm anında yaşanacak olan derin pişmanlığı haber vermektedir. Şüphe yok ki bu durumdaki kişiler dünya hayatında görevlerini yapmayanlardır.

---

1 İbn Receb, *age.,* s. 41-42; İbn Kayyim, *er-Rûh,* s. 75.

Ayrıca İbrâhim 14/44'te yine ölüm esnasında ecelin geciktirilmesinin, böylece ilâhî davete icabet edip peygambere tâbi olma arzusunun dile getirileceği, ancak bunun da hiçbir işe yaramayacağı beyan edilmektedir.

Bu arada Nisâ 4/18'de "ölüm anında yapılacak tevbenin kabul edilmeyeceği" ifadesi ile Yûnus 10/90-91'de Firavun'un boğulurken gerçekleştireceği iman itirafı ve bunun reddedilmesi, ölüm esnasındaki sıkıntıların en çarpıcı örneklerindendir.

Anlaşılan o ki, ölüm anında birtakım sıra dışılıklar yaşanacak ve bazı istekler dile getirilecek, ancak bütün bunlar sonucu değiştirmeyecektir. Bu isteklerin aslında bir itiraf olduğunu ve meleklerin bu noktada herhangi bir esneklik gösteremeyeceklerini söyleyebiliriz. Şüphesiz bu durumda olanlar için söz konusu anlar birer sıkıntı ve manevi azap türüdür.

İşte bütün bu âyetlerde, ölmekte olanların yaşayacakları akıbetlerle ilgili bilgiler bulunmaktadır. Burada herhangi bir sorgulamadan değil, ölüm esnasında yaşanacak bilgilendirmeden ve gerçekleştirilecek uygulamalardan söz edilmektedir. Üstelik bu bilgilendirmeyi yapacak meleklerin -Ölüm Meleği ismi dışında- özel bir adından da söz edilmemektedir. Bütün bunların, yani ölmek üzere yaşanacağı bildirilen bu olayların kabirle hiçbir ilgisi yoktur. Burada bir isim karışıklığı veya isimlendirme yanlışlığı yaşandığını söyleyebiliriz.

Ölüm anında yaşanacak bu hakikatler hakkında bilgi verdikten sonra şimdi de kabirde gerçekleşeceğine inanılan sorgulama konusunu ele almak istiyoruz.

2. SORGU MELEKLERİ: *MÜNKER* VE *NEKÎR*

Kabir sorgusu konusunu incelerken öncelikle bu sorgulamayı yapacağı söylenen melekler hakkında kısaca bilgi vermek gerekmektedir. Sorgu meleklerine isim olarak verilen مُنْكَرٍ *münker* ve نَكِيرٍ *nekîr* kelimelerinin kökeni hakkında bazı açıklamalar yapmakta yarar vardır.

a) N-k-r Kökünden Kelimelerin Anlamı ve Kur'ân'daki Kullanımı

مُنْكَرٍ *münker* ve نَكِيرٍ *nekîr* kelimeleri *n-k-r* kökündendir ve lügatte "çirkin gösterilmiş, çok çirkin, tiksinilen" anlamlarına gelmektedir. Bu iki kelime Kur'ân'da değişik kalıplarda ve anlamlarda kullanılmaktadır. Söz konusu kullanımların hemen hemen hepsinde "çirkinlik, azap, kötü" gibi anlamlar mevcuttur. Şimdi bu kullanımlara ait örnekler vermek istiyoruz.

I. Fiil olarak نَكِرَ *nekira*, "yadırgamak, çekinmek, düşünülmeyen bir şeyin kalbe doğması -ki bu haliyle ilgili kelime bir tür cehalet-" anlamlarına gelmektedir.[1]

فَلَمَّا رَآٰ اَيْدِيَهُمْ لَا تَصِلُ اِلَيْهِ نَكِرَهُمْ وَاَوْجَسَ مِنْهُمْ خ۪يفَةً "Ellerini yemeğe uzatmadıklarını görünce, onları yadırgadı ve onlardan dolayı içine bir korku düştü."[2] Bu âyetteki konu Hz. İbrahim'in kendisine gelen melekleri tanımayıp onları yadırgaması ile ilgilidir. İşte âyette bu anlandaki kelime نَكِرَ *nekira* fiilidir.

II. Aynı kökten dört harfli kalıptaki اَنْكَرَ *enkera/yünkiru* fiili, "tanımamak, inkâr etmek, korkup kaçmak, dehşete kapılmak, çekinmek, sakınmak, beğenmemek" şeklinde anlamlar vermektedir. Bu anlamdaki örneklerden birisi şöyledir:

وَيُر۪يكُمْ اٰيَاتِه۪ۗ فَاَيَّ اٰيَاتِ اللّٰهِ تُنْكِرُونَ "Allah size âyetlerini gösteriyor. Şimdi, Allah'ın âyetlerinden hangisini inkâr ediyorsunuz?"[3] Bu âyetteki تُنْكِرُونَ *tünkirûne* fiili "inkâr etmek" demektir.

---

1 Isfehânî, *age.*, s. 823; İbn Manzûr, *age.*, VI, 4539-4540.

2 Hûd 11/70.

3 Mü'min 40/81. Bu anlamda örnekler için bk. Ra'd 13/36; Nahl 16/83.

Bu kelime, yine dört harfli olarak, ancak *münkirûn* veya *münkira* kalıplarında da "inkâr ediciler" anlamını vermektedir.[1]

III. Aynı kökten gelen نَكِّرُوا *nekkirû* emri "değiştirmek" manasındadır.

قَالَ نَكِّرُوا لَهَا عَرْشَهَا نَنْظُرْ اَتَهْتَد۪ٓي اَمْ تَكُونُ مِنَ الَّذ۪ينَ لَا يَهْتَدُونَ "Onun tahtını değiştirin; bakalım tanıyacak mı, yoksa tanıyamayanlar arasında mı olacak?"[2] Buradaki konu Belkıs'ın tahtının değiştirilmesiyle ilgilidir ve kullanılan kelime de نَكِّرُوا *nekkirû* emridir.

IV. İsim olarak نُكْر *nükr* ve نُكُر *nükür* kelimeleri, "dehşetli, belalı, çirkin, kötü, bilinmeyen zor iş, felaket" anlamlarına gelmektedir.[3] *Nükr* şeklindeki kullanımlarından bir tanesi Kehf 18/74'tedir:

فَانْطَلَقَا حَتّٰٓى اِذَا لَقِيَا غُلَامًا فَقَتَلَهُۙ قَالَ اَقَتَلْتَ نَفْسًا زَكِيَّةً بِغَيْرِ نَفْسٍۜ لَقَدْ جِئْتَ شَيْـًٔا نُكْرًا "Yine yürüdüler. Nihayet bir erkek çocuğa rastladıklarında (melek) hemen onu öldürdü. (Musa) dedi ki: Tertemiz bir canı, bir can karşılığı olmaksızın (kimseyi öldürmediği halde) katlettin ha! Gerçekten sen çok kötü/fena bir şey yaptın!"

Âyetteki konu, Hz. Mûsâ'nın bilge bir kul olan melekle yaptığı bilgilendirme yolculuğunda[4] meleğin bir çocuğu öldürmesi olayıdır. Bilge kul melek, çocuğu öldürünce Hz.

---

1 Yûsuf 12/58; Nahl 16/22; Enbiyâ 21/50; Mü'minûn 23/69.

2 Neml 27/41.

3 Isfehânî, *age.*, s. 824.

4 Kehf sûresinin 65-82. âyetleri arasında yer alan ve Hz. Mûsâ'nın birlikte yolculuk yaptığı arkadaşı İslam kültüründe genellikle Hızır diye isimlendirilmesine rağmen bu konuda yaptığımız bir araştırmada söz konusu kişinin Hızır adında bir insan değil de bir melek olduğu ortaya konulmuştur (bk. Mehmet Okuyan, "Kur'ân'da Gizemli Bir Yolculuğun Kıssası", *Din Eğitimi Araştırmaları Dergisi*, sayı: XIII, İstanbul, 2004.)

Mûsâ onun bu fiili için *nükr* kelimesini kullanmıştır; yani meleğin bu öldürme işinin "eşi benzeri olmayan, tarif edilemeyecek kadar kötü" olduğunu ifade etmek için konuşmasında نُكْرًا *nükr* sözcüğüne yer vermiştir.

Bu kelimenin iki âyette daha kullanım örnekleri vardır. Buna göre Kehf 18/87 ve Talâk 65/8'de söz konusu kelime, *'azâb* kelimesinin sıfatı olarak ve "şiddetli, kötü, çetin" anlamlarında kullanılmıştır. Ayrıca نُكْرًا *nükr* kelimesinin *münker* anlamında ve "şiddetli iş"lerin sıfatı olarak kullanıldığı da ifade edilmektedir.[1]

فَتَوَلَّ عَنْهُمْ يَوْمَ يَدْعُ الدَّاعِ اِلٰى شَيْءٍ نُكُرٍ "(Yüz çevirene) uyarılar fayda vermeyeceği için çağıranın görülmemiş bir şeye çağırdığı gün, sen de onlardan yüz çevir" şeklinde Kamer 54/6'da geçen نُكُرٍ *nükür* kelimesi de نُكْرًا *nükr* ile aynı manayı vermektedir.

v. *İsm-i tafdîl*, yani "mübalağa" veya "abartı" sığasındaki اَنْكَرَ *enker* kelimesi, "en çirkin, en kötü" anlamına gelmekte ve sadece Lokmân 31/19'da kullanılmaktadır:

وَاقْصِدْ فٖي مَشْيِكَ وَاغْضُضْ مِنْ صَوْتِكَ اِنَّ اَنْكَرَ الْاَصْوَاتِ لَصَوْتُ الْحَمٖيرِ "Yürüyüşünde tabiî ol, sesini alçalt. Unutma ki, seslerin en çirkini merkeplerin sesidir." Buradaki اَنْكَرَ *enker* kelimesi "en çirkin" demektir.

vı. نَكٖيرٍ *nekîr* kelimesinin Kur'ân'daki kullanımlarında "inkâr etmek" anlamı da söz konusudur:

اِسْتَجٖيبُوا لِرَبِّكُمْ مِنْ قَبْلِ اَنْ يَاْتِيَ يَوْمٌ لَا مَرَدَّ لَهُ مِنَ اللّٰهِ مَا لَكُمْ مِنْ مَلْجَاٍ يَوْمَئِذٍ وَمَا لَكُمْ مِنْ نَكٖيرٍ "Allah'tan, geri çevrilmesi imkânsız bir gün gelmezden önce Rabbinize uyun. Çünkü o gün, hiçbiriniz sığınacak yer bulamazsınız, itiraz da edemezsiniz."[2] Buradaki

1 Ebû Abdirrahmân el-Ferâhîdî Halil b. Ahmed, *Kitâbü'l-'Ayn*, Beyrut, 1988, V, 355.

2 Şûrâ 42/47.

نَكِيرٍ *nekîr* kelimesi, "inkâr eden, inkâra kalkışan" manasına gelmektedir. Yine bu kelime Kur'ân'da "azap etmek, ceza vermek" anlamlarında kullanılmaktadır.[1]

vıı. İsm-i mef'ûl olarak gelen مُنْكَرٍ *münker* de "kötü, sağlam aklın çirkin saydığı, dinin reddettiği, benimsemediği şey" anlamlarına gelmektedir. Buna örnek olarak Mâide 5/79. âyeti verebiliriz:

كَانُوا لَا يَتَنَاهَوْنَ عَنْ مُنْكَرٍ فَعَلُوهُ لَبِئْسَ مَا كَانُوا يَفْعَلُونَ "Onlar, işledikleri kötülükten, birbirini vazgeçirmeye çalışmazlardı. Andolsun, yaptıkları ne kötüdür!" Âyetteki ilgili kelime *eliflam*sız olarak مُنْكَرٍ *münker* şeklinde nekra gelmiştir. Benzer bir kullanım Mücâdele 58/2'de söz konusudur.

Eliflâm takısıyla الْمُنْكَرِ *el-münker* kelimesi, "sâlim bir aklın çirkinliğine hükmettiği ve dinin de çirkin saydığı her fiil"[2] anlamıyla Kur'ân'da الْمَعْرُوفِ *el-ma'rûf* kelimesinin karşıtı olarak da kullanılmaktadır. *Ma'rûf*, "iyi, hayırlı, yararlı, yapılması dinen emredilen şey"ler anlamını ifade ederken, *münker* de "kötü, çirkin, yasak" anlamlarına gelmektedir. Konuyla ilgili bir örneği hatırlatalım:

وَالْمُؤْمِنُونَ وَالْمُؤْمِنَاتُ بَعْضُهُمْ اَوْلِيَٓاءُ بَعْضٍۘ يَأْمُرُونَ بِالْمَعْرُوفِ وَيَنْهَوْنَ عَنِ الْمُنْكَرِ "Mümin erkeklerle mümin kadınlar da birbirlerinin dostudurlar. Onlar iyiliği emreder, kötülükten alıkoyarlar..."[3] Bu âyette de geçen الْمُنْكَرِ *el-münker* kelimesinin "kötü, çirkin, dinin reddettiği şey" anlamlarıyla ilgili olarak Kur'ân'da pek çok kullanım örneği vardır.[4]

---

1 Örnek için bk. Hacc 22/44; Sebe' 34/45; Fâtır 35/26; Mülk 67/18.

2 Isfahânî, *age.*, s. 823.

3 Tevbe 9/71.

4 Bu konuda başka örnekler için bk. Âl-i 'Imrân 3/104, 110, 114; A'râf 7/157; Tevbe 9/67, 112; Nahl 16/90; Hacc 22/41, 72; Nûr 24/21; 'Ankebût 29/29, 45; Lokmân 31/17.

VIII. *Münker* kelimesinin çoğulu olarak kullanılan ve bizce kabul edenleri tarafından kabirdeki sorgu meleklerine bu ismin verilmesine anlam olarak destek kabul edilebilecek مُنْكَرُونَ *münkerûn* kelimesine de Kur'ân'da yer verilmektedir:

قَالَ اِنَّكُمْ قَوْمٌ مُنْكَرُونَ "Lût onlara, 'Hakikaten siz, tanınmayan kimselersiniz' dedi."[1] Buradaki konu, Hz. Lût'un, kavmini helâk için gelen melekleri tanıyamamasıdır. Hz. Lût, melekler için korku manasını kapsayan "tanıyamama, çekinme" anlamlarını da içeren bu kelimeyi kullanmıştır. Benzer bir ifade Hz. İbrahim tarafından yine meleklere yönelik olarak, قَوْمٌ مُنْكَرُونَ şeklinde yer almaktadır.[2]

Sorgu meleklerine verilen ve *n-k-r* kökünden türetilen *münker* ve *nekîr* isimlerinin Kur'ân'da 37 âyetteki bütün kullanım örneklerini bu şekilde ele almaya çalıştık. Gördük ki bu kelime ve değişik kalıplarının hiçbirinde, sorgulamayla ilişkilendirilen meleklerin adı veya sıfatı olarak kullanılmamışlardır. Bu haliyle kabir sorgusunu yapacağına inanılan meleklerin isminin Kur'ân'da yer almadığı son derece açık bir gerçektir.

Bu açıklamalardan sonra, şimdi de sorgu meleklerine neden bu isimlerin verildiği konusuna değinmek istiyoruz.

b) Sorgu Meleklerine Münker-Nekîr Denmesinin Muhtemel Gerekçeleri

Kabir sorgusunun anlatıldığı hemen her yerde bu sorgulamayı yapacak olan مُنْكَر *münker* ve نَكِير *nekîr* adında iki melekten söz edilmektedir. Daha önce de ifade ettiğimiz üzere, lügatte "çirkin gösterilmiş, çok çirkin, tiksinilen" anlamlarına gelen bu iki kelimenin meleklere isim olarak verilmesi manidardır. Çünkü meleklerin böyle tanıtılması, "kabirde işlerin

1 Hıcr 15/62.
2 Zâriyât 51/25.

çok zor olacağını kavratmak" amacından kaynaklanmış olmalıdır. Yoksa Yüce Allah'ın iradesiz ve masum olarak yarattığı varlık olan meleklerin böyle isimlendirilmesinin başka bir anlamı olamaz.

I. Kur'ân'da مُنْكَر *münker* ve نَكِير *nekîr* adında sorgu meleklerine herhangi bir göndermede bulunulmadığı gibi, kabirde gerçekleşeceğine inanılan herhangi bir sorgulamaya da değinilmemektedir. Sorgu melekleri anlamında *münker/münkir* ve *nekîr* adlı meleklerin varlığının en önemli delili olarak geriye bazı rivayetler kalmaktadır. Bu rivayetler hakkındaki değerlendirmemizi, rivayetleri ele alacağımız bölüme bırakarak, öncelikle Hz. İbrahim ve Hz. Lût'un, melekleri مُنْكَرُون *münkerûn* şeklinde nitelendirmelerinin hangi gerekçeden kaynaklanmış olabileceğine değinmek istiyoruz.

İlgili âyetlerdeki kullanımlarda meleklerin korkunçluğundan ziyade, Hz. Lût'un ve Hz. İbrahim'in, insan sûretinde geldikleri için onları önce tanıyamamaları, daha sonra tanıyınca da bu defa yapacakları işlerden dolayı korkmaları söz konusudur. Çünkü peygamberler bilirlerdi ki, melekler kendi suretlerinde değil de insan suretine girince ya sevinç içeren bir mesaj vermek, ya da birilerini helâk etmek için gelirlerdi. Nitekim Hz. İbrahim'e insan şeklinde gelen melekler de bir taraftan Hz. Lût'un kavmini helâk edeceklerini, diğer taraftan da Hz. İbrahim'e ve hanımına Hz. İshâk ve Hz. Ya'kub'u müjdelemek için geldiklerini ifade etmişlerdi.[1]

II. Ölüm sonrasında kötü insanlar için şartların olumsuz olacağı fikrinden hareketle sorgu meleklerini "çirkin veya korkunç varlıklar" şeklinde tanıtmanın bir anlamı yoktur. Kaldı ki eğer kâfirler veya cehennemlikler için meleklerin çirkinliği bir mecburiyet veya mazeret gibi gösteriliyorsa da aynı isim-

1 Âyetler için bk. Hûd 11/69-71; Zâriyât 51/25-28.

deki meleklerin, cennetlikler için herhangi özel bir keyfiyete bürüneceklerinden söz edilmemektedir. Dolayısıyla kötülere görünen şeklin iyiler için de söz konusu olacağı anlaşılmaktadır. Bizce sadece bu husus bile, kabirdeki sorgulama inanışının sağlam dayanaklardan yoksun olduğunu göstermektedir.

Mübârekfûrî, Tirmizî'nin *Sünen*'ine yaptığı şerhte bu isimlendirmenin gerekçesini, "kâfir ve münafıkların, söz konusu meleklerin sorularını inkâr etmeleri veya meleklerin bu kişilerin cevaplarını kabul etmemeleri" şeklinde belirlemektedir.[1] Bu gerekçe ilk bakışta doğru gibi görünse de, sorgu meleklerinin sorularına doğru cevaplar verenler için bu meleklerin adının ne olacağına temas edilmemesi, bu gerekçeyi yetersiz kılmaktadır.

III. Bu kelime *münkir* şeklinde de okunmaktadır. Bu nedenle yaratıkların çoğunluğunun bilmemesi veya tanıyamaması ya da Yüce Allah'ın korudukları hariç, *münker* ve *nekîr* adlı iki melekten herkesin korkmasından dolayı bu meleklere söz konusu isimlerin verildiğinden de söz edilmektedir.[2]

Meleklere مُنْكَر *münker* ve نَكِير *nekîr* denmesinin doğru olamayacağının bir başka nedeni de şudur: Kendisine soru sorulan suçlu kişi, sorulan soruyu ya inkâr etmekte ya da soruyu bilememektedir. Dolayısıyla söz konusu kişinin, soruyu soran melekle bir sorunu olamaz; çünkü melekler kendi iradeleriyle sorular sormamaktadırlar.

IV. مُنْكَر *münker* ismi, soruyu soran meleğin ismi olunca bu isim genel olacaktır; yani mümin veya kâfir olan herkesi içerecektir. Bu durumda yukarıda değindiğimiz "sorgu meleklerini gören herkes görüntüleri, şekilleri, kullandıkları ağır kelimeler

---

1 Abdurrahman b. Abdirrahîm Mübârekfûrî, *Tuhfetü'l-Ahvezî bi Şerhı Câmi'ı't-Tirmizî*, Beyrut, baskı tarihi yok, IV, 292.

2 Ahmed b. Yûsuf b. Abdi'd-Dâim Semîn el-Halebî, *'Umdetü'l-Huffâz fî Tefsîri Eşrafi'l-Elfâz*, Beyrut, 1996, IV, 220.

ve ellerindeki demir çubuklar nedeniyle onlardan çekineceği için onlara bu isimler verilmiştir"[1] şeklindeki kanaat de askıda kalmaktadır. Çünkü melekler, ağır sözler konuşmayacakları gibi, ellerine demir çubuk almalarının da bir anlamı yoktur. Zira kimin ne cevap vereceği konusu gaybdır ve melekler Yüce Allah bildirmediği sürece gaybı bilememektedir. Dahası "demir çubuk" iddiası sıkıntılıdır; çünkü muhatap ruhtur ve ruhu demirle dövmenin bir anlamı da yoktur.

Kabirde bir sorgulama yapılacaksa tıpkı cehennem azabından veya âhiret sorgulamasından bahseden âyetlerde olduğu gibi kabirdeki sorgu meleklerinin varlığı ve niteliği hakkında da bilgi verilmesi gerekirdi. Zira Kur'ân'da cehennem görevlileri hakkında bilgi verilmişken,[2] kabir sorgulamasından da oradaki görevli meleklerden de hiçbir şekilde söz edilmemektedir. Ayrıca zebânî denen bu görevli meleklerin çağrılma zamanı 'Alak sûresinde س *sîn* edatı kullanılarak gelecek zamanla ilişkilendirilmekte,[3] dolayısıyla azgınların sorgulanma zamanı ve değerlendirmenin yapılacağı yer âhiret olarak belirlenmiş olmaktadır.

c) Münker-Nekîr Adı Verilen Melekler Hakkındaki Görüşler

İslâm mezheplerinin tartışmalı konuları arasında "Ayrıntılı İhtilaflar" başlığında ele alınan "âhiret" alt başlığında "münker ve nekîr" konusu da tartışılmıştır. Şimdi bu âlimlerimizden bir kısmının görüşlerini ve bu görüşlere karşı bizim kanaatlerimizi dile getirmek istiyoruz.

---

1 Mübârekfûrî, *age.*, IV, 292.

2 Cehennem görevlilerinden söz eden âyetler için bk. Zümer 39/71; Mülk 67/8; Müddessir 74/30.

3 Bu âyet için bk. 'Alak 96/18.

I. Ebü'l-Hasan el-Eş'arî, istikamet ehli âlimlerin bu meleklerin varlığını kabul ettiğini, ehl-i hevâ'dan pek çoğunun bunu inkâr ettiğini belirtmiştir.[1]

II. Nesefî, bazı rivayetleri delil kullanarak bu iki meleğin hak olduğunu beyan etmiştir.[2] Taftazânî'nin de kullandığı bu rivayetler hakkında bir sonraki maddede değerlendirme yapacağız.

III. Taftazânî, konuyu izah ederken, kişi öldükten sonra bu meleklerin kabre gireceklerini, ölen kişiye Rabbinden, dininden ve Peygamberinden soru soracaklarını ifade etmiş, daha sonra Seyyid Ebû Şücâ'dan naklen, çocukların ve peygamberlerin de bu sorulara muhatap olacaklarını belirtmiştir. Bu konuların rivayete dayalı delillerle sabit olduğunu, bütün bunların Hz. Peygamber tarafından haber verilen mümkün işler olduğunu beyandan sonra, İbrahim 14/27, Mü'min 40/46 ve Nûh 71/25. âyetler ile bazı rivayetleri delil olarak zikretmiştir.[3]

Bu âyetler ve rivayetler hakkındaki değerlendirmelerimizi ilgili başlıklarında ele alacağımız için burada değerlendirme yapmak istemiyoruz. Ancak şunu özellikle belirtmek gerekir ki, Taftazânî'nin Ebû Şucâ'dan naklettiği "çocukların ve peygamberlerin kabirde sorgulanacağı" iddiası anlamsızdır. Çünkü henüz "sabi iken ölen bir çocuğun sorgulanması"-nı herhâlde hiç kimse makul bir gerekçeye bağlayamaz.

"Peygamberlerin kabirde sorgulanacağı" kabulü ise, bir peygamberin, ölümünden sonra risaletinin geçerliliğini veya sağ iken risalet iddiasını sorunlu hale getirir. Kaldı ki eğer iddia edildiği gibi kabir sorgusu varsa ve bu sorguda "Rabbin

---

1 Ebü'l-Hasan el-Eş'arî, *İlk Dönem İslam Mezhepleri*, tercüme: Mehmet Dalkılıç; Ömer Aydın, İstanbul, 2005, s. 340.

2 Ömer Nesefî, *Metnü'l-Akâid*, İstanbul, baskı tarihi yok, s. 105.

3 Sa'düddîn Taftazânî, *Şerhu'l-Akaid*, İstanbul, baskı tarihi yok, s. 133-134.

kim? Dinin ne? Peygamberin kim?" şeklinde üç soru yer alacaksa, o zaman Hz. Peygamber'in kabir sorgulanmasında sorular ikiye indirilmek zorundadır. Konuyu bu kadar problemli hale getirmeye neden olan bu tür kabuller, -yine Taftazânî'nin ifadesine göre- "teker teker tevâtür derecesine ulaşmazsa da mana olarak mütevâtir olduğuna inanılan rivayetler"e dayandırılmaktadır.[1] Zaten asıl sorun da buradan kaynaklanmaktadır. Bir rivayet mütevâtir değilse, o konuda teker teker fazlaca rivayetin bulunması onu mütevâtir yapmaz. Kaç tane "sıfır" toplanırsa toplansın, sonuç hiçbir zaman "bir" çıkmayacaktır. Başka bir ifadeyle teker teker hepsi arızalı olan şeylerin toplamı sağlam olamaz.

Rivayetlerde de durum aynıdır. Tek başına güven arz etmeyen ya da vahye uygun olmayıp mütevâtir derecesine ulaşmayan bir rivayet, diğerlerinin yardımıyla çok güvenilir bir hale nasıl getirilebilir? Ona inanmak iman gereği, inanmamak ise küfür gereği olarak nasıl telakki edilebilir?[2] Nitekim İmam Serahsî, kabir azabı konusundaki rivayetlerin hiçbirisinin mütevâtir olmadığını açıkça beyan etmektedir.[3] Durum böyle olunca, değerlendirme yaparken biraz daha ihtiyatlı davranmak gerektiği açıktır. Sağlam dayanaklara sahip olunmadan yapılacak küfür ithamları sahiplerinin boynuna yapışabilir. Bu nedenle daima bir ihtiyat payı bırakmak ilmin ve araştırmanın zorunluluklarından birisidir.

IV. İmam Gazâlî, *münker/münkir* ve *nekîr*in varlığını hadislerin, yani şeriatın haber verdiğini, bunlara inanmanın

---

1 Taftazânî, *age.,* s. 134.

2 Mütevâtir konusunda daha sonra "Rivayetlerin Güvenilirliği" başlığında bilgi verilecektir.

3 Ebû Bekir Muhammed b. Ahmed b. Ebî Sehl es-Serahsî, *Usûl,* İstanbul, 1984, I, 329.

vacip olduğunu, bu tür meleklerin bulunmasının mümkün olduğunu ifade etmektedir. Devamla, bunların hitabını veya seslenişini vücudun sadece bazı parçalarının duyacağını, uyuyan insanın cesedinin hareketsizliğine rağmen canlılığını devam ettirmesi gibi ölünün durumunun da buna benzetilebileceğini beyan etmektedir. Hz. Peygamber'in sadece kendisinin Cebrail'i görmesinin veya onu duymasının buna benzer bir durum olduğunu belirttikten sonra, kabir azabının da mümkün olduğunu, parçalanan bazı bedenlerin sadece bir parçasına uygulanan azabın, Allah'ın kudretiyle diğer tüm parçalara da yayılabileceğini belirtmektedir.[1] Bu görüşe birkaç yönden cevap verilebilir:

* Kabirdeki sorgu meleklerinin varlığını mütevâtir olmayan hadislerin haber verdiğini kabul ve itiraf etmesine rağmen, Gazâlî'nin, bu meleklere inanmanın vacip, yani gerekli olduğunu ifade etmesini anlamak mümkün değildir. Çünkü bunu sanki bir iman esasıymış gibi kabul etmek anlamına gelebilecek bu yaklaşım, rivayetlerle iman esası belirlemek sonucunu getirir ki bu durum, telafisi imkânsız sorunların doğmasına neden olur.

* "Bu tür meleklerin bulunması mümkündür" sözü de gaybî alana müdahale anlamına gelir. Bu konular, Yüce Allah'ın vahyi dışında başka yerlerde bulunabilecek konular değildir. Yüce Allah, gaybını sadece meleğe veya vahyettiği Kur'ân'la sınırlı olmak üzere Hz. Peygamber'e açmıştır. Gayb konusunda Kur'ân dışında referans aramak, bilginin güvenilirliğini zedeler veya o bilgiyi bütünüyle iptal eder.

* "Vücudun bir parçasına uygulayıp diğer tarafların bunu hissetmemesi"nin ne anlama geldiği de merak konusu-

1 Gazâlî, *İhyâ,* IV, 532-533; Gazâlî, *el-Iktisâd fi'l-İ'tikâd,* tercüme: Kemal Işık, Ankara, 1971, s. 161.

dur. Mademki Yüce Allah, bunu kudretiyle yapıyor, o zaman bütün vücuda yapmasının ne engeli var ki parçayla yetiniyor. Kaldı ki bunu yapan kudret Yüce Allah ise, yaptığının bilgisini de vahyinde yine O verirdi. Hâlbuki O'nun kelâmı olan Kur'ân, bu konuda sessizdir.

* Gazâlî'nin ölü ile uyuyanı birbirine benzetmesi de konuya kendi bakış açısı anlamında doğru bir benzetme değildir. Çünkü Gazâlî, uykudaki insanın hareketsizliğini ölüme benzetirken, kabirde ölünün hareket ettiğini, azabı veya nimeti vücudun bizzat hissettiğini ifade etmektedir.

* Gazâlî'ye göre "münker ve nekir için şart olan husus, sadece sorularını sesli veya sessiz olarak sorması ve ölünün de bunları sesli veya sessiz olarak duyup anlamasıdır. Ölünün bunları anlaması şart olduğu gibi elbette bunun için de hayatta olması şarttır. İnsan bir şeyi bütün bedeniyle anlamayıp sadece kalbinin içindeki bir parça ile anlar. Binaenaleyh soruyu anlayacak olan böyle bir cüzün/parçanın yaratılması mümkündür ve bu Allah'ın kudreti dâhilindedir."[1]

Gazâlî'nin bu son fikirleri hakkında fazla bir şey söylemek gerekmiyor. "Çünkü Yüce Allah her şeyi yaratabilir" dedikten sonra O'nun neleri yapıp yapmadığını da O'ndan öğrenmek ve Yüce Allah hakkında konuşmak için O'nun kitabından referans vermek gerekir, *vesselâm*.

* Şimdi sırf kabir azabının bedensel bir azap olduğunu ispat etmek için meleklerin sorularını sesli mi sessiz mi sordukları, ölülerin de sesli mi yoksa sessiz mi cevap verdiklerini tartışmak, bizce hakkında Yüce Allah'ın bilgi vermediği bir konuda kuyuya taş atmaktan, gaybla ilgili söz söylemekten (*racmen bi'l-ğayb*) başka bir şey değildir. İnsanın bedeninde, söylenen sözü duyduğu sanılan organ kulaktır; oysa anlayan

---

1 Gazâlî, *el-Iktisâd*, s. 161.

ve algılayan merkez beyindir. Kulak sadece bir ses aktarıcıdır. Kulağı da beyni de çürümüş bir ölüye bunları duyurmak için onda yeni bir parça yaratılması ihtiyacını dillendirmekle işin içinden çıkılamaz. Çünkü bu defa da ölü insanda meleklerin sorularını anlaması için beyin yerine geçecek bir organın yaratılması gerekir. "Bu organ nedir veya nasıldır" sorusunu sormak bir zarurettir. Dahası cevap verebilmesi için de ölüde ağız, dil, dudak, nefes borusu gibi organlara ve hepsinden önemlisi kalbe ihtiyaç vardır. İşte işin içinden çıkılamayan ve onlarca cevapsız soruyla karşılaşılan bu meseleyi vahye terk etmekten başka çıkar yol yoktur, vesselâm.

3. KABİRDE SORGULANMA

Kabirde sorgulama konusunda doğrudan veya dolaylı olarak Kur'ân'dan herhangi bir delil yoktur. Buna rağmen, İbrahim 14/27. âyetin nasıl zorlamalarla kabir sorgusuna delil hâline getirilmeye çalışıldığını gözler önüne sermeye çalışacağız. Ancak söz konusu âyeti ve nasıl anlaşıldığı konusunu şimdilik sonraya bırakarak, öncelikle konuyla ilgili delil olarak kullanılan bazı rivayetleri hatırlatmak istiyoruz.

a) Kabir Sorgusu İle İlgili Rivayetler

1. Enes (r.a.) kaynaklı rivayet:

عن أنس رضي الله عنه عن النبي صلي الله عليه وسلم قال : العبد اذا وضع في قبره وتولي وذهب اصحابه حتي انه ليسمع قرع نعالهم اتاه ملكان فأقعداه فيقولان له : ما كنت تقول في هذا الرجل محمد صلي الله عليه وسلم ؟ فيقول : اشهد انه عبد الله ورسوله فيقال : انظر الي مقعدك من النار ابدلك الله به مقعدا من الجنة قال النبي صلي الله عليه وسلم فيراهما جميعا واما الكافر او المنافق فيقول : لا أدري كنت أقول ما يقول الناس فيقال لا دريت ولا تليت ثم يضرب بمطرقة من حديد ضربة بين اذنيه فيصيح صيحة يسمعها من يليه الا الثقلين Enes (r.a.), Nebî (a.s.)'ın şöyle buyurduğunu rivayet etmiştir: "Kul, kabrine konulup arkadaşları ayrılıp onların ayak seslerini duyduğunda iki melek gelir ve onu oturtup kendisine, 'Bu Muhammed hakkında ne derdin?' diye sorarlar. Bu kul eğer mümin ise, 'Onun, Allah'ın kulu ve elçisi olduğuna şahitlik ederim' der. Bunun üzerine kendisine, 'cehennemdeki yerine bak; Allah onu cennette bir mekânla değiştirdi' denilir ve o kul her iki yeri de görür. Şayet söz konusu kul, kâfir ve münafık ise Hz. Muhammed'le ilgili soruya, 'Onu tanımıyorum, bilmiyorum (kabul etmiyorum). (Olumsuz anlamda) insanların onun için söylediklerini ben de söylüyordum' cevabını verir. Ona da, 'Anlamadın ve tâbi olmadın (öyle mi?)' denir ve kulaklarının arasına demir sopasıyla öyle bir vurulur ki insan ve cinler hariç ona yakın olan herkes onun (sopanın) çıkardığı sesi duyar."[1]

Bu rivayetin bazı bölümleri hakkında çeşitli açıklamalar yapmak durumundayız.

* Söz konusu rivayetin bir benzerini nakleden Tirmizî, Ebû Hureyre'nin rivayet ettiği bu hadisin "hasen ve garip" olduğunu belirtmiştir.[2]

* Bu rivayette isim zikredilmeden sorgulamayı yapan "iki melek"ten söz edilmektedir. Ancak kabirde sorgulanmayı kabul edenler bu meleklerin isminin "münker ve nekir" olduğunu beyan etmektedirler.

* Burada gözden kaçırılmaması gereken bir nokta vardır. Meleklerin sorusuna doğru cevap veren kula, انظر الي مقعدك من النار ابدلك الله به مقعدا من الجنة "Cehennemdeki yerine bak; Allah onu cennette bir mekânla değiştirdi" denilmesi şöyle bir soruyu zorunlu kılmaktadır:

1 Buhârî, Cenâiz, 68, 87; Müslim, Cennet, 70; Ebû Dâvûd, Cenâiz, 78; Nesâî, Cenâiz, 110.

2 Tirmizî, Kitâbü'l-Cenâiz, 70.

Acaba söz konusu mümin kul, kabirde doğru cevap verince mi onun yeri cennette bir mekâna değiştirilmektedir? Bu durumda istisnasız herkesin cehennemde bir yerinin olduğu ve kabirde sorulan sorulara vereceği cevaba göre bu yerin değişip değişmeyeceğine karar verileceği anlaşılmaktadır. Oysa kabirdeki cevaplar, sonucu değiştirecek nitelikte olamazlar; çünkü kabir, dünya hayatı gibi yeni bir kazanım elde edilebilecek bir mekân değildir.

İnsanlar, dünyadaki yaşantısına göre âhiretlerini şekillendirirler. Eğer mümin iseler gidecekleri yer cennet, kâfir iseler gidecekleri yer cehennemdir. "Aslında senin yerin cehennemde şurasıydı; ancak kabirde verdiğin bu cevap, yerinin değiştirilmesini sağladı" anlamına gelebilecek böyle bir anlayış, hiç farkında olmadan kabir veya berzah âlemini de dünya hayatı gibi sevap veya günah kazanılan bir yer gibi kabul etmeyi gerektirecektir. Bu durum, imtihan yerinin sadece dünya olduğu gerçeğine aykırıdır. Bu konuda üç örnek vermekle yetinmek istiyoruz:

1. وَهُوَ الَّذ۪ي خَلَقَ السَّمٰوَاتِ وَالْاَرْضَ ف۪ي سِتَّةِ اَيَّامٍ وَكَانَ عَرْشُهُ عَلَى الْمَٓاءِ لِيَبْلُوَكُمْ اَيُّكُمْ اَحْسَنُ عَمَلاًۜ "O, hanginizin amelinin daha güzel olacağı hususunda sizi imtihan etmek için, Arş'ı su üzerinde iken, gökleri ve yeri altı günde yaratandır."[1]

2. اَلَّذ۪ي خَلَقَ الْمَوْتَ وَالْحَيٰوةَ لِيَبْلُوَكُمْ اَيُّكُمْ اَحْسَنُ عَمَلاًۜ وَهُوَ الْعَز۪يزُ الْغَفُورُۙ "O ki, hanginizin daha güzel davranacağını sınamak için ölümü ve hayatı yaratmıştır. O, mutlak galiptir, çok bağışlayıcıdır."[2]

3. اِنَّا خَلَقْنَا الْاِنْسَانَ مِنْ نُطْفَةٍ اَمْشَاجٍۗ نَبْتَل۪يهِ فَجَعَلْنَاهُ سَم۪يعاً بَص۪يراً "Gerçek şu ki, biz insanı katışık/döllenmiş bir nutfeden (erkek ve kadının dölünden) yarattık; onu imtihan edelim diye, kendisini işitir ve görür kıldık."[3]

---

1 Hûd 11/7.

2 Mülk 67/2.

3 İnsân 76/2.

Bu ve benzer âyetler[1] imtihan yerinin bu dünya olduğunun en çarpıcı delillerindendir. Ayrıca nefislerin dünyada yaptıklarının karşılığını görecekleri âlem de âhiret âlemidir.[2]

Bütün bu gerçeklere rağmen, söz konusu rivayette dile getirilen husus hem kabirde verilen cevapların hüküm ve sonuç bakımından bazı değişikliklere sebep olacağını göstermekte hem de imtihan sayısını ikiye çıkartmaktadır. Bu durumda rivayetin hiç olmazsa bu bölümünün Kur'ân'a aykırı olduğunu söylemek gerekir.

Kabirdeki ölülere Hz. Peygamber'le ilgili sorular sorulduğuna göre, fetret dönemlerinde ölenlere sorulan sorular burada zikredilmemektedir. Anlaşılıyor ki soruların "peygamber" hanesi dönem dönem değişmektedir.

Rivayetteki demir kamçılarla yapılacağı ifade edilen azap kısmını "Rivayet Kaynaklı Delilller" başlığında ele alacağız.

11. Tirmizî'nin naklettiği rivayet:

"Ölü mezara konulunca, Münker-Nekir adı verilen siyah ve mavi iki melek gelir ve ölüye şöyle derler: 'Şu Muhammed (as) denilen zât hakkında ne düşünüyorsun?' O da şöyle cevap verir: 'O, Allah'ın kulu ve Elçisidir. Şahitlik ederim ki Allah'tan başka ilâh yoktur, Muhammed (as) de O'nun kulu ve elçisidir.' Bunun üzerine melekler; 'Biz senin böyle diyeceğini zaten biliyorduk' derler ve onun mezarını 70 arşın genişletirler. Ardından mezarı aydınlatılır. Daha sonra melekler ona, 'Yat ve uyu' derler. O da, 'Aileme gidin de benim durumumla ilgili bilgi verin' der. Melekler ona, 'Gerdeğe giren

---

1 Bakara 2/49, 124, 155; Âl-i 'İmrân 3/152, 154, 186; Mâide 5/48, 94; A'râf 7/141, 163, 168; Enfâl 8/17; İbrâhim 14/6; Nahl 16/92; Kehf 18/7; Enbiyâ' 21/35; Neml 27/40; Ahzâb 33/11; Sâffât 37/106; Muhammed 47/4, 31; Dühân 44/33; Fecr 89/15-16.

2 Yûnus 10/28-30.

ve sadece en çok sevdiği kişi tarafından uyandırılan kişi gibi, mahşer gününe kadar uyu' derler."

"Eğer ölü münafık ise, melekler şöyle derler: 'Şu Muhammed (as) denilen zat hakkında ne düşünüyorsun?' O da şöyle cevap verir: 'Halkın Muhammed hakkında bir şeyler söylediklerini işitmiş, ben de onlar gibi konuşmuştum. Başka bir şey bilmiyorum.' Melekler ona, 'Böyle diyeceğini zaten biliyorduk' derler. Daha sonra mezara 'Bu adamı alabildiğine sıkıştır' diye seslenilir. Toprak da sıkıştırmaya başlar. Öyle ki o kimse kemiklerini birbirine geçmiş gibi hisseder. Mahşer gününe kadar bu sıkıntı devam eder."[1]

Bu rivayette de "Rabbin kim? Dinin ne?" gibi sorular değil, sadece kişinin Hz. Peygamber hakkındaki bilgisi ve imanıyla ilgili sorular yer almaktadır. Ancak burada meleklerin adı ve rengi devreye sokulmuştur. Ayrıca yine önceki rivayetten farklı olarak iyilerin mahşere kadar uykuya, kötülerin ise mezarın sıkıştırması şeklinde bir muameleye tabi tutulacakları bildirilmektedir. Görüldüğü üzere, bu rivayette de, sorulacağına inanılan diğer sorular olmadığı gibi, "cennet bahçelerinden bir bahçe veya cehennem çukurlarından bir çukur" ifadesi de yer almamaktadır. Dahası inkârcı kâfirlerden değil sadece münafıklardan söz edilmektedir.

III. Berâ b. 'Âzib'den gelen rivayet:

"Hz. Peygamber ile birlikte Ensâr'dan bir adamın cenazesini defnetmek için yola çıktık; kabre geldiğimizde kabir henüz kazılmamıştı. Rasulullah (as) oturunca, biz de onun meclisine sanki başımızda kuş duruyormuşçasına hareketsiz bir şekilde etrafında oturduk. Elindeki bir çubukla yeri eşeliyordu. Başını kaldırdı ve birkaç kez, 'Kabir azabından

---

1 Tirmizi, Kitâbü'l-Cenâiz, 70.

Allah'a sığının' buyurdu. Sonra şöyle dedi: Mümin kul, dünyadan ayrılmak ve âhirete yönelmek üzere olduğu zaman, ona gökten yüzleri sanki güneş gibi olan beyaz yüzlü melekler iner. Yanlarında cennet kefenlerinden ve kokularından vardır. Onun görebileceği yere otururlar. Sonra ölüm meleği gelir; baş tarafına oturur ve şöyle der: 'Ey güzel ruh, çık ve Rabbinin mağfiretine ve rızasına gel.' Bunun üzerine o ruh, tulumun ağzından damlayan bir damla gibi çıkar ve ölüm meleği onu alır. Ölüm meleği, mümin kulun ruhunu aldığında, melekler onu göz açıp kapayacak kadar ölüm meleğinin elinde bırakmazlar. Onu ölüm meleğinin elinden alırlar ve bu kefene koyarlar. O ruhtan, yeryüzünde bulunan en güzel mis kokusu gibi bir koku çıkar. Onu melekler arasından geçirirken, 'Bu güzel ruh nedir?' derler. Dünyadaki en güzel isimlerini söyleyerek: 'Falan oğlu falandır' derler. Dünya semasına ulaşıncaya kadar çıkarırlar. Melekler onun için kapının açılmasını isterler. Onlara kapı açılır. Bunun üzerine yedinci semâya ulaşıncaya kadar her semâda bulunan Allah'a yakın melekler o ruha eşlik ederler. Nihayet Allah -azze ve celle- şöyle buyurur: 'Kulumun amel defterini, İlliyyûn'a yazın ve ruhunu yeryüzüne geri gönderin. Çünkü ben, onları ondan (topraktan) yarattım ve yine ona döndüreceğim. Bir defa daha onları (hesaba çekmek üzere) topraktan çıkaracağım.' Bunun üzerine mümin kulun ruhu bedenine iade edilir. Ardından iki melek yanına gelip onu oturturlar ve 'Rabbin kimdir?' derler. Mümin kul, 'Rabbim Allah'tır' der. Onlar, 'Dinin nedir?' derler. Mümin kul, 'Dinim İslâm'dır' der. Onlar, 'Size gönderilen adam hakkında ne dersin?' derler. Mümin kul, 'O Allah'ın elçisidir' der. Onlar, 'Sana bunları bildiren nedir?' derler. Mümin kul, 'Allah'ın kitabını okudum, ona inandım ve onu tasdik ettim' der."

"Bunun üzerine semâdan bir ses gelir: 'Kulum doğru söyledi. cennetten bir yer döşeyin (makamını hazırlayın), ona cennet elbiselerinden giydirin ve ona cennetten bir kapı açın' der. Bunun üzerine ona cennetin esintisinden ve güzel kokusundan kokular gelir, gözünün görebileceği yere kadar kabri genişletilir. Sonra ona, güzel yüzlü, güzel elbiseli ve güzel kokular içerisinde olan birisi gelir ve seni mutlu edecek şeyle sevin. Bugün sana vadolunan gündür, der. Bunun üzerine o, 'Sen kimsin? Senin o hayırlı yüzün nedir?' der. O, 'Ben, senin sâlih amelinim' der. Bunu işitince, 'Yâ Rabbi! Kıyameti çabuk kopar ki, aileme ve malıma kavuşayım' der."

"Kâfir kul, dünyadan ayrılmak ve âhirete yönelmek üzere olduğu zaman, yanlarında kaba ve sert elbise olan siyah yüzlü melekler gelir ve onun görebileceği bir yerde otururlar. Sonra ölüm meleği onun yanına gelip başucunda oturur ve ona, 'Ey çirkin ruh, haydi çık! Allah'ın öfkesine ve gazabına gel!' der. Bunun üzerine ruhu bedenine dağılır ve ıslak yüne dolaşan yünden çekilip çıkarıldığı gibi, ölüm meleği onun ruhunu bedeninden çekip alır (ruhu bedeninden güçlükle ayrılır). Ölüm meleği ruhunu alınca da, melekler onu göz açıp kapayacak kadar ölüm meleğinin elinde bırakmazlar. Onu ölüm meleğinin elinden alırlar ve kaba ve sert elbisenin içine koyarlar. Ondan yeryüzünde bulunan en pis leş kokusu gibi bir koku çıkar. Onu semâya yükseltirler. Her semâda bulunan meleklerin yanından geçerken melekler, 'Bu pis ruh kimindir?' derler. Melekler, dünyadaki en kötü ismini söyleyerek, 'Falan oğlu falandır' derler. Dünya semâsına gelince, onun için semânın kapılarının açılmasını isterler, fakat ona kapılar açılmaz." Sonra Hz. Peygamber şu âyeti okudu: "Onlara gök kapıları açılmaz ve deve, iğne deliğinden geçinceye kadar onlar cennete giremezler. Suçluları işte böyle cezalandırırız."[1]

Yüce Allah şöyle buyurur: "Onun amel defterini Siccîn'e (en aşağı tabakaya) yazın." Ruhu, gökten yere fırlatılıp atılır. Sonra Hz. Peygamber şu âyeti okudu: "Kim Allah'a ortak koşarsa, sanki o, gökten düşüp de parçalanmış da kendisini kuşlar kapmış veya rüzgâr onu uzak bir yere sürükleyip atmış kimse gibidir."[2] Ardından ruhu bedenine iade olunur da (münker ve nekir adlı) iki melek ona gelip yanına oturur ve 'Rabbin kimdir?' derler. Kâfir kul 'Şey... şey... bilmiyorum' der. Onlar, 'Dinin nedir?' derler. Kâfir kul, 'Şey şey, bilmiyorum' der. Onlar, 'Size gönderilen adam hakkında ne dersin?' derler. Kâfir kul, 'Hah... Hah... Bilmiyorum' der."

"Bunun üzerine semâdan bir ses: 'Yalan söyledi, ona cehennemdeki yerini hazırlayın ve ona cehennemden bir kapı açın' der. Cehennem ateşinin sıcağından ve sıcak rüzgârından gelir ve kaburgaları birbirine geçecek şekilde kabri ona daraltılır. Çirkin yüzlü, kötü elbiseli ve pis kokulu bir adam ona gelir ve şöyle der: 'Seni üzecek şeye sevin! Bugün vadolunduğun gündür.' Kâfir ruh ona, 'Sen kimsin? Çirkin yüz kötülük getirdi' der. O da, 'Ben senin çirkin amelinim' der. Bunun üzerine, 'Rabbim! Kıyameti koparma' der."[3]

İbn Teymiyye'nin de delil olarak zikrettiği bu rivayetin son bölümünde[4] işin içerisine kâfir kişinin, sorularla veya meleklerle alay edişi girmiş, olay bir çeşit komediye dönüştürülmüştür. Bu rivayette bazı âyetlerin rivayete monte edildiği,

---

1 A'râf 7/40.

2 Hacc 22/31.

3 Bu rivayet için bk. İbn Kayyim el-Cevziyye, *Envâ'u 'Azâbi'l-Kabr*, ter. Muhammed b. Müslim Şahin, Riyad, 2007.

4 Takıyyüddîn Ebü'l-Abbâs Ahmed b. Abdülhalîm b. Teymiyye, *Mecmû'u Fetâvâ*, Riyad, 1991, IV, 288-289.

konuyla hiçbir alakası olmayan âyetlerin meseleyle ilişkilendirilmeye çalışıldığı açıkça görülmektedir. Önceki rivayetle bu rivayet arasında pek çok noktada görülen çelişkileri ortaya koymaya gerek duymamaktayız. Buna benzer bir rivayeti kabir azabının delili sayan İbn Teymiyye'nin yaklaşımını ve rivayetin âyetleri nasıl bağlamından kopartarak kurgulandığını "İslâm Geleneğinde Kabir Azabıyla İlgili Görüşler: İbn Teymiyye" başlığında ele alacağız.

IV. Yüce Allah'a mekân isnâdı içeren rivayet:

Müminlerin ruhlarının Allah katında bulunduğu konusunda pek çok rivayetin yanında bir de Muhammed b. İshâk es-Sağânî'den şöyle bir rivayet nakledilmektedir: Nebî (as) buyurmuş ki: "Ölen (iyi bir) kişinin ruhu bedeninden ayrılınca göğe yükselir; tâ ki içinde Allah'ın da bulunduğu göğe kadar çıkar. Kötü bir adamın ruhu ise göğe çıkar; fakat gök kapılarından hiçbirisi ona açılmadığı için gökten atılır ve kabre girer."[1]

Kabir azabıyla ilgili pek çok rivayet örneğinin bulunduğu muhakkaktır. Bir önceki uzun rivayete benzeyen bu ve benzeri rivayetlerde çok sıkıntılı ifadeler bulunmaktadır. Mesela İbn Kayyim'in de naklettiği yukarıda zikrettiğimiz rivayette "İçinde Allah'ın da bulunduğu gök" sözüyle "Allah'a mekân tahsis edilmesi" söz konusudur. Ancak Kur'ân'da Yüce Allah'ın gökte olduğunu ifade eden âyetler olduğu gibi hem gökte hem de yerde olduğunu ifade eden âyetler de vardır:

ءَاَمِنْتُمْ مَنْ فِي السَّمَآءِ اَنْ يَخْسِفَ بِكُمُ الْاَرْضَ فَاِذَا هِيَ تَمُورُۙ اَمْ اَمِنْتُمْ مَنْ فِي السَّمَآءِ اَنْ يُرْسِلَ عَلَيْكُمْ حَاصِبًا فَسَتَعْلَمُونَ كَيْفَ نَذِيرِ "Gökte olanın, sizi yere batırıvermeyeceğinden emin misiniz? O zaman yer sarsıldıkça sarsılır. Yahut gökte olanın üzerinize taş yağdıran (bir fırtına) göndermeyeceğinden emin misiniz? İşte (bu)

1 İbn Kayyim, *er-Rûh*, s. 104-107.

tehdidimin ne demek olduğunu yakında bileceksiniz!"[1] Bu âyetlerde Yüce Allah'ın gökte olduğu ifade edilmektedir.

وَهُوَ الَّذِي فِي السَّمَآءِ اِلٰهٌ وَفِي الْاَرْضِ اِلٰهٌ وَهُوَ الْحَكِيمُ الْعَلِيمُ "O gökte de ilâhtır, yerde de ilâhtır. O, hakîmdir, her şeyi bilendir"[2] şeklindeki âyette de Yüce Allah'ın hem gökte hem de yerde olduğundan söz edilmektedir. Bu âyetin sonundaki, الْعَلِيم *el-'alîm* sıfatı ile bir sonraki âyette yer alan ifadeler bu yaklaşımımızı desteklemektedir:

وَتَبَارَكَ الَّذِي لَهُ مُلْكُ السَّمٰوَاتِ وَالْاَرْضِ وَمَا بَيْنَهُمَاۚ وَعِنْدَهُ عِلْمُ السَّاعَةِۚ وَاِلَيْهِ تُرْجَعُونَ "Göklerin, yerin ve ikisi arasında bulunan her şeyin mülkü kendisine ait olan (Allah'ın şanı) ne yücedir! Kıyamet saatini bilmek de O'na mahsustur. Siz O'na döndürüleceksiniz"[3] şeklindeki ifadeleri, Yüce Allah'ın gökte ve/veya yerde bulunmasının, aslında O'nun bilgisiyle ilgili olduğunu, O'nun göğe de yere de sığamayacağını, çünkü göklerin ve yerin mülkünün O'nun elinde bulunduğunu göstermektedir.

Demek ki bu âyetlerde kastedilen husus, Yüce Allah'ın yüceliği ve aşkın oluşu ile O'nun her yerde olduğu gerçeğidir. Yani bu âyetler, mekândan münezzeh olan Yüce Allah'a bir mekân isnadını ifade etmemektedir. "O'nun gökte oluşu"nu "yücelik, üstünlük",[4] "yukarıda oluşu"nu "her şeye galip oluş, hâkimiyet"[5] ve "yerde oluşu"nu da "hayata her an müdahil oluşu"[6] veya "her şeyi bilmesi" şeklinde anlamak gerekir. Yukarıdaki rivayette de olduğu gibi Yüce Allah'ı herhangi bir gökte kabul etmek, cevabı mümkün olmayan pek çok sorunun sorulmasına ve pek çok problemin çıkmasına neden

1 Mülk 67/16-17.
2 Zuhruf 43/84.
3 Zuhruf 43/85.
4 Bakara 2/255.
5 Nahl 16/50.
6 Rahmân 55/29, Nahl 16/8.

olur. Kaldı ki Sâbiîlik'te gördüğümüz cesedin ölümünden sonra ruhun yükseltildiği gezegenler ve onlardan tekrar geri gönderiliş şeklindeki kabul ile bu durum birbirine çok benzemektedir.

İbnü'l-Cevzî, *Kitâbü'l-Mevdû'ât* adlı eserinde yukarıdaki rivayete benzer üç rivayet nakletmiş, meleklerin, ölen mümin kulu göğe çıkardığını, Allah tarafından bu kulun kabrine geri gönderilip kıyamete kadar iki meleği, Allah'ı hamd ve tehlil etmekle görevlendirdiğini, onların *tesbîh*, *tahmîd* ve *tehlîl*lerinin sevapları kadar ölen mümin kişiye ecir vereceğini, kâfir kulun da göğe çıkartılıp yine Allah tarafından kabrine gönderildiğini, ancak o kul için kıyamete kadar lanet etmeleri için de melekler görevlendirildiğini bu rivayetlerin ilkinde ifade etmiştir.

Diğer iki rivayette de ilgili mümin kulun ölümünden sonra göğe çıkartılıp orada kalması için izin istendiğini, ancak göğün Hakk'ı tesbih eden meleklerle dolu olduğunu, yerin de benzer şekilde dolu olduğunu, bu nedenle onun kabrine yerleştirilip onun için *tesbîh*, *tahmîd* ve *tehlîl* yapılıp sevaplarının ona yazılmasının Allah tarafından meleklere bildirildiği nakledilmektedir.[1] Bu rivayetlerle önceki arasındaki fark, ilk rivayette "içinde Allah'ın bulunduğu ifade edilen gök"ün diğerlerinde bulunmamasıdır. Ancak rivayetlerde işlenen ana konu, genel hatlarıyla büyük oranda benzeşmektedir.

İbnü'l-Cevzî, naklettiği bu rivayetlerin sahih olmadığını belirttikten sonra, senette bulunan Osman b. Matar adındaki râvinin hadis uydurduğu konusunda ilim adamlarının fikir birliğinde bulunduğunu, ayrıca İbn Hıbbân'ın da bu şahsın uydurmalar rivayet ettiğini, dolayısıyla onun tarafından nakledilen bilgilerle delil getirilemeyeceğini söylediğini ifade etmiştir.[2]

---

1 İbnü'l-Cevzî, *Kitâbü'l-Mevdû'ât*, Beyrut, 1983, III, 228-229.

2 İbnü'l-Cevzî, *Kitâbü'l-Mevdû'ât*, III, 228-229.

Rivayetler noktasında bu örneklerle yetinerek, aslında kabir sorgulamasıyla hiçbir şekilde ilgisi bulunmayan bir âyetin hatalı bir şekilde konuyla nasıl ilişkilendirildiğini göstermek istiyoruz.

b) Kabir Sorgusuna Delil Getirilen Âyet

Kabir sorgusuyla ilişkilendirilen âyet İbrâhim 14/27'dir: يُثَبِّتُ اللّٰهُ الَّذ۪ينَ اٰمَنُوا بِالْقَوْلِ الثَّابِتِ فِي الْحَيٰوةِ الدُّنْيَا وَفِي الْاٰخِرَةِۚ وَيُضِلُّ اللّٰهُ الظَّالِم۪ينَۙ وَيَفْعَلُ اللّٰهُ مَا يَشَٓاءُ "Allah, iman edenleri, dünya hayatında da âhirette de sağlam bir sözle tespit eder (o sözden asla ayrılmazlar, daima o tevhid sözüyle Allah'ın birliğini haykırırlar). Allah, zalimleri saptırır/onları sapıklıkta bırakır. Allah, dilediğini yapar."

Buhârî, bu âyeti, bâb/konu başlığı olarak vermiş ve Berâ b. 'Âzib'den gelen bir rivayetle konuyu kabirle ilişkilendirmiştir. Ona göre kabirde kişiye soru sorulduğunda لا اله إلا الله محمد رسول الله *lâ ilâhe illallâh Muhammedün Rasulullah* cevabını verecektir; böylece bu âyetin kabir sorgusuna delil olduğu anlaşılacaktır.[1] Öyle anlaşılıyor ki لا اله إلا الله محمد رسول الله cevabı, الْقَوْلِ الثَّابِتِ *el-kavlü's-sâbit* "sâbit söz" olarak kabul edilmektedir. Söz konusu rivayet hakkındaki değerlendirmemizi daha sonra yapacağımız için öncelikle müfessirlerin ilgili âyete getirdikleri yorumları aktarmak istiyoruz.

1. Taberî, buradaki الْحَيٰوةِ الدُّنْيَا *el-hayâtü'd-dünyâ* ifadesinden maksadın dünya hayatı olduğunu, الْاٰخِرَة *el-âhırah* kelimesinden maksadın da kabir olduğunu beyan ederek pek çok rivayet zikretmiştir.[2]

---

1 Buhârî, Kitâbu Tefsîri'l-Kur'ân, İbrahim Sûresi, bâb 2. Bu rivayetin uzunca bir örneği için bk. Hayrettin Karaman, *Ebediyet Yolcusunu Uğurlarken*, Ankara, 2006, s. 10-14; *el-Fethu'r-Rabbânî*'den naklen.

2 Taberî, *age.*, XIII, 213-219.

ıı. Ünlü müfessirlerimizden Râzî ve Merâğî de bu görüşü ikinci ve meşhur görüş olarak zikretmişlerdir.[1]

ııı. İbnü'l-Cevzî, bu âyetteki dünya hayatı ve âhiret hakkında iki farklı görüş nakletmiştir. Bunlardan ilki, daha önce Buhârî'den naklettiğimiz görüştür. İkinci görüşe göre dünya hayatından maksat kabirdeki sorgulamadır; âhiretten kasıt ise kıyametteki sorgulamadır. Bu görüş, Tâvûs ve Katâde'ye aittir. İbnü'l-Cevzî, bu iki görüşü zikrettikten sonra müfessirlere göre bu âyetin, kabir fitnesi, meleklerin sorgulaması ve Yüce Allah'ın sorgulama esnasında müminlere "hak kelimeyi telkîni" hakkında indirildiğini ifade etmiştir.[2]

İbnü'l-Cevzî'nin müfessirlere ait olarak zikrettiği ve âyetin iniş nedeni olarak ileri sürdüğü görüşlerden sonuncusu gerçekten dikkat çekicidir. Yüce Allah'ın, sorgulama esnasında müminlere "hak kelimeyi telkîni" anlaşılamaz bir iddiadır.

Aslında yaşayan insanların, ölmek üzere olanlara yapmaları istenen telkîn, başka bir deyişle Hz. Peygamber'in, ölüm anlarında insanlara yapılmasını tavsiye ettiği "kelime-i tevhîd telkını"[3] işlemi daha sonra maalesef şekil ve muhteva değişikliğine uğramıştır. "Ölmüş insanlara, mezara konulduktan sonra yapılan ve gerçekliğine inanılan kabir sorgulamasında yardımcı olma veya ölüye kopya vermeye çalışma" işlemi, konuyu hem zaman hem mekân hem de içerik olarak değiştirmiştir. Kabirde yapılacağına inanılan sorgulama Yüce Allah adına yapılacağına göre, sorgulanan kişiye bizzat O'nun yardım etmesi yerine, soruları değiştirtmesi, bilebileceği soruları sordurtması veya hiç soru sordurtmaması daha

---

1 Râzî, *Mefâtîhu'l-Ğayb*, XIX, 122. Benzer kanaatler için ayrıca bk. Ahmed Mustafa el-Merâğî, *Tefsîr*, Beyrut, 1974, V, 150.

2 İbnü'l-Cevzî, *Zâdü'l-Mesîr*, IV, 275.

3 Müslim, Cenâiz, Ölüye Kelime-i Tehlîl Telkını babı.

doğru değil mi? Bunu yapacak yerde, kendi yaptırdığı imtihanda Yüce Allah'ı kopya veren biri gibi kabul etmek oldukça tuhaf, bir o kadar da düşündürücüdür.

Yukarıda görüldüğü gibi Taberî, Râzî ve Merâğî, âhiret hayatını kabir hayatı olarak anlamlandırdıkları halde, İbnü'l-Cevzî dünya hayatını kabir hayatı olarak göstermiştir. İlk üçü âhiret hayatının, İbnü'l-Cevzî ise dünya hayatının anlamını değiştirmiştir. Bu farklı açıklamalar bize gösteriyor ki, söz konusu âlimlerin konu hakkındaki kanaatleri, kelimeleri asıl anlamlarından uzaklaştırarak şekillenmiştir. Daha sonra açıklayacağımız gibi, bu âyetin önceki âyetlerle bağlantısı kurulmadan varılan sonuçlar gerçeği yansıtmaktan uzaktır.

ıv. Ebu's-Suud, âyeti izahında dünya hayatındaki *tesbît*in, bazı peygamberler veya şahısların dinleri hakkında imtihana tabi tutulmaları olduğunu, âhiretten maksadın ise kıyamet hallerinin dehşetinden uzak tutulmak ya da kabir sorgulamasında sıkıntıya düşmemek anlamına geldiğini belirtmiştir. Ardından Buhârî kaynaklı söz konusu rivayeti nakletmiş, en sonunda şu rüyaya yer vermiştir: "Sehl b. 'Ammâr, rüyasında ölümünden sonra Yezîd b. Hârûn'u görmüş; ona, 'Allah, sana nasıl muamelede bulundu?' diye sormuş, cevaben o da şunları söylemiş: 'Kabrimde yanıma sert iki melek geldi ve bana, 'Rabbin kim? Dinin ne? Nebîn kim?' diye sordular. Ben de beyaz sakalımı elime aldım, onlara uygun cevaplar verdim ve 'İnsanlara 80 sene (sorularınızda istediğiniz bu) cevapları öğretmiştim' demiş."[1]

v. Kurtubî, bu rüyayı biraz daha genişleterek; "Hz. Ali'ye buğz edene Allah'ın da buğz edeceği" ilavesini yapmıştır.[2] Buradan anlaşılacağı üzere bu tür rivayetlerin üretilmesinde mezhep kaygıları da ön plana çıkmaktadır. Bu rivayette olaya

1 Ebu's-Suud, *age.*, V, 44.

2 Kurtubî, *age.*, IX, 238.

bir de rüyanın katılmış olması bu konuda söylenenlerin güvenilirliğini büsbütün kuşkulu hale getirmektedir.

vı. Mevdûdî, âyetin tefsirinde dünya hayatı ile âhiret hayatı hakkında bilgi verirken konuyu sadece dünya ve âhiret ikilisi üzerine inşa etmiş, diğer müfessirlerin aksine kabir hayatından hiç söz etmemiştir.[1]

vıı. Muhammed İzzet Derveze, söz konusu rivayetleri uzun uzadıya naklettikten sonra kabir sorgusu, mükâfatı ve azabı konusunda zikredilen hadislerin ve Kur'ân'daki bu tür konuların aklın ve mantığın sınırını aştığını belirtmiştir. Daha sonra sözü edilen olayları Yüce Allah'ın yapmaya gücünün yeteceğini, bunların anlatılmasında bir hikmetin bulunduğunu ifadeyle akla ilk gelen hikmetin mümini tatmin etmek, onu şevklendirip konumunu sağlamlaştırmak ve iman etmeye heveslendirmek, kâfiri de korkutup konumunun çirkinliğini ortaya koymak olduğunu beyan etmiştir.[2]

Derveze'nin son değerlendirmesinden anlaşılıyor ki konu çok fazla incelemeye müsait değildir. "İşin içinde bir hikmet vardır" deyip konuyu imana havale etmek gerekmektedir. Şüphe yok ki böyle konular, özellikle hakkında ayrıntı verilmeyen gaybî konular Derveze'nin dediği gibi olabilir. Ancak bu konu, onlardan değildir. Hakkında verilen bilgileri doğru değerlendirdiğimiz zaman konuyu hikmete terk etmek yerine, doğru bir sonuca varmamız elbette mümkün olacaktır. "Rivayetleri esas alıp âyetleri yorumlama" yoluna girilince durum tabii ki içinden çıkılmaz bir hal alır. Hâlbuki Kur'ân'ın hesap, mizan gibi değerlerini ortaya koyunca hesabın ne zaman başlayacağı, maddi yani bedenle birlikte ruha

---

1 Mevdûdî, *age.*, II, 552'de 39. not.

2 Muhammed İzzet Derveze, *et-Tefsîru'l-Hadîs,* tercüme: Muharrem İnce, İstanbul, 1997, IV, 99-102.

yönelik cezalandırmanın veya nimetlendirmenin nasıl ve ne zaman gerçekleşeceği gün ışığına çıkmış olacaktır.

viii. İncelemeye konu edindiğimiz İbrahim sûresi 27. âyette geçen الْقَوْلِ الثَّابِتِ *el-kavlü's-sâbit* "sâbit söz" ifadesinden neyin kastedildiği konusunda görüş beyan eden Muhammed Esed, buradaki "sabit söz"den kastın, kelime-i tevhîd olduğunu belirtmiştir.[1] Bu son derece isabetli görüşün sahibi konuyu hiçbir şekilde kabir sorgulamasıyla ilişkilendirmemiştir.

ix. Süleyman Ateş ise söz konusu rivayeti zikrettikten sonra konu hakkında şu değerlendirmeyi yapmıştır: "Bu (Berâ b. Âzib kaynaklı) hadisin âyetle bir ilişkisi yoktur. Ancak sözün güçlendirilmesi için hadis, âyetle desteklenmiştir. Gerçekte âyet kabir sorusundan ve cevabından söz etmez. Müminlerin dünyada da âhirette de sağlam söz üzerinde bulunacaklarını belirtir. Ruh dünyada neye alışmış, kendisine hangi düşünce yerleşmiş ise bedenden ayrıldıktan sonra da onunla meşgul olur. Nitekim insan en çok ne ile meşgul ise rüyalarında onunla veya onun manevi, hayâlî şekilleriyle uğraşır. Rüya, ruhun, bedenle bağlantısını azaltıp kısmen serbest kalması halinde görülür. Ölüm ise ruhun bedenle bütün bağlantılarını kesip tamamen serbest kalması, bedenden ayrılma halidir. Bedenden ayrılan ruh, beden içinde edindiği alışkanlıkların ve kazandığı vasıfların manevi şekilleri arasında kalır, onlarla meşgul olur. Dünyada doğruya alışan, âhirette doğruluğun sonuçlarıyla karşılaşır. Dünyada yalana alışan, bâtıl düşüncelere saplanan kimse, dünya yaşamından sonra da o inanç ve düşüncelerinin manevi şekilleri içinde bocalar. Müminin sözü, düşüncesi dünyada da sağlam, âhirette de sağlam olur. Zalimin (yani müşrikin) söz ve düşüncesi dünyada bâtıldır, âhirette de hali perişandır. İşte âyet bu

---

1 Esed, *age.*, s. 507'de 39. not.

gerçeği belirtmekte, dünyada sağlam söz söyleyen, Allah'ın birliğini ikrar eden müminin, dünyadan sonraki hayatında da sağlam söz üzerinde bulunacağını bildirmektedir."[1]

Ateş'in açıklamasına bakıldığında bu âyette kabir hayatı diye bir hususun olmadığı görülmektedir. Âyette dünya hayatı ve âhiret hayatı vardır. Bize göre Ateş'in bu izahından çıkaracağımız en önemli sonuç da budur. Ateş, âyette geçen dünya hayatı ve âhiret hayatı kavramlarına diğer müfessirlerin yaptığı gibi olumsuz anlamda hiç dokunmamıştır. Ateş'in bu konuda söyledikleri, söz konusu rivayetin veya bu konuda nakledilen rivayetlerin bu âyetle nasıl uyuşmadığını göstermesi açısından son derece çarpıcı ve önemlidir. Konunun böyle şekillenmesi hakkındaki gerekçesi de çok önemlidir. Zira rivayetlerle şekillenen bir iddianın desteklenmesi için âyetler, birtakım zorlamalarla destekçi konumuna getirilmeye çalışılmaktadır. Bu durum sadece âyetlerin konumunu zedelemekle kalmayıp, aynı zamanda onların evrenselliğine de gölge düşürmektedir.

Bazı müfessirlerimizin görüşlerini bu şekilde naklettikten sonra, İbrahim 14/27. âyetle ilgili şu değerlendirmeyi yapmak istiyoruz: İncelemeye çalıştığımız söz konusu âyette, çok açık bir şekilde dünya hayatı ile âhiret hayatından söz edilmektedir. Yüce Allah, İbrâhim 14/24. âyette *kelime-i tayyibe* "güzel söz", 26. âyetinde de *kelime-i habîse* "çirkin söz" hakkında iki benzetme yapmıştır. Ardından, 27. âyette sözü *kavl-i sâbite* getirerek iman edenleri hem dünya hayatında, hem de âhirette bu sözle destekleyeceğini ifade ederek, *kelime-i tayyibe* ile *kavl-i sâbit* arasında bir anlam ilişkisi kurmuştur. Kurulan bu ilişki tevhid ikrarının dünyada devam etmesi ile âhirete yansımasını Yüce Allah'ın sağlayacağını

1 Ateş, *Tefsir*, V, 25.

göstermektedir. Yoksa konunun kabir âlemiyle ve özellikle orada gerçekleşeceğine inanılan sorgulama ile herhangi bir alakası yoktur.

Eğer bazı âlimlerin dediği gibi âhiret hayatını kabir hayatı olarak alırsak, o zaman âhirette ne olacağı sorusu akla gelmektedir. Bize göre hiç kimse âhiret hayatını veya dünya hayatını kabir hayatı diye yorumlama hakkına sahip değildir. Yüce Allah'ın, isimlerini dünya hayatı ve âhiret hayatı diye koyduğu, hem ruhun hem de bedenin birlikte yaşayacakları bir özellikte yarattığı ve insanları yaşattığı bu iki âlemi, O'nun tanımlamasına uygun olmayacak şekilde yorumlamak, gerçeği yansıtmaktan uzak bir yaklaşım olduğu gibi, O'nun kitabının mesajını tahrif etmekten başka bir şey de değildir.

İlgili âyette ölüm sonrası kıyamet öncesi hayata dair hiçbir işaret yoktur. Eğer âhiret hayatının içine başka bir âlem de katılıyorsa -ki bizce katılamaz- o zaman ölen kişi için ölümünden sonrasına, ancak mahşerden öncesine ait bu âlemin farklı durumuna açıklık getirilmesi gerekirdi. Zira bedenlerin kabirlerden kaldırılması veya diriltilmesi sadece mahşerde gerçekleştirilecektir.[1]

Özetleyecek olursak, kabir sorgusu bağlamında zikredilen bu âyetin aslında kabirle hiçbir ilgisi yoktur ve kabir sorgulaması inancı Kur'ânî dayanaktan yoksundur. Rivayetlerdeki sıkıntılar ve çelişkiler konunun rivayet ayağının da sağlam olmadığını ortaya koymaktadır.

Kabir sorgusuna delil olarak ileri sürülen âyetle ilgili açıklamaları bitirmeden önce şunu hatırlatmak gerekir: Yüce Allah, Fâtiha 1/4'te مَالِكِ يَوْمِ الدِّينِ *mâliki yevmi'd-dîn* buyurarak "Hesap gününün sahibi" olduğunu beyan etmektedir. Hesap gününün mahşer günü olduğunda şüphe bulunmadığına

1 Yâsîn 36/51-52.

göre, daha öncesinde farklı sorgulamaların olacağını iddia etmek söz konusu âyetle uyuşmamaktadır. Eğer kabirde veya başka bir yerde başka bir sorgulama daha olsaydı ilgili âyette "hesap gününün sahibi" değil, "hesap günlerinin sahibi" denirdi. Oysa Kur'ân'da böyle bir ifade bulunmamaktadır. Sırf bu noktadan bakılsa bile, kabirde sorgulamanın olamayacağı kolaylıkla anlaşılabilir. "Ölüm Esnasında Yaşanacaklar" başlığında ele aldığımız üzere, insanların ölürken yaşayacakları melek diyaloğunun kabir sorgusuna dönüştürüldüğü kanaatindeyiz.

4. KABİRDE RIZIKLANDIRILMA

Kabirde sorgulanma ve kabir azabı konularında olduğu gibi kabirde veya berzahta rızıklandırılma meselesinde de ilim adamlarının olumlu kanaat sahibi oldukları görülmektedir. Onlara göre kabirdeki nimetlendirme maddi olarak gerçekleşecektir.[1] Oysa bize göre maddi ve manevi rızıklandırılma işlemleri birlikte tıpkı azapta olduğu gibi öncelikle dünyada gerçekleşmektedir; daha sonra da kendi şartlarında âhirette gerçekleşecektir. Bu genel yaklaşımımızın daha doğru anlaşılması için rızıklandırılma türlerine ve yerlerine değinmemiz yararlı olacaktır. Rızıklandırma genelde maddi ve manevi olmak üzere iki çeşittir:

a) Maddi Rızıklandırma

Bu rızıklandırma türünü de ikiye ayırmak mümkündür:

1. Doğrudan Rızıklandırma

Kur'ân'da üzerinde en çok durulan ve örneğine en çok rastlanılan doğrudan rızıklandırılmada insanın bedenen,

1 Bu konudaki ifadeler için bk. Nesefî, *Metnü'l-Akâid*, s. 105; Taftazânî, *age.*, s. 132-133.

yani doğrudan doğruya gıdalarla beslenmesi söz konusudur. Kur'ân'da, hakkında bilgi verilen ve insanın dünya yaşantısını devam ettirmesini sağlayan bu tür maddi, yani bedene yönelik rızıklandırılmalar algılamada da sorun yaşamadığımız rızıklandırılma türüdür.

ıı. Dolaylı Rızıklandırma

Bu rızıklandırma türünde doğrudan olmasa da yine maddi anlamda bir rızıklandırılma söz konusudur. Nitekim Rûm 30/40. âyetinde "yaratma, rızıklandırma, öldürme ve diriltme"den söz edilirken özellikle buradaki rızıklandırmanın "yaşatmak" anlamına geldiğinde şüphe yoktur. Yaşatmanın en önemli unsurlarının başında bedenin gıda ihtiyacının giderilmesi gelmektedir. Sonuçta bu işlem maddi rızıklandırma olsa da buna ulaşmada veya gıdanın insana ulaştırılmasında bir doğrudanlık değil, dolaylılık gözlenmektedir.

Yûnus 10/31, Nahl 16/23, Neml 27/64, Sebe' 34/24, Fâtır 35/3, Mü'min 40/13, Zâriyât 51/22. âyetlerde "insanların gökten ve yerden rızıklandırılması" ifadelerinde de özellikle gökten rızıklandırmanın dolaylı bir rızıklandırma olduğu anlaşılmaktadır. Yani yağmurun yağması ile bitkilerin vücut bulması, ardından meyvelerin yetişmesi ve bunların yenmesi dolaylı bir elde edişi göstermektedir.

b) Manevi Rızıklandırma

Kur'ân'da sözü edilen manevi rızıklandırma türü, ele alınması gereken çok önemli konulardan biridir. Zira hemen her vesileyle konuşulduğunda rızıklandırılmada maddi etkileşimler akla gelmekte, bunun manevi bir boyutunun bulunduğu görmezlikten gelinmektedir. Oysa maddi rızıkların bir anlam taşıması, onu hissedecek canla veya ruhla ilgilidir.

Ruhun veya canın bulunmadığı varlıkların rızıklandırılması üzerinde durmaya gerek görmüyoruz; çünkü bunun pratikte bir faydası yoktur. Bu nedenle rızıklandırılmanın bir çeşidi de manevi olanıdır ki biz buna ruhun yararlanması anlamında "ruhun beslenmesi" de diyebiliriz. Bu tür rızıklandırmalarla ilgili Kur'ân'dan iki örnek vermek istiyoruz.

1. وَتَجْعَلُونَ رِزْقَكُمْ اَنَّكُمْ تُكَذِّبُونَ "(Allah'ın verdiği Kur'ân) rızkınıza karşı (görevinizi), onu yalanlamakla yerine getiriyorsunuz!"[1] Bu âyette geçen رِزْق *rızk* kelimesi, Kur'ân'dan istifade etmek anlamında manevi bir rızıktır. Yani bu âyete göre bizâtihi Kur'ân, kendisini rızık olarak tanıtmaktadır. Dolayısıyla ruhu etkileyen manevi gıdalanmalar ve olgunlaşmalar bir çeşit rızık olarak değerlendirilmektedir.

2. اِنَّ هٰذَا لَرِزْقُنَا مَا لَهُ مِنْ نَفَادٍ "Şüphesiz bu, bizim (verdiğimiz) rızıktır. Ona bitmek ve tükenmek yoktur."[2] Bu âyette geçen رِزْق *rızk* kelimesi de cennetteki her çeşit ödül anlamına gelmektedir. Öyle anlaşılıyor ki, cennette yenilecek ve içilecek meyveler maddi rızıklandırılma anlamına geldiği gibi manevi olanlarını da içermektedir. Nitekim cennetteki "kapıları açık bahçeler, kendisine yaslanılan sedirler, koltuklar, güzel eşler vs" maddi yani bedeni besleyen rızıklar gibi; bir de manevi yani duygulara yönelik rızıklar vardır ve onların verilme yeri de âhirette cennettir. Örnek olarak Zuhruf 43/71. âyetinde yer alan "gözlerin görmekten hoşlanacağı nimetler" ile Kıyamet 75/22-23. âyetlerinde yer alan "sevinçli, parıldayan ve Rablerinden yeni nimetler bekleyen yüzler" ifadesini zikredebiliriz. Şüphesiz bunlar, cennetteki manevi rızıklandırmanın örneklerindendir.

Kabirde ruh-beden birlikteliği anlamında maddi hayat söz konusu olmadığı için orada herhangi bir maddi rızıklan-

1 Vâkı'a 56/82.
2 Sâd 38/54.

dırılmadan da söz edilemez. Ancak ruha yönelik huzur ve sevinçlerden oluşan bir rahatlık anlamında rızıklandırmanın önünde hiçbir engel yoktur.

c) Şehitlerin Rızıklandırılması

Rızıklandırma konusunda bu bölümlemeyi ifade ettikten sonra şimdi de şehitlerin ödüllendirilmesi konusuna değinelim. Öncelikle ödüllendirilmeleri kabirle ilişkilendiren açıklamaları hatırlatalım.

1. Rızıklandırmanın Kabirde ve Bedensel Olduğu Görüşü

Şehitlerin ölüm sonrasında kabirlerinde rızıklandırılacaklarına dair âlimlerimiz arasında büyük oranda fikir birliği vardır. Zira ilgili âyetleri âlimlerimizin çok büyük bir bölümü kabirle ilişkilendirmektedir. Konuyla ilgili âyetler şu şekildedir:

Bakara 2/154

وَلَا تَقُولُوا لِمَنْ يُقْتَلُ فِي سَبِيلِ اللّٰهِ اَمْوَاتٌ بَلْ اَحْيَاءٌ وَلٰكِنْ لَا تَشْعُرُونَ

"Allah yolunda öldürülenlere 'ölüler' demeyin; aksine onlar diridirler, ancak siz anlayamazsınız." Bu âyette Yüce Allah şehitlere "ölüler" denmemesi gerektiğini beyan ederek, aksine onların diriler olduğunu, fakat bunu sağ olanların anlayamayacağını bildirmektedir.

İyi insanların melekler tarafından gayet güzel ve rahat bir şekilde canlarının alınacağını, kötülerin ise durumlarına göre sıkıntılı, hatta azap denebilecek şekilde canlarının alınmakta olduğunu çeşitli âyetler ışığında açıklamaya çalışmıştık. Buradan hareketle, şehitlerin ölüm sonrasında da manevi bir huzur içerisinde olacaklarında hiçbir şüphemiz bulunmamaktadır. Bunun nasıl bir huzur olduğu konusunda ele alacağımız bir sonraki âyet grubunda çeşitli bilgiler verilmektedir.

Âl-i 'Imrân 3/169-171

وَلَا تَحْسَبَنَّ الَّذ۪ينَ قُتِلُوا ف۪ي سَب۪يلِ اللّٰهِ اَمْوَاتاًۜ بَلْ اَحْيَٓاءٌ عِنْدَ رَبِّهِمْ يُرْزَقُونَۙ
فَرِح۪ينَ بِمَٓا اٰتٰيهُمُ اللّٰهُ مِنْ فَضْلِه۪ۙ وَيَسْتَبْشِرُونَ بِالَّذ۪ينَ لَمْ يَلْحَقُوا بِهِمْ مِنْ خَلْفِهِمْۙ
اَلَّا خَوْفٌ عَلَيْهِمْ وَلَا هُمْ يَحْزَنُونَۢ يَسْتَبْشِرُونَ بِنِعْمَةٍ مِنَ اللّٰهِ وَفَضْلٍۙ وَاَنَّ اللّٰهَ لَا
يُض۪يعُ اَجْرَ الْمُؤْمِن۪ينَۚ "Allah yolunda öldürülenleri 'ölüler' sanma; aksine onlar diridirler; Rableri katında rızıklandırılmaktadırlar. Allah'ın keremiyle kendilerine verdiklerinden sevinçli olarak, arkalarından henüz kendilerine yetişemeyenlere de korku olmadığına, onların da üzüntüye uğramayacaklarına sevinirler. Allah'ın nimetine, lütfuna ve Allah'ın müminlerin ecrini zâyi etmeyeceğine sevinirler."

Bu âyetlerde de önceki âyette olduğu gibi şehitlere ölüler denmemesi gerektiği, onların diriler olduğu ve Rablerinin katında rızıklandırılmakta oldukları beyan edilmektedir. İşte âlimlerimizin büyük çoğunluğu bu rızıklandırılmanın kabirde ve bir anlamda maddi olacağını kabul etmektedir. Bakara 2/154'ün son cümlesinde Yüce Allah "Ancak siz anlayamazsınız" buyurduğuna göre, bunu artık farklı şekillerde açıklamaya çalışmanın gereği yoktur. Ölüm sonrasında şehitlerin manevi olarak rızıklandırılmakta olduklarını kabul ederek, herhangi bir tahminde de bulunmadan buna inanılır, vesselam.

Şehitlerin sağ oluşu konusu gündeme gelince "Her can ölümü tadıcıdır"[1] veya "Elbette sen de öleceksin, onlar da ölecekler"[2] âyetleriyle şehitlerin sağ oluşu arasında bir anlam çatışması görülmemelidir. Çünkü şehitler için Yüce Allah, "Onlar diridirler, ancak siz anlayamıyorsunuz" buyurunca, diriliğe ve ölüme farklı bir mana yüklenmekte olduğu anlaşılmaktadır. Esasında ölenin beden olduğu, ruhun ise ölmeyeceği herkesin malumudur.

1 Enbiyâ 21/35; 'Ankebût 29/57.

2 Zümer 39/30.

Kaldı ki bir kimsenin Allah uğrunda can vermesi, öldüğü anlamına gelmez. Bu anlamda ölü ya da diri olmayı belirleyen durum, canın çıkması değil, kişinin hangi amaç uğruna can verdiğidir. Allah uğrunda verilen mücadele sonunda can veren insan, aslında diridir. Can bedenden ayrılmasına rağmen bir insanın hayatta olduğunu anlamanın insan idrâkini aşacağı âyette ifade buyrulmaktadır. Demek ki ruh ile bedenin iç içe olduğu bir dirilik ve ruh ile bedenin ayrı olduğu bir dirilik vardır. İşte Yüce Allah bu tür diriliğin, insan aklının sınırlarını aştığını ve bu nedenle de kavranamayacağını bildirmektedir.[1]

Ele aldığımız Bakara 2/154 ve Âl-i 'Imrân 3/169-171. âyetlerin daha farklı anlaşılmasının da mümkün olduğunu belirtmeliyiz. Böyle olunca önümüze çok önemli ufuklar çıkmaktadır. Bir sonraki başlıkta da hem bu âyetleri hem de diğer âyetleri yorumlamaya çalışacağız.

ıı. Rızıklandırmanın Mahşerde Olacağı Görüşü

Şehitlerin rızıklandırılmasıyla ilgili hem yukarıda naklettiğimiz iki âyeti hem de doğrudan veya dolaylı olarak konuyla ilişkisi bulunan diğer âyetleri ele almak ve yorumlamak istiyoruz.

Bakara 2/154

وَلَا تَقُولُوا لِمَنْ يُقْتَلُ فِي سَبِيلِ اللّٰهِ اَمْوَاتٌ بَلْ اَحْيَاءٌ وَلٰكِنْ لَا تَشْعُرُونَ "Allah yolunda öldürülenlere 'ölüler' demeyin; bilakis onlar diridirler, ama siz farkında değilsiniz." Allah yolunda diri olanların bu durumları hakkında Râzî, Ka'bî ve Ebû Müslim'e atfen "diridirler" ifadesinin "dirilecekler" anlamında kullanıldığını söyler. Bu, Hacc 22/56 ve Mutaffifûn 83/13'te de olduğu gibi, cennete girecekler için geçmiş zaman kipinin kullanıldığı âyetlerden kolayca çıkarılabilir.[2]

1 Bayraklı, *age.*, II, 317.

2 İslâmoğlu, Zeccâcî'nin de bu kanaatte olduğunu aktarmaktadır. İslâmoğlu, *Hayat Kitabı Kur'ân*, s. 57'de 1. not.

Bu âyetlerin tefsirinde Ateş, "Bu âyetler, Allah yolunda öldürülen bütün şehitlerin, âhiretteki hallerini tasvir etmektedir" değerlendirmesini yapmıştır.[1] Ateş'in bu değerlendirmesini esas aldığımızda konuyu âhiret halleri arasında kabul etmiş, bu arada, لَا تَشْعُرُونَ "Siz anlayamazsınız" cümlesini de "şimdi bu dünya hayatındaki halinizle âhiret ahvâlini kavrayamazsınız" şeklinde anlamlandırmış oluruz.

Önceki başlıkta sözünü ettiğimiz Bakara 2/154 ve Âl-i 'Imrân 3/169-171. âyetlerini Ateş'in belirttiği anlamda değerlendirmek daha doğru gözükmektedir; çünkü diğerlerine göre bu değerlendirme daha anlaşılabilirdir. Konunun hemen ölüm sonrasıyla ilişkili olduğunu düşündüğümüzde bu defa meselenin gayb alanına ait olduğunu beyan etmek durumundayız.

Âl-i 'Imrân 3/169-171

وَلَا تَحْسَبَنَّ الَّذٖينَ قُتِلُوا فٖي سَبٖيلِ اللّٰهِ اَمْوَاتًاؕ بَلْ اَحْيَٓاءٌ عِنْدَ رَبِّهِمْ يُرْزَقُونَۙ فَرِحٖينَ بِمَٓا اٰتٰيهُمُ اللّٰهُ مِنْ فَضْلِهٖ وَيَسْتَبْشِرُونَ بِالَّذٖينَ لَمْ يَلْحَقُوا بِهِمْ مِنْ خَلْفِهِمْۙ اَلَّا خَوْفٌ عَلَيْهِمْ وَلَا هُمْ يَحْزَنُونَۘ يَسْتَبْشِرُونَ بِنِعْمَةٍ مِنَ اللّٰهِ وَفَضْلٍۙ وَاَنَّ اللّٰهَ لَا يُضٖيعُ اَجْرَ الْمُؤْمِنٖينَ "Allah yolunda öldürülenleri 'ölüler' sanma; bilakis onlar diridirler, Rableri katında rızıklandırılmaktadırlar. Allah'ın keremiyle kendilerine verdiklerinden sevinçli olarak, arkalarından henüz kendilerine yetişemeyenlere de korku olmadığına, onların da üzüntüye uğramayacaklarına sevinirler. Allah'ın nimetine, lütfuna ve Allah'ın, müminlerin ecrini zayi etmeyeceğine sevinirler."[2]

Bu âyetleri şöyle de tercüme etmek mümkündür: "Allah yolunda öldürülenleri ölü saymayın! Aksine onlar diridirler; rızıkları Rableri katındadır. Onlar Allah'ın lütfundan kendilerine bağışladığıyla kıvanç duyarlar. Arkadan gelip de henüz

---

1 Ateş, *Tefsir*, II, 140.

2 Âl-i 'Imrân 3/169-171.

kendilerine kavuşmamış olanlara, geleceğe ilişkin kaygı ve geçmişe ilişkin üzüntü duymayacakları müjdesini vermekten haz alırlar."[1] Bu tercümeden de anlaşıldığına göre rızıklandırılma bir manevi huzurdur ve bu durum da mahşerdeki rızıklandırılmanın haber verilmesiyle yaşanan manevi bir hazdır.

Cennet nimetlerinden söz eden âyetlere bakıldığında cennetteki ödüllerin kendi şartlarına göre maddi nitelikte olduğu hemen her yerde görülmekteyken, berzahta ya da kabirde maddi rızıklandırmadan söz edenler bu nimetlerin neler olduğunu ya da hangi maddelerden oluştuğunu belirtmemektedirler. Eğer nimetlendirme kabirde ve maddi olsaydı buna dair örneklerin de ifade edilmesi gerekirdi. Maddi diye nitelendirebilecekleri tek şey, kabrin cennet bahçelerinden bir bahçe olabileceği yönündeki bir kabuldür.

Âl-i 'Imrân 3/195-197

فَالَّذِينَ هَاجَرُوا وَأُخْرِجُوا مِنْ دِيَارِهِمْ وَأُوذُوا فِي سَبِيلِي وَقَاتَلُوا وَقُتِلُوا لَأُكَفِّرَنَّ عَنْهُمْ سَيِّئَاتِهِمْ وَلَأُدْخِلَنَّهُمْ جَنَّاتٍ تَجْرِي مِنْ تَحْتِهَا الْأَنْهَارُ ثَوَابًا مِنْ عِنْدِ اللَّهِ وَاللَّهُ عِنْدَهُ حُسْنُ الثَّوَابِ "Hicret edenler, yurtlarından çıkarılanlar, benim yolumda eziyete uğrayanlar, çarpışanlar ve öldürülenler var ya, andolsun ki ben de onların kötülüklerini örteceğim ve onları altlarından ırmaklar akan cennetlere koyacağım. Bu mükâfat Allah tarafındandır. Karşılığın en güzeli de Allah'ın katındadır."

Yüce Allah yolunda öldüren ve öldürülenlerin durumu hakkındaki âyetlerde yer alan bu ifadeler de dikkate alınmalıdır. Çünkü burada sözü edilen husus, Allah yolunda çeşitli sıkıntılar çeken veya öldürülenlerin ödüllerinin öncelikle bağışlanma olduğu, bunun sonucunda da cennetlere sokulacakları gerçeğidir. Âyette dile getirilen özelliklerin karşılığı olarak mahşer öncesine dair herhangi bir bilgi burada söz

---

1 İslâmoğlu, *Hayat Kitabı Kur'ân*, s. 137.

konusu değildir. Esasında sonraki âyetlerde yer alan ifadeler yorumunu yapmakta olduğumuz âyetteki maksadı âhiret ödülleri olarak anlamamızı gerektirmektedir. Konuyla ilgili olarak devam eden âyetler şöyledir:

لَا يَغُرَّنَّكَ تَقَلُّبُ الَّذِينَ كَفَرُوا فِي الْبِلَادِ مَتَاعٌ قَلِيلٌ ثُمَّ مَاْوٰيهُمْ جَهَنَّمُ وَبِئْسَ الْمِهَادُ "İnkârcıların (refah içinde) diyar diyar dolaşması sakın seni aldatmasın! (Bu durum) azıcık bir menfaattır. Sonra onların varacakları yer cehennemdir. (Orası) ne kötü varış yeridir!"[1] Bu âyetlerde dünya hayatının geçici olduğu hatırlatılmakta, kâfirlerin mahşerdeki yerleri ise azap yeri olarak cehennem şeklinde belirlenmektedir. Hem ödül hem de azap yeri olarak âhiretin belirlendiği Âl-i 'İmrân 3/195-197. âyetler, aslında sorgulamanın da âhirette olacağını dolaylı olarak bizlere öğretmektedir.

Bu arada ilgili âyetler, Hakk yolunda öldürülmenin veya Allah yolunda hicretin ne kadar büyük bir erdem olduğunu, bu uğurda canını verenlere yönelik rızıklandırılmanın âhirette gerçekleşeceğini, karşılığının ise en güzel rızık olacağını açıkça göstermektedir.

Hacc 22/58

وَالَّذِينَ هَاجَرُوا فِي سَبِيلِ اللّٰهِ ثُمَّ قُتِلُوٓا اَوْ مَاتُوا لَيَرْزُقَنَّهُمُ اللّٰهُ رِزْقًا حَسَنًا وَاِنَّ اللّٰهَ لَهُوَ خَيْرُ الرَّازِقِينَ "Allah yolunda hicret eden, sonra öldürülen veya ölenleri Allah en güzel bir rızıkla rızıklandıracaktır; Allah, rızık verenlerin en hayırlısıdır." İşte bu ifadeler Râzî'nin de dediği gibi Allah yolunda öldürülen veya ölenlere vaat edilen güzel rızkın nimet cennetleri olduğu müjdesini belirtmektedir. Gerçi bazı âlimler buradaki güzel rızkı dünyadaki çeşitli nimetler diye yorumlasalar da[2] maksadın âhiretteki rızıklandırılma olduğunda şüphe yoktur. Ayrıca

1 Âl-i 'İmrân 3/196-197.

2 Râzî, *Mefâtîhu'l-Ğayb*, XXIII, 57.

Âl-i 'Imrân 3/157. âyetinde de Allah yolunda öldürülen veya ölenlerin hak edeceği bağışlanma ve rahmetin, inançsızların dünyada topladıklarından çok daha hayırlı olduğu vurgulanmaktadır. Ardından Âl-i 'Imrân 3/158. âyette Allah yolunda ölen veya öldürülenlerin O'nun huzuruna götürüleceği ve orada toplanacaklarından söz edilmektedir. Nisâ 4/74. âyetinde de benzer şekilde Allah yolunda öldürülenlerin veya galip gelenlerin karşılığı, ileride yani âhirette büyük ödül olarak belirlenmektedir.

Hacc 22/58 ve Âl-i 'Imrân 3/157-158, 195-197. âyetlerinde sözü edilen rızıklandırma, mağfiret edilme ve rahmete ulaştırılma işlemleri yukarıda da ifade ettiğimiz gibi kıyametten sonra gerçekleşecektir. Çünkü Hacc 22/29. âyette ödülün devamı olarak لَيُدْخِلَنَّهُمْ مُدْخَلًا يَرْضَوْنَهُ "Onları razı olacakları bir yere mutlaka koyacaktır"[1] ifadesi yer almaktadır. Tıpkı Ra'd 13/22 ve 23. âyetlerindeki ödül-cennet ilişkisinde olduğu gibi, bu ifade de âhiretteki güzel rızkın ne olduğunu gösteren bir açıklama cümlesidir. Aynı şekilde Yûnus 10/26 ve Kâf 50/35. âyetlerde âhiretteki ödüller, daima bir fazlasını da içerecek şekilde Kur'ân'da tanımlanmaktadır. Bu âyetin açıklamasını yaparken bir sonraki âyetin işaretiyle "güzel rızık" ve "razı olunacak yer"in, İbn Abbâs'ın da belirttiği gibi "âhirette müminlerin girmekten mutlu olacakları bir yer, yani cennet" olacağı görülmektedir.[2]

Bu arada مُدْخَلًا *müdhal* kelimesinin de zikredildiği bir başka âyet daha vardır. Onu da bu vesileyle hatırlatmak gerekir:

إِنْ تَجْتَنِبُوا كَبَآئِرَ مَا تُنْهَوْنَ عَنْهُ نُكَفِّرْ عَنْكُمْ سَيِّاٰتِكُمْ وَنُدْخِلْكُمْ مُدْخَلًا كَرِيمًا

"Eğer size yasaklanan büyük günahlardan kaçınırsanız, sizin

---

1 Hacc 22/59.

2 Râzî, *Mefâtîhu'l-Ğayb*, XXIII, 58-59.

küçük günahlarınızı örteriz ve sizi değerli bir yere sokarız."[1] Bu âyetteki مُدْخَلًا كَرِيمًا "Değerli yer" hiç şüphe yok ki cennettir. Dolayısıyla her iki âyette yer alan مُدْخَلًا *müdhal* kelimelerinin "cennet"i ifade ettiği rahatlıkla söylenebilir.

Hacc 22/58 ve 59. âyetlerini şehitlerle ilgili olarak izah edince, hem Bakara 2/154 hem de Âl-i 'Imrân 3/169-171. âyetlerinde şehitlerle ilgili rızıklandırılmanın, daha yoğun olarak âhirete endekslendiği sonucunu çıkarabiliriz. Çünkü bu durumda rızıklandırma hem çeşitlilik arz edecektir, hem de mahşer şartlarına göre maddi bir mahiyet kazanacaktır.

Bu kanaati destekler mahiyette olduğunu düşündüğümüz Muhammed 47/4-6. âyetleri de hatırlatmak istiyoruz. Orada Allah yolunda öldürülenlerin, yaptıkları işleri Yüce Allah'ın zayi etmeyeceği, onları doğru yola ileteceği ve durumlarını düzelteceği belirtildikten sonra, kendilerini tanımladığı veya tanıttığı cennete koyacağı açıkça ifade edilmektedir.

Yüce Allah'ın sıfatlarından biri de *Rezzâk* sıfatıdır. Bu sıfat, tıpkı Yüce Allah'ın *Hallâk* sıfatı gibidir. *Hallâk*, "her çeşit yaratabilen kudret" demektir. Yoktan yaratabilen, vardan var edebilen, varlıkların şekillerini değiştirebilen, zıtlardan zıtlar yaratabilen Yüce Allah, özellikle insanı anasız-babasız yaratabildiği gibi, babasız insan da yaratabilmekte, bu arada asıl sünnet olarak insandan insanı yaratmayı da elbette bilmektedir. İşte bunun gibi, Yüce Allah'ın *Rezzâk* sıfatı gereği her çeşit rızıklandırıcı olduğunu, her çeşit rızıklandırmayı bildiğini, ruhla beden birlikteyken onları dünyada rızıklandırabileceği gibi âhirette de insanın hayal edemeyeceği şekillerde onu rızıklandırabileceğini göstermektedir.

Dünyadaki rızıklandırmayı insanlar rahatlıkla hissedebilmekte ve algılayabilmektedir. Âhiretteki rızıklandırmanın

---

1 Nisâ 4/31.

da kendi şartlarına göre maddi olacağı, orada nimetlerle buluşanların, söz konusu nimetlerin benzerlerinin kendilerine dünyada verilmiş olduğunu cennette itiraf edecekleri Kur'ân'da belirtilmektedir.[1] Kuşkusuz ilgili ödüllendirmenin, ödülü alan herkes tarafından sadece âhirette anlaşılabileceği, dünya hayatında onların hakkıyla kavranamayacağı görülmektedir.

Bakara 2/154 ve Âl-i 'Imrân 3/169-171. âyetler hakkında Esed'in yaklaşımını hatırlatarak konuyu toparlamak istiyoruz.

Pek çok âlimimizin, şehitlerin berzahta rızıklandırılmakta olduklarına dair kesin delil saydığı Âl-i 'Imrân 3/169-170. âyetleri tercüme ederken Esed şu ifadeleri tercih etmiştir: "Hayır, onlar diridir! Rızıkları Rableri katındadır; Allah'ın lütfuyla kendilerine bağışladığı (şehitlikten) övünç duyarlar." 171. âyetteki metni de "Onlar, Allah katından ulaşan bir lütuf, bir nimet ile müjdelemek isterler" diyerek bütün bu fiillerin mahşerde olacağı kanaatinde olduğunu hissettirmektedir.[2]

Öte yandan Esed, Bakara 2/154. âyetindeki, بَلْ اَحْيَاءٌ وَلٰكِنْ لَا تَشْعُرُونَ ifadelere ise "Hayır, onlar yaşıyor, ama siz farkında değilsiniz" şeklinde anlam vermiştir.[3] Bizce Esed'in yaptığı bu iki âyet tercümesi arasında önemli bir sonuç farkı görülmektedir. لَا تَشْعُرُونَ *lâ teş'urûne* fiili ile يُرْزَقُونَ *yurzekûne* ve يَسْتَبْشِرُونَ *yestebşirûne* fiilleri arasında, ifade ettikleri zaman açısından fark olmamasına rağmen Esed, birini şimdiki zaman, diğerlerini ise gelecek zaman olarak anlamlandırmıştır.

Oysa وَيَسْتَبْشِرُونَ بِالَّذِينَ لَمْ يَلْحَقُوا بِهِمْ مِنْ خَلْفِهِمْ اَلَّا خَوْفٌ عَلَيْهِمْ وَلَا هُمْ يَحْزَنُونَ âyetine; "(Allah indinde rızıklanmakta olduklarını), arkalarında bulunanlara da korku ve üzüntü olmadığının müjdelenmesini isterler" şeklinde de anlam verilebilir. Âyete

---

1 İlgili âyet için bk. Bakara 2/25.

2 Esed, *age.*, s. 43.

3 Esed, *age.*, s. 124.

"Allah'ın keremiyle kendilerine verdiklerinden sevinçli olarak, arkalarından henüz kendilerine yetişemeyenlere korku olmadığını, onların da üzüntüye uğramayacaklarına sevinirler" şeklinde de mana verilebilir. Böyle olunca müjdeleme yeri de rızıklandırılma yeri de âhiret olarak belirlenmiş olur. Zaten Bakara 154. âyetteki, لَا تَشْعُرُونَ *lâ teş'urûne* "Siz bunu anlayamazsınız" ifadesi, sözü edilen durumun mahşerde olduğunu göstermektedir. Çünkü لَا تَشْعُرُونَ *lâ teş'urûne* fiili "siz bunu anlayamazsınız, anlayamıyorsunuz" demektir. Yani bir anlamda bu ifade "dünya hayatındayken âhirette gerçekleşecek şeyleri kavrayamazsınız" demektir.

Bu arada Âl-i 'Imrân 3/170. âyetinde geçen, فَرِحِينَ بِمَٓا اٰتٰيهُمُ اللّٰهُ مِنْ فَضْلِهٖ "Allah'ın kendilerine ihsanından verdiği nimetler konusunda sevinçli ve mutlu olarak..." ifadesindeki kullanımın "geçmiş zaman" kipi olması da okuyucuyu yanıltmamalıdır. Çünkü bu kullanım, geçmiş veya şimdiki zamanı ifadeden ziyade, cennetteki ödüllendirilme için kullanılmıştır. Bu tür ödüllendirme cümlelerinin bir benzeri de Zâriyat sûresindedir:

يَسْـَٔلُونَ اَيَّانَ يَوْمُ الدّ۪ينِۜ يَوْمَ هُمْ عَلَى النَّارِ يُفْتَنُونَ ذُوقُوا فِتْنَتَكُمْۜ هٰذَا الَّذ۪ي كُنْتُمْ بِه۪ تَسْتَعْجِلُونَ اِنَّ الْمُتَّق۪ينَ ف۪ي جَنَّاتٍ وَعُيُونٍۙ اٰخِذ۪ينَ مَٓا اٰتٰيهُمْ رَبُّهُمْۜ اِنَّهُمْ كَانُوا قَبْلَ ذٰلِكَ مُحْسِن۪ينَ "(Sana) hesap gününün ne zaman olduğunu soruyorlar. O gün onlar ateşe sokulacaklardır. Azabınızı tadın! Acele gelmesini beklediğiniz şey budur işte! (denir.) Şüphesiz ki Allah'a isyandan sakınanlar, Rablerinin kendilerine verdiğini alarak cennetlerde ve pınar başlarında bulunacaklar. Şüphesiz onlar, bundan önce dünyada güzel davrananlardı."[1]

Burada açıkça görüldüğü gibi, اٰخِذ۪ينَ مَٓا اٰتٰيهُمْ رَبُّهُمْ "Rablerinin kendilerine verdiğini alarak" şeklindeki cümlede

---

1 Zâriyât 51/12-16.

de geçmiş zaman kipi kullanılmıştır. Ancak söz konusu bağlam bu işlemin cennette gerçekleşeceğini açıkça göstermektedir. Benzer bir kullanım şu âyetlerde de söz konusudur: اِنَّ الْمُتَّقِينَ فِي جَنَّاتٍ وَنَعِيمٍ فَاكِهِينَ بِمَآ اٰتٰيهُمْ رَبُّهُمْ وَوَقٰيهُمْ رَبُّهُمْ عَذَابَ الْجَح۪يمِ "Şüphesiz (kötülüklerden) korunanlar cennetlerde ve nimet içindedirler. Rablerinin kendilerine verdikleriyle sefâ sürerler. (Zira) Rableri onları, cehennem azabından korumuştur."[1] Âl-i 'Imrân 3/133-134. âyetlerinde ve Zâriyât'tan naklettiğimiz âyetlerde muttakîlerle muhsinler birlikte ele alınmış, Tûr 52/17-18. âyetlerde ise konu muttakîlerin cennetteki ödülü olarak sunulmuştur.

Şehitlik, takvânın da muhsin olabilmenin de zirvesidir; bunda hiç kimsenin şüphesi olamaz. Buradan hareketle şehitlerle ilgili "Allah'ın verdiği nimetlerle huzurlu olma"nın âhirete yönelik bir rızıklandırılma olduğunu söylemek durumundayız. Şehitlerin rızıklandırılması ile ilgili âyetleri âhiretteki rızıklandırma diye yorumlayınca, haliyle kabirde maddi bir rızıklandırmadan söz etmeye de gerek kalmamaktadır.

---

1 Tûr 52/17-18.

B. KABİR AZABI

"Kabir azabı" meselesinin doğru anlaşılması için üzerinde durulması gereken öncelikli konu "azabın niteliği"dir. Azap denince ilk etapta akla "cehennem ateşinde yanmak" geldiği için, "kabir azabı" denince de insanlar kabirde cehennem çukurlarının olduğu ve orada yanmayı anlamışlardır. Biz bu kabulü sorgulamak için konuya azap kavramını incelemekle başlamak istiyoruz.

1. AZAP

"Kabirde azap" veya "kabir azabı" konusu hakkında itibar edilebilir ve güvenilir bir bilgi sahibi olmak için azap kavramın kelime anlamını, ardından da Kur'ân'daki kullanımını incelemeye çalışacağız.

a) *'Azâb* Kelimesinin Anlamı

الْعَذَاب *el-'azâb* kelimesi İbn Manzûr'un ifade ettiği gibi "terk etmek veya mahrum etmek" anlamına gelen *'a-z-b* kökenden türetilmiştir.[1] Kelime bu kökten gelen عذب *'azb* kalıbında "tatlı olmak" anlamında ve nekra formunda Kur'ân'da

1 İbn Manzûr, *Lisânü'l-Arab*, *'a-z-b* maddesi.

iki âyette geçmekte ve "tatlı su"yu ifade etmektedir.[1] Bu kelime عَذَّبَ/يُعَذِّبُ/اُعَذِّبُ/نُعَذِّبُ *'azzebe/yü'azzibü/ü'azzibu/nü'azzibü* gibi dört harfli kalıplara girince "tatlılığını gidermek, tadı kaçmak, azap etmek" anlamını kazanmaktadır. Buradan hareketle, kelimenin "azap etmek" anlamının dört harfli kalıbının "tadını kaçırmak" manasından geldiğini söyleyebiliriz.[2]

عَذَاب/ الْعَذَاب *'azâb/el-'azâb* kelimesi Kur'ân'da 322 kez geçmekte, عَذَّبَ/يُعَذِّبُ/اُعَذِّبُ/نُعَذِّبُ *'azzebe/yü'azzibü/ü'azzibu/nü'azzibü* gibi dört harfli kalıplarda 41 yerde zikredilmektedir. Bu arada aynı kökten gelen مُعَذِّب/ مُعَذِّبِين *mü'azzib/mü'azzibîn*[3] kelimesi ile مُعَذَّبِين/ الْمُعَذَّبِين *mü'azzebîn/el-mu'azzebîn*[4] kelmeleri de dörder kez yer almaktadır. Bu genel hatırlatmalardan sonra, şimdi de kelimenin Kur'ân'daki farklı anlamlardaki kullanımlarını incelemek istiyoruz.

b) *'Azâb* Kelimesinin Kur'ân'daki Kullanımı

Kur'ân'daki örneklerine bakıldığında *'a-z-b* kökünden kelimelerin fiil kullanımlarında farklı boyutların bulunduğu anlaşılmaktadır. Azabın iki boyutu vardır. Bunların ilki dünyaya ait olanıdır; diğeri ise âhirete yöneliktir.

1. Dünyadaki Azap

Dünyaya ait azapla ilgili bu fiil Yüce Allah'a nispet edildiği gibi, zaman zaman insanlara da nispet edilmektedir. İnsanlara nispet edilenle ilgili örnekleri hatırlatmakla yetinelim. Bu bağlamda "Hz. Süleyman'ın hüdhüd kuşuna yapacağını söylediği azap"[5] ile "Zülkarneyn'in muhataplara yapaca-

1 Furkân 25/53; Fâtır 35/12.
2 Kelimenin anlamı için bk. Râğıb el-Isfehânî, *age.*, *'a-z-b* maddesi.
3 A'râf 7/164; Enfâl 8/33; İsrâ 17/15, 58.
4 Şu'arâ' 26/138, 213; Sebe' 34/35; Sâffât 37/59.
5 Neml 27/21.

ğı ifade edilen azap"[1] Kur'ân'daki örnekleri oluşturmaktadır. Bu iki örneğin dışındaki bütün kullanımlarda dünyada azap etme fiili Yüce Allah'a nispet edilmektedir ve Kur'ân'da bunların sayısı da 15'tir.[2] Bu arada الْعَذَابْ / عَذَابْ *'azâb/el-'azâb* kelimeleri ise isim kalıbında pek çok âyette dünya ve âhiret için ortaklaşa kullanılmaktadır.[3]

II. Âhiretteki Azap

Mahşerdeki azap elbette sadece Yüce Allah'a nispet edilmektedir ve Kur'ân'daki kullanımların çok büyük bir kısmı bununla ilgilidir. Bu konuda herhangi bir detay vermeye gerek yoktur.

Şu kadarını söyleyelim ki, Müzzemmil 73/12-16'da dile getirilen ilâhî ceza türlerinin sonuncusu olarak belirlenen "elem verici azap" ifadesi çok dikkat çekicidir. Söz konusu bu âyetlerde sayılan azap türlerinin sonuncusu olan "elem verici azap" tamlaması, azabın geri kalan bütün türlerini içerecek şekilde kapsayıcı bir anlam alanına sahiptir. Kelimelerin nekra seçilmesi, maksadın belli bir türü değil de azabın bütün ayrıntılarını içermekte olduğunu ortaya koymak olduğunu göstermek içindir. Dahası, Râzî'nin de dediği gibi, bu ifade biçimi elem verici azabın sözü edilenlerden daha şiddetli olduğunu da belirtmektedir.

Elbette sadece sıkıntı veren yiyecekler değil, elem verici her azap şekli, vahyi ve risaleti inkâr edenleri beklemektedir. O inkârcılar nasıl ki çevrelerindeki müminlere sıkıntı veriyor, onlara âdeta hayatı zindan etmeye çalışıyor idiyseler,

1 Kehf 18/86-87.

2 Âl-i 'Imrân 3/56; Enfâl 8/33-34; Tevbe 9/14, 26, 39, 55, 74, 85, 101; Kehf 18/87; Tâhâ 20/47; Mücâdele 58/8; Haşr 59/3; Talâk 65/8.

3 Her iki azapla ilgili örnek âyetler için bk. Bakara 2/85, 114; Âl-i 'Imrân 3/56; Mâide 5/33, 41; Tevbe 9/74, 85; Ra'd 13/34; Nûr 24/19, 23; Secde 32/21; Ahzâb 33/57; Zümer 39/26; Fussılet 41/16; Kalem 68/33.

mahşerde de kendileri benzer bir âkıbetle buluşturulacaklardır. Elem verenlere elem verilecektir. Gönül kıranların gönlü kırılacaktır.

c) Farklı Azap Türleri Hakkında Bazı Değerlendirmeler

I Bu iki genel ayrımın ardından şunu söyleyebiliriz: İnsanların başına azap iki yerde ve zamanda gelir. Bunlardan ilki dünya hayatında yaşanan sıkıntılar, diğeri de âhirette yaşanacak olanlardır. Cenâb-ı Hakk dünya azabına göre âhiret azabına "en büyük azap" veya "en şiddetli azap" adını vermektedir.[1] Dünyada yaşanan sıkıntılar ne kadar ağır olursa olsunlar, âhirette yaşanacak azaptan kesinlikle daha hafiftirler. Bu itibarla, bu hayattakilere bakarak âhiret âlemindekileri hesaba katmamak aldanmaktan başka bir şey değildir.

II. Azap, aslında mahrumiyettir. Bunun dünyada olabildiğini de hatırlattığımız üzere, azap denilince akla her zaman cehennem ateşi gelmemelidir. Nitekim Kalem 68/33'te bu kelime bahçe sahiplerinin dünyadaki mahrumiyeti için kullanılmakta, ayrıca bunların âhiretteki azabının ise çok daha şiddetli olacağı beyan edilmektedir. Demek ki bazı şeylerden yoksun kalmak da bir çeşit azaptır.

III. Azap, acının aracına değil, sonucuna işaret etmekte ve nedenler değiştikçe azabın niteliği de (*'azâbün elîm, 'azâbün mühîn, 'azâbün 'azîm, 'azâbün ğalîz*) değişmektedir. Nitekim azâbın dünya hayatında "Allah tarafından terk edilmişlik" anlamında kullanıldığı da bilinmektedir.[2] Bu âyette sözü edilen azap bir anlamda "vicdan azabı" olarak da isimlendirilebilir.

---

1 Ra'd 13/34; Tâhâ 20/127; Secde 32/21; Zümer 39/26; Kalem 68/33.
2 Sebe' 34/8.

iv. İnsana zor gelen ve onu hedefine ulaşmaktan alıkoyan her şey azaptır. Istılahta/terim olarak "insanı kendi hâline terk eden, hedefine ulaşmasını engelleyen, yalnız ve yardımsız bırakan" bütün bunların sonucunda da "mutsuz, umutsuz ve kahredici bir iç yangını ve vicdan azabına mahkûm eden durum"dur.

v. Azâbı "Allah'la birlikte başka bir ilah edinme! Sonra kınanmış olarak bir köşeye atılıp orada bir başına kalakalırsın"[1] âyeti ışığında anlamak gerekir. Bu durumun verdiği acı öylesine dayanılmazdır ki, bu duruma düşen kişi yok olmak gibi ölümden öte bir şeyi (*sübûr*) isteyecektir.[2] "Onlara, 'Yoo! Bugün yok olmak için bir tek ölümü çağırmayın, yok olmak için bütün ölümleri çağırın!' denilecektir.[3]

vi. "Kabir azabı" denilince ne anlamamız gerektiği noktasında bu bilgilerin çok önemli olduğunu belirtmeliyiz. Çünkü anlaşılmıştır ki azap denince akla öncelikle "cehennemdeki ateş" gelse de azap bundan ibaret değildir. Azabın dünyada da meydana geldiği ve insanlara nispet edilebildiği gerçeğinden hareketle,[4] azabı âhirete ve cehennem ateşine özel görmek doğru değildir. "Ölüm Esnasında Yaşanacaklar" başlığında da açıkladığımız üzere, özellikle kötülük sahiplerinin veya inkârcıların ölüm anları da bir anlamda azaptır.

vii. Mahşerdeki diriltilme esnasında inkârcıların yaşayacağı derin ıstırap ve feryatlar,[5] ayrıca biraz önce dile getirdiğimiz henüz cehenneme girmeden önce yok olmak istekle-

---

1 İsrâ 17/22.

2 Bu değerlendirmeler için bk. İslâmoğlu, *Hayat Kitabı Kur'ân*, Kalem 68/33. âyetle ilgili 14. not.

3 Furkân 25/14; İnşikâk 84/11.

4 Neml 27/21; Kehf 18/86-87.

5 Yâsîn 36/52.

ri veya toprak olmak arzuları[1] da elbette bir çeşit sıkıntıdır, azaptır. Dahası, kâfirlerin "Âh, keşke ölümle her şey bitseydi"[2] şeklindeki feryadını da azap kapsamında değerlendirmek durumundayız.

VIII. Azabı ateşle sınırlı görmemek gerektiği noktasında bizim en önemli gördüğümüz örnek Kıyamet 75/34-35'teki şu ifadelerdir: "Yazık sana, çok yazık! Tekrar yazıklar olsun sana yazıklar!" Her halde Yüce Allah tarafından gelecek böyle bir hitaba muhatap olmak ateşten de ateş azabından da çok daha ağır bir mahrumiyet ve mahcubiyet azabıdır.

Özetle söyleyelim ki, dünyada terbiye veya imtihan amaçlı verilen cezalar, çekilen vicdan azapları, ölüm esnasında kötülere meleklerin muamelesi, yine ölüm anında inkârcı kişilere girecekleri ateşin gösterilmesi, diriltilme esnasındaki feryatlar, sorgulama öncesinde veya esnasındaki derin ıstıraplar, ateşe girmeden önceki arz ve cehenneme sunulmada yaşanacak korkunç durumlar da birer azaptır. Ancak bunların hiçbiri "cehennemde yaşanacak ateş azabı" değildir ve dolayısıyla yine bunların hiçbirisi "kabirde ateş azabı"nın veya "kabrin cehennem çukurlarından bir çukur" olduğu iddiasının delili olarak da sunulamazlar. Çünkü cehennemin faaliyet zamanı mahşerdir.[3]

Azabın farklı boyutlarını bu şekilde ifade ettikten sonra, şimdi de "Kabir Azabı" konusundaki yaklaşımları ele alacağız.

---

1 Nebe' 78/40.
2 Hâkka 69/27.
3 Tekvîr 81/12.

2. İSLÂM GELENEĞİNDE KABİR AZABIYLA İLGİLİ GÖRÜŞLER

Buraya kadar ifade etmeye çalıştığımız hususlar genel olarak kabir konusunun mahiyetine ilişkin genel hatırlatmalar olarak görülebilir. Asıl incelenmesi gereken ve hakkında fikir geliştirilmesi arzu edilen konu "kabir azabı" konusudur. Çünkü ölen bir kişinin mahşerdeki sorgusu yapılmadan ona azap edileceği kabulü, Kur'ân'da sorgulama ile ilgili pek çok âyetin doğru anlaşılıp anlaşılmadığı sorusunu çok ciddi bir şekilde gündeme getirecektir.

Her şeyden önemlisi ve belki de üzerinde en çok durulması gereken nokta, bazıları tarafından iddia edildiği gibi kabirde gerçekleşecek olan azabın maddi, yani bedene uygulanacak oluşu ile bunu Yüce Allah'ın ezelî ilmi gereği gerçekleştireceği iddiasıdır. Yani onlara göre Yüce Allah, zaten kimin, nereye gideceğini bilmektedir; dolayısıyla mahşerdeki hesabı beklemeden cehennemlik insanlara ya da günahkâr müminlere maddi/fiilî ateş azabını hemen kabirden başlatmaktadır. Bu durumda mahşerde gerçekleşeceği uzun uzadıya anlatılan olayların gerçekte pek önemi kalmamaktadır. Biz bu anlayışın yeniden sorgulanması gerektiğine inandığımız için, önce söz konusu iddiaya yönelik kabulleri ana hatlarıyla burada ele alacak ve bu konuya Kur'ân-ı Kerîm'in bakışını ortaya koymaya çalışacağız.

Kelâmî konular arasında yer alan ve İslâm Mezhepleri arasında uzun tartışmalara neden olan "kabirde azabın" gerçekleştirileceği konusunda Ehl-i Sünnet ilim adamlarının fikir birliğinde olduğu söylenebilir. Bu birlikteliği sağlayanların bir bölümünün konuyla ilgili kanaatleri ile Mutezile'nin en önde gelen temsilcisi konumundaki Kadı Abdülcabbâr'ın görüşlerini bu bağlamda hatırlatmak istiyoruz.

a) Eş'arî, Nesefî ve Sâbûnî'in Görüşleri

Görüşleri diğerlerine göre daha kısa ifadeler içerdiği ve konuyu fazla detaylandırmadıkları için bu üç ismi aynı başlıkta vermeyi uygun gördük.

ı. Ebü'l-Hasan el-Eş'arî, "Hâricîler" başlığında bunların kabir azabını kabul etmediğini ifade etmiş, daha sonra kabir azabı konusunda müminlerin ihtilaf ettiklerini, bazılarının bunu inkâr ettiklerini, inkâr edenlerin Mutezile ve Hâricîler olduğunu belirtmiştir. Müslümanların çoğunun ise bunu kabul ettiğini beyan ettikten sonra, bazılarının da "Allah, ruhlara nimet ve elem verir; fakat kabirlerde bulunan cesetlere bundan bir şey ulaşmaz" dediklerini ifade etmiştir.[1]

ıı. Ömer Nesefî, *Akâid*'inde kâfirler ve bazı asi müminler için kabir azabının hak olduğunu, itaat ehli insanlar için kabirde nimetlendirilmenin gerçekleşeceğini beyandan sonra, *münker* ve *nekîr* adlı meleklerin kabirde soru sormalarının da sem'î (rivayete dayalı) birtakım delillerle sabit olduğunu Ehl-i Sünnet'in kabulleri arasında saymıştır.[2]

ııı. Nûreddîn Sâbûnî ise, "Sem'ıyyât bahisleri" adını verdiği başlıkta "vuku bulması aklen mümkün olan bir şey hakkında nass vârid olunca onu kabul etmek ve ona inanmak gerekir" diyerek kabir hallerinin de bu kategoride ele alınması gerektiğini ifade etmiştir. Bu konuda çeşitli alt başlıklar halinde şu genel bilgilere yer vermiştir: "(Kabirdeki sorgulamayla ilgili ele alınması gereken konulardan) biri münker ve mekîr'in kabirde soracakları sual ve kabir azabıdır. Bunlar Ehl-i Sünnet'e göre haktır, Mutezile muhaliftir.

---

1 Eş'arî, *age.*, s. 132, 312. Eş'arîlerin kabir azabı ve Münker-Nekîr'in sorgulama yapacağını kabulleriyle ilgili olarak ayrıca bk. Muhammed Ebû Zehrâ, *İslâm'da İtikâdî, Siyâsî ve Fıkhî Mezhepler Tarihi*, tercüme: Sıbğatullah Kaya, İstanbul, baskı tarihi yok, Yeni Şafak Gazetesi Yayınları, s. 175.

2 Nesefî, *Metnü'l-Akâid*, s. 105.

Cesetlerin tekrar diriltilmesi, amel defterlerinin okunması, mizan, sırat da haktır. Cennet ve cehennem de Ehl-i Sünnet'e göre Kur'ân'daki أُعِدَّتْ *u'ıddet* "hazırlandı" gibi geçmiş zaman kipiyle ifade edilen kullanımlar gereği şu anda mevcuttur. Mutezile buna muhaliftir. Sual ve azap ruhun cesede iade edilmesi suretiyle mümkündür."[1]

Görüşlerin Değerlendirilmesi

Bu üç ilim adamının dile getirdiği bu görüşler, Ehl-i Sünnet kabulü olarak sunulmakta, hem kabir sorgulaması ve azabının gerçek olduğu, hem de diriltilme, amel defteri, mizan, sırat vs gibi âhiretle ilgili uygulamaların da ayrıca gerçekleşeceği belirtilmektedir. Bu arada kabirde sorgulanmış ve hak ettiği sonuçla buluşturulmuş olup cennete veya cehenneme giren bir insanın âhirette yeniden sorgulanmasının, ona amel defteri sunulmasının, davranışlarını tartıya almanın vs ne anlamının kaldığı sorusu ya cevapsız bırakılmıştır ya da iknadan ve delilden uzak yorumlarla geçiştirilmeye çalışılmıştır.

"Cennet ve Cehennemin Faaliyete Geçme Zamanı" başlığında hem bu konuyu, hem de أُعِدَّتْ *u'ıddet* "hazırlandı" veya أَعْتَدْنَا *a'tednâ* "hazırladık" gibi geçmiş zaman kipiyle ifade edilen kullanımların aslında ne anlama geldiğini Kur'ân çerçevesinde ayrıntılı bir şekilde ele alacağımız için burada ilgili konulara değinmek istemiyoruz.

Biz, hem kabir azabı konusundaki kabullerde ileri sürülen delilleri, hem de kabir azabını kabul etmediği iddia edilen Mutezile'nin konuya bakışını ilgili başlıklarda ayrıntılı olarak

1 Sâbûnî'nin bu konudaki görüşleri için bk. Nureddîn Sâbûnî, *Mâtürîdî Akaidi*, tercüme: Bekir Topaloğlu, İkinci Baskı, Ankara, 1978, s. 185-186. Ayrıca bk. Kemal Işık, *Mutezilenin Doğuşu ve Kelâmî Görüşleri*, Ankara, 1967, s. 56.

ele alacağız. Bu nedenle tekrardan kaçınmak için burada sadece bu kanaatlerin eleştiriye açık olduğunu, sağlam delil veya dayanaktan yoksun olduğunu belirtmekle yetineceğiz. Öte yandan Eş'arî'nin, kabir azabını kabul etmemekle suçladığı Hâricîlerin konuyla ilgili fikirlerini kendi eserlerinden sunma imkânından yoksun olduğumuzu da ifade etmek istiyoruz.

İmam Eş'arî'nin dile getirdiği ve bazı müminlerin kanaati olarak aktardığı "Allah, ruhlara nimet ve elem verir; fakat kabirlerde bulunan cesetlere bundan bir şey ulaşmaz"[1] şeklindeki yaklaşım, konuyla ilgili bizim de kanaatimizdir. Hayat denen değer aslında ruh beden birlikteliği ile anlam kazanır. Kabirde böyle bir birliktelik söz konusu olmadığı için ruha yönelik birtakım nimetlendirmelerin veya sıkıntıların gelmesi elbette mümkündür. Ölmekte olan kişiye mahşerde gideceği yerin gösterileceği bilgisi bu anlamda son derece önemlidir. Hem ölüm anında hem de sonrasında kötü insanların ruhlarının yaşadığı elem ve ıstıraplar bir anlamda azaptır; ancak bizim karşı çıktığımız nokta ilgili görüşte de reddedildiği gibi azabın bedene yönelik olacağı kabulüdür.

Bir tür yargılama ve sonuçlarıyla buluşturulma anlamına gelen kabir sorgusu ve oradaki ateş azabı iddiası mahşerde yaşanacağı bilinen yedi muhteşem aşamayı anlamsız kılmaktadır. Bunlar Kur'ân'da "Diriltilme, toplanma, Allah'a sunulma, bilgilendirilme, sorgulanma, yargılanma/değerlendirilme ve cennete veya cehenneme sevk" şeklinde beyan edilmektedir. Konuyla ilgili kaleme aldığımız "Kur'ân'a Göre Yedi Aşamada Âhiret" adlı müstakil çalışmamızda meselenin bütün detaylarını vermeye çalıştık. İşte söz konusu aşamaların anlam kazanması, bunları iptal edecek veya anlamsız-

1 Eş'arî, *age.*, s. 132, 312.

laştıracak kabulleri sorgulamaktan geçmektedir. Bizim bu çalışmada yapmaya çalıştığımız da budur.

b) Taftazânî'nin Görüşü

ı. Sa'düddîn et-Taftazânî, *Akâid Şerhi*'nde Nesefî'ye ait olan yukarıdaki ifadelerin izahında "bazı müminler" denmesindeki maksadı şöyle açıklamaktadır: Asi müminler arasında bulunup da Yüce Allah'ın azap etmeyi istemeyeceği, dolayısıyla kendilerine azap edilmeyeceklerin de bulunabileceği muhtemeldir. Kabirdeki nimetlendirme de Yüce Allah'ın bilgisi ve iradesi ile gerçekleşecektir. Konuyla ilgili kitaplarda daha çok kabir azabı hakkında bilgi verildiğini, bu konuda daha çok nass bulunduğunu, kabir ehlinin genellikle kâfir ve asilerden oluştuğunu, dolayısıyla azabı konuşmanın daha uygun olduğunu vurgulamıştır.[1] Böylece bir anlamda hakkında daha çok bilgi bulunan konuda muhataba bilgi vermenin uygunluğuna dikkat çekmek istemiştir.

ıı. Taftazânî, Mutezile ve Râfizîlerden bazılarının[2] kabir azabını inkâr ettiklerini, gerekçelerini de "ölünün cansız, hayatsız ve idraksiz oluşuna, dolayısıyla ona yönelik azabın imkânsızlığına" dayandırdıklarını belirtmiştir. Buna karşılık kendilerine şöyle cevap vermiştir: Yüce Allah, azabın elemini ya da nimetin lezzetini hissedebilecek veya idrak edebilecek kadar bir bütünün tüm parçalarını veya bazı parçalarını yaratmaya kâdirdir. Bunun için ruhun bedene iadesi de hareketliliği de gerekli değildir. Dolayısıyla söz konusu elem veya lezzet suda boğulan, hayvanların karnında yenmiş olan vs durumdakiler için de söz konusu olacak-

---

1 Taftazânî, *age.*, s. 132-133.

2 Bu ifade, bazı Mutezilî ve Râfizîlerin bu kanaatte olmadıklarını göstermektedir.

tır. Bütün bunlar Yüce Allah'ın kudretinin ve üstünlüğünün birer göstergesidir.[1]

Görüşün Değerlendirilmesi

Bizce ilk maddede aktardığımız genelleme gayb alanına müdahale anlamına gelir. İddiaya göre kabir azabı çekenler kabirde nimetlendirilenlerden daha çoktur. Kabirde bulunanların çoğunluğu hakkında ilâhî bilgilendirme olmadan kanaat ortaya koymak, henüz haklarında kesin hüküm verilmemiş insanlar hakkında azap veya ödül dağıtımı anlamına gelir ki bu çok sağlıklı bir yaklaşım değildir.

İkinci maddedeki görüşlerden öyle anlaşılıyor ki Yüce Allah, kabir azabına veya ödülüne muhatap olacak kişiler için bu bedenden farklı başka bir beden veya parça bir beden yaratacaktır. Eğer bu iddia doğru ise, bunu yapacağı söylenen kudret Yüce Allah olduğuna göre bu konudaki bilgiyi de O'ndan öğrenmek gerekmez miydi? Gayba ait bir konuda ayrıntı denebilecek şeyler söylemek, anahtarlarının yerini dahi bilemeyeceğimiz gayb konusunda[2] bilgi vermek anlamına gelmez mi?

Şüphe yok ki bu tür kanaatler, izahında sıkıntı çekilen konularda gündeme getirilmektedir. Yüce Allah'ın elbette her şeyi yaratmaya gücü yeter. Hiç kimse O'nun gücünün sınırını da gücünün niteliğini de test edemez. Eğer Yüce Allah kabirde bir bedene ve ruha birlikte azap edecekse bu O'nun bileceği bir iştir; zaten ölüm sonrasıyla ilgili olarak insanların bu gayb alanını bilemeyeceklerini de açıkça ifade etmektedir. Ancak Yüce Allah, kabirde neler olacağıyla ilgili iddia

1 Taftazânî, *age.*, s. 134.

2 Âyet için bk. En'âm 6/59.

edildiği türden bilgiler vermediğine ve o alanı gayb diye belirleyip ölümüne hükmettiği kulların canını katında tuttuğunu bildirdiğine göre,[1] vahiy kaynaklı herhangi bir bilgi olmadan, dahası tartışmalı da olsa herhangi bir rivayet dahi bulunamadan, sırf "Allah'ın buna gücü yeter" diyerek kabirde yeni veya parça bedenler oluşturmak anlamına gelebilecek yorumlar Kur'ânî dayanaktan yoksun birer iddia olmaktan öte bir değer taşımaz. Ancak daha da üzücü olan husus, bu tür iddialara inanmayı inanç esasları arasında görmektir. Unutulmamalıdır ki Kur'ân'da hakkında bilgi verilmeyen gayb konuları, sadece rivayetlere dayanılarak inanç esası hâline getirilemezler. Çünkü rivayetlerin Hz. Peygamber'e aidiyeti konusu kesinlik arz etmemektedir. Onları Kur'ân ölçüsüne vurmadan kabul etmek doğru bir yöntem değildir.

c) İmam Gazâlî'nin Görüşü

"Kabirde Sorgulanma" başlığında da değindiğimiz üzere, Berâ b. 'Âzib kaynaklı bir rivayet, konuya bakışta Gazâlî'nin en önemli dayanağı durumundadır. Gazâlî söz konusu rivayete yer vererek, ele aldığı ve kendisine inanmanın farz olduğunu ilan ettiği kabir azabıyla ilgili olarak *Ihyâ'* adlı eserinde detaylı bilgi vermiştir. Şimdi söz konusu izahları kısmen özetleyen alıntılar yaparak onun görüşlerini nakletmek ve ilgili görüşler hakkında kendi değerlendirmelerimizi yapmak istiyoruz.

Gazâlî, kabir azabının mümkün olduğunu, Mutezile'nin bunu, "Müşahede suretiyle görüyoruz ki ölünün cesedi azap görmemektedir. Hatta belki de ölüyü kurtlar parçalayıp yiyebilirler; fakat yine de böyle bir azabı müşahede etmemiz

---

1 Zümer 39/42.

mümkün olmamaktadır" şeklindeki bir gerekçeye dayandırarak inkâr etmesinin de "saçmalık" olduğunu beyandan sonra şu ilginç değerlendirmelerde bulunmuştur:

1. "Zira ölünün cesedini görmek, ancak cismin zâhirini görmektir. Oysa gerçekte azabı gören, hangi şekilde olursa olsun kalpten veya bâtından bir cüzdür/parçadır. Azap için bedenin zahirinde bir hareketin meydana gelmesi zorunlu değildir. Aksine mesela uyuyan bir kimsenin zahirî görüntüsüne bakan bir insan, onun gördüğü rüyadan dolayı duyduğu lezzeti veya rüyasında gördüğü dövülme ve benzeri gibi fiillerden dolayı çektiği acıyı müşahede etmez. Dolayısıyla uyuyan kimse uyanıp uykusunda gördüklerini, çektiği acıları ve duyduğu lezzetleri anlattığı zaman, şüphesiz uykusunda asla böyle bir şey görmeyen bir insan hemen onun söylediklerini, cisminin zahirdeki hareketsizliğine dayanarak inkâr edecektir. İşte Mutezile'nin kabir azabını inkâr etmesi bunun gibidir."

"Kurtların yediği cisme gelince, söylenecek söz sadece kurdun karnının o cismin kabri olmasıdır. Binaenaleyh, burada da azabı çekecek bir cüz'e hayatın iade edilmesi mümkündür. Zira her acı duyanın, bu acıyı tüm bedeninde duyması şart değildir."[1]

Gazâlî'nin Mutezile'ye karşı vermeye çalıştığı cevapların ikna edicilikten uzak olduğu hemen görülmektedir. Şimdi bu konularda bazı değerlendirmeler yapmak istiyoruz.

Görüşün Değerlendirilmesi

Uyuyan insan ile ölen birinin birbirine benzetilmesi son derece yanlıştır. Çünkü uyuyan insan, her ne kadar iradeli

---

1 Gazâlî, *el-Iktisâd*, s. 160-161. Benzer değerlendirmeleri için bk. Gazâlî, *İhyâ*, IV, 532-533.

bir durumda değilse de ölüye göre canlıdır, sadece bilinci yerinde değildir. Ölmüş bir insan, ruhuna yönelik bir uygulamayı sadece ruhen algılarken, uyuyan bir insan, rüyasında gördüklerinden çoğunlukla bedenen de etkilenir. Çığlık atarak uyanandan ağlayarak uyanana varıncaya kadar, çeşitli beden hareketlerinin sergilenmesi anlamında, görülen rüyalardan etkilenenlerin ortaya koydukları hareketlerin hiçbirini ölülerde ya da kabir azabına çarptırıldığı iddia edilenlerde görmek mümkün değildir. Maddi/bedene yönelik azap veya rızıklandırılma açısından ölü insanın durumunu uykudaki bir insana benzetmek, aslında Gazâlî ve benzerlerinin kabul ettiği azabın veya ödülün cesede de yönelik olduğu fikrini temelden iptal etmektedir. Çünkü onlar, ruhun muhatap alındığı bir işlemde bedendeki etkisizliği uykudaki insanın durumuna benzetmektedirler. Hâlbuki böyle bir etkisizlik söz konusu değildir.

Cesedi kurdun karnında bulunan ölü bir insanın göreceği kabir azabı hakkında bu acıyı bedenin bir bölümünde hissetmenin mümkün olduğunu beyan eden Gazâlî, esasında farkında olmadan başka sorunlara kapı aralamaktadır. Çünkü bir insanın gördüğü bedensel kabir azabı nedeniyle hiç hak etmediği halde kendisi de doğrudan etkilenen kurt, bu arada cezalandırılmış olmaktadır. Oysa hayvanların böyle bir âkıbetinden söz edilemez.

Bir de kurdun karnında azaba uğrayan bedenin azap süresinin ne kadar olacağı merak konusudur. Zira kurt ölünce acaba durum ne olacaktır? Eğer ölünce azap bitecekse o zaman berzahın süresinde de değişmelerin yaşanması kaçınılmaz olmaktadır.

Gazâlî'nin, "Her acı duyanın, bu acıyı bütün bedeninde duyması şart değildir" şeklindeki tespiti de gerçeği yansıtmaktan uzaktır. Duyulan acı her ne kadar vücudun belli bir yerinden kaynaklanıyorsa da bütün vücudu etkiler. Acıdan dolayı vücudun diğer organları da rahatsız olur; hatta insan, ilgili acının etkisinden kurtulabilmek için âdeta seferber olur. Kabirde bedene yönelik bir azabın varlığını ispat etmek için mantıktan, dayanaktan ve anlaşılabilirlikten uzak bu tür ifadeler kullanmak, meseleyi büsbütün çıkmazlara doğru sürüklemektedir.

11. Bazı itirazlara verdiği cevaplar bağlamında kabir azabının nasıllığı ve bunlara bizim yaklaşımımızı ifade ettikten sonra şimdi de Gazâlî'nin konuyla ilgili çok tartışılacak diğer kanaatlerini ele almak istiyoruz.

"Basiret yoluyla bize keşfolunan hakikat ancak şudur: Bütün bu makamlar imkân dâhilindedir. Bu makamların bazısını inkâr eden, havsalasının darlığından Cenâb-ı Hakk'ın kudretinin genişliğini, tedbirinin acayipliklerini bilmezliğinden inkâr etmiştir. Böyle kimse ünsiyet edemediği ilâhî fiilleri inkâr eder. Bu da cehalet ve kusurluluktur. Belki azap hususunda bu üç yol da mümkündür. Bunlara inanmak farzdır. Nice kul vardır ki bu üç çeşit ile de cezalandırılır..."

"İşte hak budur. Taklit ederek bunu tasdik et. Zira bunu kesinlikle bilen kişiler yeryüzünde pek azdır. Sana tavsiyem şudur: Bu hususun geniş izahı hakkında fazla ileri gitme. Onun bilgisiyle meşgul olma, azaptan kurtulmanın yollarını ara..."

"Kesinlikle bilindi ki kul, ölümden sonra büyük bir azap veya ebedî bir nimetten uzak değildir. Öyleyse uygun olan, buna hazırlanmaktır. Ceza ve sevabın geniş açıklamasını deşmek ise lüzumsuzdur ve zaman kaybıdır."[1]

Gazâlî, kabir azabının gerçekliğini üç makam halinde okuyucuya verdikten sonra, her üç makamın da sahipleri bu-

---

1 Gazâlî, *İhyâ*, IV, 534.

lunduğunu bu şekilde beyan etmiştir. Şimdi de bu kanaatler hakkında bazı değerlendirmeler yapmak istiyoruz.

Görüşün Değerlendirilmesi

Her şeyden önce Gazâlî, "Basiret yoluyla bize keşfolunan hak ancak şudur" diyerek konuyu tartışma ve muhakeme alanı dışına çıkartmış, iddialarını iman esası hâline getirmeye çalışmıştır. Böylece "Gaybın Bildirildiği Sayılı Kullar İddiası" başlığında da üzerinde duracağımız üzere, şu cümleler sahiplerinden birine kavuşmuş olmaktadır: "Binaenaleyh, ölümden sonraki hayat ve berzah âleminde ruhların birbirleriyle olan münasebetlerine dair bilgiyi Allah'ın kendilerine bu âlemde olacak ve olan şeyleri haber verdiği ve bizzat müşahede ettirdiği peygamberler ile yine Allah'ın bir ikram olarak âlem-i ervâhın bazı sırlarını kendilerine açtığı bir kısım sayılı kullarının haberlerinden öğrenebiliyoruz."[1] Belli ki burada sözü edilen "bir kısım sayılı kullar"dan birisi Gazâlî olmaktadır. Onun keşfe dayalı olarak ortaya koyduğu bu tür kanaatleri kabul etmek de haliyle farz mesâbesine yükseltilmiş olmakta, onları reddetmek ise Allah'ın kudretini inkârla eşdeğer bir konuma getirilmiş sayılmaktadır. Elbette delilden yoksun bu yaklaşımın kabul edilmesi mümkün değildir.

Bir insanın bir konudaki görüşünü sanki Allah'ın bir emriymiş gibi sunması, ardından da ona inanmanın farz olduğunu söylemesi maksadını aşan son derece vahim bir hatadır ve haksız bir iddiadır. Bir şeyin farz olması için onun doğrudan vahye dayalı bir delille ispatlanması gerekmektedir. Allah adına yeni farzlar koymak en hafif ifadeyle haddini aşmaktır; Müslümanların böyle bir duruma düşmemek için

1 Toprak, *age.,* s. 246-247. Bu konuda ilginç benzer ifadeler için bk. Gazâlî, *el-Iktisâd,* s. 161-162; *İhyâ,* IV, 534.

azami çaba göstermeleri bir zorunluluktur. Bazı İslam âlimleri bir konuda âyetin delaleti mutlak sûrette açık olmadığı ve başka ihtimallere de açık olduğu için bu gibi hükümlere farz değil, vâcib demişler ve ince bir ayırım ortaya koymuşladır. Zira onlara göre vâcibi inkâr etmek kişiyi dinden çıkarmamaktadır. Bir tarafta böyle hassasiyet gösterilmişken, diğer taraftan kendi kanaatini Allah'ın emriymiş gibi sunmak anlaşılabilir bir tutum değildir.

Gazâlî'nin; "Bu makamların bazısını inkâr eden, havsalasının darlığından Cenâb-ı Hakk'ın kudretinin genişliğini, tedbirinin acayipliklerini bilmezliğinden inkâr etmiştir" şeklindeki paylayıcı cümleleri de anlaşılamamaktadır. Çünkü zaten bizzat kendisi bu tür şeylerin bilinemeyeceğini söylemekte, bunlara inanılmasının gereğine dikkat çekmektedir. Havsalasının almadığı şeylerle insanı suçlamak onu "sahip olamayacağı şeylerden dolayı sorumlu tutmak" anlamına geleceği için, bu yaklaşımın kendi içerisinde tutarlılıktan uzak olduğu açıktır.

Gazâlî, kendisinin de içinde bulunduğu bir keşif ehli grubunun varlığını kabul etmiş olacak ki *Ihyâ'* adlı eserinde "Uykuda Ölülerin Hallerinin Keşif Yoluyla Bilinmesi" başlığında çeşitli rüyalara yer vermiş, "Meşâyihın/Şeyhlerin Rüyalarının Açıklaması" bağlamında yaklaşık 50 kadar rüyayı naklederek konuyu noktalamıştır.[1] Bir konuyu rüyalara terk edince ya da bir iddiaya rüyalardan destek veya delil aramaya başlayınca muhatabın fazla diyebileceği bir şey kalmamaktadır. Çünkü görülen veya görüldüğü iddia edilen ve belki de uyanıkken kurgulanan rüyalar(!), bir çeşit "ilâhî bilgilendirme" kategorisinde değerlendirildiği için, muhataplardan beklenen davranış, onlara iman etmekten başka

1 Gazâlî, *İhyâ*, IV, 536-542.

bir şey olamaz. Artık konu rüya ile de delillendirilince geriye ona teslim olmak kalmaktadır. Buradan hareketle, onlara göre rüyaya inanmamanın vahye inanmamakla aynı şey olduğu sonucunu elde edebiliriz.

Bu arada bir kanaatimizi daha ifade etmekte yarar görmekteyiz. Kur'ân'da inanılması ve uygulanması gereken esaslara ve davranışlara yaklaşımda rüyanın desteğine müracaat edilmediği bilinmektedir. Yani "rüyamda gördüm ki Allah'a, meleklerine, kitaplarına, peygamberlerine, kitaplarına, âhirete, nihayet Kur'ân'ın inanılmasını emrettiği her bir şeye inanmalıyım; namaz kılmalı, oruç tutmalı, zekât vermeliyim, hacca gitmeliyim vs" gibi rüyalar ilâhî kelâmda da, herhangi bir beşerin rüyasında da yer almamaktadır. Peygamberlerin gördüğü ve vahiy ile desteklenen rüyalar hariç, dinî meselelerde herhangi bir rüya kültürünün etkinliğinden söz edilmemesine rağmen, konu kabir azabına veya kabir hayatına gelince devreye çok sayıda rüyanın sokulması, göz ardı edilmemesi gereken bir noktadır. Çünkü kabul edenleri de biliyorlardı ki, kabirde azabın varlığına dair ileri sürdükleri deliller inandırıcılıktan ve vahyin desteğinden çok uzaktır. Öyleyse yapılması gereken en kestirme ve itiraz edilemeyecek iş, meseleyi vahiy destekli olduğu iddia edilen ya da keşfe konu olduğu ilan edilen rüyalara havale etmektir. Nasıl olsa hiç kimse "sen bu rüyayı görmedin veya göremezsin" diyemeyeceğine göre, konu böylece halledilmiş olacak, hiç kimse de itiraz edemeyecektir. İşte bu konuda da maalesef yapılan iş bundan ibarettir.

Gazâlî'nin yukarıda naklettiğimiz görüşlerinde dikkat çeken diğer bir ifade de şudur: "İşte hak budur. Taklid ederek bunu tasdik et. Zira bunu kesinlikle bilen, yeryüzünde pek azdır." Taklide karşı sert tutumu bilinen Kur'ân'ın muhatapları olarak Müslümanlara taklidin önerilmiş veya emredilmiş olmasını anlamak mümkün değildir. Gazâlî gibi kabir azabına inananların meseleyi akıl ve vahye dayalı delillerden uzaklaştırıp, taklide dayandırma gayretlerinin altında yatan muhtemel sebeplerden biri, âhirete kadar ölüm sonrasının gayb alanına ait oluşu keyfiyetidir. İnsanları, hakkında sağlam bilgi bulunmayan bir konuya inandırabilmek için bu tür yollara başvurulduğuna şahit olmaktayız. Bileni yeryüzünde çok az olduğuna göre, ümmet bu konuda taklide, üstelik kendisini yani Gazâlî'yi taklide davet ve teşvik edilmektedir.

Burada ister istemez şu sorular akla geliyor: Acaba Gazâlî'nin bu kanaatlerini duymayan veya yaşadığı zaman itibarıyla duyamayanların durumu ne olacaktır? Gazâlî'den önce acaba hangi sayılı özel kula uyulması gerekiyordu? Bu konuda bir başka keşif ehline de daha başka keşifler gerçekleştirildiyse meselenin içinden nasıl çıkılabilecektir? Kabirle ilgili meselelerde birisi de kalkıp çeşitli fikirler beyan edip, fikirlerinin keşfe dayalı olduğunu iddia ederse, onun yanıldığının kararını kimler, nasıl vereceklerdir? ...

"Bunu kesinlikle bilen, yeryüzünde pek azdır" sözünde yer alan "kesinlikle bilen" ifadesi de çok iddialı bir sözdür. Bilmekten de öteye geçip "kesinlikle bilmek" şeklindeki garanti, hakkında çok kesin vahyî delile sahip olmayı gerektirir. Böyle vahye dayalı delilden yoksun, rüyalara terk edilmiş anlatımlarla izaha kalkışılan bir konuda "kesinlikle bilmek" sözü maksadı aşan bir ifade olarak görülmelidir. Eğer sözü edilen "kesinlik", bilmeyi değil de bilenlerin sayısındaki azlığı nitelendiriyorsa o zaman da bu ifadenin Gazâlî'nin yaşadığı dönemle sınırlı olup olmadığı merak konusu olarak daima zihinleri meşgul edecektir. Bilenler arasında kendisinin de bulunduğu ifadelerinden rahatlıkla anlaşılan Gazâlî, acaba "kendi kabir hayatı konusunda da bilgilendirilmiş miydi?" gibi bir soru insanların zihninde belirebilir.

* Gazâlî'nin, konuyu toparlarken yaptığı "Ceza ve sevabın geniş açıklamasını deşmek ise lüzumsuzdur ve zaman kaybıdır" şeklindeki en son çağrısı ise büsbütün kendisiyle çeliştiğinin bir göstergesidir. Çünkü bizzat kendisi ve kabir hayatını kabul edenler tarafından sayfalar dolusu izahlar yapılmış, hatta bu konuda müstakil eserler dahi kaleme alınmıştır. Öyle anlaşılıyor ki, onun "kabir azabı konusundaki taklide yönelik çağrısı" en azından bazı insanlar tarafından dikkate alınmamış, fikir beyanı ve hakkın ortaya çıkartılması noktasında gayretler ortaya konulmaya çalışılmıştır.

Aslında Gazâlî'nin yaptığı "Ceza ve sevabın geniş açıklamasını deşmek ise lüzumsuzdur ve zaman kaybıdır" şeklindeki çağrısına biz de katılmaktayız; ancak bu lüzumsuzluğun sadece "geniş açıklamasını deşmek"le sınırlı tutulmasının yeterli olmadığını, kabir/berzah konusunda yapılan "dar açıklamaları" da kapsaması gerektiğini düşünmekteyiz. Yüce Allah'ın Bakara 2/154'te şehidlerle ilgili olarak ifade ettiği, "...Onlar diridirler, ancak siz anlayamazsınız" hakikati ile Zümer 39/42'de "Ölümüne hükmettiği canları yanında tutar" ifadesi karşısında kabir hayatının detayına varacak kadar yorumlara girmek, doğrusu "gayba taş atmak"tan öte bir şey değildir. Bizim yaptığımız ise söz konusu iddialara karşı Kur'ân'dan cevaplar bulabilmek ve gerçeğin ortaya çıkmasına küçük de olsa bir katkı sağlamaya çalışmaktır.

d) İbn Hazm'ın Görüşü

Kabir azabı veya hayatı konusunda genel ve geleneksel anlayışa kısmen de olsa aykırı bir yaklaşım sergilemesi açısından

İbn Hazm'ın görüşlerinin hatırlatılması gerektiğine inanmaktayız. İbn Hazm, *el-Fasl* adlı eserinde konuya geniş yer ayırmıştır. Biz, özetle ondan şu bilgileri aktarmak istiyoruz:

I. "Ehl-i Sünnet, Bişr b. el-Mu'temir, Cübbâî ve diğer Mutezile âlimleri kabir azabını benimsemişlerdir. Bu konuda Nebî (as)'den gelen haberlerin doğruluğu nedeniyle biz de bu görüşü benimsiyoruz. Kabir azabını inkâr edenler Bakara 2/28 ve Mü'min 40/11. âyeti delil getirseler de bu yorumlar, kabir azabının gerçekliğini inkârı gerektirecek düzeyde değildir. Çünkü kişi ister kabre konulsun, isterse konulmasın, kabir fitnesi, azabı ve sorgusu ruhun cesetten ayrılışından sonra sadece rûhadır."[1]

II. İbn Hazm, bu yaklaşımını delillendirirken En'âm 6/93, Âl-i 'Imrân 3/185 ve Mü'min 40/46. âyetleri zikretmektedir. Ona göre "özellikle Mü'min 40/46. âyetteki ateşe sunulma kabir azabıdır; ona kabir azabı denmesinin gerekçesi de genellikle insanların kabre konulması uygulamasıdır. Şüphesiz yırtıcı hayvanların parçaladığı, suda boğulanların ya da yangında yananların cesetleri vs hepsi sonuçta mutlaka toprağa dönüştürülecektir. Nitekim Tâhâ 20/55. âyeti bunu gerektirir."[2]

İbn Hazm'ın kabir azabına delil saydığı En'âm 6/93 ve Mü'min 40/46. âyetleri hakkında "Kur'ânî Deliller" başlığında ayrıntılı bilgi vereceğiz. Şimdi sözünü ettiği diğer âyetler hakkında bazı değerlendirmeler yapmakla yetineceğiz.

Görüşün Değerlendirilmesi

Bakara 2/28'de Yüce Allah hayatı "ölü (cansız hal), diri hayat, bedenin ölmesi hali, mahşerde diriltilme ve Allah'a

---

1 İbn Hazm, *el-Fasl*, II, 372.

2 İbn Hazm, *el-Fasl*, II, 372-373.

döndürülme" şeklinde beş aşamada vermekte, arada herhangi başka bir aleme ve hayata gönderme yapmamaktadır. Mü'min 40/11'de de benzer şekilde dört aşama dile getirilmekte ve kabirle ilgili bir gönderme yapılmamaktadır. Bu âyetle ilgili daha geniş açıklamaları ilgili başlıkta yapacağız.

Âl-i 'Imrân 3/185. âyetin kabir azabıyla nasıl ilişkilendirildiğini anlamak mümkün değildir. Çünkü o âyette Yüce Allah, her canın ölümü tadacağını, kıyamet günü herkese dünyada yaptığının karşılığının verileceğini, ateşten uzak tutulup cennete gönderilenlerin kurtulmuş ve dünya hayatının ise aldatıcı bir geçimden ibaret olduğunu beyan etmektedir. Görüldüğü üzere bu âyetin kabirle hiçbir ilgisi bulunmamaktadır.

İbn Hazm'ın, kabri olmayanların durumunu "bir gün mutlaka toprağa dönüştürülme" anlamında değerlendirip, meseleyi ruhla ilişkilendirmesi anlaşılabilir bir yaklaşımdır. Çünkü kabir azabı denen şey, eğer çektiği sıkıntılar nedeniyle cehennem ateşinde yanmak anlamında değilse ve azap rûha yönelikse, bu kabulde herhangi bir sorun yoktur.

Kabir azabını bedenle ve cehennemle ilişkilendirince "kabri olmayanların durumu ne olacak?" şeklindeki soruya da cevap vermek gerekmektedir. Kabirdeki azap veya nimeti maddi olarak kabul edenler için bu sorunun cevabı elbette zordur, hatta imkânsızdır. Ancak biz, kabir veya berzahı bu tür işlemler için herhangi bir yer veya dönem olarak görmediğimiz için konuya verecek cevaplarımız vardır.

Ölen kişinin bedenine yönelik uygulamalar mahşerde başlayacaktır. Yâsîn 36/51'de yer alan, فَاِذَا هُمْ مِنَ الْاَجْدَاثِ اِلٰى رَبِّهِمْ يَنْسِلُونَ "İşte onlar kabirlerden/bulundukları yerlerden Rablerine koşarlar" ifadesi, ölümü tadan bütün insanların, "bulundukları yerden" Rablerine doğru topluca koşuşacaklarını ifade etmektedir. Burada kullanılan الْأَجْدَاثِ *el-ecdâs* kelimesinin genellikle "kabirler" anlamında kullanıldığı ifade edilmiş olsa da,[1] iki kelime arasında az da olsa bir anlam farkının bulunması gerekmektedir. Çünkü ذٰلِكَ يَوْمُ الْخُرُوجِ "İşte bu, çıkış günüdür"[2] âyetinde geçen, الْخُرُوجِ *el-hurûc* "çıkış", Ebû İshâk'a göre ise "insanların yeryüzünden mahşer için çıkması" anlamına gelmektedir.[3] Demek ki bu çıkış, insanın bulunduğu yer ve hal her ne olursa olsun, mahşerde herkes için gerçekleştirilecektir. Dolayısıyla mesele sorgulanma için "kabirde" kalkışla ilgili değil, âhiret duruşması için "kabirden" kalkışla ilgilidir.

Ayrıca Zümer 39/68. âyetindeki, ثُمَّ نُفِخَ فِيهِ اُخْرٰى فَاِذَا هُمْ قِيَامٌ يَنْظُرُونَ "Sonra o (Sûr'a) bir daha üfürülünce birden onlar ayağa kalkmış, bakıyor olacaklar" ifadesi gereği, herkes bulunduğu yerden ayağa kalkacak ve etrafa bakacaktır. Demek ki *kabr* kelimesi itibârîdir; çoğunluk kabre konulduğu için genel bir ifade tercih edilmiştir; yoksa kabri olmayanlar mahşerde diriltilmekten uzak tutulmuş değillerdir.

İbn Hazm'a göre "her ölü için fitne, sorgulanma ve ardından kıyamete kadar sevinç veya keder hali" kaçınılmazdır. Kıyamet gününde de kendilerine ecirleri tam olarak verilecek; ya cennete ya da cehenneme gireceklerdir.[4] Bu ifadelerde geleneksel kabule aykırı olarak kabirde cennet ve cehennemden söz edilmemekte, ancak bu defa da insanların en az iki defa yargılanacaklarına değinilmektedir. "Kabirde Sorgulanma"

---

1 Halil b. Ahmed, *age.*, VI, 73; İbn Manzûr, *age.*, II, 128; Muhammed b. Ebî Bekr b. Abdülkadir er-Râzî, *Muhtâru's-Sıhâh*, Beyrut, 1995, I, 40; Ahmed b. Muhammed b. Ali el-Feyyûmî, *el-Misbâhu'l-Münîr*, Beyrut, baskı tarihi yok, I, 92.

2 Zâriyât 51/42.

3 İbn Manzûr, *age.*, II, 250.

4 İbn Hazm, *el-Fasl*, II, 373.

başlığında bu konuyu ele aldığımız için aynı şeyleri tekrarlamak istemiyoruz. Bu arada tam karşılığın âhirette verileceği söylenirken de daha önceki yargılamaların tam karşılık vermekten uzak olduğu da kabul edilmiş olmaktadır. Bu durumda mademki bir insana, hak ettiğinin tam karşılığının verilmeyeceği peşinen kabul ediliyor, o zaman "bu yargılamanın ne anlamı olabilir?" sorusu akıllara gelmektedir.

İbn Hazm'ın Bedensel Anlamda Kabir Hayatına Bakışı

İbn Hazm, kabir azabı konusunda geleneksel düşünceye karşı yukarıda naklettiğimiz fikirleri ileri sürmektedir. Ayrıca kabirdeki bedensel hayat kabulünün, mesela ölünün kabrinde diriltilmesi inancının hatalı olduğunu beyan ederek şunları ifade etmektedir:

"Daha önce zikrettiğimiz âyetler buna engeldir. Eğer söz konusu iddia gerçek olsaydı o zaman Yüce Allah Mü'min 40/11. âyette "iki ölüm" ve "iki diriliş" yerine "üç ölüm" ve "üç diriliş"ten söz ederdi. Bu ise hem bâtıldır; hem de Kur'ân'a aykırıdır. Sadece Yüce Allah herhangi bir peygamberi için bir mucize olarak bazılarını diriltebilir. Tıpkı Bakara 2/243, 259 ve Zümer 39/42. âyetlerde olduğu gibi. Kur'ân nassıyla sabit olmuştur ki ölen kişinin ruhu belli bir süreye, yani kıyamete kadar cesedine bir daha dönmez."[1]

İbn Hazm, kabirdeki bedene ruhun dönmeyeceğini ispat etmek için İsra gecesi Hz. Peygamber'in dünya semasında Hz. Âdem'in sağında ve solunda gördüğü şeylerin ruhlar olduğunu, cesetler olmadığını, aynı şekilde Bedir'de öldürülen ve kabre konulmayan kâfirlerin cesetlerine yönelik olarak Hz. Peygamber'in, "Size vaat edileni gerçek olarak buldunuz mu?" sorusunu da onların ruhlarına sorduğunu, duruma şaşıran

---

1 İbn Hazm, *el-Fasl*, II, 373.

Müslümanlara yönelik olarak yine Hz. Peygamber'in, "Onlar beni sizden daha iyi duyarlar"[1] dediğini, Müslümanların da artık bu durumu kabullendiklerini belirtmektedir. Ona göre bu durum, söz konusu işitmenin sadece ruhlar için geçerli olduğunu, cesetlerin hissinin bulunmadığını yeterince göstermektedir.[2]

Kabirde bedensel bir sorgulama veya azabı şiddetle reddettiği anlaşılan İbn Hazm, Rasulullah'tan ölülerin ruhlarının sorgulanma esnasında cesetlerine verildiğine dair hiçbir sahih haberin gelmediğini, eğer aksine bir durum olsaydı, yani sahih bir haber gelseydi ona da inanılması gerektiğini, ancak mevcutta böyle bir rivayet olmadığına göre bu tür bir iddiaya inanmanın gerekli olmadığını beyan etmektedir. Daha sonra da bu görüşünü desteklemek gayesiyle Hz. Ebû Bekir'in kızı Esmâ ile ilişkilendirdiği ve cesetlerin herhangi bir değer taşımadığını gösteren bir rivayete yer vermiştir. Özellikle Esmâ ve İbn Ömer'in, ruhların Allah katında bâkî olduğunu, cesetlerin herhangi bir değerinin bulunmadığını, İbn Mes'ûd'un da kendisi gibi hayatı ve ölümü iki kere diye kabul eden bir yaklaşım sahibi olduğunu belirtme ihtiyacı hissetmiştir.[3]

İbn Hazm, konunun en sonunda Hz. Peygamber'in Hz. Musa'yı kabrinde ayakta namaz kılarken görmesini de onu İsra gecesi 6 veya 7. gökte görmesiyle ilişkilendirmiş, Hz. Peygamber'in kesinlikle onun ruhunu gördüğünü, Hz. Mûsâ'nın cesedinin ise toprağa karışmış olduğunu beyan etmiştir. Son söz olarak da her ruhun yerinin kendisine ait kabir olduğunu, her nerede olurlarsa olsunlar orada ruhlara azab edileceğini ve orada hesaba çekileceklerini ifade etmiştir.[4]

---

1 Bu rivayet için bk. Buhârî, Cenâiz, 86; Meğâzî, 8; Müslim, Cenâiz, 26; Cennet, 76, 77, 78; Nesâî, Cenâiz, 117; Ahmed b. Hanbel, I, 72; VI, 276.

2 İbn Hazm, *el-Fasl*, II, 373.

3 İbn Hazm, *el-Fasl*, II, 373-374.

4 İbn Hazm, *el-Fasl*, II, 374.

İbn Hazm, buraya kadar anlattıklarımızı özetler mahiyette Mü'min sûresinin 46 ve 47. âyetlerini yorumlarken cehennemliklere sabah-akşam yerlerinin arz edileceğini, kıyamet kopunca da bizzat oraya gideceklerini beyan etmiş, şehitlerin, Rableri katında rızıklandırılmakta olduklarından bahisle de bütün bunların, yani haşr öncesi uygulamaların bedene değil, sadece ruha yönelik olarak gerçekleşeceğini, şehit, mümin ve kâfir tüm bedenlerin kıyamete kadar çürümüş olduğunu ve bunun açıkça görüldüğünü beyan etmiştir.[1]

Görüşün Değerlendirilmesi

İbn Hazm'ın kabir azabına bakışı, olayı tamamen ruha yönelik kabul ettiği şeklindedir. Diğer âlimlerin de dile getirdiği konularla ilgili çeşitli âyetlerin yorumlarını ve rivayetlere yönelik açıklamalarımızı ilgili başlıklarda ele alacağız. Ancak Bakara 2/243. âyetle ilgili olarak "kabirde mucize olarak diriltilenlere örnek verdiği konu" hakkında kısa bilgi vermek gerektiği kanaatindeyiz.

Olay şudur: Muhammed Esed'in de ifade ettiği gibi bazı müfessirler tarafından yapılan "tarihsel" açıklamalar çelişkilidir. Anlatılanlar o zaman revaçta olan Talmud hikâyelerinden alınmış gibidir. Aslında burada Yüce Allah'ın müminlere yönelik olarak onları Allah yolunda canlarını vermeye hazır olmalarını sağlamak noktasında bir çağrı yapması söz konusudur. Fiziksel ölüm korkusunun, milletlerin ve toplumların ahlaken ölümlerine yol açacağı ve aynı şekilde onların yeniden doğuşlarının ölüm korkusunu yenerek, ahlaki konumlarını yeniden kazanmalarına bağlı olduğu gerçeğinin bir tasviridir.[2] Bu âyeti izahında Süleyman Ateş de çeşitli rivayetleri

1 İbn Hazm, *el-Usûl ve'l-Furû'*, Beyrut, 1984, s. 145.

2 Esed, *age.*, s. 73'te 232. not.

naklettikten sonra bunun mecazi bir ölüm de olabileceğini, savaştan kaçan bir grup İsrailoğlunun düşman istilasına uğraması sonucunda zillete düştüklerini, diğerlerinin ilerlediğini; zillete düşenlere bir süre sonra peygamber gönderilerek yeniden diriltildiklerini ve bunun da ölüm sonrası bir dirilme anlamına gelebileceğini haklı olarak beyan etmiştir.[1]

Bu konu ister hakikat anlamında olsun, isterse mecaz olsun, her iki durumda da İbn Hazm'ın ifade ettiği olayın delili olamaz. Çünkü o, bunu kabirde dirilmenin örneği olarak sunmuştu. Oysa burada sözü edilenlerin nerede diriltildikleri belli değildir; en azından kabirde diriltilmedikleri çok açık bir şekilde ortadadır.

Bakara 2/259. âyette de durum aynıdır; yine mecazi bir diriltilme söz konusudur. Ancak Zümer 39/42. âyetin bu konuyla nasıl ilişkilendirdiğini anlamak gerçekten imkânsızdır. Çünkü ilgili âyette Yüce Allah'ın belli bir süreye kadar geri gönderdiği ruhlar, ölenlerin ruhları değil, uyuyanların ruhlarıdır. Zaten âyette verilen bilgi de ölenlerin ruhlarının Allah'ın katında bulunduğu, uykudakilerin ruhlarının ise belli bir süreye kadar, yani ölünceye kadar kendilerine verildiğidir. Özellikle bu âyetin izahında konuyu kabirle ilişkilendirmenin mümkün olmadığı son derece açıktır.

Kabir hayatını rüya ve ruh ile ilişkilendiren başka âlimler de bulunduğunu beyan ederek,[2] İbn Hazm örneğinde ol-

---

1 Ateş, *Tefsîr*, I, 431.

2 Kabir azabı konusunda Erzurumlu İbrahim Hakkı da İbn Hazm'a benzer şekilde konuyu ruhla ve rüyayla ilişkilendirmiş, berzahtaki cezalandırma ve ödüllendirmenin nasıllığı konusunda şu ifadeleri kullanmıştır: "Ölünün berzahta olan lezzetleri ve zahmetleri, dirinin rüyada olan lezzetleri ve zahmetleri gibidir. Şu halde ölünün halleri, diriliş gününe dek, dirinin uyanma vaktine kadar olan durumları ikisi birdir ki, birdir. Zira ölünün durumları ve uyuyanın durumları berzah âleminde hâsıldır ki; bir yerdir." Bilgi için bk. Erzurumlu İbrahim Hakkı, *Ma'rifetnâme*, sâdeleştiren: M. Fuad Başar, İstanbul, 1984, s. 163.

duğu gibi bu kabullerin sahiplerinin bazı âyetleri nasıl bağlamından koparttığı ve kendi görüşlerine delil yapmaya çalıştığı açıkça görülmektedir. Bu arada kabir hayatının bedensel olduğu iddialarının delili diye sunulan rivayetlerin güvenilir olmaktan ve gerçeği yansıtmaktan uzak olduğu değerlendirmesinin geçmiş dönemlerdeki bazı âlimler tarafından da gerçekleştirilmiş olması bizim için ayrı bir memnuniyet vesilesi olmuştur. Demek ki Gazâlî gibi bazı ilim adamlarının inanç esası hâline getirmeye çalışıp ümmeti bunlara inandırmaya ve dolayısıyla taklide teşvik etme gayretleri yaşanırken, üstüne bu olaya rüyalar da sokuşturulmuş iken, İbn Hazm gibi bazı âlimler de hiç olmazsa olayın inanç konusu olamayacağı anlamına gelebilecek sorgulayıcı bir tutum izleyebilmişler ve söz konusu rivayetleri cesurca sorgulayabilmişlerdir.

Biz, bir konuda gerçeği ortaya çıkartmak için yapılan her gayreti saygıdeğer bulduğumuzu belirterek, diğer bir âlimimizin konuya bakışına değinmek istiyoruz.

e) İbn Teymiyye'nin Görüşü

İbn Teymiyye'nin ve bu konuda kendisi gibi düşünenlerin kabir sorgulamasına delil saydıkları İbrâhim 14/27. âyet hakkındaki değerlendirmemizi daha önce yaptığımız için burada tekrar etmek istemiyoruz.

1. Kabir hayatını kabul edenlerin delil saydıkları rivayetlerde birlik yoktur. Çok ilginç olması bakımından İbn Teymiyye'nin naklettiği bir rivayete burada değinmekte yarar görmekteyiz. Rivayete göre kabirde yatan mümin bir ölünün, baş tarafında namazı, sağında orucu, solunda sadakası, ayaklarında ise hayır işleri, sıla-i rahim, iyiliği emretme ve ihsanda bulunması yer alacaktır.[1]

---

1 İlgili rivayet için bk. İbn Teymiyye, *age.*, IV, 289.

11. İbn Teymiyye, kendisine sorulan, "Kabir azabı nefis ve bedene yönelik mi, yoksa sadece nefse yönelik mi yapılır? Ölüye kabirde diri iken mi yoksa ölü iken mi azap edilir? Kabirde ruh bedene döner mi yoksa dönmez mi? Azapta ve ödülde her ikisi de ortak olur mu? Yoksa bunlar sadece birisine mi ait olur?" şeklindeki sorulara verdiği cevapta şunları belirtmiştir:

"Ehl-i sünnetin ittifakına göre azap ve ödül, can ile bedene birlikte yapılacaktır... Azap ve ödülün sadece bedene yapılıp yapılmayacağı konusunda da hadis, sünnet ve kelâm ehli nezdinde iki önemli görüş söz konusudur. Bunlardan ilkine göre azap ve ödül ruha olur; bedene ödül de verilmez ve azap da edilmez. Bu görüş, bedenlerin yeniden diriltileceğini inkâr eden filozofların görüşüdür ki bunlar Müslümanların icmaına göre kâfirdirler. Mutezile'nin çoğunluğuna göre de bu durum, Berzah'ta olmaz; kabirlerden diriltilme esnasında olur. Diğer görüşe göre ruh, tek başına ödül almaz ve azap görmez ki bu da Mutezile'den azınlık bir grubun ve Eş'arîlerin görüşüdür. Zira onlar bedenden ayrıldıktan sonra ruhun bâkî kalacağını inkâr ederler ki bu da bâtıl bir görüştür. Oysa Kitab ve sünnette açıkça sabittir ki ruh, bedenden ayrıldıktan sonra bâkidir ve kendisine azap da edilir; ödül de verilir... Üçüncü bir görüşe göre -ki bu da kural dışıdır- Berzah'ta ödül de azap da yoktur. Bunlar, büyük kıyametin kopmasına kadar gerçekleşmez. Bu görüş, "ruh, bedenden ayrıldıktan sonra bâki olmaz ve bedene ödül de ceza da verilmez" diyen Mutezilenin görüşüne benzemektedir. Ancak bütün bu grupların görüşleri Berzah konusunda doğru değildir; sadece filozoflardan daha iyidirler; çünkü onlar hiç olmazsa büyük kıyameti kabul ediyorlar."

"Bütün bu üç bâtıl görüşü ifade ettikten sonra şunu bil ki: Ümmetin geçmiş imamlarının görüşü şudur: Kişi ölünce ya ödülde ya da azapta olur. Bu durum kişinin hem ruhu hem de bedeni için söz konusudur. Ruh, bedenden ayrıldıktan sonra ödül veya azap konusunda bâkî olur; bazen ruh bedene bitişik olur ve birlikte nimet ile azap meydana gelir. Sonra büyük kıyamet kopunca ruhlar cesetlere iade edilir ve kabirlerinden Allah'a gidiş için kalkarlar."

ııı. İbn Teymiyye, işte bütün bu görüşlerin kendisine göre doğruluğu sebebiyle Rasulullah (as)'ın, ölülere selam verilmesini emrettiğini ifade etmiştir. Kabir hayatını maddi kabul eden bu görüş sahipleri arasında ilk sıralarda yer alan İbn Teymiyye, işi biraz daha ileri götürerek pek çok keşif ehli insanın, kabirlerinde azap görenlerin seslerini duyduklarını, onları gözleriyle bizzat gördüklerini, ancak bu durumun devamlı olmasının gerekmediğini, ara sıra olmasının da mümkün olduğunu sözlerine eklemiştir.[1]

İbn Teymiyye'nin bu son değerlendirmelerini ele alıp incelemek gerekirse şunları söyleyebiliriz:

Görüşün Değerlendirilmesi

İbn Teymiyye'nin naklettiği "kabri saran ibadetler" yaklaşımı hakkında şunu söylemek yeterlidir: Durumu böyle olan ölüye artık meleğin soru sormasının pratikte ne faydasının olacağı ve meleğin böyle bir kişiye nasıl soru soracağı merak konusudur. Çünkü melek her ne taraftan gelirse oradaki ibadet kalkanları devreye girecek ve âdeta meleğin, ölünün yanına gelip soru sorması engellenmiş olacaktır.

İbn Teymiyye de Gazâlî gibi "bazı keşif ehli insanların kabir âlemindekilerin azaplarını duyduklarını veya biz-

1 İbn Teymiyye, *age.*, IV, 282-284; 292-296.

zat gördüklerini" kabul etmektedir. Hemen akla "acaba İbn Teymiyye de bunlardan birimiydi?" sorusu gelmektedir. Keşif ehli insanlar varsa ve eğer iddia edildiği gibi onlara bu tür şeyler de gösteriliyorsa bu sadece gösterilenleri ilgilendirir. Biz, Kur'ân'da gayb bilgilerinin Yüce Allah'a ait olduğunu, göklerde ve yerde Allah'tan başka hiç kimsenin gaybı bilemeyeceğini, Yüce Allah'ın, yalnız elçi seçtiği peygamberlere gaybını açacağını ve bunun da onlara vahyedilen mesajlarla sınırlı olduğunu görmekteyiz.[1] Bunun dışında gaybı ilgilendiren bir konuda "sayılı özel bazı kullar" iddiası, daha önce de değinmeye çalıştığımız gibi ümmetin çalışma isteğini ve fikir üretme gayretini iptal ettirdiği gibi, kullar arasında da -hâşâ- adaletsizlik yapıldığı zannının doğmasına neden olabilmektedir. İbn Teymiyye'de de gördüğümüz üzere, mesele dönüp dolaşıp bazı keşif ehli insanlara getirilip dayandırılmakta, geriye söylenecek söz bırakılmamaya çalışılmaktadır.

"Ruhen bazı olaylara vakıf olma" iddiası bazıları için inandırıcı olabilir. Ancak bunun maddi olarak gerçekleştiğini duymak veya görmek, herkesin kabulünü gerektireceği için, bunları amacını aşan ifadeler olarak görmekten başka yapılacak bir şey yoktur. Kaldı ki hep görüldüğü veya duyulduğu iddia edilen olaylar kabir azabıyla ilişkilendirilmiş, -ne hikmettir bilinmez-, kabir nimetlerini gören veya duyandan aynı sıklıkta söz edilmemiştir.

Öte yandan İbn Teymiyye'nin kabir hayatının bedensel olduğunu kabulde çok önemli bir delil olarak zikrettiği Rasulullah'ın, "ölülere selam verilmesini emretmesi"nin sebebi, olsa olsa "ölümden ibret alınması"nın yanında, onlara yaptığı duadan da anlaşılacağı üzere "iman ehli olarak ölen müminler

---

1 Gaybın bilinemeyeceği konusunda "Hz. Peygamber ve Gayb" başlığında geniş bilgi verilecektir.

için rahmet ve afiyet dilemesi" işleminden ibarettir. Yani bu selam, aslında bir duadır; esenlik dileğidir. Bu dileğin, ölüler tarafından duyulup duyulmamasından ziyade, Yüce Allah'ın bu duayı kabul etmesinin arzusu dile getirilmelidir.

İbn Teymiyye'ye Göre Kabirde Sorgulanma Rivayeti

Kabir azabı konusuna geniş yer ayırdığı görülen İbn Teymiyye, kâfir bir kişinin ölümü anında, yanına siyah yüzlü meleklerin gelip ona hakaret edeceklerini, ardından ölüm meleğinin gelip o kişinin canını alacağını beyan etmiştir. Kişi öldükten sonra bu defa başka meleklerin devreye girip ilgili kişinin ruhuna, "Bu pis ruh kime aittir?" diye sorunca; "İşte falan oğlu filanın" cevabının verileceğini de ifade etmiştir. Devam eden süreçte söz konusu meleklerin bu ruhu en yakın göğe çıkaracaklarını, gök kapılarının açılmasını istemelerine rağmen kapıların açılmayacağını ifadeden sonra, bu süreci anlatan Hz. Peygamber'in şu âyeti okuduğunu nakletmiştir:

لَا تُفَتَّحُ لَهُمْ اَبْوَابُ السَّمَاۤءِ وَلَا يَدْخُلُونَ الْجَنَّةَ حَتّٰى يَلِجَ الْجَمَلُ فِي سَمِّ الْخِيَاطِ وَكَذٰلِكَ نَجْزِي الْمُجْرِمِينَ "İşte onlara gök kapıları açılmayacak ve onlar, deve iğne deliğine girinceye kadar cennete giremeyeceklerdir! Suçluları işte böyle cezalandırırız!"[1] İşlem devam ederken Yüce Allah'ın, "Onun kitabını en düşük arzın zindanına yazın, ruhunu da atın" dediğini ifade ederek de bu defa Rasulullah'ın اَوْ تَهْوِي بِهِ الرِّيحُ فِي مَكَانٍ سَحِيقٍ "Yahut rüzgâr onu uzak bir yere sürüklemiş (bir nesne) gibidir"[2] âyetini okuduğunu belirtmiş ve bu konuda muhtelif eserlerde bulunan farklı rivayetlere yer vermiştir.[3]

1 A'râf 7/40.

2 Hacc 22/31.

3 İbn Teymiyye, *age.*, IV, 291-292.

Daha geniş bir şeklini "Kabirde Sorgulanma" başlığında verdiğimiz ve İbn Teymiyye'nin de kısmen naklettiği bu rivayette sözü edilen çeşitli aşamalar hakkında söylenecek çok söz olmasına rağmen, biz öncelikle âyetlerin yanlış yorumlara kurban edilmesiyle ilgilenmek istiyoruz.

Görüşün Değerlendirilmesi

A'râf 7/36. âyetten itibaren Yüce Allah'ın âyetlerini inkâr edip onlara karşı kibir gösterenlerin cehennemlik olduğu, ölüm anında meleklerin sorusuna kendi aleyhlerine cevap verdikleri, daha önce yaşayan cin ve insanlardan kâfirlerle beraber bunların da cehenneme atılmış olacakları, orada birbirlerine lanet edecekleri, birbirlerini suçlayacakları, birbirlerine azabın kat kat verilmesini isteyecekleri ifade edilmektedir. Daha sonra, 40. âyetin başında Yüce Allah'ın âyetlerini inkâr edip onlara karşı kibir gösterenler için gök kapılarının açılmayacağı ve deve ya da halat iğnenin deliğinden geçinceye kadar onların da cennete gidemeyecekleri, suçluların işte böyle cezalandırılacağı belirtilmiş, 41. âyette de bu tür insanlar için cehennemden bir döşek ve üstlerinde de (ateşten) örtüler olacağı açıkça ifade edilmiştir.

Konusu bu anlatılan hususlar olan ve kâfirlerin ya da suçluların âhirette karşılaşacakları sonun nasıl olacağının anlatıldığı son derece açık olan bu âyetlerde, konuyu kabir azabına delil saymanın ne kadar tutarsız ve mesnetsiz olduğu ortadadır. Kur'ân'ı herkesten daha iyi bilen ve anlayan Hz. Peygamber'i, sadece ve sadece âhiretle ilgili olduğu her haliyle belli olan âyetleri, kabirle ilişkilendirmiş gibi göstermeye çalışmak onu kendi kabullerine âlet etmeye kalkışmaktan öte herhangi bir anlam taşımamaktadır.

İbn Teymiyye'nin, söz konusu rivayette naklettiği ikinci âyetin de içinde bulunduğu bölümde Hacc 22/26. âyetten itibaren şu konu işlenmektedir: Hac esnasında birtakım pratiklerin yapılmasının ardından bu yapılanların, Allah'ın emir ve yasaklarına saygı göstermek anlamına geldiği, bunun Allah katında hayırlı bir iş olduğu, belli hayvanların etinin helal kılındığı, pisliklerden, putlardan ve yalan sözlerden kaçınmak gerektiği, bütün bunların devamı veya sonucu olarak da Allah'a ortak koşmadan, halis kullar olarak O'nu tek bir ilah olarak kabul etme gereğinden açıkça söz edilmektedir.

İşte bu ifadelerden sonra söz konusu hassasiyetleri göstermeyip Allah'a ortak koşanların, sanki gökten düşmüş de kendilerini kuşların kaptığı ya da rüzgârın uzak bir yere savurduğu nesnelere benzediği belirtilmektedir. Görülüyor ki burada da konunun kabir hayatıyla da âhiretle de hiçbir ilgisi yoktur. Sadece, şirk koşmanın nasıl bozuk ve büyük bir inanç sorunu olduğu güzel bir örnekle izah edilmektedir. Rivayetleri kurtarmak için âyetleri, içinde bulundukları konu bütünlüğünden koparmanın Kur'ân'ın evrensel mesajı için nasıl büyük bir tehdit oluşturduğu gözden kaçırılmamalıdır.

İbn Teymiyye, işte bu iki âyeti bağlamından kopartıp kabir hayatıyla ilişkilendirirken, bizce çok daha önemli başka bir kapıyı aralamış oldu. İbn Teymiyye, Yüce Allah'ın, suçlu kişiyle ilgili olarak, "Onun kitabını en düşük arzın zindanına yazın, ruhunu da atın" dediğini yukarıdaki âyetlerin arasına yerleştirmiştir. Yüce Allah'ın bunu nerede söylediği elbette ifade edilememektedir; ancak okuyucu bu ifadeyi söz konusu iki âyetin arasında görünce bunun da bir âyet olduğu zannına kapılacak ve anlatılanların Allah'ın sözleri olduğunu kabule zorlanmış olacaktır. Bu tutumların gözlendiği söz konusu kabuller, yeniden ve Kur'ân'ın aydınlığında derinlemesine incelenmelidir.

İbn Teymiyye'nin kabir konusuna bakışta tıpkı Gazâlî gibi bir tutum izlediğini, kabir azabını kabul etmeyenleri sert bir şekilde suçladığını, rivayetleri esas alıp âyetleri yorumlamaya çalıştığını ve böylece Kur'ânî destekten yoksun olan bir iddiayı sanki Kur'ân'dan delilleri olan bir inanç esasıymış gibi göstermeye çalıştığını böylece gözler önüne sermeye gayret ettik. Şimdi de onun yolunu izleyen öğrencisi İbn Kayyim'in konuya bakışına değinmek istiyoruz.

f) İbn Kayyim'in Görüşü

İbn Kayyim el-Cevziyye, kabir hayatını ve çeşitli konuları işlediği *Kitâbu'r-Rûh* adında oldukça hacimli bir eser kaleme almıştır. Şimdi kabir azabı konusunda dile getirdiği ifadelere kısaca değinmek istiyoruz.

ı. Kitabının mukaddimesindeki (giriş kısmındaki) ifadesine göre, istihâre yaparak ilk konuyu "ölüler dirilerin ziyaretini ve selamını bilirler mi, bilmezler mi?" şeklinde belirlemiş, çeşitli rivayetlerle destekleyerek sorunun cevabını da "evet" şeklinde vermiştir.[1] Burada zikrettiği rivayetlerin ve kitapta verdiği tüm bilgilerin güvenilir olmasını sağlamak ve inandırıcılığını arttırmak için konuyu istihâreyle ilişkilendirmiş, böylece ilk bakışta görüşlerinin de eleştirilemez olmasını sağlamaya yönelik bir hamleyle işe girişmiştir.

ıı. Devam eden konuyu "ölülerin ruhları birbirleriyle buluşup birbirlerini ziyaret eder ve birbirilerini hatırlarlar mı hatırlamazlar mı?" şeklinde belirlemiş,[2] daha sonra

---

1 İbn Kayyim, *er-Rûh*, s. 5-16.

2 İbn Kayyim, *er-Rûh*, s. 17-19. Bu arada İbn Kayyim, enteresan ifadeler de kullanmaktadır. Mesela, idrarı sıkışan birinin mezarlıkta bir çukura def-i ha-

"dirilerin ruhları ölülerin ruhlarıyla buluşur mu buluşmaz mı?" sorusunu sorup her iki soruya da "evet" cevabını vermiştir.[1] Ardından "ölen ruh mudur, beden midir?", "ruh bedene geri döner mi?", "bu dönüş kabri de kapsar mı?", "kabirde sorgulamanın zamanı" vb. konuları tıpkı İbn Teymiye'nin kanaati gibi cevaplandırmıştır.[2] İbn Kayyim, kabir azabını berzah azabı olarak isimlendirmiş, kişi her nasıl ölmüş olursa olsun, ister kabri olsun, isterse olmasın, ruhuna ve bedenine kabir azabının mutlaka ulaşacağını belirtmiştir.[3] Hocası İbn Teymiyye'nin bu konudaki izahını geniş bir şekilde aktardıktan sonra, söz konusu rivayetlerin, berzahtaki azap hakkında delil olduğunu ve bu azabın ruh ve bedene birlikte uygulanacağını gösteren tüm görüşlerini nakletmiştir.

ııı. Bu görüşleri naklinin sonunda İbn Teymiyye'nin, kabirdeki sorgulama anında ruhun bedene iadesine delalet eden pek çok sahih hadisin bulunduğunu belirtmiştir. Ardından, ruhsuz bedene sorgulama yapılabileceğini kabul edenler bulunduğu gibi, İbn Mürre ve İbn Hazm gibi bazı ilim adamlarının kabir sorgulamasını sadece ruha yönelik olarak kabul ettiklerini belirtmiş, ancak her iki görüşün de hatalı olduğunu ifade etmiştir.[4]

---

cetten kaçınma gerekçesinde söylediği: "Allah'a yemin olsun ki dirilerden utandığım gibi ölülerden de utanırım" sözünü İbn Kayyim, "eğer ölüler bunu anlamasaydı (görmeseydi) onlardan utanmanın da bir anlamı olmazdı" diyerek ölülerin mezarlıkta bulunduğu ve her şeyi sağken olduğu gibi gördüklerinin delili sayan izah yapmıştır (İbn Kayyim, *er-Rûh*, s. 7-9). Burada konuyu mezardakilerin sağ oluşuyla değil de mezarlığa saygının bir gereği diye izah etmek mümkün iken bu tür yorumların inandırıcılığından her halde söz edilemez.

1 İbn Kayyim, *er-Rûh*, s. 19-34.

2 İbn Kayyim, *er-Rûh*, s. 35-50.

3 İbn Kayyim, *er-Rûh*, s. 58.

4 İbn Kayyim, *er-Rûh*, s. 50.

ıv. İbn Kayyim, kabirle ilgili birtakım problemli örneklere de eserinde yer vermektedir. Mesela o, müminlerin ruhlarının Allah katında bulunduğu konusunda pek çok rivayetin yanında bir de Muhammed b. İshâk es-Sağânî'den nakledilen şöyle bir rivayete eserinde yer vermiştir: Nebî (as) buyurmuş ki: "Ölen (iyi bir) kişinin ruhu bedeninden ayrılınca göğe yükselir; tâ ki içinde Allah'ın da bulunduğu göğe kadar çıkar. Kötü bir adamın ruhu ise göğe çıkar; fakat gök kapılarından hiçbirisi ona açılmadığı için gökten atılır ve kabre girer."[1]

İbn Kayyim, "Kabirde Sorgulanma" başlığında ele aldığımız ve hakkında değerlendirmelerde bulunduğumuz bu ve benzeri rivayetleri, doğru ve sahih kabul etmektedir. Oysa bunların bazılarında çok sıkıntılı ifadeler bulunmaktadır. Rivayetlere karşı hassasiyetiyle bilinen İbn Kayyim bu konudaki rivayetleri eleştirmekten uzak durmuştur.

Görüşün Değerlendirilmesi

İbn Kayyim'in kabir hayatı hakkındaki görüşlerine ilgili bölümlerde yeterince değindiğimiz için, burada söz konusu görüşleri tek tek ele almayı gerekli görmemekteyiz. Şu kadarını söylemekle yetinmek istiyoruz.

Rivayet eleştirmenleri tarafından sağlam kabul edilmeyen bu tür rivayetleri esas alarak konuyu şekillendiren İbn Kayyim, kabir azabı ve/veya kabir hayatı konusunda benzer rivayetlerden destek almaya çalışmıştır. Her biri kendi içinde bile çelişkili olan, dahası Kur'ânî dayanaktan yoksun bu tür rivayetlerle hareket etmenin nasıl sıkıntılara neden olduğu açıkça ortadadır. Biz İbn Kayyim'in rivayetler konusundaki hassasiyetini "Rivayetlere Yaklaşımda Takip Edilmesi

---

1 İbn Kayyim, *er-Rûh*, s. 104-107.

Gereken Yöntem" başlığında ele alacağız. Amacımız sağlam olmayan rivayetlerle veya Kur'ân desteğinden mahrum kanaatlerle inanç esası oluşturulamayacağını ortaya koymaktır.

g) İmam Suyûtî'nin Görüşü

İslâm dünyasında fikirleri yer etmiş olan ve önemli bir saygınlığa erişmiş bulunan İmam Suyûtî'nin görüşlerini de hatırlatmakta yarar görmekteyiz.

Kabir hayatı ve/veya azabı konusunda en ilginç kabuller sergileyenlerden biri de İmam Suyûtî'dir. Ona kadar pek çok âlimin eserinde bu konuda çeşitli bilgiler yer almasına rağmen, Suyûtî'nin kabir âlemi hakkındaki ifadelerinde okuyucuyu hayretler içinde bırakacak, çeşitli iddialar bulunduğu için bir başlıkta ona da yer vermek istedik.

Kabir azabının maddi, yani bedensel olduğunu anlatmaya çalışan görüşlerin yanında, bütünüyle kabir hayatının maddi olduğunu ifade eden görüşlere bakıldığında işin ne kadar abartıldığı rahatlıkla görülmektedir. İşte Celâlüddîn es-Suyûtî, *'Âlemu'l-Berzah* adını verdiği eserinde kabir hayatı hakkında birçok ilginç rivayet zikretmiştir. Bunlardan birkaçını aktarmak istiyoruz:

"Ölmek üzere olan birinin yanına ölüm meleği geldiğinde, o kişinin ana-babasına yaptığı iyilikler meleği geri çevirdi."[1]

"Kim karın ağrısından ölürse kabrinde azap görmez."[2]

"Peygamberler kabirlerinde diridirler ve namaz kılarlar."[3]

---

1 Abdurrahman b. Kemâl Celâlüddîn es-Suyûtî, *'Âlemu'l-Berzah,* tercüme: Bahaeddin Sağlam, İstanbul, 1985, s. 302.

2 Suyûtî, *'Âlemu'l-Berzah,* s. 304.

3 Suyûtî, *'Âlemu'l-Berzah,* s. 310.

"Ben, Mûsâ'nın kabrinin yanından geçerken o, dikilip namaz kılıyordu."[1]

"Kabirde mümine bir Kur'ân verilir; o da okur."[2]

"Ölülerinizin kefenini güzelleştirin; çünkü onlar kabirde birbirleriyle ziyaretleşirler, birbirlerine karşı övünürler."[3]

Suyûtî'nin bu görüşlerinde yalnız olmadığını, benzer kanaatleri başkalarının da paylaştığını ifade etmek bağlamında şunları da zikretmek istiyoruz: Kabirde ziyaretleşmelerin sadece inanan ruhlarla sınırlı tutulduğu, azapta olanların ise buna fırsat bulamayan tutuklular olduğu ifade edildikten sonra, çok daha garip iddialar ortaya atılabilmiştir. Şöyle ki: "Tutuklu olmayıp serbest olan yani nimet içindeki ruhlar birbirleriyle buluşup görüşürler, birbirlerini ziyaret ederler. Dünyadaki olmuş ve olacak şeyleri müzakere ederler. Her ruh, amelde kendi dengi ve kendi derecesinde olan arkadaşlarıyla beraber olur. Hz. Peygamber'in ruhu ise *Refîk-ı A'lâ*'dadır."[4] Bu kanaat hakkındaki geniş değerlendirmelerimizi "Beden Öldükten Sonra Ruhun Konumuna Dair Bazı Yaklaşımlar" başlığında yaptığımız için burada benzer şeyleri tekrarlamayacağız.

Suyûtî'nin naklettiği "ölülerin ziyaretleşmeleri" ile ilgili rivayete benzer muhtevaya sahip başka bir rivayet daha vardır. Buna göre Rasulullah (as)'ın şöyle buyurduğu nakledilmiştir: "Ölülerinizi sâlih insanların arasına defnediniz. Çünkü diri insanın kötü komşu nedeniyle eziyet görmesi gibi ölü de yakınındaki kötü kişi nedeniyle eziyet görür."[5]

---

1 Suyûtî, *'Âlemu'l-Berzah*, s. 311.

2 Suyûtî, *'Âlemu'l-Berzah*, s. 314.

3 Suyûtî, *'Âlemu'l-Berzah*, s. 318.

4 Bu bilgiler ve ruhların birbirleriyle kabirde ziyaretleşmeleri konusunda farklı rivayetler için bk. Toprak, *age.*, s. 246-255.

5 Suyûtî, *'Âlemu'l-Berzah*, s. 318.

Görüşün Değerlendirilmesi

İmâm Suyûtî'nin eserine alıp naklettiği bu son rivayetin, değerlendirmeye konu olamayacak kadar açık bir şekilde Kur'ân'la çelişik olduğu ortadadır. Çünkü Kur'ân'da pek çok âyette, hiç kimsenin başkasının günah yükünü çekemeyeceği beyan edilmektedir.[1] Kötü bir insan, öldükten sonra nasıl olur da başkasına zarar verebilir? Kötülerin kötülüğünden dünyada emin olmaya çalışmak gerekirken, her halde bunu dünyada başaramayanlar işi kabre havale ederek tedbirlerini cansız bedene yönelik olarak almayı tercih etmektedirler. Kaldı ki Ebu'l-Mehâsin, *el-Lü'lü'ü'l-Marsû*' adlı eserinde 21. sırada zikrettiği bu rivayetin senedinde yalancılık ve hadis uydurmakla itham edilen birinin bulunduğunu beyan ederek bu rivayetin uydurma olduğunu söylemiştir.

Söz konusu rivayetleri doğru kabul edenler için şunu da söyleyebiliriz: Onlar, kötülüğe karşı durmak için gerekli çalışmaları yapmamalarının sonucu olarak yeterli sonucun alınamadığını görünce, bu defa kötülüğün etkisini kabirde de devam ettireceğini beyan ederek, kötülüklerden caydırıcı bir tutum izlenmesini amaçlamış olabilirler. Gerekçe her ne olursa olsun "günahların ferdî oluşu ilkesi" söz konusu rivayeti de benzerlerini de doğru kabul etmenin imkânsızlığını açıkça ortaya koymaktadır.

Eş'arî, Nesefî, Sâbûnî, Gazâlî, İbn Hazm, İbn Teymiyye, İbn Kayyim ve Suyûtî'nin görüşlerini ve onlarla ilgili kendi değerlendirmelerimizi bu şekilde ifade ettikten sonra, bir Mutezile âlimi olan Kadı Abdülcabbâr'ın da konuya bakışını burada aktarmak istiyoruz.

---

1 Bakara 2/134, 141, 286; En'âm 6/164; İsrâ 17/7, 15; Lokmân 31/33; Fâtır 35/18; Zümer 39/7; Necm 53/38.

h) Mutezile'nin Görüşü

Kabir azabı meselesine Mutezilî âlimlerin nasıl yaklaştığı da önemlidir. Çünkü genellikle Ehl-i Sünnet âlimleri, kabir azabı konusunu işlerken Mutezile'nin bu noktada karşı bir tutum izlediğini beyan etmektedirler. Bu nedenle konuyla ilgili olarak Mutezile'nin en önemli ismi olan Kadı Abdülcabbâr'ın görüşlerini kendi eserinden vermeyi uygun gördük.

Farklı kutuplara bölünmüş bir görüntü veren İslâm âlemi, çeşitli konularda birbirlerini karalamakta âdeta yarışmış, bazıları karşı tarafı din dışı olmakla bile itham edebilmiştir. Bazıları Mutezile'nin kabir azabını reddettiğini söylerken, bazıları da sadece bir kısmının reddettiğini ifade etmiştir. Öyle ki bazı Ehl-i Sünnet âlimleri, kendi karşıtları için "bid'at ve sapıklık ehli" ifadesini kullanabilmiştir. İşte böyle bir yanılgıya ve haksızlığa düşmemek için kabir azabını inkâr etmekle suçlanan Mutezile'nin en önemli ismi olan Kadı Abdülcabbâr'ın konuya ilişkin görüşlerini hatırlatmaya ve ardından kendi değerlendirmemizi yapmaya çalışacağız.

Kadı Abdülcebbâr'a göre kabir azabı konusunda ümmet arasında ihtilaf yoktur. Sadece önceleri Mutezile'den olup sonra Cebriye'ye katılan Dırâr b. Amr[1] bir istisna oluş-

---

1 Kabir azabını inkâr ettiği bildirilen Dırâr b. Amr (ö. 200/825), Basra Mutezilesinin ilk âlimlerinden biridir. Her şeyin Allah tarafından takdir edilip yaratıldığı düşüncesiyle İslam cemaatinin çoğunluğunun safında yer almıştır. İnsanların ihtiyarî fiillerinin meydana gelişini onlar açısından "kesb ve iktisab" terimleriyle açıklayan ve bu terimleri ilk kullananlardan olan Dırâr, bu meselede Ebû Hanife'ye uymuş görünmektedir. (Hakkında geniş bilgi için bk. Mustafa Öz, "Dırâr b. Amr" maddesi, *Diyanet İslam Ansiklopedisi*, İstanbul, 1994, IX, 274-275). Dırâr b. Amr'ın şu noktalarda Mutezile'den ayrıldığı belirtilmektedir: "Kulların amelleri yaratılmıştır. Bir fiilin iki faili vardır. Biri onu yaratan Allah'tır; diğeri ise onu kazanan kuldur. Kullar, her ne kadar fiilleri yapsa da Yüce Allah gerçekte kulların fiillerinin fâilidir." (Bu görüş için de ayrıca bk. Ebü'l-Hasan Ali b. İsmail el-Eş'arî, *Makâlâtü'l-İslâmiyyîn ve'htilâfü'l-Musallîn*, Beyrut, 1990, I, 339). Bu her iki kaynakta da Dırâr'ın kabir azabı konusundaki görüşüne değinilmemişken A.S. Tritton, onun kabir azabını ve âhiretle ilgili yaygın görüşlerden bazısını

turmaktadır. Bu nedenle İbnü'r-Râvendî, Mutezile'nin kabir azabını inkâr ettiği suçlamasını haksızlık olarak nitelendirmiştir.[1] Bu ifadelerden anlaşıldığına göre, Mutezile'nin kabir azabını kabul etmediği yolundaki eleştiriler doğru değildir.

1. Abdülcabbâr'a Göre Kabir Azabının Delilleri

Nûh 71/25. âyet. Ona göre ilgili âyetteki anlatım gereği hatalarından dolayı boğulan Nûh kavmi boğulmanın hemen ardından ateşe atılmıştır. İlgili âyetteki, فَأُدْخِلُوا *fe üdhılû* ifadesinin başında yer alan *fâ* harfi süreç bildirmeyen takib anlamındadır; yani Nûh kavmi, boğulmanın hemen ardından ateşe atılmışlardır. Abdülcabbâr'a göre "ateşe atılmak azaptan başka bir şey değildir."

Mü'min 40/46. âyet. Bu âyet de kabir azabının delilidir; bir farkla ki bu âyet sadece Firavun ailesine mahsustur, bütün mükellefleri içermez.

Azabın herkesi içeren delili ise Mü'min 40/11. âyettir. Ona göre iki kere ölüm ve dirilmeden kasıt "kabir azabı" veya "kabirdeki ödül"dür. Kadı Abdülcebbâr, kabir azabı hakkında o kadar ısrarlıdır ki Mü'min 40/11. âyetteki iki ölümden ilkini insanın insan olmadan önceki hali diye izah edenlere de şiddetle karşı gelmektedir. Bu âyetler hakkındaki değerlendirmelerimizi "Kur'ânî Deliller" başlığında geniş bir şekilde yapacağız.

Kadı Abdülcebbâr'a göre kabir azabının bir diğer delili de Hz. Peygamber'den geldiği rivayet edilen ve hemen hemen tüm taraftarlarınca delil sayılan ünlü "nemime/söz taşıyıcılık ve bevl/ayakta idrar" rivayetidir.[2] Kadı, azaba neden olan şey-

---

inkâr ettiğini belirtmiştir. (Bilgi için bk. A.S. Tritton, *İslam Kelamı*, tercüme: Mehmet Dağ, Ankara, 1983, s. 74).

1 Ebü'l-Hasan Kadı Abdülcebbâr b. Ahmed, *Şerhu'l-Usûli'l-Hamse*, Tahkik: Abdülkerin Osman, Mektebetü Vehbe, İkinci baskı, Kahire, 1988, s. 730.

2 Buhârî, Cenâiz, 81, 82, 88,; Vudû', 55, 56; Edeb, 46, 49; Müslim, Tahâret,

lerin ne olduğu ile ilgili olarak rivayetteki "büyük günahlarından dolayı da değil" ifadesini bile tevil etmeye çalışmıştır. Bu ve benzer rivayetler hakkındaki değerlendirmelerimizi de "Rivayet Kaynaklı Delililer" başlığında yapacağız.

11. Abdülcabbâr'ın Kabir Azabıyla İlgili Bir Soruya Cevabı

Kadı Abdülcabbâr'ın ifadesine göre kabir azabını kabul etmeyenler şöyle bir soru sormaktadır: "Eğer kabir azabı varsa mezar kazıcıların bu cezayı görmeleri, ona şahit olmaları gerekirdi. Bunun böyle olmadığını biliyoruz. Eğer kabir azabı varsa asılarak öldürülen ya da defnedilmeyenlerin iniltilerinin duyulması, ızdıraplarına herhangi birinin şahit olması gerekirdi; hâlbuki böyle bir şeyin görülmediği veya herhangi bir iniltinin duyulmadığı (herkes tarafından) bilinmektedir. Durum böyle olduğuna göre kabirde kişiye nasıl azap edilebilir?" İşte bu soruya Kadı Abdülcabbâr şöyle cevap vermektedir:

"Bu konuda genellikle kabir kazanlar ve diğerleri cezanın ölü üzerindeki etkisini göremiyorlar. Yüce Allah'ın, mezar kazıcıların kazdıkları hallerde ölülere azap etmemesi ya da azabı görenlere yararı olmayacağı için azabı onlardan bir çeşit gizlemesi mümkündür/caizdir. Kaldı ki bize göre bu konudaki en güçlü kanaat, Yüce Allah'ın bu azabı iki üfleme arasına tehir etmesidir."[1]

Kadı Abdülcabbâr'ın bu soruya verdiği cevabın kaçamak olduğu hemen anlaşılmaktadır. Çünkü zaten kendisi bu azabın zamanını iki üfleme arası, yani kıyamet sonrası ve âhiret öncesi dönem diye belirlemiştir. Zamanı böyle belirleyince diğer soruya cevap vermeye çalışmasının hiçbir anlamı yoktur.

111; Tirmizî, Tahâret, 53; Ebû Dâvûd, Tahâret, 11; Nesâî, Tahâret, 27.

1 Kadı Abdülcebbâr, *age.*, s. 733.

III. Abdülcabbâr'a Göre Kabir Azabının Şekli, Zamanı ve Faydaları (!)

Kabir azabının nasıllığı konusuna da değinen Kadı Abdülcebbâr şunları dile getirmiştir:

"Allah, kabirlerdekilere azap etmeyi dilerse onları diriltmelidir; zira cansız bir şeye azap etmek düşünülemez... Ayrıca Yüce Allah'ın azap edilenlerde, azabı hissetmeleri ve haksızlığa uğratılmadıklarını anlamaları için akıl yaratması da gereklidir." Sadece "kabirdeki ölünün yakınları ölüye ağlarsa, ölü bundan dolayı azap çeker"[1] sözüyle ilgili olarak şöyle bir tevil yoluna gitmiştir: "Bir başkasının hatasından dolayı insana azap edilmesi zulümdür; Yüce Allah böyle bir şey yapmaz; eğer ölen kişi ölümünden önce kendisine ağlanmasını vasiyet etmişse kendisine azap edilir."[2]

Kadı, tıpkı Ehl-i Sünnet âlimleri gibi kabir azabının ruh ve beden birlikteliği ile yaşanacağını kabul etmekte, sadece kendisine ağlanması ile azaba uğratılacağı kabulünü tevile çalışmaktadır. Zümer 39/42. âyet gereği, ruhun Allah'ın katında olduğu gerçeğinden hareketle bu anlayışın doğru olamayacağını daha önce ilgili bölümlerde dile getirmiştik. Kötülük sahibi insanların ruhlarının ölüm esnasında ve sonrasında sıkıntı çekeceklerini, ancak buna cehennem azabı denemeyeceğini sıklıkla belirtmeye çalıştığımız için sözü daha fazla uzatmak istemiyoruz.

Kadı Abdülcabbâr, Yüce Allah'ın ölen kişiye, isimleri münker ve nekîr olan iki melek göndereceğini, onların sorular soracaklarını, daha sonra verilen cevaplara göre ilgili

---

1 Ölülerin, dirilerin kendilerine ağlamaları nedeniyle azap görecekleri şeklindeki rivayetler hakkındaki değerlendirmelerimizi "Kabir Azabının Varlığını Kabul Edenlerin İleri Sürdüğü Rivayet Kaynaklı Deliller" başlığında yapacağız.

2 Kadı Abdülcebbâr, *age.*, s. 730-732.

kişiye ya azap edeceklerini ya da onu müjdeleyeceklerini belirtmiştir. Bunun akılla ulaşılacak bir durum olmadığını, nakle (sem'a) dayalı olduğunu beyan etmiştir.

Bu konuda da "Kabirde Sorgulanma" başlığında geniş açıklamalarda bulunmuştuk. "Ölmekte olan kişiye mahşerde gideceği yerin gösterileceği" şeklindeki rivayeti doğru kabul ettiğimizi hatırlatarak, azabın zamanı hakkındaki iddiaya karşı bazı değerlendirmeler yapmak istiyoruz.

* Kadı'ya göre kabir azabının tam zamanı tespit edilemez. Sadece bir ihtimal olarak, (Sûr'a) iki üfleme arasında olmasının mümkün olduğunu sözlerine eklemiş,[1] delilini de Mü'minûn 23/100-101 olarak zikretmiştir. Üstelik burada geçen *berzah* kelimesine de "azaptan başka anlamı yoktur" diyerek çok farklı bir yorum getirmiştir.[2] Yani ona göre kabir azabının varlığı değil, zamanı tartışmalıdır. Bu yaklaşıma iki türlü cevap verilebilir:

1. Eğer kabir azabı iddia edildiği gibi Sûr'a iki defa üfleme arasında olacaksa, o zaman buna "kabir azabı" demenin ne anlamı olabilir ki? Böyle bir azaba "kıyamet sonrası, diriliş öncesi azap" denmesi kanaatimizce daha uygun olurdu. Tabii ki böyle bir zamanda yapılacak azabın amacının ne olduğunu kavramak da oldukça güçtür. Öyle anlaşılıyor ki, Kadı Abdülcabbâr herkesin kabir azabına uğratılacağını savunmaktadır. Bu durumda söz konusu ilk üflemeden önce ölenlerin şu anki durumları da haliyle cevapsız kalmaktadır.

2. Kadı Abdülcabbâr'ın *berzah* kelimesine verdiği "azap" anlamı ise büsbütün yanlıştır. Çünkü *berzah* kelimesinin böyle bir anlamı yoktur. "Engel" anlamına gelen *berzah* ke-

---

1 Kadı Abdülcebbâr, *age.*, s. 732.

2 Kadı Abdülcebbâr, *age.*, s. 732.

limesini azapla izah etmek, gerçekten hayretlik bir yaklaşımdır. Bu anlayışa göre ölen herkes mutlaka azap görmelidir. Hâlbuki kabir azabını kabul edenler bile pek çok insan veya insan grubunun kabir azabına uğratılmayacağı kanaatindedirler. İşte bu yorum, bir konuda önce karar verip sonra delil aramaya çalışmanın dinî terminolojiyi olumsuz anlamda nasıl etkilediğinin açık örneklerinden biridir. Kabir azabının nasıllığı konusunu izah ederken bunun akılla bilinemeyeceğini, konunun duyuma, nakle (sem'a) dayalı olduğunu belirten Kadı, *berzah* kelimesine verdiği anlamda bu yolu kullanmamış, ilgili kelimeye kendisi bir anlam yükleyerek kendi kendisiyle çelişmiştir.

Konuyu detaylandıran Kadı, kabir azabının faydasını ve mükellefler için maslahatını izah mahiyetinde de şunları belirtmiştir: "Mükellefler eğer çirkin işler yaptıkları ve görevleri terk ettikleri takdirde, kabirde azaba uğratılacaklarını, sonra da cehennem ateşine atılacaklarını bilince, ilgili kötülüklerden kaçınıp görevlerini yapmaya yöneleceklerdir. İşte yolu böyle olan ve Yüce Allah'ın da kudretinde olan bir olayın gerçekleşmesi gerekir."[1]

Buradan anlaşılan şudur: Kadı Abdülcabbâr, kabir azabını bir lütuf olarak görmektedir; zaten kendisi de bunu açıkça itiraf etmektedir. Bir davranışın lütuf olabilmesi onun daha büyük bir sıkıntıyı gidermesi halinde mümkün ve anlamlı olur. Oysa yaşanacak olan kabir azabı, âhiretteki cehennem azabını ortadan kaldırmıyor ki bir lütuf söz konusu olsun. Kaldı ki kabir azabı, âhiretteki cehennem azabından daha ağır bir ceza da değil ki caydırıcı olsun. Hafif cezalar, ağır cezaların bir kısmını gideremeyecekse onların caydırıcılığı da inandırıcılığını kaybetmektedir.

---

1 Kadı Abdülcebbâr, *age.*, s. 732-733.

Bu ifadede gözden kaçırılan çok önemli bir husus daha vardır ki o da bir suça, ikisi de ölümden sonra olmak üzere iki kez azap edileceği iddiasıdır. Bu iddia bile tek başına konunun sıkıntılı bir kabul olduğunu ortaya koymaya yeterlidir. Çünkü Kur'ân'da belirtildiğine göre, insanlar yaptıklarının karşılığını âhirette göreceklerdir.[1] Şûrâ 42/40. âyete göre de "Bir kötülüğün karşılığı, dengi bir kötülüktür." Öyleyse bir insan dünyada işlediği dünyevî bir suça karşılık dünyada bir ceza görür de ilgili suçtan tevbe etmezse ona âhirette de ceza uygulanır. Zaten dünyevî suçlara dünyada ceza verilmesi, caydırıcılık esasına dayalıdır. Kabirde uygulanacak bir cezanın "fiilî olarak suçtan vazgeçirmek" anlamında herhangi bir caydırıcılığından da söz edilmesine imkân yoktur.

ıv. Abdülcabbâr'ın Sorgu Meleklerine Münker-Nekîr Denmesine Yaklaşımı

Sorgu meleklerine *münker* ve *nekîr* denmesini, yani Allah'ın meleklerine bu tür ismin verilmesini doğru bulmayanlara karşılık da Kadı şunları ifade etmektedir: "Aklın gereği olarak mademki deliller azabın varlığını gösteriyor, o zaman bir azap edici gerekir. Azap edici Allah da olabilir, başkası da." Kadı Abdülcabbâr, Yüce Allah'ın bu konuda söz konusu isimlerle anılan melekleri görevlendirdiğini, bunda anormal bir durumun olmadığını, lakaplarda övgü, kötüleme, sevap ve ceza kelimelerinin aslında Araplarda bir yöntem olduğunu, asıl maksadın kelimelerin özel anlamlarıyla ilişkili olmadığını beyan etmiştir.[2]

Elbette "kabirde bedensel azap" varsa azap eden de var olacaktır. Ancak başlangıçtaki bir hüküm hatalı olunca ge-

---

1 Bazı örnek âyetler için bk. Nûr 24/25; Yâsîn 36/54; Necm 53/41; ...

2 Kadı Abdülcebbâr, *age.*, s. 733-734.

risi de aynı doğrultuda yanlış olmaya devam etmektedir. Gömleğin ilk düğmesi yanlış iliklenirse, diğerlerinin doğru iliklenmesi nasıl mümkün değilse, burada da durum maalesef aynı şekilde hatalar zincirine dönüşmektedir. Bu konuda daha önce "Sorgu Meleklerine Münker-Nekîr Denmesinin Muhtemel Gerekçeleri" başlığında bilgi verdiğimiz için aynı şeyleri tekrar etmeyeceğiz.

Bu arada Kadı Abdülcabbâr konuyu işlediği yerde kabir azabını kabul etmeyenlerden bahisle, وأما القوم الذين دفعوا عذاب القبر و أنكروه "Kabir azabını savunanlar ve inkâr edenler" ifadesini kullanmıştır. Kadı'nın h. 415 yılında vefat ettiği düşünüldüğünde, en azından o tarihten önce yaşayanlar arasında da (genelde kabul edildiği şekliyle) kabir azabını kabul etmeyenlerin bulunduğunu anlıyoruz. Sadece Dırâr b. Amr'ın adı söylendiği ve bu konuda detaylı olarak neleri iddia ettiği bizim tarafımızdan bilinemediği için, ne yazık ki kimin tam olarak neyi savunduğunu söyleyebilecek durumda değiliz.

Biz bu başlıkta Kadı Abdülcabbâr'ın delil olarak kullandığı âyetler ve rivayetler hakkındaki görüşümüzü sonraki başlıklarda ele alacağımız için, şimdilik sadece onun görüşlerini hatırlatmak ve Mutezile'ye yönelik "kabir azabını kabul etmiyorlar" iddiasının hatalı olduğunu belirtmekle yetiniyoruz.

i) Son Dönem Bazı İlim Adamlarının Konuya Bakışı

Kabir azabına ve/veya kabir hayatına ilişkin konular her dönemde ilgi çekmiş, âlimler kendi kanaatlerini ortaya koymuşlardır. Bu bağlamda özellikle bazı Ehl-i Sünnet âlimleri Mutezile'yi kabir azabını kabul etmemekle suçlamışlardır. Oysa kabir azabı konusunda Kadı Abdülcabbâr'dan yaptığımız nakillerden de anlaşıldığı üzere Mutezile'nin muhalif olduğu iddiası, en azından Mutezile'nin tamamı için gerçeği yansıtmamaktadır. Şerafettin Gölcük'ün değerlendirmesine göre de yukarıdaki iddia gerçek dışı görünmektedir. Zira ona göre kabir azabı konusunda Şia ve Mutezile de kabir azabını kabul etmekte, hatta Mutezile, kabir azabına delil olarak çeşitli rivayetleri kullanmaktadır.[1]

Gölcük'ün bu tespiti Taftazânî'den yaptığımız alıntılarla da örtüşmektedir. Çünkü ona göre Mutezile ve Râfizîlerden bir kısmı kabir azabını kabul etmektedirler. Oysa Eş'arî'den ve Sâbûnî'den naklettiğimiz görüşlerle bu son tespit çelişmektedir. Zira Eş'arî'ye göre Hâricîler ve Mutezile, Sâbûnî'ye göre ise sadece Mutezile kabir azabını reddetmektedir.

Öyle anlaşılıyor ki kişiler, muhatabı nasıl görmek istiyorlarsa öyle görmüşlerdir. Mutezile, Mâtürîdî'ye göre kabir azabını kabul etmiş, Eş'arî'ye göre reddetmiştir. Taftazânî'ye göre ise bazıları kabul, bazıları reddetmiştir. Bir kısmı kabul etmeyenlere Râfizîleri katarken, diğer bir kısmı buna Hâricîleri eklemiştir. Bu konuda karar verirken nasıl bir yol takip edildiği konusu daima meçhul kalacaktır; çünkü taraflar Dâr-ı Bekâ'ya göçmüştür. Ancak biz, sadece Ehl-i Sünnet'in kabulleri ve karşı tarafı suçlamasıyla yetinmeyip, bir önceki başlıkta Mutezile'den Kadı Abdülcebbâr'ın konuya ilişkin görüşlerini inceleyerek onların da bu konudaki kanaatlerini okuyucuya aktarmaya ve kendi değerlendirmelerimizi yapmaya çalıştık. Şimdi ise son dönemdeki bazı âlimlerin konuya yaklaşımını aktarmak istiyoruz.

1. Kelâm ilmiyle meşgul olan Şerafettin Gölcük, kabir hayatı hakkında bilgi verirken, insanın ölümünden sonra kı-

1 Gölcük, *age.*, s. 206. Mutezileden sadece el-Kabriyye adlı grup kabir azabını inkâr etmektedir. Bu konuda bk. Ebû Muhammed Takıyyüddîn Ahmed b. Ali b. Abdilkadir b. Muhammed el-Makrizî, *Kitabü'l-Hıtat*, Kahire, 1324-1326, IV, 169.

yamet kopuncaya kadar hayatını geçirdiği yere -ister kabri olsun, isterse olmasın; ister gömülsün, isterse gömülmesin- kabir dendiğini belirtmiştir. Ardından kabrin ya cennet bahçelerinden bir bahçe ya da cehennem çukurlarından biri olduğunu ve orada kıyameti beklediğini beyan etmiştir. Daha sonra Mü'minûn 23/99-100, İbrahim 14/27, Bakara 2/28, Mü'min 40/11, 45-46 ve Tâhâ 20/124. âyetlerinin ve bazı hadislerin bu hayata delalet ettiğini dile getirmiştir.

Bu arada Gölcük, Şia ve Mutezile'nin de kabir azabının varlığını kabul ettiğini, bazı hadisleri delil olarak kullandıklarını beyan ettikten sonra, kabir azabını kabul etmeyenlerin ruh-beden birlikteliği halindeki canlıya azap edilebileceğini, azabı canlının hissedebileceğini, bu birliktelik bozulunca ölünün azabı duymayacağını ifadeyle konuya itiraz ettiklerini beyan etmiştir. Hâlbuki insan organizmasının hayat için, yani canlılık için şart ve gerekli olmadığını, Allah'ın, bu bedenden başka bir bedene hayat verip yaratabileceğini, bunun O'nun için kolay olduğunu karşı delil olarak kullanmıştır. Gölcük, konuya devam ederek ölünün ya azap ya da nimet içinde olduğunu, bu durumun da hem ruha, hem de bedene yönelik olarak gerçekleşeceğini, kabirde ruhun zaman zaman bedene gireceğini ve işte o dönemlerde azap veya nimetin hissedileceğini, kabirden cennet'e kapı açılacağını, kâfirler için ise durumun tersine olacağını, müminlerin kabir azaplarının Cumaya kadar olacağına dair haberlerin de bulunduğunu, kıyamette ise artık bu birlikteliğin sürekli olacağını, kıyamete kadar ruhların kalış yeri olarak da bilinen görüşleri nakletmiş, ruhların dünyadan haber aldıklarını, haklarında yapılandan nasipdar olduklarını ve sonuçta kıyametin vuku bulmasını kabirde bekleyeceklerini beyan etmiştir.[1]

---

1 Gölcük, *age.*, s. 207-208.

11. Yine bir Kelâmcı olan ve İslâm Ansiklopedisi'nin "Azap" maddesini yazan Yusuf Şevki Yavuz, kabir azabı hakkında şu bilgileri vermektedir: Hâriciler, bir kısım Mutezile ve Şia bilgini istisna edilirse kelâmcıların büyük çoğunluğu kabir hayatında azabın vuku bulacağı konusunda fikir birliğindedir. Yavuz, inkârcılara ve gıybet etmek, koğuculuk yapmak, ibadetlerin gerektirdiği maddi temizliğe uymamak, mazlumlara yardımdan kaçınmak gibi günahları işleyen müminlere uygulanacağı bildirilen kabir azabının, kâfirler ve âsi müminler için devamlı, küçük günah işleyenler için ise geçici olduğunu benimseyenlerin yanında, bunun kıyamet ve diriliş arasındaki sürede kaldırılacağını kabul edenlerin bulunduğunu da ifade etmektedir. Bazı Mutezile âlimlerinin bu azabın sadece ruhî olacağını ileri sürmelerine karşılık, kelâmcıların çoğunluğunun bu azabın hem ruhî hem de bedenî olacağını benimsediklerini belirtmiştir. Konuyla ilgili bu tespitleri yapan Yavuz, sonuç olarak kabirdeki azabın ya ruh ile beden arasında bir ilişki kurularak veya bedenin parçalarında azabın hissedilmesini sağlayacak kadar bir hayat yaratılarak gerçekleşeceğini ifade etmektedir.[1]

Bu aktarımlardan da anlaşılacağı üzere, konu hakkında yeni şeyler söylenmemekte, önceki âlimlerimizin görüşleri daha sistemli ve özet şekillerinde sunulmaktadır. Kabir hayatı ve azabına delil sayılan âyetler ve rivayetler hakkındaki değerlendirmemizi daha sonra geniş bir şekilde yapacağız. Ancak burada şu kadarını söyleyelim ki, söz konusu âyetlerin hiçbirisi, iddia edildiği gibi kabir hayatını veya kabirdeki bedene yönelik bir azabı anlatmamaktadır. İleri sürülen görüşlerin hemen hemen tamamı hakkında da daha önce

---

1 Yusuf Şevki Yavuz, "Azap" maddesi, *Diyanet İslam Ansiklopedisi*, İstanbul, 1991, IV, 304. Bu konuda benzer bilgiler için ayrıca bk. Ebu'l-Yüsür el-Pezdevi, *Ehl-i Sünnet Akaidi*, tercüme: Şerafeddin Gölcük, İstanbul, 1980, s. 235, 237; Sâbûnî, *Mâtürîdî Akaidi*, s. 185.

detaylı bilgiler verdiğimiz için aynı şeyleri tekrarlamak istemiyoruz.

3. KONUNUN VE GÖRÜŞLERİN DEĞERLENDİRİLMESİ

a) Konunun Değerlendirilmesi

Buraya kadarki izahlarımızda kabir azabı konusunda iki farklı görüşün benimsendiği anlaşılmaktadır. Yaygın olmasa da İbn Hazm gibi bazı âlimler azabın sadece ruha yönelik olacağını kabul etmekteyken, genelde büyük çoğunluk bunun hem ruha hem de bedene yönelik olacağını benimsemiştir. Bu arada Kadı Abdülcabbâr, azabın zamanını kıyamet sonrası mahşer öncesi ara dönem şeklinde vererek çok daha farklı bir görüş ortaya koymuştur.

Azap konusuna girmeden önce, bu yaklaşımlar karşısında hemen hemen bütün tarafların kabul ettiği "kabirde sorgulama" konusunda farklı bir kanaatte olduğumuzu belirtmeliyiz. Çünkü Fâtiha 1/4'te Yüce Allah "hesap günü"nden söz etmekte, "hesap günleri" ifadesini kullanmamaktadır. Ölüm anında meleklerin insanlara yönelik tutumları ile ölmekte olanların yaşadıkları, bir anlayışa göre gidecekleri yerin gösterileceği kabulü bizce ölüm sonrasıyla karıştırılmakta ve olaylar isimlendirme hatası sonucu "kabir sorgusu" ve "kabir azabı" adını almaktadır. Oysa konunun bu bedenle ilgisi, kötü insanların ölüm anında yaşayacakları sıkıntılarla sınırlıdır. Ölüm sonrasında artık muhatap ruhtur ve elbette kötülük sahibi olup cehennemi hak edenlerin ruhları manevi bir ıstırap çekeceklerdir. Görülen korkunç rüyalar nasıl ki sahibini derinden etkiliyor, ancak bu durumda beden herhangi bir şey hissetmiyor ve zarar görmüyorsa, kötülük sahibi insanların ruhları da öldükten sonra benzer, hatta çok daha şiddetli bir sıkıntı ve ıstırap içerisinde olabileceklerdir; ancak bu durumdan bedenleri etkilenmeyecektir; çünkü beden artık çürümüştür, toprak olmuştur.

Meselenin kabirle ilişkilendirilmesi de bir mecazdır; çünkü öldükten sonra kabre konulmayan veya hiç kabri olmayan nice insanlar vardır. Bu durumda "kabir", tıpkı *ecdâs* kelimesinin verdiği anlam gibi, aslında ölüm sonrası ile mahşer öncesini ifade eden bir kavramdır. Maksat, kabri olsun veya olmasın, doğrudan veya dolaylı olarak topraklaşmış bedenlerdir. Kabir ve bedeni kabir azabıyla ilişkilendirince mumyalanmış cesetlerin bu durumda nasıl bir konumda bulunacakları merak konusu olmaya devam edecektir.

Bütün bu anlattıklarımızın ışığında kabir azabını ruh ile ceset birlikteliği şeklinde kabul edenlere bazı soruların sorulması kaçınılmazdır. Bu bağlamda birtakım soruları burada dile getirmek istiyoruz:

I. Kabirde sorgulama için diriltildiği iddia edilen cesetler ölmeden önceki bedenler midir? Yoksa bazılarının iddia ettiği gibi yeni bedenler mi yaratılmaktadır?

II. Kabirde diriltilen bedenler mi âhirette diriltilecektir? Bu durumda zaten diriltilmiş olan bedenlerin yeniden diriltilmesi ne demektir?

III. Eğer öyleyse bu cesetler kabirde bir kez daha mı ölümü tadacaklardır?

IV. Şayet cevap "evet" ise bu durum Dühân 44/56'ya ters düşmeyecek midir?

V. Dühân 44/56'da sözü edilen "ilk ölüm" dünyadaki midir, yoksa kabirdeki midir? Eğer maksat dünyadaki ölüm ise kabirdekinin, kabirdeki ölüm ise dünyadakinin anlamı nedir?

vı. Diğer taraftan, hesap günü "mahşer" olmasına rağmen, kabirde sorgulamayı kabul etmekle mahşer sorgulamasındaki sorgulanma bir arada nasıl kabul edilecektir? Bu durumda Fâtiha 1/4'te dile getirilen "hesap günü" ifadesi bunların hangisini karşılamaktadır?

vıı. Bedeni kabirde cehennem ateşine atılan kişi için âhirette yaşanacağı Kur'ân ile sabit olan "yedi aşama"nın anlamı nedir?

vııı. Mahşerdeki sorgulama sonunda atılacağı cehenneme çok daha önceden kabirde atılmış bir kişinin, ikinci kez cehenneme atılmasının anlamı nedir?

ıx. Tekvîr 81/12'de dile getirildiği üzere mahşerde ve yargılama sonrasında tutuşturulacağı ifade edilen cehennemin şu anda işler durumda olduğunu kabul etmek nasıl bir inançtır? Yoksa kabirdeki ateş başka bir cehenneme mi aittir?

x. Kabir azabını en çok hak eden İblîs'in bundan kurtulmuş olmasını nasıl yorumlamak gerekmektedir? Yoksa Kadı Abdülcebbâr'ın dediği gibi bu azabı kıyamet sonrası mahşer öncesi dönemde mi anlamak gerekir?

xı. "Müminlerin azapları Cuma'ya kadardır" ifadesiyle "ruhlar cennettedir veya kapısındadır" ifadesi ya da "ruhlar kabirlerde kıyameti beklemektedir" cümlesi nasıl bir anda kabul edilebilir?

xıı. Mademki kişinin ruhu cennete gitmiştir, o halde kıyamet neden beklenmektedir?

xııı. Mademki kabirde bedene ve ruha birlikte azap edilmektedir, kabul edenlerine göre o halde cennete neden sadece ruhlar gitmektedir? Bu durumda kabirdeki bedenlerin fonksiyonu sadece kabirlerle mi sınırlı kalacaktır?

XIV. Ayrıca bir taraftan bir kısım âlimlerin "ruhların cennette olduğunu" söyleyip, öte yandan diğer âlimlerin "ruhların kabirde beklemekte oldukları"nın ifade edilmesi nasıl anlaşılmalıdır?

Bu soruları çoğaltmak elbette mümkündür. Ancak okuyucuyu daha etraflı bir şekilde bilgilendirmek ve kendi kanaatimizi de ortaya koyabilmek için "kabir azabı" konusunda ileri sürülen bazı görüşlerin ve rivayetlerin sıhhati konusuna geçmek istiyoruz.

b) Râvî ve Rivayet Eleştirmenlerinin Değerlendirmeleri

Kabir azabının gerçekleşeceği konusunda ileri sürülen deliller arasında yer alan bazı rivayetler ve onların rivayet zincirlerinde bulunan râviler/nakilediciler hakkında bazı hadis eleştirmenlerinin olumsuz kanaatler ileri sürdükleri bilinmektedir.

I. İbnü'l-Cevzî, daha önce naklettiğimiz gibi "içinde Allah'ın da bulunduğu gök" hakkındaki rivayette yer alan Osman b. Matar'ın hadis uydurma konusundaki tutumu hakkında âlimlerin fikir birliğinde olduğunu belirtmiştir. Buna ilaveten Ebû Hureyre'den gelen benzer başka bir rivayetin de sahih olmadığını belirtmiş, bu ikinci rivayetin senedinde bulunan Süleyman b. Îsâ hakkında Sa'dî'nin "kezzâb", İbn 'Adî'nin de "hadis uydurur" dediğini nakletmiştir.

Konuyla ilgili başka bir rivayet senedinde bulunan Dâvûd b. el-Husayn hakkında da Ebû Hâtim'in, güvenilir insanlardan güvenilmez hadisler rivayet ettiğini, yani güvenilir insanlara yalan isnadında bulunduğunu, dolayısıyla rivayette söz konusu edilenlerin Nebî (as)'ın sözü olma noktasında herhangi bir dayanağının bulunmadığını belirttiğini nakletmiştir.[1] Aynı şekilde ruhun kabirde cesede döneceğini bildiren hadislerin metin bakımından sağlam gözükmediği de ilim adamlarınca dile getirilmektedir.[2]

ii. İbnü'l-Cevzî'nin, râvilerle ilgili olarak naklettiği olumsuz kanaatlerin ötesinde söz konusu rivayetlerdeki bilgilerin yanlış olduğu da ortadadır. Rivayetlerde yer alan "kötülerin cesetleri iyileri rahatsız eder" anlamındaki ifadeler doğru olamaz. Çünkü dünyada da mahşerde de hiç kimse kimsenin günah yükünü yüklenemez; dolayısıyla kötü biri nedeniyle onunla ilgisi olmayan başka bir insanın eziyete uğratılmasının hiçbir makul izahı da olamaz. Sebe' sûresinin 25. âyetinde ve daha pek çok âyette[3] farklı insanların birbirlerinin suçlarından dolayı sorumlu tutulamayacakları belirtilmektedir.

iii. İbnü'l-Cevzî, buna benzer bir sonuç ifade eden, "ölünün kabirde ezanı duyacağı"nı bildiren rivayet hakkında da değerlendirmelerde bulunmuş ve bunun da uydurma olduğunu belirtmiştir. Gerekçe olarak, senetteki Hasan'ın İbn Mes'ûd'dan hadis işitmediğini belirttikten sonra yine senetteki Kesîr adlı râvi hakkında Yahya'nın, "bunun bir değeri yoktur" dediğini, senetteki Ebû Mukâtil hakkında da İbn Mehdî'nin "Allah'a yemin olsun ki, ondan rivayet nakletmek uygun değildir" dediğini, Ebû Abdillah b. el-Hâkim'in ise bu şahsın hadis uydurduğunu ifade ettiğini nakletmiştir.[4]

iv. "Ölen peygamberlerin 40 gün, ruhlarının kendilerine iade edildiği" şeklindeki bir başka rivayet hakkında da İbnü'l-Cevzî, Ebû Hâtim'in "bu hadis uydurmadır, bâtıldır" dediğini, Hasan b. Yahya'nın, güvenilir insanların adını kul-

---

1 İbnü'l-Cevzî, *Kitâbü'l-Mevdû'ât*, s. 237-238.

2 Ateş, *İnsan ve İnsanüstü Varlıklar*, s. 268.

3 Bakara 2/134, 141, 286; En'âm 6/164; İsrâ 17/7, 15; Lokmân 31/33; Fâtır 35/18; Zümer 39/7; Necm 53/38.

4 İbnü'l-Cevzî, *Kitâbü'l-Mevdû'ât*, 238.

lanarak asılsız şeyler rivayet ettiğini, Dârekutnî'nin de, "bu kişinin rivayetinin terk edilmesi gereken biri olduğu" değerlendirmesini yaptığını belirtmiştir.[1]

v. İbnü'l-Cevzî, "ana-babasının veya sadece birisinin kabrini Cuma günü ziyaret edip, Yâsîn okuyan kişinin günahlarının bağışlanacağı" rivayetinin bu senetle asılsız olduğunu, senetteki Ömer'in hadis uydurmakla itham edildiğini, bâtıl şeyler uydurduğunu, hadis hırsızlığı yaptığını, Dârekutnî'nin de bu kişinin hadis uydurduğunu ifade ettiğini belirtmiştir.[2]

vı. Ele alınması ve değerlendirilmesi gereken rivayetlerden biri de Vâkı'a 56/83-96. âyetleriyle ilişkilendirilen İbn Ebî Leylâ kaynaklı şu rivayettir:

"Rasulullah, bu âyetleri okuyunca şöyle buyurmuştur: Kişiye ölüm anında bunlar söylenir: Eğer sağın adamlarından ise (yani amel defterini sağ taraftan alacaklardan ise) karşılaşmalarına veya buluşmalarına hem kendisi hem de Allah sevinir; eğer o kişi solun adamlarından ise (yani amel defterini sol tarafından alanlardan ise) bu karşılaşmadan hem kendisi hem de Allah memnun olmaz."[3] Bu rivayetten de açıkça anlaşılacağı üzere, konu ölüm sonrasıyla değil,

1 İbnü'l-Cevzî, *Kitâbü'l-Mevdû'ât*, 239.

2 İbnü'l-Cevzî, *Kitâbü'l-Mevdû'ât*, 239.

3 İbn Receb, *age.*, s. 41. Bu bağlamda yine Hz. Peygamber'den bize nakledilen başka bir rivayette Nebî (as) şöyle buyurmaktadır: "Her kim Allah ile buluşmayı isterse Allah da onunla buluşmayı ister; kim de Allah ile karşılaşmayı istemezse Allah da onunla buluşmayı istemez." Hz. Ayşe veya Hz. Peygamber'in eşlerinden biri: "Biz, ölümü sevmeyiz" deyince Nebî (as) şöyle buyurmuştur: "Hayır, durum öyle değil. Mü'min bir kişi ölmek üzereyken Allah'ın razı oluşu ve lütfuyla müjdelenir ve o kişi için önünde bundan daha sevimli bir şey olamaz. Artık o, Allah ile karşılaşmayı istemiştir; Allah da onunla. Ölmek üzere olan kişi eğer kâfirse ona da Allah'ın azabı ve cezası müjdelenir ve o kişi için önünde bundan daha sevimsiz bir şey olamaz. Artık o, Allah ile karşılaşmayı istememiştir; Allah da onunla." (Rivayet için bk. Müslim, K. Zikr, 5.)

ölüm anıyla ilgilidir. Kaldı ki burada yaşanmakta veya gerçekleşmekte olan bir nimetlendirmeden ya da azaptan değil, kişinin kendisini bekleyen âhiretteki nimetler veya cehennem azabından söz edilmektedir. Bu âyetler hakkında daha geniş izahımızı ileride yapmaya çalışacağız.

vii. İbn Receb, kabirdeki nimetlendirme konusundan önce dirilerin ölüleri duyabileceği bağlamında konu edilebilecek çeşitli rivayetler de nakletmekte ve konunun başında şu ifadeleri zikretmektedir: "Allah, bu hadislerde anlatılan türden pek çok olayı kullarından dilediğine haber vermiştir; o kadar ki bunun sonucu olarak bu insanlar pek çok defa olayı duymuşlar ve gözleriyle bizzat şahit olmuşlardır." Bu girişten sonra bazı ilginç olayları nakletmiştir.

Abdullah b. Ubeyd el-Ensârî kaynaklı bir rivayete göre Sâbit b. Kays b. Şemmâs'ın defninde Abdullah, Sâbit'in kabirde -ölmüş haldeyken-: "Muhammed Allah'ın elçisidir, Ebû Bekir sıddîktır, Ömer şehiddir, Osman merhametlidir" dediğini duyduğunu belirtmiştir.

Benzer bir başka olay da şöyle anlatılmaktadır: Yezîd b. Tarîf, kardeşinin ölüp defnedildiğinde ve insanlar da mezarlıktan ayrıldıktan sonra başını kardeşinin kabrinin üzerine koyduğunu, zayıf bir ses duyduğunu, oradan "Allah" diyen bu sesin kardeşinin sesi olduğunu, diğer bir sesin de "Dinin ne?" diye sorduğunu, kardeşinin bu soruyu da, "İslâm" diye cevapladığını duyduğunu ifade etmektedir.[1]

Daha önceden de belirttiğimiz gibi, bu içerikte daha pek çok rivayet diğer kaynaklarda yer almaktadır. İbn Receb'in konunun başında söylediği ve Yüce Allah'ın bazı kullarına bildirmesi sonucu "bilinebilir" diye tanıtılan böyle iddialar maalesef kaynaklarda bolca yer almaktadır. Üstelik Yüce Allah'ın o in-

1 Bu ve benzeri rivayetler için bk. İbn Receb, *age.*, s. 15-19.

sanlara gerçekten bildirip bildirmediği de ebediyyen ispatlanamayacak olan bu tür kabuller inanç esasları arasına konulmakta, konuya eleştirel bakanlar veya farklı bir açıdan olayı değerlendirmeye çalışanlar ağır şekilde itham edilebilmektedir.

Meryem 20/98'de Hz. Peygamber'in geçmiş kavimlerin sesini duyamayacağı ve onlardan en küçük bir şey hissedemeyeceği beyan edilmesine rağmen, başka bazı insanların kabirlerden ses duyduklarını söylemeleri gerçekten hayret vericidir. Rivayetlerde de görüldüğü üzere kabirlerden duyulan sesler genelde kişilerin yakınlarına aittir ve hep de güzel seslerdir; sıkıntılı sesler ne hikmetse duyulmamaktadır.

Kabirde gerçekleşen konuşmalara dair daha pek çok örnek aktarmamız mümkündür. Bu konuşmalara dair rivayetleri derin kuşkularla karşılamamıza rağmen, bir de devreye definden önceki konuşmalar girmektedir.

VIII. İbn Ebi'd-Dünya "Öldükten Sonra Yaşayanlar" diye tercüme edebileceğimiz *Men 'Âşe ba'de'l-Mevt* adında bir çalışma yapmış ve orada bir kısmı diğerlerinin tekrarı da olsa 64 örnek konuşmayı aktarmıştır. Bu konuşmalarda öldükten sonra defin öncesinde yemek yiyenlerden, oturup bekleyenlerden, konuşanlardan, Allah'la konuşanlardan, münker ve nekirin kabirde gerçekleştireceğine inanılan sorgulamaya dair cevaplar verenlerden, sorgulamaya halifelerin adını karıştıranlardan vs pek çok nakil söz konusu edilmiştir. Bunlardan sadece bir tanesini aktarmak istiyoruz.

Bîcân'ın kızı Ru'be ölünce, etrafındakilere şöyle demiş: "Müjdeler olsun, işin, sizin beni korkuttuğunuzdan daha kolay olduğunu gördüm. Şu kadar ki sıla-i rahim yapmayanlar, içkiyi devamlı içenler ve müşrik olanlar cennete giremeyecektir."[1]

---

1 Bu ve 63 değişik olay hakkında bk. İbn Ebi'd-Dünyâ, *Men 'Âşe ba'de'l-Mevt,* baskı yeri ve tarihi yok, s. 1-56.

Bu rivayet, amacından çok daha ileri seviyede mesajlar içermektedir. Demek ki Kur'ân'da çok zor diye tanıtılan kıyamet hayatı[1] o kadar da zor değilmiş ya da o sorgulamadan hiç söz etmeye bile gerek yokmuş. Dahası cennete giremeyecekler arasına büyük de olsa günah işleyenler dâhil edilmektedir. Sıla-i rahim yapmamak da içkiye devam etmek de inkâr içermediği sürece sadece günaha sebep olan fiillerdir. Bu eylemlerden tevbe etmeden ölenler günahkâr olarak ölmüş olurlar. Bunlar için cenneti imkânsız saymak dayanaktan yoksun bir yaklaşımdır.

ıx. Bu arada konunun tartışıldığı yerlerde "ölülerin berzahta birbirleriyle görüşmeleri"nden de söz edilmektedir. Daha önce Sevbân rivayeti hakkındaki kanaatimizi belirtirken de söylediğimiz gibi, âyetlere getirilen bazı yorumlar veya ileri sürülen fikirler âyetlerle de birbirleriyle de uyumlu olmayabilmektedir. Kabirde ölülerin ziyaretleşmesi hakkındaki rivayetlere dayanak olarak gösterilen Nisâ 4/69. âyet bunun bir örneğidir. Âyetin metni ve meâli şöyledir:

وَمَنْ يُطِعِ اللّٰهَ وَالرَّسُولَ فَاُولٰٓئِكَ مَعَ الَّذ۪ينَ اَنْعَمَ اللّٰهُ عَلَيْهِمْ مِنَ النَّبِيّ۪نَ وَالصِّدّ۪يق۪ينَ وَالشُّهَدَٓاءِ وَالصَّالِح۪ينَ وَحَسُنَ اُو۬لٰٓئِكَ رَف۪يقًا "Kim Allah'a ve Rasûl'e itaat ederse işte onlar, Allah'ın kendilerine lütuflarda bulunduğu peygamberler, sıddîkler, şehidler ve salih kişilerle beraberdir. Bunlar ne güzel arkadaştır!" Âyetin nüzul sebebi hakkında müfessirlerin nakillerinde de bir fikir birliği görülmemektedir. Şöyle ki:

Taberî, bu âyeti izahında söz konusu arkadaşlığın dünyada ve âhirette cennette olduğunu beyan ettikten sonra şöyle bir olay nakletmiştir: Ensar'dan birinin üzüntülü olduğunu gördüğünde Rasulullah (as), "Seni üzüntülü görüyorum (sebebi ne)?" diye sorunca adam, "Bir konuda düşünüyorum" demiş ve şunları ifade etmiştir: "Seninle birlikte oluyoruz, yüzüne bakmaktan ve seninle birlikte oturmaktan zevk alı-

1 Müddessir 74/9.

yoruz; yarın (öldüğünde) sen peygamberlerle birlikte olacaksın ve bizler sana ulaşamayacağız." Bunun üzerine Nebî (as) hiçbir şey söylememiş; bir süre sonra Cebrail (as) gelmiş ve bu âyeti indirmiş, Nebî (as) da ilgili adama haber göndermiş ve onu müjdelemiştir. Bu bilgilerin ardından Taberî, bu konuda daha pek çok rivayet nakletmiştir ki bu rivayetlerin hiçbirinde konu berzahla ilişkilendirilmemiş, aksine hep cennet ve âhiret ahvalinden söz edilmiştir.[1]

Vâhıdî, bu âyetin nüzul sebebi olarak Müslümanların Hz. Peygamber'e, "Ey Allah'ın elçisi, biz seninle sadece dünyada birlikte olacağız; sen âhirette yüksek bir makama erişeceksin" deyince, hem Peygamber (as)'in, hem de bu sözü söyleyen Müslümanların üzüldüğünü, işte bu olay üzerine de söz konusu âyetin nâzil olduğunu ifade etmiştir.[2] Bu rivayette de konunun kabirle değil, âhiretle ilişkilendirildiği görülmektedir.

Beğavî, âyetin iniş sebebi olarak şu olayı nakletmiştir: Rasulullah'ı çok seven, ondan ayrı kalmaya dayanamayan Sevbân, bir gün rengi değişmiş, üzüntüsü yüzünden okunacak bir şekilde Nebî (as)'nin yanına gelice Nebî (as), "Neden rengin kaçık?" diye sorunca Sevbân, "Seni görememe sıkıntım dışında bir derdim yok ey Allah'ın Elçisi; hasta değilim, başka bir sıkıntım da yok" demiş, ardından âhireti hatırlamış, orada onu görememenin sıkıntısını ifadeyle şöyle demiştir: "Sen, peygamberlerle yüksek derecelerde olacaksın; ben ise eğer cennete girebilirsem senden çok daha aşağı tabakalarda ancak olabilirim; eğer cennete giremezsem ebediyyen seni göremeyeceğim." Ardından da bu âyet nâzil olmuştur. Katâde, benzer bir olayı "başka bazı sahabiler"le ilişkilendirerek anlatmıştır.

---

1 Taberî, *age.,* V, 162-164; benzer şekilde konuyu âhiret ve cennetle ilişkilendiren bilgiler için ayrıca bk. İbn Kesîr, *age.,* I, 523-524.

2 Ebü'l-Hasan Ali b. Ahmed el-Vâhıdî, *el-Vecîz fî Tefsîri'l-Kitâbi'l-Azîz,* Beyrut, 1995, I, 273.

Her iki olayda da kabirden ya da berzahtaki arkadaşlıktan değil, âhiretteki arkadaşlıktan söz edilmiştir. Beğavî, Nisâ 69. âyetin sonundaki, رفيق *rafîk* kelimesinin izahında bunun "cennet arkadaşları" anlamına geldiğini belirtmiştir.[1]

İbnü'l-Cevzî, bu âyetin iniş sebebi hakkında üç rivayet nakletmiş, bunların İbn Abbâs, Mesrûk ve Sa'îd b. Cübeyr kaynaklı olduklarını ifadeyle yukarıdaki rivayetlerin benzerlerini zikretmiş, konuyu berzah veya kabirle değil, âhiretteki cennet arkadaşlığıyla ilişkilendirmiştir.[2]

Nisâ sûresinin söz konusu âyetini kabirde ölülerin birbirlerini ziyaretine delil sayma noktasında sadece birkaç kişinin görüşünü delil saymak, diğer müfessirlerin görüşlerini gölgede bırakmaktadır. Büyük çoğunluğun dünya ve âhiretle ilgili gördüğü, kabirle hiçbir şekilde ilişkilendirmediği bu âyetin bize göre de berzahla ilgisi yoktur. Konu sadece Allah'a ve Elçisi'ne itaat edenlerin dünya ve âhirette/cennette, sözü edilenlerle arkadaşlık edeceğiyle ilgilidir; dünya ve âhiret dışında herhangi bir arkadaşlığın burada söz konusu edilmesinin konuyla bütünlük oluşturma noktasında yetersiz kaldığı açıkça ortadadır.

x. Ölülerin berzahta birbirleriyle konuştukları iddiasının Kur'ânî dayanaktan yoksunluğunu bu şekilde ifade ettikten sonra, bu defa hayattakilerin de berzahtakilerle konuştuğu iddiasına değinmek durumundayız. Bazılarına göre bu görüşme uykuda da uyanık halde de olabilmektedir. Uyanıkken görüşmenin en

---

1 Ebû Abdillâh Hüseyin b. Mes'ûd el-Beğavî, *Me'âlimu't-Tenzîl*, Beyrut, 1987, I, 150; benzer rivayetler için ayrıca bk. Kurtubî, *age.*, V, 271-272; Kadı Beydâvî, *age.*, II, 215; Abdurrahman b. Muhammed b. Mahlûf es-Se'âlebî, *el-Cevâhiru'l-Hısân fî Tefsîri'l-Kur'ân*, Beyrut, baskı tarihi yok, I, 389.

2 İbnü'l-Cevzî, *Zâdü'l-Mesîr*, II, 126; aynı şekilde diğer müfessirler de konuyu âhiret ve cennetle ilişkilendirmiş, berzah konusuna değinmemişlerdir. Bilgi için bk. Ebu's-Suud, *age.*, II, 199; Suyûtî, *ed-Dürrü'l-Mensûr fi't-Tefsîr bi'l-Me'sûr*, Beyrut, 1993, II, 589-590.

büyük örneği Mi'râc hadisesi olarak belirlenmekte, ayrıca deliller arasında Zuhruf 44/45. âyet de zikredilmektedir.[1]

Dirilerin kabirdekilerle konuşmasına delil olarak getirilen Zuhruf sûresinin 45. âyeti şöyledir:

وَسْـَٔلْ مَنْ اَرْسَلْنَا مِنْ قَبْلِكَ مِنْ رُسُلِنَٓا اَجَعَلْنَا مِنْ دُونِ الرَّحْمٰنِ اٰلِهَةً يُعْبَدُونَ

"Senden önce gönderdiğimiz elçilerimize (ümmetlerine) sor! Rahmân'dan başka tapılacak tanrılar (edinin diye) emretmiş miyiz?"

Bu âyet iddia edildiği gibi Hz. Peygamber'in daha önce ölmüş peygamberlerle konuşmasının delili olamaz. Çünkü bu âyette Hz. Peygamber'den istenen şey, daha önceki peygamberlerden "Allah'tan başkasına tapınılmasına Yüce Allah'ın müsaade edip etmediğini öğrenmesi"dir. Bir anlamda bu son vahiyde de esas olan tevhidin önceki vahiylerde de esas olduğunun vurgulanmasıdır. Hz. Peygamber'in ilgili soruyu sorup öğreneceği yer, önceki peygamberlerin risalet esaslarının özetlenerek anlatıldığı Kur'ân-ı Kerîm'dir. Nitekim Zuhruf sûresindeki söz konusu bu âyetten sonra, 46. âyetten itibaren Hz. Mûsâ'nın ve ardından Hz. Îsâ'nın risalet öğretilerine değinilmekte ve peygamberlerin risalet prensiplerinin aynı değerlerden oluştuğu hem Hz. Peygamber'e hem de bütün insanlığa öğretilmek istenmektedir. Bütünüyle Kur'ân'a bakıldığında görülecek şey bundan ibarettir.

Peygamberlere ait özelliklerden hareketle diğer insanlar için aynı sonuçları çıkartmak sağlıklı bir yol değildir. Çünkü peygamberlerin gördüğü rüyalar vahiy ile desteklendiğinde doğru birer bilgi olarak kabul edilmesine rağmen, diğer insanlar için böyle bir bilgi kaynağından söz edilemez. Bir peygambere ait olmayan rüyalar eğer doğru bilgi kaynağı olarak kabul edilirse, bu defa önüne gelen herkes rüyasında gördü-

1 Toprak, *age.*, s. 255-261.

ğü şeylerle hareket etmeye başlar ki bunun nereye varacağını, nasıl kötü ve çarpık sonuçlar doğuracağını burada ifade etmeye bile gerek yoktur. Peygamberlerin rüyası ile diğer insanların rüyalarını birbirine karıştırmamak gerekmektedir.

Mi'râcın nasıllığı meselesini başka bir araştırma konusu olarak gördüğümüzü belirterek, Hz. Peygamber'e risâletin bir gereği olarak öğretilen bilgileri de ona özel bilgi aktarımı şeklinde değerlendirmek gerektiğine inanmaktayız. Yani "Hz. Peygamber, kabirde kiminle ve niçin konuşma ihtiyacı hissetmiş olabilir ki?" bu konuda sayılan olayların başında Mi'râc delil olarak kabul ediliyor. Eğer berzah görüşmeleri risaletle ilgili ise onun hocası Cebrâîl (as)'dır; onun hocalığının ötesinde başka yerlerde başka dayanaklar aramaya gerek yoktur. Yani Cebrâîl (as) kabirde değil, bu hayatın içinde peygamberlere vahiy getirmiştir.

Özetle söylemek gerekirse, Zuhruf 45. âyette istenen şey Hz. Peygamber'in daha önceki peygamberlerin mezarlarından ya da kabirlerindeki cesetlerinden bilgi öğrenmesi değil, onların misyonunu kendisine vahyedilen Kur'ân'da aramasıdır. Bu âyet hakkında yorum yapan İbn Kesîr de, bütün peygamberlerin insanlara, ortağı bulunmayan Yüce Allah'a ibadeti emrettiğini ve putlara tapmaktan onları yasakladığını, nitekim Nahl 16/36. âyetin de bu anlama geldiğini belirtmiştir.[1]

Yukarıda sadece bir bölümünü aktarmakla yetindiğimiz, ancak geri kalanlarının da nasıl problemler içerdiği kolayca tahmin edilebilen bu tür nakilleri teker teker burada ele almak elbette çalışmamızın konusu değildir. Şu kadarını söyleyelim ki, el-Ensârî kaynaklı olan rivayette bir Hz. Ali antipatisi ve Emevî sempatizanlığı, İbn Receb'in aktardığında ise kardeşin cennetlik olması arzusu kolayca hissedilebilmekte-

---

1 İbn Kesîr, *age.*, IV, 130.

dir. Zaten yakınlarının kabir seslerini duyanlardan kötü durum nakletmeleri beklemenin sürpriz olacağı kanaatindeyiz.

"Kabir azabı" konusuna dair çeşitli âlimlerin kanaatlerini bu şekilde nakledip değerlendirmelerimizi yaptıktan sonra, şimdi de kabirde azabı kabul edenlerin kendi görüşleri doğrultusunda, delil kabul ettikleri Kur'ân âyetlerini incelemek istiyoruz. Böylece âyetlerin bağlamından ve Kur'ân bütünlüğünden kopartılıp rivayetlere, kanaatlere ve rüyalara nasıl feda edildiklerini ispat etmeye çalışacağız.

ÜÇÜNCÜ BÖLÜM

KABİRDE AZABIN İDDİA EDİLEN DELİLLERİ VE BUNLARA KARŞI YAKLAŞIMIMIZ

A. KUR'ÂN'DAN SUNULAN DELİLLER

"Kabirde" azabın varlığını kabul edenler kendilerine bazı âyetleri delil olarak kabul etmişler, bu doğrultuda ilgili âyetlere yorum getirmeye ya da âyetleri görüşlerine destek olacak şekilde yorumlamaya çalışmışlardır. Bu nedenle konuyu dinleyenler, deliller arasında âyetlerin bulunduğunu düşünerek, kabul etmeyenleri ağır ifadelerle nitelemişlerdir. Şimdi Kur'ân'da mevcut resmî sıralamada yer alış sıralarına göre, kabul edenleri tarafından kabirdeki azaba delil sayılan âyetleri ve müfessirlerimizin onlara getirdiği yorumları aktardıktan sonra ilgili yorumlara yönelik kendi değerlendirmelerimizi yapmak istiyoruz.

1. En'âm 6/93

وَمَنْ اَظْلَمُ مِمَّنِ افْتَرٰى عَلَى اللّٰهِ كَذِبًا اَوْ قَالَ اُوحِيَ اِلَيَّ وَلَمْ يُوحَ اِلَيْهِ شَيْءٌ وَمَنْ قَالَ سَاُنْزِلُ مِثْلَ مَٓا اَنْزَلَ اللّٰهُ وَلَوْ تَرٰٓى اِذِ الظَّالِمُونَ فٖي غَمَرَاتِ الْمَوْتِ وَالْمَلٰٓئِكَةُ بَاسِطُوٓا اَيْدٖيهِمْ اَخْرِجُوٓا اَنْفُسَكُمْ اَلْيَوْمَ تُجْزَوْنَ عَذَابَ الْهُونِ بِمَا كُنْتُمْ تَقُولُونَ عَلَى اللّٰهِ غَيْرَ الْحَقِّ وَكُنْتُمْ عَنْ اٰيَاتِهٖ تَسْتَكْبِرُونَ "Allah'a karşı yalan uydurandan ya da kendisine bir şey vahyedilmemişken 'bana vahyolundu' diyenden ve 'ben de Allah'ın indirdiği gibi (vahy/mesaj) indireceğim' diyenden daha zalim kim olabilir?

O zalimler ölüm dalgaları içinde, melekler ellerini uzatmış, 'Haydi canlarınızı çıkartın/canlarınızı verin; Allah'a karşı gerçek olmayanı söylemenizden ve O'nun âyetlerine karşı büyüklük taslamanızdan ötürü bugün alçaklık azabıyla cezalandırılacaksınız' derken onların halini bir görsen!"

"Kabirde" azabın delillerden birinin bu âyet olduğu kabul edilmektedir.[1] Bizim de "Ölüm Esnasında Yaşanacaklar" başlığında ele alıp değerlendirmeye çalıştığımız bu âyette, ölmek üzere olan zalim kişinin durumunun ele alındığı son derece açık bir gerçektir. Âyetle ilgili olarak müfessirlerimiz farklı kanaatlere sahiptirler.

a) Müfessirlerimizin Âyet Hakkındaki Görüşleri

Taberî, âyette sözü edilen azabın âhiretteki azap olduğunu beyan edip kabir azabından hiç söz etmemişken,[2] Râzî, konuyu ölüm anı veya kıyametle ilişkilendirmiştir.[3] Zemahşerî, buradaki azap ile ölüm anındaki şiddetli korku kastedilmiş olabileceği gibi, azabın berzah ve kıyamete kadar uzanan bir dönemi kapsamasının da mümkün olduğunu ifade etmiştir.[4] İbn Kayyim de, âyetteki اَلْيَوْمَ *el-yevm* kelimesinin ölüm anını, dolayısıyla azabın da berzah azabını ifade ettiğini belirtmiştir.[5]

b) Âyete Bizim Bakışımız

Âyetin metnine bakıldığında görüşlerini naklettiğimiz müfessirlerin kanaatlerinin aksine, bu âyetin ilk bölümünün

---

1 İbn Kayyim, *er-Rûh*, s. 75; İbn Receb, *age.*, s. 42-43.
2 Taberî, *age.*, VII, 276.
3 Râzî, *Mefâtîhu'l-Ğayb*, XIII, 85-86.
4 Zemahşerî, *age.*, II, 44.
5 İbn Kayyim, *er-Rûh*, s. 75.

kabir azabıyla hiçbir ilgisinin olmadığı rahatlıkla görülecektir. Çünkü söz konusu âyetteki konu, "Allah'a yalan iftirasında bulunan, Hz. Peygamber'in risaletini inkâr edip, kendisi peygamberlik iddiasıyla ortaya çıkan ve Kur'ân gibi bir metni kendisinin de indirebileceğini ileri süren zalim insan tipi"nin ölüm anında yaşayacaklarıyla ilgilidir.

Âyetin son cümlesinin başında bulunan اَلْيَوْمَ *el-yevm* kelimesini ise, "ölümden hemen sonrası" veya "kabir/berzah hayatı" diye değil de, "kıyamet/mahşer âlemi" olarak anlamak zorundayız. Nitekim Ahkâf 46/20'de de benzer ifadeler şu şekilde zikredilmektedir:

وَيَوْمَ يُعْرَضُ الَّذِينَ كَفَرُوا عَلَى النَّارِ اَذْهَبْتُمْ طَيِّبَاتِكُمْ فِي حَيَاتِكُمُ الدُّنْيَا وَاسْتَمْتَعْتُمْ بِهَا فَالْيَوْمَ تُجْزَوْنَ عَذَابَ الْهُونِ بِمَا كُنْتُمْ تَسْتَكْبِرُونَ فِي الْاَرْضِ بِغَيْرِ الْحَقِّ وَبِمَا كُنْتُمْ تَفْسُقُونَ "İnkâr edenler ateşe sunulacakları gün (kendilerine şöyle denir): Dünya hayatınızda bütün güzel şeylerinizi zâyi ettiniz; (orada) bunlarla sefa sürüp bunları tükettiniz (burası için hiçbir şey bırakmadınız). Yeryüzünde haksız olarak büyüklük taslamanızdan ve yoldan çıkmanızdan ötürü bugün, alçaltıcı bir azap ile cezalandırılacaksınız."

I. Burada sözü edilen konu, açıkça kâfirlerin cehennem ateşine sunulmalarıyla ilişkilidir. Bu tür azaba uğratılmanın gerekçeleri arasında yer alan "haksız yere kibirlenme" günahı her iki âyette de ortak konu olarak yer almıştır. Bu ortak kullanımdan hareketle, kabir azabına delil sayılan En'âm 6/93. âyetteki son cümlenin âhiretteki azabı gösterdiğini, konunun kabir hayatıyla herhangi bir ilgisinin bulunmadığını ifade etmek durumundayız.

II. En'âm 6/93 ve Ahkâf 46/20. âyetlerde kullanılan, عَذَابَ الْهُونِ *'azâbe'l-hûn* "alçaltıcı azap" ifadesi, Kur'ân'da bu iki âyetin dışında sadece Fussılet 41/17. âyette geçmektedir. Söz konusu âyette bu ifade, Semûd kavminin kendi azgınlıkları nedeniyle dünyada uğratıldıkları yıldırım çarpması şeklindeki helâk için kullanılmıştır. Dolayısıyla عَذَابَ الْهُونِ *'azâbe'l-hûn* ifadesinin Kur'ân'da ya Fussılet 41/17. âyette olduğu gibi dünyada gerçekleşmiş olan bir helâk ya da En'âm 6/93 ve Ahkâf 46/20. âyette olduğu gibi âhirette gerçekleşecek azap için kullanılmakta olduğu görülmektedir. İddia edildiği gibi bu âyette söz konusu azabın kabirle ilgili olabileceğine dair herhangi bir delil ya da işaret yoktur. Kaldı ki kabirde azabı kabul edenler bile söz konusu azap için, عَذَابَ الْهُونِ *'azâbe'l-hûn* şeklindeki bu tamlamayı kullanmamaktadırlar.

III. Kur'ân'da, اَلْيَوْمَ *el-yevm* kelimesiyle "ölüm anı"nın kastedildiği bir tek örneğe rastlıyoruz ki o da Firavun'un bedeninin korunmasıyla ilgilidir.[1] Bu kelimenin ölüm sonrası hayatla ilgili Kur'ân'daki pek çok kullanımında ise kabir veya berzah âlemi değil, sadece "kıyamet ve mahşer âlemi" anlamı geçerlidir.[2] İşte bütün bu âyetlerde söz konusu kelime, En'âm 6/93. âyetteki gibi *eliflâm*lı ve tekil olarak kullanılmıştır; hepsinde kastedilen anlam da "kıyamet ve mahşer âlemi"dir.

IV. Eğer iddia edildiği gibi En'âm 6/93'te kastedilen azap, kabirde gerçekleşecek azap ise o zaman büyük bir sorun ortaya çıkmaktadır. Allah'a "yalan" iftirasında bulunan, kendisine de vahyedildiğini iddia eden, Hz. Peygamber'in risaletini inkâr eden, hatta kendisini ilâh yerine koyup, "Allah'ın indirdiği gibi ben de (vahiy) indiririm" diyen zalim kişilerin âhiret hayatlarındaki cezalandırılmaları hakkında herhangi bir

---

1 Yûnus 10/92.

2 A'râf 7/51; Nahl 16/27, 63; İsrâ 17/14; Meryem 19/38; Tâhâ 20/126; Mü'minûn 23/65, 111; Furkân 25/14; Sebe' 34/42; Yâsîn 36/54, 55, 59, 64, 65; Sâffât 37/26; Mü'min 40/16, 17; Zuhruf 43/39, 68; Câsiye 45/28, 34, 35; Ahkâf 46/20; Kâf 50/22; Hadîd 57/12, 15; Tahrîm 66/7; Hâkka 69/35; Me'âric 70/44; İnsân 76/11; Nebe' 78/39; Mutaffifûn 83/34; Burûc 85/2.

bilgi verilmemiş olur. -Firavun'un rablık taslaması hariç- bu tür ilahlık iddiası ve âhirette karşılaşacakları ceza hakkında Kur'ân'da başka hiçbir yerde bilgi verilmemektedir.

Hâlbuki rivayetlerde "gıybet etmek, laf taşıyıcılığı yapmak";[1] "ölüye ağıtlar yakarak ağlamak";[2] "borçlu olarak ölmek";[3] "yalan söylemek, zina etmek, faiz yemek, içki içmek"[4] gibi müminlerin işlediği fiillerin kabir azabına sebep teşkil ettiği ifade edilmektedir.[5]

İstisnalarının bulunabileceğini de kabul ederek, eldeki rivayetlere göre -çok büyük bir oranda- kabirde azabı gerektiren fiillerin, bu tür büyük veya küçük günah işleyen Müslümanlara ait olduğu düşünüldüğünde söz konusu âyette kastedilen azabı, kabir azabıyla ilişkilendirmenin doğru olmadığı görülmektedir. Yani kabir azabını gerektirdiğine inanılan fiiller büyük oranda Müslümanların hatalarıyla ilişkilendirilmişken, ilgili âyette geçen ve bunlardan çok daha ağır olan söz konusu eylemlerin rivayetlerde yeterince ve açıkça yer almaması önemli bir sorun oluşturmaktadır.

Kur'ân âyetleri yorumlanırken takip edilmesi gereken en önemli ilkelerden biri de, "âyetleri konu bağlamında izah etmek"tir. Bu âyetin öncesinde Kur'ân'ın hak kitap olduğu, ona inanmayanların bataklıkta oyalanmakta oldukları, Kur'ân'ın kendinden önceki kitapları onayladığı, öncelikle Mekke top-

---

1 Buhârî, Cenâiz, 88; Ahmed b. Hanbel, I, 225.

2 Buhârî, Cenâiz, 33. Bu rivayetin yanında aynı yerde ve aynı başlıkta azaba neden olan ağlamanın tüm ailenin ağlaması değil de bir kısmından dolayı bunun gerçekleşeceği rivayeti de yer almaktadır. Ölülerin, dirilerin kendilerine ağlamaları nedeniyle azap görecekleri şeklindeki rivayetler hakkındaki değerlendirmelerimizi "Kabir Azabının Varlığını Kabul Edenlerin İleri Sürdüğü Rivayet Kaynaklı Deliller" başlığında yapacağız.

3 İbn Mâce, Sadakât, 12.

4 Buhârî, Cenâiz, 92.

5 Toprak, *agmd.*, s. 37.

lumunu, ardından da tüm insanlığı uyarmak için indirildiği, âhirete inananların ona inandığı ve ibadetlere devam ettikleri ifade edilmektedir. Sonraki âyette ise herkesin ilk yaratılışta olduğu gibi Allah'ın huzuruna tek tek çıkartılacağı, dünyadayken hayaline daldıkları şeyleri geride bırakmış olacakları, şefaatçi sanılanların ortalıkta görünmeyeceği, aralarındaki tüm bağların kesilmiş olacağı ve onların kaybolacakları bildirilmektedir.

İşte bu konu bağlamında geçen 93. âyeti, özellikle 94. âyetten ayrı olarak kabul edip konuyu âhirete dikkat çeken muhtevasından kopartıp kabirle ilişkilendirmek, kanaatimizce gerçeği yansıtmamaktadır. 94. âyetten baktığımızda 93. âyetin ilk bölümünün ölüm anıyla, اَلْيَوْمَ *el-yevm* kelimesiyle başlayan ikinci bölümünün de âhiretle ilgili olduğu rahatlıkla görülecektir, *vesselâm.*

2. Tevbe 9/101

وَمِمَّنْ حَوْلَكُمْ مِنَ الْاَعْرَابِ مُنَافِقُونَۜ وَمِنْ اَهْلِ الْمَد۪ينَةِ مَرَدُوا عَلَى النِّفَاقِ لَا تَعْلَمُهُمْ نَحْنُ نَعْلَمُهُمْ سَنُعَذِّبُهُمْ مَرَّتَيْنِ ثُمَّ يُرَدُّونَ اِلٰى عَذَابٍ عَظ۪يمٍ

"Çevrenizdeki bedevî Araplardan ve Medine halkından ikiyüzlülüğe iyice alışmış münafıklar vardır. Sen onları bilemezsin, onları Biz biliriz. Onlara iki kere azap edeceğiz, sonra da onlar büyük azaba itileceklerdir."

Ehl-i Sünnet âlimlerine göre, ikiyüzlü münafıklara iki defa azap edileceğini bildiren bu âyet, kabirde azaba ilişkin deliller arasında sayılmaktadır.[1]

a) Müfessirlerimizin Âyet Hakkındaki Görüşleri

1. Semerkandî, buradaki iki azaptan maksadın neler olduğu konusunda şu görüşleri nakletmektedir: "Azaplardan

1 İbn Receb, *age.*, s. 43; Toprak, *agmd.*, s. 37; Toprak, *age.*, s. 319-321.

biri ölüm anında meleklerin münafıkların yüzlerine ve arkalarına vurması, ikincisi ise kabir azabıdır ki bu da münker ve nekîrin vurmasıdır" (Mukâtil). "İlk azap onların Mescid'den çıkartılması, ikincisi ise kabir azabıdır" (Kelbî); "ilk azap açlık, diğeri de ölümdür" (Mücâhid); "ilk azap dünya azabı, diğeri de âhiret azabıdır" (Hasan el-Basrî). Âyetin sonundaki ثُمَّ يُرَدُّونَ اِلٰى عَذَابٍ عَظِيمٍ "Sonra da onlar büyük azaba itileceklerdir" cümlesindeki azap için ise "bu cehennem azabıdır ve bu azap dünyadakinden çok daha büyüktür"[1] diyen Semerkandî, ayrıca İbn Abbâs kaynaklı olduğu iddia edilen şöyle bir rivayete daha eserinde yer vererek, kanaatini desteklemeye çalışmıştır:

"Rasulullah (as) Cuma hutbesini verirken, 'Ey filanca! Dışarı çık; sen münafıksın' demiş; bunu üç kişi için tekrarlamış ve isimlerini vererek onları dışarı çıkarmış. O gün bir mazereti nedeniyle Cuma'ya gelemeyen Ömer, Mescid'den çıkarlarken onlarla karşılaşmış ve Cuma'ya gidemediği için onlardan utanarak gizlenmeye çalışmış, insanlar da söz konusu üç kişinin durumdan haberi var diye Ömer'den kaçtıklarını ve gizlendiklerini sanmışlar. Ömer, Mescid'e girmiş ki insanlar henüz namazı kılmamışlar. Bir Müslüman, Ömer'e, 'Ey Ömer! Müjde! Allah, münafıkların kimler olduğunu bildirdi/ilan etti' demiş. İşte bu Mescid'den çıkartılma ilk azaptır; ikincisi ise kabir azabıdır."[2]

Semerkandî'nin naklettiği bu rivayet, asıl konumuz olan kabir azabı kabullerini değerlendirmede son derece önemli ipuçları vermektedir ve pek çok açıdan eleştiriye açıktır. Bu noktaları müfessirlerimizin görüşlerini naklettikten sonra ifade etmeye çalışacağız.

---

1 Semerkandî, *age.*, II, 86-87.

2 Semerkandî, *age.*, II, 87; benzer görüşler ve rivayetler için bk. Taberî, *age.*, XI, 9-11.

II. Zemahşerî, iki azapla ilgili olarak bunlardan maksat "öldürülme ve kabir azabı" ya da "utandırma ve kabir azabıdır" görüşlerini zikrettikten sonra, yukarıdaki rivayeti bu defa Hz. Ömer kısmı olmadan nakletmiştir ki bu durum, ilgili rivayet hakkındaki şüphemizi destekler mahiyettedir. Ayrıca yine Zemahşerî, Hasan el-Basrî'den[1] gelen başka bir rivayete göre söz konusu iki azabın "münafıkların mallarından zekât alınması ve bedenlerinin hakarete uğratılması" olduğu görüşünü nakletmiştir.[2]

III. Hasan el-Basrî, Semerkandî'den naklettiğimiz ilk görüşünde olduğu gibi burada da "iki azabı" kabirle ilişkilendirmemiş, dünya ve âhiret azabı veya dünyadaki iki farklı uygulama olarak nitelendirmiştir. Bizce bu yorum, âyetin sonundaki ثُمَّ يُرَدُّونَ اِلٰى عَذَابٍ عَظِيمٍ "Sonra da onlar büyük azaba itileceklerdir" kısmıyla da tam bir uyum içerisindedir. Yani bu tefsirden, "dünyada yaşanacak iki farklı sıkıntıdan sonra âhirette daha büyük bir azabın ilgili münafıklara uygulanacağı" anlaşılmaktadır.

IV. Râzî, benzer görüşleri naklinin yanında İbn Abbâs'tan bu konuda farklı başka bir rivayet daha nakletmektedir. Buna göre "iki azaptan ilki dünyadaki hastalıklar, diğeri de âhiret azabıdır. Müminin hastalığı günahlarının örtülmesini ifade eder; kâfirinki ise küfrünün ve nimetlere nankörlüğünün artmasını ifade eder." Bu görüşü aktardıktan sonra Râzî, daha önce ifade ettiğimiz Cuma'daki dışarı atma olayını yine Hz. Ömer kısmı olmadan, ancak bu defa İbn Abbâs'tan değil Enes b. Mâlik'ten aktarmaktadır.[3]

---

1 Semerkandî, *age.*, II, 86-87.

2 Zemahşerî, *age.*, II, 295-296.

3 Râzî, *Mefâtîhu'l-Ğayb*, XVI, 173.

Râzî, bir son görüş olarak iki azaptan maksadın "meleklerin yüze ve arkalara vurması ile diriltilme anındaki azap olduğunu" belirtmiş, ancak kendisine göre en doğrusunun şu şekilde olduğunu ifade etmiştir: Ona göre hayatı, "dünya hayatı, kabir hayatı ve kıyamet hayatı" olarak üçe ayırmak gerekir. "İki azap"tan maksat dünya ve kabir hayatıdır; üçüncüsü ise âyetin sonundaki ifadeyle uyumlu olarak âhirette gerçekleşecek olandır.[1]

Cuma ile ilgili naklettiği rivayette ilk bakışta bir sıkıntı görünmese de, olaya şahit olduğunu söylemeden, devreye Enes b. Mâlik'in girmesi bu olaya kimin şahit olduğu konusunu ikilemde bırakmaktadır.

Râzî'nin kanaatine elbette saygı duyuyoruz; ancak onun naklettiği ve bizim de kabul ettiğimiz ilgili âyetteki azapların "meleklerin yüze ve arkalara vurması ile mahşer diriltilmesindeki azap olduğu" şeklindeki görüşün neden hatalı olduğunu belirtmemesi merak konusu olmaya devam edecektir.

Bu arada Kur'ân'da çok çeşitli âyetlerde "dünya hayatı" ve "âhiret hayatı" şeklinde tanıtılan iki hayatı[2] üçe çıkarmanın da sağlam bir gerekçesi yoktur. Ölen kişinin ruhu artık bede-

---

1 Râzî, *Mefâtîhu'l-Ğayb*, XVI, 174. Bu âyetin izahında Kur'ân Yolu adlı eserin müellifleri de iki azaptan ilkinin münafıkların dünya hayatlarında yaşadıkları Müslümanların üstünlüğü, onların çarptırıldıkları çeşitli cezalar, münafıklıklarının deşifre edilmesi, rezil edilmeleri, açlık, esaret ve savaşlarda öldürülme gibi çeşitli ıstıraplar olduğunu, ikinci azabın ise âhiret azabından evvel kabir azabı olduğu görüşünü nakletmişlerdir. (Bilgi için bk. Heyet, *Kur'ân Yolu*, III, 79).

2 Dünya hayatı ve âhiret hayatı hakkındaki pek çok örnekten bir bölümü için bk. Bakara 2/85, 86, 114, 130, 212, 217, 220; Âl-i 'Imrân 3/22, 45, 56, 185; Nisâ 4/74, 77, 109; Mâide 5/5, 33, 41; En'âm 6/32; A'râf 7/32; Tevbe 9/38, 69, 74; Yûnus 10/64; Ra'd 13/26, 34; Nahl 16/41, 107, 117, 122; İsrâ 17/75; Hacc 22/9, 11, 15; Nûr 24/14; 'Ankebût 29/27, 64; Rûm 30/7; Ahzâb 33/27-28, 57; Mü'min 40/39, 43; Fussılet 41/16, 31; Zuhruf 43/35; Hadîd 57/20; Nâzi'ât 79/25; A'lâ 87/16-17.

ninden ayrı olduğu için sadece ruhun sağ olması durumuna müstakil bir hayat denemez.

v. **Merâğî**, iki azabın da dünyada gerçekleşeceğini, ilkinin, münafıkların başına gelen sıkıntılar ve iç yüzlerinin deşifre edilmesi olduğunu, ikincisinin ise ölüm anındaki elemler, kâfir olarak canlarının çıkması ve meleklerin o anda yüzlerine ve arkalarına vurması olduğunu beyan etmiş, "ağır azabın" ise kıyamet günü cehennem ateşine atılmaları olduğunu belirtmiş, konuyu kabirle ilişkilendirmemiştir.[1]

vı. **Ömer Rıza Doğrul**, söz konusu iki azabın, münafıkların bu dünya hayatında iki kere uğratıldıkları azap olduğunu, bunların da toplumun korunması için toplanan yardımlar ve zekât olduğunu, münafıkların bu işlere istemeyerek katıldıklarını, bu yüzden azap duyduklarını beyan etmiştir.[2]

vıı. **Süleyman Ateş**, buradaki ilk iki azabın münafıkların dünyada maruz kaldıkları hastalıklar ve belalar olduğunu, âhirettekinin ise cehennem olduğunu ifade etmiştir.[3]

Tevbe 9/101. âyeti hakkında bazı müfessirlerin görüşlerini bu şekilde naklettikten sonra şimdi de âyetle ilgili olarak genel bir değerlendirme yapmak istiyoruz.

b) Âyet Hakkında Bizim Değerlendirmemiz

ı. Bu âyette sözü edilen mesaj, gaybı Yüce Allah'tan başka hiç kimsenin bilemeyeceğidir. Gerek şehrin çevresindekiler gerekse şehirliler içerisinde ikiyüzlülük yapanların bulunduğu beyan edilerek, bunların kimler olduğunu Hz. Peygamber'in bilemediği ifade edilmektedir. Esasında bu

---

1 Merâğî, *age.*, XI, 13.

2 Ömer Rıza Doğrul, *Tanrı Buyruğu*, İstanbul, 1947, s. 333'te 49. dipnot.

3 Ateş, *Tefsîr*, IV, 135.

âyette başta Hz. Peygamber olmak üzere müminlere moral verilmekte, onlardan çekinmemeleri gerektiği kendilerine bildirilmektedir. Durum bu şekilde açıklanmış olmasına rağmen, Hz. Peygamber'in âdeta isim listesi sunarak bunları deşifre ettiğini kabul etmek son derece sıkıntılı bir kabuldür. Âyetteki "onlara iki kez azap edeceğiz" ifadesi bu yapıdaki insanlara "iki kez" veya pek çok kez azap edileceğini göstermektedir.

ii. Âyeti evrensel manada değerlendirirsek nifak içerisinde bulunanların nasıl azaba uğratıldıkları ve bunun dünya şartlarında pek çok kez tekrarlandığı ortaya konulmuş olmaktadır. مَرَّتَيْنِ *merrateyn* "iki kez" ifadesi hem "azabın iki kez" olabildiğini, hem de çeşitli şekillerde defalarca tekrarlandığını gösterebilir. Çünkü bu kelime çokluktan kinaye olarak kullanılan sayısal ifadelerdendir. Münafıkların ikiyüzlülüğü süreklilik arz ettiği için onlara yönelik azabın da sürekli olması anlaşılabilir bir durumdur. سَنُعَذِّبُهُمْ "Onlara azap edeceğiz" ifadesindeki س *sîn* edatı da bu azabın sürece yayıldığına işaret etmekte, dünya hayatının sürekli sıkıntılar içerisinde geçeceğini göstermektedir. Konunun herhangi bir kabirdeki azapla ilişkilendirilmesinin hiçbir delili yoktur. Dünyevî azabın sonrasında daha ağır bir azaba çarptırılmaları ise mahşer şartlarında gerçekleşecek olandır; bunda tartışılacak bir nokta yoktur.

iii. Öncelikle ve özellikle şu hususu belirtmekte yarar vardır: Yüce Allah, Tevbe sûresinin bu âyetinde Hz. Peygamber'e hitaben لَا تَعْلَمُهُمْ نَحْنُ نَعْلَمُهُمْ "Sen onları bilemezsin, onları Biz biliriz" buyurmuştur. Yani Hz. Peygamber, bir çeşit gayb olan bu konuyu bilememektedir. Onun bilemediği açıkça ifade edilen gaybla ilgili bir konuda nasıl olur da mescidin içinden, üstelik isim de vererek insanları dışarı çıkardığı söylenebilir? Gerçi rivayetin sonunda cemaatten birisi bu fiili Yüce Allah'a nispet ettirse de, Hz. Peygamber'in söz konusu rivayette ilgili kişileri dışarı çıkartırken böyle bir nispeti olmamıştır. Eğer âyet, "Biz bildiririz" anlamına gelecek şekilde olsaydı bu rivayet belki ciddiye alınabilirdi; oysa burada "bildirmek"ten değil, "münafıkları sadece Yüce Allah'ın bildiği"nden söz edilmektedir.

IV. Âyetin evrensel mesajını bir rivayetle daraltmak doğru değildir. Çünkü bu âyette Mescid'deki münafıklardan değil, Müslümanların çevresinde yaşayan hem bedevî Araplar hem de şehirdeki münafıklardan söz edilmekte ve Hz. Peygamber'in onları bilemeyeceği, sadece Yüce Allah'ın bilmekte olduğu belirtilmektedir.

V. Rivayetin nakledicisi olduğu bildirilen İbn Abbâs'ın, kendisi mesciddeyken dışarıdaki Hz. Ömer'in mescidden kovulan üç kişiden kaçtığını nasıl gördüğü zihinlerde önemli bir soru işareti bırakmaktadır. Her halde gaybı bilenler kervanına İbn Abbâs da sokuşturulmuştur. Bizce böyle bir isnad veya rivayetin ona nispet edilmesi İbn Abbâs'a iftiradan başka bir şey değildir.

VI. Burada zikredilmesi gereken bir diğer konu, Hz. Ömer'in bu üç kişiden gizlenmesidir. Mazeretinden dolayı Cuma'ya gidemeyen Hz. Ömer gibi bir insanın üç kişiden niçin saklandığını anlamak mümkün değildir. Aslında böyle bir durumda Hz. Ömer'in ilgili üç münafıktan kaçması değil, neden Cuma kılmadıklarını onlara sorması veya kendisinin Cuma'ya gecikme nedenini onlara söylemesi beklenirdi.

VII. Ortalıkta üç münafıktan başka hiç kimsenin bulunmadığı iddiası da şüphelidir. Çünkü rivayette insanların ilgili üç kişinin Hz. Ömer'den korktukları için kaçtıklarını zannettiklerinden söz edilmektedir. Bu durumda diğer insanların kim olduğu ve neden Cuma'ya gitmedikleri de merak konusu olmaktadır. Aslında bir konuyu insanlara kabul ettirmek için Hz. Ömer'i Cuma'sız bırakmaya hiç de gerek yoktur. Böyle bir olay gerçekleşmiş olsaydı, kanaatimizce bu olayı, ya o üç kişi, ya Mescid'de durumu Hz. Ömer'e aktaran Müslüman ya Hz. Peygamber ya da hiç olmazsa mescid dışındaki bölümü itibarıyla bizzat Hz. Ömer haber vermeliydi. Oysa olayı bu dört kişiden herhangi biri değil, İbn Abbâs'ın anlattığı rivayet edilmektedir.

VIII. Hatırlatılmasında yarar gördüğümüz diğer bir nokta da şudur: O dönemin Medine'sinde acaba mescitteki üç münafığın deşifresiyle müjdelenmeye değer nasıl bir sorun yaşanmaktaydı? O günün Medine'sinde sadece üç münafık mı vardı da böylece sorun halledildi; yoksa en azılıları bunlar mıydı ki bu durum Hz. Ömer'in müjdelenmesine değecekti? Eğer son şık doğruysa o zaman bu azılı münafıkların kimlikleri de bu rivayette yer almalıydı. Neresinden bakılırsa bakılsın, bu tür rivayetler, önce karar verilip sonra üretilen bir senaryo gibi görünmektedir.

IX. Esasında bahsettiğimiz âyetin nüzul tarihi ile nakledilen bu olayın ne zaman gerçekleştiği de çok önemlidir. Eğer olay önceden gerçekleşmişse, bu olay âyetin iniş nedeni olmalıdır ki böyle bir nüzul sebebi zikredilmemektedir. Yok, eğer âyet önce inmiş, olay sonra meydana gelmişse bu defa "işte filanca âyetteki konu bu olayla ilgilidir" denmeliydi ki anlatılanlarda bu ikisi de yoktur.

X. Buradaki iki azabın, münafıkların dünya hayatında malları ve çocukları nedeniyle Yüce Allah tarafından ya onları kaybetmeleri ya da başka şekillerde başlarına dert olmaları şeklinde azaba uğratılmaları ile kâfir olarak canlarının çıkması olduğunu rahatlıkla söyleyebiliriz.[1] Bu konuda Tevbe 9/55 ve 85. âyetlerden destek almak mümkündür.

xı. Fiilî azabın, yani hem ruha hem de bedene yönelik olan azabın "dünyada ve âhiretteki azap olduğu" ilkesinden hareketle, biz de Hasan el-Basrî, Merâğî, Doğrul, Ateş ve Bayraklı'nın değerlendirmelerine katılıyor, konunun kabirle ilgili olmadığı görüşünü benimsiyoruz. Çünkü Yüce Allah, Kur'ân'da azabın nerede ve kaç tane olduğunu şöyle beyan etmektedir:

لَهُمْ عَذَابٌ فِي الْحَيٰوةِ الدُّنْيَا وَلَعَذَابُ الْاٰخِرَةِ اَشَقُّ وَمَا لَهُمْ مِنَ اللّٰهِ مِنْ وَاقٍ "Dünya hayatında onlara azap vardır. Âhiret azabı ise daha şiddetlidir. Onları Allah'tan (onun azabından) koruyacak kimse de yoktur."[2] Biz bu âyetin ışığında daha önce de ifade ettiğimiz gibi, Tevbe 9/101. âyette âhiret azabından farklı olarak, zikredilen söz konusu "iki azabın" dünyada gerçekleştirildiğini ve bu "iki" ifadesinin de mutlaka sayısal değer ifade etmesinin gerekli olmadığını, bunun "çokluk" anlamına da gelebileceğini düşünüyoruz.

فَاَذَاقَهُمُ اللّٰهُ الْخِزْيَ فِي الْحَيٰوةِ الدُّنْيَا وَلَعَذَابُ الْاٰخِرَةِ اَكْبَرُ لَوْ كَانُوا يَعْلَمُونَ "Bu nedenle, Allah dünya hayatında onlara rezilliği tattırdı. Âhiret azabı daha büyüktür. Keşke bunu bilselerdi!"[3] Bu ve benzer pek çok âyette[4] dünya hayatındaki, الْخِزْيُ *el-hızy* "rezillik" türlerinin tümünün, bir çeşit azap olduğu ya da "hızy" kavramının kâfirlerin ve münafıkların çektiği dünyevî bütün sıkıntıları içermekte olduğunu söylemenin de yanlış olmayacağı kanaatindeyiz. Bu arada الْخِزْيُ *el-hızy* kelimesinin, Kur'ân'da büyük çoğunlukla "dünyevî sıkıntılar" anlamında

1 Benzer bir değerlendirme için bk. Bayraklı, *age.*, VIII, 329.

2 Ra'd 13/34.

3 Zümer 39/26.

4 Bu konudaki âyetler için bk. Bakara 2/85, 114; Mâide 5/33, 41; Tevbe 9/63; Yûnus 10/98; Hûd 11/66; Hacc, 9; Fussılet 41/16.

kullanılmış olmasına rağmen, sadece Nahl 16/17. âyetinde "âhiretteki azap" için de kullanılmış olduğu görülmektedir.

XII. وَلَوْ تَرَىٓ اِذْ يَتَوَفَّى الَّذِينَ كَفَرُوا الْمَلٰٓئِكَةُ يَضْرِبُونَ وُجُوهَهُمْ وَاَدْبَارَهُمْ وَذُوقُوا عَذَابَ الْحَرِيقِ "Melekler yüzlerine ve arkalarına vurarak ve: 'Tadın yakıcı cehennem azabını' (diyerek), o kâfirlerin canlarını alırken onları bir görseydin!"[1] Bu âyette ifade edilen "meleklerin, ölüm anında kâfirlerin yüzlerine ve arkalarına vurmaları", Mukâtil'in de dediği gibi çeşitli dünyevî azaplar olarak algılanabilir. Yakıcı cehennem azabı ise âhiret azabını oluşturmaktadır.

Bu âyetin bir benzeri de Muhammed sûresindedir: فَكَيْفَ اِذَا تَوَفَّتْهُمُ الْمَلٰٓئِكَةُ يَضْرِبُونَ وُجُوهَهُمْ وَاَدْبَارَهُمْ "Ya melekler onların yüzlerine ve sırtlarına vurarak canlarını alırken durumları nasıl olacak!"[2] Bu âyette de meleklerin, Tevbe 9/101. âyetteki muhataplara uygun olarak münafıkların canlarını alırken onlara çektirdiği, ölüm anındaki dünyevî azap söz konusu edilmektedir. Bir önceki maddede ele aldığımız En'âm 6/93'te de ölürken inkârcıların maruz kaldığı benzer bir duruma değinilmekteydi.[3]

XIII. فَارْتَقِبْ يَوْمَ تَأْتِي السَّمَٓاءُ بِدُخَانٍ مُبِينٍ يَغْشَى النَّاسَ هٰذَا عَذَابٌ اَلِيمٌ رَبَّنَا اكْشِفْ عَنَّا الْعَذَابَ اِنَّا مُؤْمِنُونَ "Şimdi sen, göğün, açık bir duman çıkaracağı günü gözetle. Duman insanları bürüyecektir. Bu, elem verici bir azaptır. (İşte o zaman insanlar:) 'Rabbimiz! Bizden azabı kaldır. Doğrusu biz artık inanıyoruz' (derler)."[4] İşte bu âyetlerde söz konusu edilen ve "üzerlerinden kaldırılması istenen azap" da Tevbe sûresinin ilgili âyetindeki iki azaptan biri olabilir. Çünkü Râzî'nin naklettiği -ve İbn Abbâs,

1 Enfâl 8/50.

2 Muhammed 47/27.

3 Ayrıca inananlar veya inanmayanların ölürken meleklerle yaşayacağı birtakım diyaloglar Nahl sûresinin 28 ve 32. âyetlerinde yer almaktadır.

4 Dühân 44/10-12.

Mukâtil, Mücâhid, Ferrâ, Zeccâc ve İbn Mes'ûd'un görüşlerine göre- burada sözü edilen azap veya duman, Mekke'de meydana gelen bir kıtlık ve felaketin dumanıdır. İşte bunun kaldırılması için Mekkeli müşrikler Allah'a dua etmişler ve takip eden âyetlerdeki cevapları almışlardır.[1]

Burada sözü edilen azabın kıyametle ilgili olduğu şeklinde görüşler de zikredilmesine rağmen, Dühân 44/15. âyette yer alan إِنَّا كَاشِفُوا الْعَذَابِ قَلِيلًا إِنَّكُمْ عَائِدُونَ "Biz, sizden azabı birazcık kaldırırız, ama siz yine (inkâra) dönersiniz" ifadeleri, bu azabın dünyada ve Mekkelilerle ilgili olduğunu göstermektedir. Ardından gelen يَوْمَ نَبْطِشُ الْبَطْشَةَ الْكُبْرَى إِنَّا مُنْتَقِمُونَ "O gün büyük vuruşla vururuz; zira biz intikam alıcıyız" şeklindeki 16. âyette ise "kıyamet-âhiret süreci" anlatılmaktadır. Dolayısıyla bize göre de Dühân 44/10. âyetteki "duman" âhiret azabı ile ilgili değildir; ilgililerin dünyada karşılaştıkları azaplardan biridir. Bu haliyle Dühân 44/11. âyetteki azap, Tevbe sûresinde incelemeye çalıştığımız ve sözü edilen iki azaptan birini oluşturmaktadır, diyebiliriz.

XIV. أَوَلَا يَرَوْنَ أَنَّهُمْ يُفْتَنُونَ فِي كُلِّ عَامٍ مَرَّةً أَوْ مَرَّتَيْنِ ثُمَّ لَا يَتُوبُونَ وَلَا هُمْ يَذَّكَّرُونَ "Onlar, her yıl bir veya iki kez (çeşitli belâlarla) imtihan edildiklerini görmüyorlar mı? Sonra da ne tevbe ediyorlar ne de ibret alıyorlar."[2] Bu âyette yer alan, فِي كُلِّ عَامٍ مَرَّةً أَوْ مَرَّتَيْنِ "Her yıl bir veya iki kez denenme" işlemi, Tevbe 9/101. âyetteki iki azabın da dünyevî olduğunun delilleri arasında sayılabilir. Nitekim bazı müfessirler buradaki denenmelerin "münafıkların nifaklarının ve kâfirlerin küfürlerinin her yıl bir veya iki kez deşifre edilmesi" veya "her yıl bir veya iki kez antlaşmalarını bozmaları ve cezalarının verilmesi" ya da "çeşitli hastalıklar, kıtlık, açlık, savaş ya da cihâd" olduğunu

1 Bu konudaki geniş izah ve farklı görüşler için bk. Râzî, *Mefâtîhu'l-Ğayb*, XXVII, 242-243.

2 Tevbe 9/126.

beyan etmişlerdir.[1] Bu âyette sözü edilen denenmeler dünyada olmak zorundadır; çünkü Secde 32/21 ve Tevbe 9/126'da olduğu gibi konu inançsızların gerçeğe dönüp öğüt almamaları gerekçesine bağlanmış, mesele âhiret veya kabirle değil, dünya ile ilişkilendirilmiştir.

xv. Bütün bu ifadelerden anlaşılıyor ki Tevbe 9/101. âyette sözü edilen "iki azap", iddia edildiği gibi kabirle ilişkili değil, kâfir veya münafıkların dünya hayatında yaşadıkları çeşitli imtihanlarla alakalıdır. Dahası buradaki سَنُعَذِّبُهُمْ مَرَّتَيْنِ *senü'azzibühüm merrateyn* ifadesine "azap üstüne azap edeceğiz" anlamı verilirse, maksadın dünyadaki çeşitli sıkıntılar olduğu açıkça ortaya çıkmaktadır. Çünkü daha önce de belirttiğimiz gibi "iki kere" manasına gelen مَرَّتَيْنِ *merrateyn*, كَرَّتَيْنِ *kerrateyn* gibi sayı bildiren tesniye ifadeleri çokluk anlamına alınabilir.[2]

3. Meryem 19/15

وَسَلَامٌ عَلَيْهِ يَوْمَ وُلِدَ وَيَوْمَ يَمُوتُ وَيَوْمَ يُبْعَثُ حَيًّا "Doğduğu gün, öleceği gün ve sağ olarak diriltileceği gün esenlik onun üzerine olsun!"

Hz. Yahyâ ile ilgili olan ve hayatının tümünü özetleyen üç aşamasında da güvende olduğundan söz eden bu âyeti tercüme ederken bazı ilim adamları şu ifadelere yer vermektedir: "Ona selamet olsun: Hem doğduğu gün (şeytandan), hem öleceği gün (kabir azabından), hem de diri olarak kaldırılacağı gün (ateşten)..." Açıklamada buradaki ikinci

1 Semerkandî, *age.*, II, 102; Taberî, *age.*, XI, 73-74; Zemahşerî, *age.*, II, 313; Kadı Beydâvî, *age.*, III, 181; Râzî, *Mefâtîh*, XVI, 232-233; Şevkânî, *age.*, II, 419; Kurtubî, *age.*, VIII, 190; Muhammed Cemâlüddîn el-Kâsimî, *Mehâsinü't-Te'vîl*, Kahire, baskı tarihi yok, IX, 3302; Doğrul, *Tanrı Buyruğu*, s. 339'da 68. dipnot.

2 Mustafa Öztürk, *Kur'an-ı Kerîm Meâli*, Düşün yayınları, İstanbul, 2011, s. 275'te 214. not.

kurtarmanın Yüce Allah'ın Hz. Yahyâ'yı kabir azabından muhafazası olduğu beyan edilmektedir.[1]

Şurası kesin bir gerçektir ki, Yüce Allah, Hz. Yahyâ'yı doğduğu, öleceği ve diriltileceği günde güvende kılmıştır ve kılacaktır. O'nun وَيَوْمَ يَمُوتُ "Öleceği gün" diye açıkça belirttiği bir gerçeği, elimizde -hiç olmazsa bu bağlamda- herhangi bir delil bulunmadan "kabir" diye meallendirmek, en azından üzerinde yeniden düşünmeyi gerektirecek kadar önemli bir noktadır. Şu kadarını hatırlatalım ki, Hz. Yahyâ için dile getirilen hayatının güvende kılınacağı bu üç aşama, Hz. Îsâ için de söz konusudur. Yüce Allah, Hz. İsâ'nın durumunu onun sözleri olarak bizlere şöyle hatırlatmaktadır:

وَالسَّلَامُ عَلَيَّ يَوْمَ وُلِدْتُ وَيَوْمَ اَمُوتُ وَيَوْمَ اُبْعَثُ حَيًّا "Doğduğum gün, öleceğim gün ve sağ olarak diriltileceğim gün esenlik benim üzerimedir."[2] Her iki peygamberin bu noktadaki durumu aynı olmasına rağmen, konuyu sadece Hz. Yahyâ ile sınırlı tutmayı da doğru bulmuyoruz. Eğer Hz. Yahyâ için "öleceği gün" ifadesi kabir hayatını gösteriyorsa, benzer ifade Hz. Îsâ için de söz konusu olduğu için onun da kabirde olması, kabirde azaptan muaf tutulması ve orada esenlikte kılınması kabul edilmek zorundadır. Oysa kabirde azabı kabul edenlerin büyük çoğunluğu Hz. Îsâ'nın ölmediğine ve dolayısıyla da kabirde olmadığına inandıkları için, Hz. Îsâ bu durumdan istisna edilmiştir. Hâlbuki Hz. Yahyâ'nın durumu ne ise Hz. Îsâ'nın durumu da aynıdır; her ikisi de diğer insanlar gibi ölmüşlerdir; selamette olmak bakımından da iki peygamber aynı korunmuşluğa sahiptir.

---

1 Toprak, *age.*, s. 325.

2 Meryem 19/33.

Tekrar vurgulayalım ki her iki peygamber de doğdukları gün ve öldükleri gün güvendeydiler; diriltilecekleri gün de güven içinde olacaklardır; âyetlerin anlattığı budur. Her iki âyetteki ifadelerin Hz. Yahyâ için وَيَوْمَ يَمُوتُ "Öleceği gün" ve Hz. Îsâ için وَيَوْمَ اَمُوتُ "Öleceğim gün" şeklinde gelecek zaman kipinde zikredilmesinin sebebi, bu sözlerin onlar hayattayken söylenmiş olmasıdır; yoksa "her iki peygamberin de şu anda ölü olmadığı, hayatlarını devam ettirdikleri" anlayışı Kur'ân'a göre doğru olamaz. Aksi kabuller peygamberlerin de ölümlü insanlar olduğunun beyan edildiği Enbiyâ 21/34'e aykırıdır.

4. Tâhâ 20/124

وَمَنْ اَعْرَضَ عَنْ ذِكْرِي فَاِنَّ لَهُ مَعِيشَةً ضَنْكًا وَنَحْشُرُهُ يَوْمَ الْقِيٰمَةِ اَعْمٰى

"Kim, beni anmaktan yüz çevirirse onun için dar bir geçim vardır. Kıyamet günü onu kör olarak haşrederiz."

Görüşlerini naklettiğimiz âlimlerin hepsi olmasa da bir bölümü[1] bu âyeti de kabirde azaba delil saymaktadır.

a) Müfessirlerimizin Âyet Hakkındaki Görüşleri

ı. Semerkandî, "dar bir geçim" ifadesini "kabir azabı" diye tefsir etmiş,[2] Taberî ise "dünya, âhiret ve kabir azabı" görüşlerini zikrettikten sonra, kendisine göre en doğrusunun "berzah hayatındaki sıkıntı" olduğunu, eğer maksat dünyadaki sıkıntılar olsaydı her kâfirde bunun görülmesi gerektiğini ifade etmiştir.[3]

---

1 İbn Receb, *age.*, s. 43; Toprak, *age.*, s. 323.

2 Semerkandî, *age.*, II, 433.

3 Taberî, *age.*, XVI, 226-228. Benzer bir görüş için ayrıca bk. Ebû Bekir Câbir el-Cezâirî, *Eyseru't-Tefâsîr*, Medine, 1995, III, 388.

ıı. Vâhıdî, bu ifadeyi "cehennem" veya "kabir azabı" diye tefsir etmiştir.[1]

ııı. Mâverdî, bunlara "haram kazanç" ve "yetersiz kazanç" görüşlerini de ilave etmiştir.[2]

ıv. Zemahşerî, konuyu dünya ile ilişkili bir sıkıntı şeklinde izah ettikten sonra, diğer iki görüşü sadece zikretmekle yetinmiş, ayrıntılı izaha girmemiştir.[3]

v. Râzî, "dar geçim"den maksadın, dünya, kabir, cehennem, din ve daha farklı pek çok konudaki sıkıntılar olabileceğini belirtip, özel bir tercihte bulunmamıştır.[4]

vı. İbn Teymiyye, bu âyeti kâfirlerin kabirlerindeki darlıklarıyla ilişkilendirerek izah etmiştir.[5]

vıı. Ebû Hayyân, söz konusu görüşleri naklettikten sonra Cevherî'nin bu ifadeyi dünyada kâfirlerin bir özelliği olarak zikrettiğini; kâfirlerin, dünya hayatlarında her ne kadar durumları iyi olsa da onların devamlı olarak hırs ve emellerinin kendilerini rahatsız edeceğini ifade ederek konuyu "dünya hayatı"yla ilişkilendirmiştir.[6]

Cevherî, buradaki izah tarzı ile aslında Taberî'nin gerekçe olarak ileri sürdüğü "her kâfirin bu sıkıntıyı dünyada çekmesi gerektiği" görüşünü de cevaplamış olmaktadır. Çünkü şeklen rahat görünmek ve ruhun huzurunu sağlayan inanç-

---

1 Vâhıdî, *age.*, II, 707.

2 Mâverdî, *age.*, III, 431; benzer görüşler için ayrıca bk. İbnü'l-Cevzî, *Zâdü'l-Mesîr*, V, 244; Ebu's-Suud, *age.*, VI, 48; Ebü'l-Fadl Şihâbuddîn Mahmûd el-Âlûsî, *Rûhu'l-Ma'ânî*, Beyrut, 1985, XVI, 276-277; Muhammed Hüseyin et-Tabâtabâî, *el-Mîzân fî Tefsîri'l-Kur'ân*, Tahran, 1952, XIV, 243.

3 Zemahşerî, *age.*, III, 92.

4 Râzî, *Mefâtîhu'l-Ğayb*, XXII, 130-131. Benzer değerlendirmeler için ayrıca bk. Zuhaylî, *age.*, XVI, 298; İbn Kesîr, *age.*, III, 168.

5 İbn Teymiyye, *age.*, IV, 290.

6 Muhammed b. Yûsuf Ebû Hayyân, *el-Bahru'l-Muhît fi't-Tefsîr*, Beyrut, 1992, VII, 394.

tan yoksun yaşamak, genellikle kişinin içerisindeki sıkıntıyı örtmekten veya problemi ötelemekten başka bir şey olmasa gerektir.

VIII. Kâsimî, kâfirler için söz konusu bu "dar geçim" halinin dünya, kabir, âhiret veya dinde olabileceği görüşlerini zikrettikten sonra, en doğrusunun bunun "dünyada gerçekleşeceği görüşü" olduğunu belirtmiş ve gerekçesini "sıkıntılı/dar geçim"in âhiretteki azap tehdidinin karşısında oluşuna bağlamıştır. Ayrıca Kâsımî, gerçek bir inanca sahip olmanın her türlü lezzetten daha etkili olduğunu, gönül huzurunun her şeyin üzerinde bir yer işgal ettiğini, bunun tersinin de her türlü maddi rahatlığa rağmen, aslında insanı bunaltacağını ve hayatı onun için çekilmez hale getireceğini belirtmiştir.[1]

b) Âyet Hakkında Bizim Değerlendirmemiz

I. İnanç yokluğu, insanın içinde sıkıntı meydana getirebilir. Dolayısıyla Yüce Allah'ın burada "dar geçim" dediği şey maddenin ötesinde insanın gönlündeki huzursuzluk olsa gerektir. Zaten Yüce Allah, sapıklıkta kalmayı tercih edenler için göğüs darlığı vereceğini En'âm 6/125. âyette ifade etmiştir. Durum böyle olunca, pek çok müfessirin de ifade ettiği gibi bu âyetteki konuyu kabirle ilişkilendirmek yerine, onu dünya hayatıyla izah etmek gerekmektedir.

II. Bu âyetin yorumunu yaparken Cevherî, Kâsımî, İbn Kesîr ve Zuhaylî'nin fikirlerinden de yararlanarak diyoruz ki, konuyu kabir azabıyla veya berzahla ilişkilendiren müfessirler bu âyete delilsiz olarak yanlış bir yorum getirmişlerdir. Aslında âyetin devamına baktığımızda Yüce Allah, kendi

---

1 Kâsimî, *age.*, XI, 4219.

kitabından veya Allah'ı anmaktan yüz çevirenleri mahşerde kör olarak haşredeceğini söylemektedir. Kur'ân'ın bütününde azap konusunun işlendiği yerlerde, dünya ve âhiret azabının söz konusu edildiği görülmektedir. İşte Tâhâ 20/124. âyette "kıyamet günü haşredilmek" ifadesine göre âhiretten önceki hayat da dünya hayatıdır, diyebiliriz.

III. Konuya başka bir açıdan yaklaştığımızda şunu da söyleyebiliriz: Kur'ân'a gönül verip onu hayatında yaşayan Müslümanlar, Kur'ân'dan yüz çevirenlerin manevi acısını rahatlıkla anlayabilmektedirler. Aslında burada şöyle bir ders vardır: Onların sıkıntılı halleri, diğerleri için istikamet vesilesi oluşturmalıdır. Eğer bu sıkıntı kabirde ise, dünyadakilerin bunu görmeleri ve olaydan ibret almaları asla söz konusu olamayacaktır.

5. Secde 32/21

وَلَنُذِيقَنَّهُمْ مِنَ الْعَذَابِ الْاَدْنٰى دُونَ الْعَذَابِ الْاَكْبَرِ لَعَلَّهُمْ يَرْجِعُونَ

"En büyük azaptan önce, onlara mutlaka en yakın/daha yakın azaptan tattıracağız; belki (imana/gerçeğe) dönerler."

Bu âyet hakkında önce bazı müfessirlerimizin görüşlerini nakledecek, ardından âyeti kabir azabına delil sayanların kabullerini zikredecek, en sonunda da kendi değerlendirmemizi yapacağız.

a) Müfessirlerimizin Âyet Hakkındaki Görüşleri

I. Semerkandî, burada "yakın azap" ifadesi için, "sıkıntılar, ölüm ve açlık" anlamlarını muhtemelen kendi tercihi halinde ilk görüş olarak verdikten sonra, bunun "kabir azabı" veya İbrahim en-Neha'î'nin görüşü olarak "münafıkların başına gelen ve yıllarca süren kıtlık" ya da Ebu'l-'Âliye'nin kanaati olarak da "dünyadaki sıkıntılar" olduğu şeklindeki görüşleri nakletmiştir.[1]

ıı. Taberî, bunun "dünyadayken nefislerde ve mallarda meydana gelen çeşitli musibetler", "dünyadaki hadler/cezalar", "kılıçla öldürülmek" veya "kıtlık" olduğunu naklettikten sonra, kendi görüşünün de "bu azabın, Yüce Allah'ın fasıklara dünyada çeşitli sıkıntılar vermesi" şeklinde olduğunu belirtmiş, konuyu izahında kabir azabından hiç söz etmemiştir.[2]

ııı. Vâhıdî, bu konuda çeşitli görüşleri zikrettikten sonra, âyetin sonundaki, لَعَلَّهُمْ يَرْجِعُونَ "Belki dönerler" ifadesinden dolayı en doğru görüşün "fâsıkların başlarına gelen dünyevî sıkıntılar ve açlık" olduğunu belirtmiştir.[3]

ıv. Mustafa Merâğî, âyetin izahının hemen öncesinde âhiret azabının, dünyadaki öncüllerinden söz ederek her günahın âcil (hemen gerçekleşen) ve te'cîl edilen (sonraya bırakılan) bazı sonuçlarının bulunduğunu beyan etmiştir. Ardından Secde 32/21. âyetteki yakın azabın "açlık, âfet ve savaş" gibi dünya musibetleri ve sıkıntıları olduğunu ifade ederek, "büyük azabın" da kıyamet günü gerçekleşeceğini söylemiş, konuyu hiçbir şekilde kabirle ilişkilendirmemiştir.[4]

Görüşlerini naklettiğimiz müfessirlerin bu âyeti kabirle ilişkilendirmediğini bu şekilde hatırlattıktan sonra şimdi de karşıt görüş sahiplerinin ifadelerine yer vermek istiyoruz.

---

1 Semerkandî, *age.*, III, 39; benzer görüşler için ayrıca bk. Mâverdî, *age.*, IV, 365; Zemahşerî, *age.*, III, 498; İbnü'l-Cevzî, *Zâdü'l-Mesîr*, VI, 183; Ebû Hayyân, *age.*, VIII, 438-439.

2 Taberî, *age.*, XXI, 108-110. Benzer görüşler için ve konuyu kabir azabıyla ilişkilendirmeyenler için ayrıca bak: Ebû Abdirrahman Ahmed b. Şu'ayb b. Ali en-Nesâî, *Tefsîr*, Beyrut, 1990, II, 159; Râzî, *Mefâtîhu'l-Ğayb*, XXV, 183-184; Kâsımî, *age.*, XIII, 4817; Tabâtabâî, *age.*, XVI, 278; Zuhaylî, *age.*, XXI, 212.

3 Vâhıdî, *age.*, II, 855.

4 Merâğî, *age.*, XXI, 115-116.

b) Âyeti Kabirle İlişkilendirenlerin Görüşleri

ı. **İbn Kayyim**, bu âyet hakkında tereddüt içerisinde görünmekte, ama İbn Abbâs'tan gelen görüş hakkında da "elbette bir bildiği vardır" anlamına gelecek ifadeler kullanıp ilgili âyeti kabirde azabın delilleri arasında saymaktadır.[1]

ıı. **İbn Receb**, "Kabir Azabı ve Nimetleri" başlığında bu âyeti zikretmiş, ancak âyetin sonundaki لَعَلَّهُمْ يَرْجِعُونَ "Belki (imana/gerçeğe geri) dönerler" ifadesine yer vermemiştir.[2]

ııı. **Süleyman Toprak**, bu âyeti deliller arasında zikretmiş, ancak o da لَعَلَّهُمْ يَرْجِعُونَ "Belki (imana/gerçeğe geri) dönerler" şeklindeki son kısmı âyetin metniyle birlikte zikretmemiştir. Ardından İbn Abbâs, Ebû Hanîfe ve İmam Mâtürîdî'nin de bu âyeti kabir azabına delil saydıklarını belirtmiş, kâfir ve münafıkların الأدْنَى *el-ednâ* "daha/en yakın azabın" bir bölümünü dünyada, kalan kısmını berzahta çekecekleri görüşünü nakletmekle yetinmiştir.[3]

c) Âyet Hakkında Bizim Değerlendirmemiz

Ele aldığımız bu âyette sözü edilen "daha yakın/en yakın azap" ifadesi, Nebe' 78/40'da zikredilen ve âhiret için söz konusu edilen "yakın azap" olamayacağına göre, geriye bir tek ihtimal kalmaktadır ki o da "dünyevî sıkıntılar"dır. Azap konusunu işlerken de ifade ettiğimiz üzere, dünyada çekilen sıkıntılara da "azap" denmektedir. Zira hayat dünya ve âhirette olmak üzere iki çeşit olduğu gibi, azap da ya dünyadadır ya da âhirettedir. Üçüncü bir hayat olmadığı için üçüncü bir hayata konu azap da olamaz. Ölüm sonrası dönemde ruhun çektiği sıkıntılar ise iddia edildiği gibi kabirde azap anlamına

1 İbn Kayyim, *er-Rûh*, s. 75.
2 İbn Receb, *age.*, s. 43.
3 Toprak, *age.*, s. 322.

gelmez. Bu genel değerlendirmemizden sonra, şimdi âyetle ilgili yorumlarımıza geçmek istiyoruz.

I. Burada görüşlerini naklettiğimiz müfessirlerin çoğunluğu ilgili âyetteki الأَدْنَى *el-ednâ* "daha/en yakın azap" ifadesini "dünyadaki çeşitli sıkıntılar" olarak belirtmiş, az bir kısmı ise konuyu kabir azabıyla ilişkilendirmiştir. Ancak onlar da bu görüş doğrultusunda savunmacı olarak herhangi bir izaha girişmemişler, sadece Mücâhid'den ve Berâ' b. 'Âzib'den böyle bir görüşün geldiğini nakletmekle yetinmişlerdir.

II. Bu âyetin ne anlama geldiğini doğru anlayabilmek için öncesinde bulunan âyetlere bakmak gerekmektedir. Çünkü buradaki fiillerde bazı zamirler kullanılmaktadır ki bu zamirlerin kime ait olduğu ancak önceki âyetlere bakılarak tespit edilebilir. Yüce Allah, bu sûrenin 18. âyetinden itibaren mümin biri ile fâsık bir kişinin mukayesesini yapmaktadır. Bunların asla bir olamayacağını belirtmekte, iman edip iyi davranışlar sergileyenlere, yaptıklarına karşılık olarak, durulmaya değer cennetler verileceğini bildirmektedir. Fâsıkların barınağının ise ateş olduğunu ifade ettikten sonra, cehennem ateşine girenlerin oradan çıkmayı isteyecekleri her defasında geri çevrileceklerini ve yalanladıkları ateş azabını tatmalarının kendilerine söyleneceğini hatırlatmaktadır. İşte Yüce Allah, bu konu içeriğinin ardından gelen söz konusu 21. âyette, fâsıkların kendi durumlarını yeniden gözden geçirmeleri gerektiğini, âhiretteki cehennem ateşinden çıkılamayacağı gerçeğini unutmamalarını, bu nedenle onları, لَعَلَّهُمْ يَرْجِعُونَ "Belki imana, yani gerçeğe dönerler/gelirler" diye yakın bir azapla cezalandıracağını belirtmektedir.

III. Gerçeğe, yani imana dönmeleri daima muhtemel olan bu insanlara, cehennem ateşine göre çok daha hafif ve kısa olan dünyevî bir azabın tattırılmasıyla, bu dünyada tevbe kapısının açık olduğu bildirilmekte ve ümitlerini kesmemeleri gerektiği hem kendilerine hem de muhatapları olan bütün müminlere hatırlatılmaktadır.

ıv. Secde 32/21'deki هُمْ *hüm* zamirleri ile يَرْجِعُونَ *yarci'ûne* fiilindeki çoğul zamiri, daha önce yine bu sûrenin 12. âyetinde yer alan mücrimlere/suçlulara göndermemiz de mümkündür. Çünkü onlar hakkında da ilgili âyette şöyle buyrulmaktadır:

وَلَوْ تَرٰى اِذِ الْمُجْرِمُونَ نَاكِسُوا رُؤُسِهِمْ عِنْدَ رَبِّهِمْ رَبَّنَٓا اَبْصَرْنَا وَسَمِعْنَا فَارْجِعْنَا نَعْمَلْ صَالِحًا اِنَّا مُوقِنُونَ "O günahkârların, Rableri huzurunda başlarını öne eğecekleri, 'Ey Rabbimiz! Gördük, duyduk, şimdi bizi (dünyaya) geri gönder de, iyi işler yapalım, artık kesin olarak inandık' diyecekleri zamanı bir görsen!" İşte bu âyette dünyaya geri döndürülme isteği yer almakta, ancak bu istek Yüce Allah tarafından şu ifadelerle reddedilmektedir:

فَذُوقُوا بِمَا نَسِيتُمْ لِقَٓاءَ يَوْمِكُمْ هٰذَاۚ اِنَّا نَسِينَاكُمْ وَذُوقُوا عَذَابَ الْخُلْدِ بِمَا كُنْتُمْ تَعْمَلُونَ "(O gün onlara şöyle diyeceğiz:) Bu güne kavuşmayı unutmanızın cezasını şimdi tadın bakalım! Doğrusu biz de sizi unuttuk; yaptıklarınızdan ötürü çok uzun süreli azabı tadın!"[1]

v. Bu âyetlerde işlenen konuda, 18. âyetten itibaren işlenen bölümde olduğu gibi, âhiretten geri dönüşün imkânsızlığı vurgulanmakta, dünyadayken âhiret buluşmasını inkâr edenlerin, âhirette de kendilerinin unutulacakları ifade edilmektedir. Dolayısıyla buradaki asıl mesaj, 21. âyette sözü edilen yakın azabın dünyada gerçekleşmesi ve hakikate geri dönmenin de sadece bu dünyada mümkün olduğu gerçeğinin özellikle dile getirilmesidir. Zaten İbn Mes'ûd'dan gelen bir rivayete göre bu yakın azabın Bedir mağlubiyeti olduğu kaydedilmektedir.[2]

---

1 Secde 32/14.

2 Heyet, *Kur'ân Yolu,* IV, 327.

vi. Dühân 44/12. âyette sözü edilen "azabın kaldırılması" isteğinin devamında Yüce Allah şu cevabı vermektedir: إِنَّا كَاشِفُوا الْعَذَابِ قَلِيلًا إِنَّكُمْ عَآئِدُونَ "Biz azabı birazcık kaldıracağız, ama siz yine (eski halinize) döneceksiniz."[1] Bu cevapta kaldırılacağı söylenen azap dünya azabı olduğu gibi, âyetin sonundaki, إِنَّكُمْ عَآئِدُونَ "Siz yine (eski halinize) geri dönersiniz" ifadesi de aynı beklentiyle ilgilidir. Bu âyetin de desteğiyle Secde 32/21. âyetteki yakın azabın dünyadaki bir azap olduğunu rahatlıkla söyleyebiliriz.

vii. وَيَا قَوْمِ هٰذِهِ نَاقَةُ اللّٰهِ لَكُمْ اٰيَةً فَذَرُوهَا تَأْكُلْ فِي اَرْضِ اللّٰهِ وَلَا تَمَسُّوهَا بِسُوٓءٍ فَيَأْخُذَكُمْ عَذَابٌ قَرِيبٌ "Ey kavmim! İşte size mucize olarak Allah'ın devesi. Onu bırakın, Allah'ın arzında yesin (içsin). Ona kötülük dokundurmayın; sonra sizi yakın bir azap yakalar."[2] Bu âyette Hz. Sâlih'in, kavmine söylediği ve gelmesiyle kendilerini tehdit ettiği "yakın azap" ifadesi de bu yakın azabın dünya ile ilişkili olduğunu göstermektedir.

viii. Benzer bir kullanım da Rûm 30/41. âyetinde yer almaktadır. Orada "insanların yaptıklarından dolayı, karada ve denizde bozulmaların meydana gelmesi, bunun sonucunda yapılan bazı hataların insanlara tattırılmasının nedeni" de "gerçeğe geri dönmeleri" olarak belirlenmektedir.

ix. Hz. Mûsâ'nın tebliğinde ona itibar etmeyip, karşı tarafta yer alanlara yönelik olarak zikredilen şu hitapta da aynı durum söz konusudur:

وَمَا نُرِيهِمْ مِنْ اٰيَةٍ اِلَّا هِيَ اَكْبَرُ مِنْ اُخْتِهَاۜ وَاَخَذْنَاهُمْ بِالْعَذَابِ لَعَلَّهُمْ يَرْجِعُونَ "Onlara gösterdiğimiz her mucize diğerinden daha büyüktü. (Gerçeğe) dönsünler diye onları azaba uğrattık."[3] Gerçeğe geri dönsünler diye insanlar dünya hayatlarında çeşitli şe-

---

1 Dühân 44/15.
2 Hûd 11/64.
3 Zuhruf 43/48.

killerde azaba uğratılırlar; ama dönenler olur, dönmeyenler olur. Dolayısıyla gerçeğe geri dönmenin yer aldığı her üç âyette de[1] maksadın dünya hayatıyla ilişkili olduğu, iddia edilenin aksine meselenin kabirle ilgili olmadığı son derece açık bir gerçek olarak önümüzde durmaktadır.

x. Eğer bu âyetteki "yakın azap"tan maksat kabir azabı olsaydı, o zaman, لَعَلَّهُمْ يَرْجِعُونَ "Belki geri dönerler diye" ifadesinin ne anlama geldiği sorun halini alırdı. Zira kabre giren birinin berzah, yani dünyaya döndürülmeye engelin bulunması nedeniyle, geri gelmesinin mümkün olmadığı Kur'ân'da çok açık ifadelerle belirtilmiştir. Durum böyle olunca, söz konusu âyet bazıları tarafından her ne kadar kabirde azaba delil olarak gösteriliyorsa da bunun doğru olmadığı açıktır. Çünkü fâsıkların dünya hayatlarında başlarına gelen ve azap diye de nitelendirilebilecek her türlü *hızy* (azap, sıkıntı, felâket) sayesinde gerçeğe dönmelerinin beklendiği ve onlardan ümit kesilmemesi gerektiği bu âyette mesaj olarak belirlenmektedir.

xı. Secde 32/21. âyet hakkında, konuyu kabirle değil de dünya ile ilişkilendirmesi açısından önemli olan bir yorumu daha verip diğer âyetlere geçmek istiyoruz.

"Yüce Allah, bu âyette fâsıklara tattıracağı azabı ikiye ayırmaktadır ve bunlardan birine *azâb-ı ednâ* 'en yakın azap' derken, karşıtına da *azâb-ı ekber* 'en büyük azab' demektedir. *Azâb-ı ednâ*, dünya azabı; *azâb-ı ekber* de âhiretteki azab olmaktadır. Yakın azabın karşıtı uzak olmasına rağmen, yerine büyük azabın konması, aynı zamanda dünya azabının küçük olduğuna işaret etmektedir. Demek ki, dünya azabı şiddet bakımından az, süre bakımından da âhirettekine göre çok daha kısadır."

---

1 Rûm 30/41; Secde 32/21; Zuhruf 43/48.

"Dikkat edilirse âhiretteki büyük azaptan önce, onlara dünyanın küçük azabın tattırılması eğitim amaçlı olmaktadır. Onların yanlış inanç ve davranışlarından dönmeleri ihtimali gözetilmektedir. Yüce Allah, dünya azabı ile onlara bir fırsat daha tanımaktadır. Daha önce Secde 32/14'te âhirette onların pişman olup hatalarından dönmek isteyecekleri gündeme getirilmişti. Bu dönüşümün orada değil de bu dünyada olması istenmektedir. Yüce Allah, لَعَلَّ *le'alle* 'belki' edatı ile insanın davranışları hakkında kesin konuşulamayacağına işaret etmektedir. İnsanın ne yapacağı önceden kestirilemez. Allah'ına söz verdiği halde dönen insanın davranışları hakkında kesin konuşulamaz. Ama bize düşen, daima ümit içinde olarak eğitimimizi uygulamamızdır."[1]

Bu değerlendirmelere katıldığımızı, konuyu bu şekilde dünya hayatıyla ilişkilendirmenin âyetin metnine ve bağlamına daha uygun olduğunu belirtmeliyiz. Diğer yaklaşımlar bağlama uymadığı gibi âyetin sonunu ve ilgili zamirlerin ait olduğu kelimeleri görmezlikten gelerek, meseleyi geçiştirmektedir; bunun kadirşinas bir tutum olmadığını da özellikle beyan etmeliyiz.

6. Mü'min 40/11

قَالُوا رَبَّنَآ اَمَتَّنَا اثْنَتَيْنِ وَاَحْيَيْتَنَا اثْنَتَيْنِ فَاعْتَرَفْنَا بِذُنُوبِنَا فَهَلْ اِلٰى خُرُوجٍ مِنْ سَبِيلٍ "Onlar, 'Rabbimiz, bizi iki defa öldürdün, iki defa dirilttin. Biz de günahlarımızı itiraf ettik. Bir daha (bu ateşten) çıkmaya yol var mıdır?' diyecekler."

Kabirde azabın hem bedene hem de ruha yönelik olacağını kabul eden bazı ilim adamları bu âyette sözü edilen "iki defa öldürüp, iki defa diriltmek"ten kastın şu olduğunu beyan etmektedirler:

1 Bayraklı, *age.*, XV, 218.

a) Âyet Hakkındaki Görüşler

ı. Taberî, Katâde, Dahhâk, İbn Abbâs ve Ebû Mâlik gibi âlimlerden yaptığı nakillerle "ilk ölüm"ü "hayat öncesi yokluk durumu", "ikinci ölüm"ü "ecellerin sona ermesi, yani dünyadaki ölüm", "ilk hayat"ı "insanın ana rahmindeyken ruhların üfürülmesi", "ikinci hayat"ı da "diriltilmede ruhların bedenlere tekrar iadesi" olarak yorumlamış ve bu âyeti Bakara 2/28. âyetle ilişkilendirerek konuyu izah etmiştir. Süddî'den naklen konuyu kabir hayatı ile ilişkilendirenler olduğunu da beyan etmiştir.[1]

ıı. Süleyman Toprak şu açıklamayı yapmıştır: "Kabre konulmadan önce, yani dünya hayatının sonunda öldürme; sonra kabirde diriltme; Münker ve Nekir'in sorgulamalarından ve dünyanın sonu geldikten sonra tekrar öldürme ve sonra da haşir için diriltme … Âyet-i kerîmede ifade edilen iki diriltmeden birisi mutlaka kabirde olacaktır ki kabirde hayatı, yani dirilmeyi kabul edenler azabı da kabul etmişlerdir."[2]

ııı. Elmalılı Hamdi Yazır, bu âyeti izahında bazılarının bu ifadeyi kabir azabına delil saydığını ifade ederek "ilk ölüm"ün dünya hayatını bitiren ölüm, ilk dirilmenin kabirdeki diriltilme, ikinci ölümün kabir sonrası âhiret öncesi ölüm, ikinci dirilmenin de kıyametteki diriltilme olduğunu, bu anlayışa göre dünya hayatının dikkate alınmadığını "deniliyor ki" ifadesiyle aktarmış, kendi kanaatini açıkça belirtmemiştir.[3]

b) Âyet Hakkında Bizim Değerlendirmemiz

Taberî'nin kendi görüşünü diğerlerinden ayırarak Mü'min 40/11. âyet hakkında diğer ilim adamlarının yaklaşımlarını ele almak ve kendi yorumumuzu yapmak istiyoruz.

---

1 Taberî, *age.*, XXIV, 47-48; Merâğî, *age.*, XXIV, 51.

2 Toprak, *age.*, s. 325.

3 Yazır, *age.*, VI, 515.

i. Süleyman Toprak'ın yorumuna göre ilk ölüm, kişinin dünya hayatının sonu olan ölümdür; ilk diriltiliş de kabirdeki diriltilmedir. Buna göre söz konusu âyet, kişinin dünyadaki hayatını içermemektedir. Hâlbuki "hayat ve ölüm" ya da tersine "ölüm ve hayat" birlikte kullanıldığında öldürmek fiili, Kur'ân'da isim olarak الْمَوْت *el-mevt* şeklinde değil de, çeşitli kalıplarda ama fiil olarak ve öncesinde genellikle "yaşamak", "yaşatmak", "diriltmek" fiilleriyle kullanılmaktadır.[1]

ii. Bu söylediğimiz kuralın istisnası olan âyetler de vardır. Mü'minûn 23/37 ve Câsiye 45/24. âyette "ölüm"ün "hayat"tan önce gelmesi, sözü söyleyenlerden kaynaklanmaktadır ki bunlar âhireti inkâr eden ve *dehr*e (zamana) tapan kâfirlerdir. Tâhâ 20/74 ve A'lâ 87/13'te cehennemliklerin orada kalışlarıyla ilgili olarak önce ölüm, sonra hayat fiilleri kullanılmıştır ki onun sebebi de azabın süresiyle ilgilidir; kullanım bu dünya hayatıyla ilgili değildir. Bunlara ilaveten Hz. İbrahim, Şu'arâ 26/81 ve Necm 53/44. âyetlerde tevhid ilanında Yüce Allah'ı tanıtırken önce O'nun öldürmesinden, sonra da diriltmesinden söz etmektedir. Bu, yaşamakta olan birinin böyle konuşmasının zorunluluğundan kaynaklanmaktadır.

iii. Kur'ân'daki bu kullanımlara değinmemizin sebebi Mü'min 40/11. âyetteki "ilk öldürme" fiilinin, bu dünyada yaşanan hayatın sonucu olan ölüm olmadığını beyan etmek isteğimizdir. Zira iki ölümden bir anda söz edilmesi, ilk ölümün herhangi bir hayatın sonucu olmadığını hissettirmektedir. Peki bu ilk ölüm hangisidir?

---

1 Örnek kullanımlar için bk. Bakara 2/258; Âl-i 'İmrân 3/156; A'râf 7/25, 158; Tevbe 9/116; Yûnus 10/56; Hıcr 15/23; Hacc 22/66; Mü'minûn 23/80; Rûm 30/40; Mü'min 40/68; Dühân 44/8; Câsiye 45/26; Kâf 50/43; Hadîd 57/2.

Kanaatimize göre söz konusu "ilk ölüm", insanın bedeninin yaratılmadığı, ruhuyla bedeninin henüz buluşmadığı, insan bedeninin tabiattaki potansiyel insan hücreleri anlamındaki halidir. İnsanların meskûn olmadığı şehre nasıl ki "ölü şehir",[1] bitkilerle örtülmemiş toprağa nasıl ki "ölü toprak"[2] deniliyorsa, ruh ve beden buluşmadan önce de insana "ölü" denmektedir.

Yüce Allah Mülk 67/2'de şöyle buyurmaktadır:

اَلَّذ۪ي خَلَقَ الْمَوْتَ وَالْحَيٰوةَ "Allah, ölümü ve hayatı yaratandır." Yüce Allah, insanın ruh ve beden birlikteliği öncesi durumuna "ölüm" hali demektedir; yani insan için henüz ruh ve beden buluşmasının gerçekleşmemiş hâline dikkat çekmektedir. Nitekim İbn Kayyim de buradaki "ilk ölüm" ifadesinin, aslında insanların, babalarının sulbünde ve annelerinin rahmindeki nutfe (zigot) hali olduğunu kabul etmektedir.[3]

Konuyla ilgili Bakara 2/28. âyet şöyledir:

كَيْفَ تَكْفُرُونَ بِاللّٰهِ وَكُنْتُمْ اَمْوَاتًا فَاَحْيَاكُمْۚ ثُمَّ يُم۪يتُكُمْ ثُمَّ يُحْي۪يكُمْ ثُمَّ اِلَيْهِ تُرْجَعُونَ

"Ey kâfirler! Siz ölü iken sizi dirilten (dünyaya getirip hayat veren) Allah'ı nasıl inkâr ediyorsunuz? Sonra sizi öldürecek, tekrar sizi diriltecek ve sonunda O'na döndürüleceksiniz." İşte buradaki وَكُنْتُمْ اَمْوَاتًا "Ölülerdiniz" ifadesi aynı, hale yani insanın ruh ve bedeninin henüz buluşturulmadığı hale veya döneme işaret etmektedir.

Benzer bir ifade de putların güçsüzlüğünü beyan bağlamında Furkân 25/3. âyette söz konusu edilmektedir. Âyet şöyledir:

---

1 A'râf 7/57; Zuhruf 43/11.

2 Yâsîn 36/33.

3 İbn Kayyim, *er-Rûh*, s. 35. Benzer içerikte değerlendirilebilecek bir izaha göre ilk ölüm insanın ana rahmindeki hali, ikinci ölüm dünya hayatının sonu, ilk hayat insanın ana rahminde hayat sahibi kılınması, ikinci hayat da öldükten sonra diriltilme olarak Şevkânî'den nakledilerek ifade edilmiştir. (Bilgi için bk. Heyet, *Kur'ân Yolu*, IV, 560).

وَاتَّخَذُوا مِنْ دُونِه۪ٓ اٰلِهَةً لَا يَخْلُقُونَ شَيْـًٔا وَهُمْ يُخْلَقُونَ وَلَا يَمْلِكُونَ لِاَنْفُسِهِمْ ضَرًّا وَلَا نَفْعًا وَلَا يَمْلِكُونَ مَوْتًا وَلَا حَيٰوةً وَلَا نُشُورًا "(Kâfirler) Allah'ı bırakıp, (O'nun aşağısında, altında, peşi sıra) hiçbir şey yaratamayan, yaratılmakta olan, kendilerine zarar da fayda da veremeyen, ölüm, hayat ve ölüleri yeniden diriltme (konularında) güçleri olmayan çeşitli tanrılar edindiler." Buradaki, وَلَا يَمْلِكُونَ مَوْتًا ifadesi, aynı şekilde putların, insanın fizyolojik olarak orijinini yani tabiattaki nesnel kaynağını dahi yaratmaya güçleri yetmeyeceği için onu yaşatmaya ve yeniden diriltmeye de haliyle muktedir olamayacaklarını ortaya koymaktadır.

Mü'min 40/11'deki "ilk ölüm" "insanın nesnel kaynağı, yani ruh ve beden birlikteliğinin henüz sağlanmadığı hal veya dönem" açıklanırsa "ilk hayat" da "dünya hayatı" olarak anlaşılabilir. Bu durumda "ikinci ölüm", "insanın dünya hayatının bitmesi", "ikinci diriltilme" de "mahşer için âhiretteki diriltilme" olarak kabul edilir. Böylece başka âyetlerde geçen şu ifadeler de yerli yerine oturmuş olur:

اَفَمَا نَحْنُ بِمَيِّت۪ينَۙ اِلَّا مَوْتَتَنَا الْاُو۫لٰى وَمَا نَحْنُ بِمُعَذَّب۪ينَ "Birinci ölümümüz hariç, biz bir daha ölmeyecek ve azaba da uğratılmayacağız, değil mi?"[1]

لَا يَذُوقُونَ ف۪يهَا الْمَوْتَ اِلَّا الْمَوْتَةَ الْاُو۫لٰىۚ وَوَقٰيهُمْ عَذَابَ الْجَح۪يمِۙ "İlk tattıkları ölüm dışında, orada artık ölüm tatmazlar. Allah onları cehennem azabından korumuştur."[2]

Bu iki âyetteki "ilk ölüm" ifadeleri, insanların dünya hayatlarının sonunda tattığı ölümleridir. Böylece âhiret hayatı devam ederken insanların sözünü edeceği ilk ölüm, tek ölüm olarak kabul edilmiş olmaktadır. Aksi takdirde eğer iddia edildiği gibi Mü'min 40/11'deki "ilk ölüm"ü dünya hayatının

---

1 Sâffât 37/58-59.

2 Dühân 44/56.

sonundaki ölüm, "ikinci ölümü" de kabir hayatından sonraki ölüm diye kabul edersek, o zaman ölüm tecrübeleri bir değil, üçe çıkmış olacaktır. Nitekim İbn Receb de bu doğrultuda izahlar yaparak, âyette sözü edilen "ilk hayat"ın sorgulama için yaşanacak olan kabir hayatı olduğunu, diğer görüşlerin hatalı olduğunu ifade etmektedir.[1] Bize göre asıl hatalı olan ve pek çok âyetin anlaşılmasını zorlaştıran, hatta imkânsızlaştıran yaklaşım, ölümü ikiye veya üçe çıkaran yaklaşımdır.

Bazı âlimlerimiz bu doğrultuda, âyetteki "iki ölüm" ifadesinin aslında sayı bildirmekten ziyade çokluk anlamına geldiğini, cehennemliklerin Yüce Allah'ın defalarca yaratmaya kadir olduğunu itiraf edeceğini, yoksa âyetler arasında herhangi bir çelişkinin bulunmadığını beyan etmektedir.[2] Meseleye "çokluk" anlamı çerçevesinde bakınca yukarıdaki tartışmalar sona ermekte ve ifade, mahşerdeki sıkıntılı durumu ortaya koymaktadır. Her ne şekilde olursa olsun, bu âyetteki iki ölüm ve iki diriltilme işlemlerinin hiçbirisi kabirle ve oradaki ölüm veya diriltilmeye delil olamaz.

IV. Bu arada söz konusu âyete başka anlamlar verip farklı izahlar yapanlar da vardır. "Bunun üzerine kâfirler, 'Rabbimiz! Sen bizi (bu dehşetli günde) öldürüp öldürüp diriltin. İşte şimdi günahlarımızı itiraf ediyoruz. Bize hiçbir af ve kurtuluş yolu yok mu?' diye yalvaracaklar." Bu tercümenin dipnotunda âyette sözü edilen iki defa öldürüp diriltmenin gerçek manada iki defa öldürüp diriltme olmadığı, kıyamet gününün tarifsiz dehşetine işaret amacıyla kullanılan bir ikileme olduğu dile getirilmektedir.[3]

---

1 İbn Receb, *age.*, s. 79.

2 Ateş, *Tefsîr*, VIII, 68-69.

3 Öztürk, *Kur'an-ı Kerîm Meâli*, s. 643'te 439. not.

7. Mü'min 40/46

اَلنَّارُ يُعْرَضُونَ عَلَيْهَا غُدُوًّا وَعَشِيًّاۚ وَيَوْمَ تَقُومُ السَّاعَةُ۠ اَدْخِلُوٓا اٰلَ فِرْعَوْنَ اَشَدَّ الْعَذَابِ "Sabah-akşam ateşe sunulurlar. Son Saat gerçekleştiğinde (kıyamet koptuğu gün) 'Firavun ailesini azabın en çetinine sokun' (denilecektir)."

"Kabirde azap" konusunda en yaygın kabul gören delil işte bu âyettir.[1] Biz de bu âyetteki ifadeleri öncesi ve sonrasıyla, kullanılan kelimeleriyle, Kur'ân bütünlüğü içerisinde diğer âyetlerin ışığında ve bu konuda ileri sürülen bütün yaklaşımları da dikkate alarak geniş bir şekilde izah etmek istiyoruz. Önce bazı müfessirlerimizin âyete ilişkin yorumları hakkında bilgi vermek istiyoruz.

a) Müfessirlerimizin Âyet Hakkındaki Görüşleri

1. **Taberî**, burada zikredilen azgın kişileri Yüce Allah'ın helâk edip boğduktan sonra onların ruhlarının kıyamete kadar her gün sabah-akşam iki kere ateşe sunulduğunu ifade etmiş, Süleyman b. Humeyd'in Muhammed b. Ka'b el-Kurazî'den şöyle dediğini duyduğunu nakletmiştir: "Âhirette gece de, gündüzün yarısı da yoktur. Kur'ân'da Firavun ailesi/taraftarları için غُدُوّ *ğudüvv* ve عَشِيّ *'aşiyy* kelimeleri kullanılmışken, cennetliklerin durumu için Meryem 19/62'de *bükra* ve *'aşiyy* sözcükleri kullanılmıştır." Bu nakillerden sonra Taberî, buradaki sunulmanın, söz konusu kişilerin sırf onları ayıplamak ve kınamak için cehennemdeki yerlerine sabah-akşam sunulmaları olduğunu da bir görüş olarak zikretmiştir.[2]

Bu görüşlerin sahibi olan Taberî, kendisi bu konuda kabir azabından söz etmezken, tefsirini kısaltıp tahkik edenler, âyette اَلنَّارُ *en-nâr* kelimesiyle kastedilenin "kabir azabı" oldu-

---

1 İbn Kayyim, *er-Rûh*, s. 75; İbn Receb, *age.*, s. 39-40; Toprak, *age.*, s. 316.

2 Taberî, *age.*, XXIV, 71-72.

ğunu söyleyerek Taberî'nin bu konudaki görüşüne müdahalede bulunmuşlardır.[1]

II. Zemahşerî, âyeti izahında söz konusu "sunulma"nın ateşte yakılmak anlamına geldiğini, durumlarını sadece Yüce Allah'ın bileceği bir şekilde sabah-akşam iki vakitte kendilerine ateş ile azap edildiğini, bunun bilinen azaptan farklı bir azap olabileceğini beyandan sonra, "sabah-akşam" ifadesinden "devam"ın, yani "dünya devam ettiği sürece azabın devamı"nın kastedilmesinin mümkün olduğunu belirtmiştir.[2]

Bu yorumu gereği Zemahşerî'nin, âyette sözü edilen azaptan, farklı bir azap şekli anladığı görülse de, diğer âyetlere getirdiği yorumlara bakıldığında kastının "kabir azabı" olduğunu söyleyebiliriz. Bu vesileyle şu kadarını söyleyelim ki, Zemahşerî'nin de ifade ettiği gibi kabirdeki ateş azabı dünya hayatı süresince, yani kıyamete kadar sürecekse, kıyamet günü ölecek kişiler kabirdeki ateş azabından kurtulacaklardır, demektir. Bu durum, aynı konumdaki insanlar için farklı cezaların verilmesi şeklinde ilâhî adaletin, adaletsizliğe dönüşmesine sebep olacaktır. Müfessirlerimiz, âyetteki azabın şekli ve süresi hakkında fikir birliği içinde değillerdir. Taberî bu azabın günde iki kez tekrarlandığını söylerken, Zemahşerî azabın devamlılığını belirtmektedir.

III. Râzî, Ehl-i Sünnet âlimlerinin "ateşe arz edilme"nin, kıyamet günü olmayacağını belirttiklerini, çünkü âyetin devamının kıyamette daha şiddetli bir azabın bulunduğunun delili olduğunu, "ateşe sunulma"nın bu dünyada da olamayacağını, çünkü böyle bir durumun bu dünyada yaşanmadığını, geriye bu dünyadan sonra âhiretten önce ateşe sunulma-

---

1 Muhammed Ali es-Sâbûnî, S. Ahmed Rıza, *Taberî Tefsiri*, Tercüme: Mehmet Keskin, İstanbul, baskı tarihi yok, V, 2070.

2 Zemahşerî, *age.*, IV, 166.

nın kaldığını, dolayısıyla tüm bu tip insanlar için kabir azabının bulunduğu düşüncesinde olduklarını ilk görüş olarak nakletmiştir.[1]

Râzî bu konuda şöyle soruların sorulabileceğini ifade etmiştir:

"Sabah-akşam ateşe arz edilmekten maksat, dünyada iken onlara yapılan nasihatler neden olmasın? Zira dindarlar sabah-akşam onlara özendirme, yani teşvik; sakındırma, yani korkutma anlamında hatırlatmalarda bulunduklarında ve onları Allah'ın azabıyla korkuttuklarında da onlar ateşe arz olunmuş oluyordu. Kaldı ki buradaki azabın, kabir azabı olarak anlaşılmasında bazı engeller de vardır:

"Bu azabın kesintisiz olması gerektiği" görüşünden hareketle, اَلنَّارُ يُعْرَضُونَ عَلَيْهَا غُدُوًّا وَعَشِيًّا 'Onlar sabah-akşam ateşe sunulurlar' ifadesi, bu sunulmanın söz konusu iki vakitte olmasını gerektiriyor. Dolayısıyla bu azap, kabir azabı olamaz. Sabah-akşam ifadeleri bu dünyaya aittir; kabirde böyle bir zaman mefhumu yoktur. İşte bu iki nedenle âyetteki azabı, kabir azabıyla ilişkilendirmek mümkün değildir."[2]

Söz konusu karşı çıkışları bu şekilde nakleden Râzî, bu gerekçelere veya çekincelere cevaben şu görüşleri dile getirmiştir:

- "Dünyada iken onlara ateşin kendisi değil, ateşle ilgili durum anlatılmıştı. Aksi durum olsaydı o zaman âyetin anlamı şöyle olurdu: 'Ateşin durumunu anlatan kelimeler onlara arz olunuyordu.' Şüphesiz böyle bir durum, lafzın zâhirini terk e ve mecaza dönmeye götürür."

- "İkinci delile cevaben de şu söylenebilir: Kabirde azabın kişiye sabah-akşam iki vakitte ulaşmasıyla neden yetinil-

1 Râzî, *Mefâtîhu'l-Ğayb*, XXVII, 73.

2 Râzî, *Mefâtîhu'l-Ğayb*, XXVII, 73.

mesin ki? Sonra kıyamette ateşe atılır ve azabın kalan kısmına orada devam edilir. Aynı şekilde bir diğer cevap olarak da "sabah-akşam" vakitleri tıpkı "Orada onların sabah-akşam rızıkları vardır"[1] âyetinde olduğu gibi devamdan kinaye de olabilir."

• "Kabirde ve kıyamette sabah-akşam vakti yoktur" sözüne karşılık olarak da şunu söyleriz: Dünyadakiler için o iki vakit geldiğinde (kabirdekilere de) o anda azap edilebilir. Allah en iyisini bilir."[2]

Râzî'nin yorumlarına şu cevapları vermek mümkündür:

Râzî, muhalif görüşe (karşıtına) verdiği cevapta eleştirdiği, "Kuşkusuz böyle bir durum, lafzın zahirini terk e ve mecaza dönmeye götürür" yaklaşımı kendisi de sergilemiştir. Firavun ailesine "kelimelerin arz edilmesi"nde mecazı sakıncalı bulan Râzî, "sabah-akşam" ifadesinin devamlılıktan kinaye, yani mecaz olduğunu rahatlıkla söyleyebilmiştir.

Râzî'nin, dünyadaki vakitle kabirdeki vaktin örtüşmesi anlamına gelen "dünyadaki o vakitlerde kabirde azabın yapılması" şeklindeki ifadesi, sonuçta kabirde veya mahşerde dünyevî anlamda ve aynı ölçülerde bir zaman mefhumunun olamayacağı gerçeğiyle uyuşmamaktadır. Çünkü Meryem 19/62. âyette geçen *bükra* ve *'aşiyy* kelimeleri açıkça âhiret şartlarına göre olan bir zamanı ifade etmekte ve cennetteki rızıklandırmanın süresini anlatmaktadır. Zaten cennet nimetlerinin devamlı olduğu şu âyette ifade edilmektedir:

مَثَلُ الْجَنَّةِ الَّتِي وُعِدَ الْمُتَّقُونَ تَجْرِي مِنْ تَحْتِهَا الْأَنْهَارُ أُكُلُهَا دَائِمٌ وَظِلُّهَا

"Takvâ sahiplerine vaadolunan cennetin özelliği (şudur): Onun zemininden ırmaklar akar. Yemişleri ve gölgesi de-

---

1 Meryem 19/62.

2 Râzî, *Mefâtîhu'l-Ğayb*, XXVII, 73.

vamlıdır."[1] Dünya hayatında söz konusu edilen kelimelerin bizim anladığımız ve yaşadımız anlamda karşılıkları vardır ve Mü'min 40/46'daki غُدُوّ *ğudüvv* ve عَشِيّ *'aşiyy* kelimeleri de işte bu dünya hayatıyla ilgilidir; dolayısıyla "sabah-akşam" anlamına gelmektedirler. Meryem 19/62. âyet ise cennetle ilgilidir.

Bu özellikleri göz önünde bulundurarak dünya şartları için kullanılan kelimelerle âhiret şartları için kullanılan kelimeleri ruh ile beden birlikteliğine işaret olarak görmek zorunda olduğumuzu tekrar belirtmek istiyoruz. Berzahta veya kabirde böyle bir birliktelik yoktur.

Müfessirlerimizin çok büyük bir bölümü âyeti kabirdeki azapla ilişkilendirdiği için hepsinin birbirine benzer görüşlerini aktarmaya gerek görmüyoruz.

IV. Firavun ailesine uygulanan azabın dünyada gerçekleştirildiği görüşünü benimseyen ilim adamları da vardır. Bunlardan da bir tane örnek vermek istiyoruz:

"Âyetteki غُدُوّ *ğudüvv* ve عَشِيّ *'aşiyy* 'sabah-akşam' ifadesi, 'yirmi dört saatlik günün tamamı' demektir. Sabah, gündüzü; akşam da geceyi temsil etmektedir. Yani parça anılarak bütün kastedilmektedir. Burada ifade edilen husus, onların dünyada çektikleri azaptır. Dünyada ateşe sokulmaları ne anlama gelmektedir? Bize göre bunun cevabı şudur: Tevhîd inancını benimseyenlerin çoğalması, kendi içlerinden ileri gelen bir şahsiyetin tevhîd inancını benimseyip ilan etmesi, onlar için psikolojik ve sosyolojik bir azap olmuş, her an onu iliklerinde hissetmişlerdi... Firavun ailesinin bu dünyada çektiği azap yeterli görülmeyecek, âhirette daha şiddetlisine çarptırılacaklardır."[2]

---

1 Ra'd 13/35.

2 Bayraklı, *age.*, XVI, 534-535.

v. Mü'min 40/46. âyette sözü edilen ilk azabın da ikincisinin de âhirette gerçekleştirileceğini kabul edenler de vardır. Bizim de aynı kanaatte olduğumuz Muhammed Esed, Mü'min 40/45 ve 46. âyetleri tercüme ederken, âyetteki azabı direkt olarak âhiretle ilişkilendirerek şu ifadeleri kullanmıştır:

"Allah onu (yani o mümin kişiyi, kavminin) şeytânî tuzaklarından korudu, Firavun'un ailesi ise şiddetli bir azabın pençesine düştü: (Öteki dünyadaki) ateş(in, ki o ateş)e sabah akşam (rastgele) sokulacaklardır: Nitekim Son Saat'in gelip çattığı gün (Allah), 'Firavun ailesini en şiddetli azabın içine atın' (buyuracaktır)."

Bu ifadelerin izahında Esed, söz konusu azabın, peygamberler ve bu pasajda sözü edilen müminler tarafından gece gündüz uyarılmış oldukları ateş olduğunu da belirtmiştir.[3]

Şüphesiz bu yaklaşım, konuyu kabirle ilişkilendiren yaklaşımdan çok daha isabetlidir. Çünkü en azından insanların dünya hayatından başka sadece âhiret hayatının olduğu, fiziksel veya bedensel anlamda azap veya mükâfatın da aslında orada verileceği gerçeği böylece bir kez daha ortaya konulmuş olmaktadır.

Konuyu mahşerle ilgili düşününce orada sabah akşam, yani sürekli olarak ateşe sunulmayı ateş azabının öncesinde olan bir işlem olarak kabul etmek gerekir. Buna göre Firavun'un taraftarları mahşerde diriltildiklerinde veya yargılanırlarken önce ateşe sunulacaklar, sonra da fiilen o ateş azabının içerisine sokulacaklardır.

b) Âyet Hakkında Bizim Değerlendirmemiz

ı. İncelemeye konu edindiğimiz Mü'min 40/46. âyette "kabir azabı" veya "kabirde azap" ifadelerinin kesinlikle

---

3 Esed, *age.*, s. 962 ve ilgili 31. not.

kullanılmadığını öncelikle belirtmeliyiz. Burada sözü edilen "ateşe sunulmak", mutlak sûrette ateşin içine girmek ve ateşte yanmak anlamlarına gelmez. Bunun delillerden biri Hz. Mûsâ ile ilgili bir kıssada şöyle kullanılmaktadır:

فَلَمَّا جَآءَهَا نُودِيَ اَنْ بُورِكَ مَنْ فِي النَّارِ وَمَنْ حَوْلَهَا "Oraya geldiğinde, 'Ateşte olan da çevresindeki(ler) de mübarek kılındı' diye seslenildi."[1] Burada sözü edilen olay, Hz. Mûsâ'nın gördüğü bir ateşi almak için ateşe doğru yönelmesi ve oraya gelince kendisine bu hitabın yöneltilmesidir. Şüphe yok ki buradaki النَّارِ *en-nâr* kelimesine bizzat "ateş" anlamı vermek mümkün değildir. Çünkü ateşte bulunan kişi kötü bir insan olduğundan yanacağı için, ateşin içindekinin ve çevresindekinin mübarek kılınmasının bir anlamı kalmaz. Belli ki buradaki ateş bir "ışık" veya "nur" olarak kabul edilmek zorundadır. Dolayısıyla Mü'min 40/46. âyetteki النَّارِ *en-nâr* kelimesini "yanmakta olan veya içindekileri bizzat yakan bir ateş" olarak kabul etmektense, onu "mecazî-psikolojik bir sıkıntının ifadesi" şeklinde değerlendirmek çok daha doğru olacaktır.

ıı. Dünyada sabah akşam ateşe sunulmak, psikolojik veya manevi olarak insanın içinde yanan bir ateşi ifade edebilir. Sıkıntılar, pişmanlıklar, günahların izleri, muhaliflerin başarısı, ateşle ilgili sabah akşam uyarılar vs insanın gönlünü, nefsini ve beynini âdeta ateşe çevirmektedir. İnsanın içinde yanan ateş, dışarıdaki ateşlere benzer mi? Yürek yangını başka ateşlere benzemez.

ııı. Ateşe sunulmak, ateşe girmekten farklıdır. Ateşe sunulanlar, insanların ruhlarıdır; ateşe girecek olanlar ise ruhlarla beraber bedenlerdir. Bu dünyada psikolojik olarak çeşitli sıkıntılarla, belalarla, bir anlamda manevi ateşle iç içe yaşamak da bir çeşit ateştir. Ateşe sunulmanın bu dünyada

---

1 Neml 27/8.

geri dönüşü vardır, ama ateşe girmenin geri dönüşü yoktur. Bir bakıma Yüce Allah, özelde Firavun ve ailesine, genelde ise tüm insanlığa "eğer böyle davranmaya devam ederseniz bu ateşe atılacaksınız" uyarısını yapmaktadır, diyebiliriz.

ıv. Âyette geçen "sabah akşam" kavramları "parçayı anarak bütünü kastetmek" kuralı gereği, günün iki ucunu anarak bütününü ifade etmektedir de diyebiliriz. Söz konusu insanlar, hayatlarının her gününü bir ateş olarak yaşamaktaydılar. Bu durum tıpkı Tâhâ 20/124'te zikredilen "dar geçim hali" gibidir.

v. Firavun'un taraftarları azabın en kötüsüyle kuşatılmışlardı ve bu kişiler, kendilerini kuşatan azap olan ateşe sabah akşam sunuluyorlardı. Etrafları psikolojik ve sosyolojik manada ateşle kuşatıldığı için her nereye yönelseler ateşle karşılaşıyorlar, ateşe sunuluyorlardı; böylece azaptan kaçış imkânlarının olmadığı mesajı kendilerine verilmek isteniyordu. İşte manevi açıdan oluşturulan bu sıkıntılı durum, Hz. Mûsâ'nın Yüce Allah'a yaptığı ve kabul edilen şu duayı hatırlatmaktadır:

رَبَّنَا اطْمِسْ عَلٰٓى اَمْوَالِهِمْ وَاشْدُدْ عَلٰى قُلُوبِهِمْ "Ey Rabbimiz! Onların mallarını yok et, kalplerine sıkıntı ver (ki iman etsinler)."[1] İşte bu dua gereği Firavun'un ve adamlarının kalplerine çeşitli sıkıntılar verilmişti. Zaten âyetin sonundaki "elem verici azap" da buradaki, yani dünyadaki azabı ifade etmektedir. Benzer bir örnek de insanlara kötülük yapanlara, onların kötülükleri için çeşitli tuzaklar kuranlara Yüce Allah'ın dünya hayatlarında vereceği dört çeşit cezadır.[2]

vı. Bir hadiste, "Kişi ölünce kendisine oturacağı yerin sabah akşam gösterileceği, cennetlik ise cennetliklerin, cehen-

---

1 Yûnus 10/88.

2 Âyetler için bk. Nahl 16/45-47.

nemlik ise cehennemliklerin arasında bulunacağının bildirileceği" rivayet edilmektedir.[1] Bu rivayetteki "yer gösterme", kanaatimizce ölüm öncesindeki bilgilendirmedir; yani hangi davranışın sahipleri hangi sonuçlarla buluşacaksa o konuda yapılan bilgilendirmedir ve ilgili rivayet bu anlamda Mü'min 40/46. âyeti açıklamaktadır. Rivayetteki konu, kabir hayatıyla değil, ölüm anıyla ilgilidir. Üç grup kişinin ölüm anındaki durumlarının ve âhirette yaşayacakları üç değişik sonun bildirildiği Vakı'a 56/88-96. âyetlerde olduğu gibi bu rivayetteki konu da ölüm anıyla ilgili olabilir.[2]

VII. Râzî'nin cevaplarında dikkat çeken ve bazı müfessirlerin de dile getirdiği bir diğer nokta da, kabirde sabah akşam azabın verilmesiyle yetinilip devamının kıyamete bırakılmasıdır. Şüphesiz bu durum büyük bir sorun oluşturur. Çünkü eğer fiilî azap kabirde başlamışsa, mahşerdeki duruşmanın ve diğer hesap işlemlerinin hiçbir anlamı kalmayacaktır. Zira hesap, sanki çoktan bitirilmiş gibi olacaktır. Bu durum, pek çok âyetin manasını da açıkta bırakmaktadır, yani âyetleri anlamsız kılmaktadır.

VIII. Firavun ve ailesinin sabah akşam ateşe sunulmasından söz eden Mü'min 40/46. âyetteki bu sunulma işlemi, bizce dünya hayatındaki sıkıntılardan ibarettir. Bir âyeti doğru anlayabilmek için onun bağlamını iyi kavramak gerekir. Bu âyetin öncesindeki pasajda mümin bir bilgin kişinin, halkı çeşitli konularda uyarmasıyla ilgili olarak şöyle denmektedir:
فَسَتَذْكُرُونَ مَٓا اَقُولُ لَكُمْۜ وَاُفَوِّضُ اَمْر۪ٓي اِلَى اللّٰهِۜ اِنَّ اللّٰهَ بَص۪يرٌ بِالْعِبَادِ فَوَقٰيهُ اللّٰهُ سَيِّـَٔاتِ مَا مَكَرُوا وَحَاقَ بِاٰلِ فِرْعَوْنَ سُٓوءُ الْعَذَابِۚ "Size söylediklerimi yakında hatırlayacaksınız. Ben işimi Allah'a havale ediyorum.

1 Tirmizî, Cenâiz, 71.

2 Bu âyetleri "Ölüm Anında Yaşanacaklar" başlığında ele almıştık.

Şüphesiz Allah, kullarını çok iyi görendir. Nihayet Allah, onların kurdukları tuzakların kötülüklerinden bu kişiyi korudu; Firavun'un kavmini ise kötü azap kuşatıverdi."

Mümin kişinin uyarısında yer alan, فَسَتَذْكُرُونَ مَٓا اَقُولُ لَكُمْ "Size söylediklerimi yakında hatırlayacaksınız" ifadesi, 46. âyetteki ateşe sunulmanın dünyada gerçekleşeceğini açıkça göstermektedir. Firavun ailesini yakan kötü azap da ateşe arz edilme de yakında gerçekleşeceğine göre, bunun gerçekleşme yeri öncelikle dünya hayatı olmalıdır. Zira ilgili fiilin başındaki س *sîn* harfi, genellikle yakın geleceği ifade etmek için kullanılan bir edattır.

Mü'min 40/46'daki, غُدُوًّا وَعَشِيًّا "Sabah ve akşam" ifadeleri, maksadın bu dünya ile ilgili bir zaman içerdiğini göstermekte ve daha önce de ifade ettiğimiz gibi konunun dünya hayatıyla ilgili olarak ele alınmasını zorunlu kılmaktadır.

Her ne kadar bazıları Mü'min 45'teki سُٓوءُ الْعَذَابِ "Kötü azap" ifadesini dünya hayatındaki sıkıntılar, 46'daki غُدُوًّا وَعَشِيًّا "Sabah ve akşam" ifadesini berzahla ilişkilendiriyorsa[1] da bizce bu yorum gerçeği yansıtmamaktadır. Çünkü bize göre 46'daki "sabah akşam" ifadeleri dünya ile ilgili kavramlar olduğu için bu zaman kavramları bir önceki âyette geçen kötü azabı açıklamaktadır.

Kötü azap ile sabah akşam ateşe sunulma, aslında Firavun ailesinin dünyadaki sıkıntılarını topluca içeren ve azabın zamanını ifade eden "bedel" yani önceki ifadeyi açıklayan bir kullanımdır.

ıx. اٰلِ فِرْعَوْنَ "Firavun ailesi/taraftarları" ifadesinin ilk ferdi Firavun olarak kabul edilmektedir. Dolayısıyla söz konusu azabı ilk önce Firavun hak etmiş olmaktadır. Oysa Firavun'a

1 Örnek için bk. Heyet, *Kur'ân Yolu*, IV, 574.

yönelik cezalandırmadan söz eden âyette Firavun'un cezalandırılma yeri ve zamanı "âhiret ve dünya" olarak belirlenmiştir:

فَاَخَذَهُ اللّٰهُ نَكَالَ الْاٰخِرَةِ وَالْاُولٰىۜ "Allah onu, (herkese ibret olarak) dünya ve âhiret azabıyla cezalandırdı."[1] Aynı şekilde Kur'ân'da Firavun ve taraftarlarının azaba/lanete uğratılma yeri de bu âyette olduğu gibi "dünya ve âhiret" olarak ifade edilmiş demektir. Konuyla ilgili âyette şöyle buyrulmaktadır:

وَاُتْبِعُوا فٖي هٰذِهٖ لَعْنَةً وَيَوْمَ الْقِيٰمَةِۜ بِئْسَ الرِّفْدُ الْمَرْفُودُ "Onlar (Firavun ve adamları) burada da (dünyada da) kıyamet gününde de lanete uğratıldılar. (Onlara) verilen bu armağan ne kötü armağandır!"[2] Hz. Mûsâ'nın Firavun'la mücadelesi bağlamında geçen bu âyette Firavun ve adamlarının lanete uğratılma yeri açıkça ve başka türlü yorumlanamayacak şekilde "dünya ve âhiret" olarak belirlenmekte, arada başka bir yere ve zamana gönderme yapılmamaktadır.

Âyetlerin birbirini tefsir ettiği gerçeğinden hareketle, Mü'min 40/46. âyetin de şöyle bir anlamı vardır: Firavun ve ailesinin dünyada manevi ve psikolojik sıkıntılar çekmesi, ölüm hallerinde meleklerin onların canlarını alırken yüzlerine ve arkalarına vurması, denizde boğulurken zorluklar yaşamaları, ayrıca ölürken kendilerine âhirette gidecekleri yerin manevi olarak gösterilmesi veya muhaliflerinin iktidarı ele geçirmesi nedeniyle hayatın her sabah ve akşamı onlar için ateşe dönüşmesi ilk etapta akla gelen sıkıntılar olmaktadır. Firavun için söz konusu olan bu tür sıkıntılar el-

---

1 Nâzi'ât 79/25. Bu âyette *el-âhirah* kelimesinin önce kullanılmasının nedenleri âyet sonlarının uyumu ile âhiret azabının büyüklüğü olarak ifade edilebilir.

2 Hûd 11/99.

bette onun yolundan gidenler için de söz konusudur. Nâzi'ât 79/25 ve Hûd 11/99. âyetler Mü'min 40/46. âyet ile birlikte düşünüldüğünde, bu üç âyetten söz konusu cezaların dünyada ve âhirette gerçekleşeceği anlaşılmış olmaktadır.

x. Firavun ailesinin dünyadaki azaplarının en çarpıcı örneği Yüce Allah'ın, Firavun'un köle olarak kullandığı İsrailoğullarını ülke topraklarına vâris kılması ve onları iktidara getirmesidir:

قَالَ مُوسٰى لِقَوْمِهِ اسْتَعِينُوا بِاللّٰهِ وَاصْبِرُواۚ اِنَّ الْاَرْضَ لِلّٰهِۙ يُورِثُهَا مَنْ يَشَٓاءُ مِنْ عِبَادِهِۜ وَالْعَاقِبَةُ لِلْمُتَّقِينَ قَالُوٓا اُو۫ذِينَا مِنْ قَبْلِ اَنْ تَأْتِيَنَا وَمِنْ بَعْدِ مَا جِئْتَنَاۜ قَالَ عَسٰى رَبُّكُمْ اَنْ يُهْلِكَ عَدُوَّكُمْ وَيَسْتَخْلِفَكُمْ فِي الْاَرْضِ فَيَنْظُرَ كَيْفَ تَعْمَلُونَ "Mûsâ, kavmine dedi ki: 'Allah'tan yardım isteyiniz ve sabrediniz. Şüphe yok ki yeryüzü Allah'ındır. Kullarından dilediğini ona vâris kılar. Sonuç, Allah'a karşı duyarlı olanlarındır'. Onlar da, 'Sen bize peygamber olarak gelmeden önce de, geldikten sonra da bize işkence edildi (bundan sen sorumlu değilsin, üzülme)' dediler. Mûsâ, 'Umulur ki Rabbiniz düşmanınızı helâk eder ve sizi onların yerine yeryüzüne hâkim kılar da nasıl hareket edeceğinize bakar' dedi."[1] İşte bu âyetlerde yer alan وَيَسْتَخْلِفَكُمْ فِي الْاَرْضِ "Sizi onların yerine yeryüzüne hâkim kılar" ifadesi tam da konuyla alakalıdır ve özellikle gözden kaçırılmamalıdır.

Ayrıca yine burada geçen عَسٰى *'asâ* edatıyla dile getirilen ümidin gerçekleşeceği, yani bunun ihtimal değil, kesinleşecek bir gerçek olduğu ise şu âyette ortaya konulmaktadır:

وَنُرِيدُ اَنْ نَمُنَّ عَلَى الَّذِينَ اسْتُضْعِفُوا فِي الْاَرْضِ وَنَجْعَلَهُمْ اَئِمَّةً وَنَجْعَلَهُمُ الْوَارِثِينَۙ "Biz ise, o yerde güçsüz düşürülenlere lütufta bulunmak, onları önderler yapmak ve onları o topraklara vâris kılmak istiyorduk."[2]

1 A'râf 7/128-129.
2 Kasas 28/5.

Râzî'nin de dediği gibi عَسٰى *'asâ* edatı Allah için ihtimal değil, kesinlik ifade eder. A'râf 7/129'daki bu edat, Kasas 28/5'te açık bir iradeye dönüşmüştür. Belli ki Yüce Allah'a ait bir fiille ilişkilendirilen عَسٰى *'asâ* edatı bir anlamda kesinleşecek irade demektir; zaten bu işlem de bir süre sonra gerçekleştirilmiştir:

وَاَوْرَثْنَا الْقَوْمَ الَّذ۪ينَ كَانُوا يُسْتَضْعَفُونَ مَشَارِقَ الْاَرْضِ وَمَغَارِبَهَا الَّت۪ي بَارَكْنَا ف۪يهَا وَتَمَّتْ كَلِمَتُ رَبِّكَ الْحُسْنٰى عَلٰى بَن۪ٓي اِسْرَٓاء۪يلَ بِمَا صَبَرُوا وَدَمَّرْنَا مَا كَانَ يَصْنَعُ فِرْعَوْنُ وَقَوْمُهُ وَمَا كَانُوا يَعْرِشُونَ "Hor görülüp ezilen topluluğu da içini bereketlerle doldurduğumuz ülkenin doğu ve batısına mirasçı kıldık. Rabbinin İsrailoğullarına verdiği güzel söz, sabretmeleri sebebiyle yerine geldi. Firavun ve kavminin yapmakta olduklarını, yapıp yükselttiklerini yerle bir ettik."[1] Zikrettiğimiz bu âyetler Firavun ve toplumunun iktidarlarının yıkılıp, yerine ezilenlerin gelmesi ve iktidarı ele geçirmeleri onlar için tıpkı bir ateş gibi hayatlarının kalan kısmını sabah akşam kuşatan dünyevî bir azap olmuştur.

xı. Mü'min 40/46. âyetteki kullanıma uygun olarak, yani اٰلَ فِرْعَوْنَ "Firavun ailesi/taraftarları" tamlaması da kullanılarak, onlara yönelik gerçekleştirilen dünyevî azaplardan bir diğeri de şu âyette söz konusu edilmektedir:

وَلَقَدْ اَخَذْنَٓا اٰلَ فِرْعَوْنَ بِالسِّن۪ينَ وَنَقْصٍ مِنَ الثَّمَرَاتِ لَعَلَّهُمْ يَذَّكَّرُونَ

"Andolsun ki, biz de Firavun'un taraftarlarını ders alsınlar diye yıllarca kuraklık ve mahsul kıtlığı ile cezalandırdık."[2] Bu âyetlerde sözü edilen ve yıllarca süren kuraklık ve kıtlığın dünyada yaşandığına dair hiçbir şüphe yoktur.

xıı. Hz. Mûsâ ve Hz. Hârûn'un çağrılarına itibar etmeyip çeşitli ikramlara rağmen yine de karşı tarafta yer alanlara

---

1 A'râf 7/137.

2 A'râf 7/130.

yönelik zikredilen şu hitapta da ilk cezanın yeri tayin edilmektedir:

وَمَا نُرِيهِمْ مِنْ اٰيَةٍ اِلَّا هِيَ اَكْبَرُ مِنْ اُخْتِهَاۘ وَاَخَذْنَاهُمْ بِالْعَذَابِ لَعَلَّهُمْ يَرْجِعُونَ

"Onlara gösterdiğimiz her mucize diğerinden daha büyüktü. Dönsünler diye onları azaba uğrattık."[1] İsrâiloğulları gerçeğe geri dönsünler diye dünya hayatlarında çeşitli şekillerde azaba uğratılmışlar, ama onlar yine de hakka dönmemişlerdir. Bu âyetten de anlaşılıyor ki Mü'min 40/46. âyetin ilk bölümünde sözü edilen "sabah akşam ateşe sunulma azabı" kabirde veya âhirette değil, bu dünyada gerçekleşmiştir.

XIII. Firavun'un ve taraftarlarının denizde boğulması da dünyevî bir azaptır; bunun delilleri de şu âyetlerdir:

- وَاِذْ فَرَقْنَا بِكُمُ الْبَحْرَ فَاَنْجَيْنَاكُمْ وَاَغْرَقْنَٓا اٰلَ فِرْعَوْنَ وَاَنْتُمْ تَنْظُرُونَ "Bir zamanlar sizin için denizi yardık, sizi kurtardık. Firavun'un taraftarlarını da, siz bakıp dururken denizde boğduk."[2]

- فَانْتَقَمْنَا مِنْهُمْ فَاَغْرَقْنَاهُمْ فِي الْيَمِّ بِاَنَّهُمْ كَذَّبُوا بِاٰيَاتِنَا وَكَانُوا عَنْهَا غَافِلِينَ "Biz de âyetlerimizi yalanlamaları ve onlardan gafil kalmaları sebebiyle kendilerinden intikam aldık ve onları denizde boğduk."[3]

Bu âyetlerde genel ifadelerle değinilen boğulma olayı diğer âyetlerde daha da açıklanarak şu şekilde verilmiştir:

- وَجَاوَزْنَا بِبَنٖٓي اِسْرَٓاءٖيلَ الْبَحْرَ فَاَتْبَعَهُمْ فِرْعَوْنُ وَجُنُودُهُ بَغْيًا وَعَدْوًاۜ حَتّٰٓى اِذَٓا اَدْرَكَهُ الْغَرَقُۙ قَالَ اٰمَنْتُ اَنَّهُ لَٓا اِلٰهَ اِلَّا الَّذٖٓي اٰمَنَتْ بِهٖ بَنُٓوا اِسْرَٓاءٖيلَ وَاَنَا۬ مِنَ الْمُسْلِمٖينَ آٰلْـٰٔنَ وَقَدْ عَصَيْتَ قَبْلُ وَكُنْتَ مِنَ الْمُفْسِدٖينَ "Biz, İsrailoğullarını denizden geçirdik. Ama Firavun ve askerleri zulmetmek ve saldırmak üzere onları takip etti. Nihayet denizde boğulma hâline gelince Firavun, 'Gerçekten, İsrailoğullarının inandığı ilâhtan başka İlâh olmadığına ben de iman ettim; ben de

---

1 Zuhruf 43/48.

2 Bakara 2/50.

3 A'râf 7/136.

Müslümanlardanım!' dedi. (Bunun üzerine ona şöyle denmiştir:) Şimdi mi iman ettin? Hâlbuki daha önce isyan etmiş ve bozgunculardan olmuştun."[1] İşte buradaki konuşmalar iddia edildiği gibi kabirde değil, Firavun ölürken gerçekleşmiştir; çünkü iman itirafının yeri dünyadır.

• فَاَتْبَعَهُمْ فِرْعَوْنُ بِجُنُودِهِ فَغَشِيَهُمْ مِنَ الْيَمِّ مَا غَشِيَهُمْ وَاَضَلَّ فِرْعَوْنُ قَوْمَهُ وَمَا هَدٰى يَا بَنِي اِسْرَآءِيلَ قَدْ اَنْجَيْنَاكُمْ مِنْ عَدُوِّكُمْ وَوٰعَدْنَاكُمْ جَانِبَ الطُّورِ الْاَيْمَنَ وَنَزَّلْنَا عَلَيْكُمُ الْمَنَّ وَالسَّلْوٰى كُلُوا مِنْ طَيِّبَاتِ مَا رَزَقْنَاكُمْ وَلَا تَطْغَوْا فِيهِ فَيَحِلَّ عَلَيْكُمْ غَضَبِي وَمَنْ يَحْلِلْ عَلَيْهِ غَضَبِي فَقَدْ هَوٰى "Bunun üzerine Firavun, askerleri ile birlikte onların peşine düştü. Deniz onları kuşatıp boğdu (denizde boğuldular). (Çünkü) Firavun, kavmini saptırmıştı, onları gerçek yola sevk etmemişti. Ey İsrailoğulları! Sizi düşmanınızdan kurtarmıştık; Tûr'un sağ tarafına (gelmeniz için) sizinle sözleşmiş ve size kudret helvası ile bıldırcın eti indirip ikram etmiştik. Rızık olarak verdiklerimizin temiz olanlarından yiyiniz! Bu hususta azgınlık etmeyiniz; sonra sizi gazabım çarpar. Her kimi gazabım çarparsa, gerçekten de o, yıkılıp gitmiştir."[2]

Bu âyetlerin sonundaki "Sonra sizi gazabım çarpar. Her kimi gazabım çarparsa, gerçekten de o yıkılıp gitmiştir" ifadeleri, Firavun ve taraftarlarına yönelik bu azabın dünyada gerçekleştiğini, diğer insanların bunu gördüklerini ve eğer Allah'ın gazabını gerektirecek bir iş yaparlarsa aynı sonucun onları da beklediğini kendilerine hatırlatmaktadır.

XIV. Erkek çocuklarını katlederek zulmettikleri, zalim yönetimleriyle de köleleştirdikleri insanların gözleri önünde böyle bir duruma düşmeleri de Firavun ve taraftarları için ayrıca dünya azabı olmuştur.

---

1 Yûnus 10/90-91.

2 Tâhâ 20/78-81.

Bütün bu anlattıklarımızın sonucunda şurası unutulmamalıdır ki, Mısır'da veya başka ülkelerde Firavun'un ve adamlarının mumyalanmış cesetleri herhangi bir ateş azabına uğratılmanın izlerini taşımadan müzede bulunmaktadır. Eğer ısrarla kabirde onlara yönelik gerçekleştirilen bedensel bir ateş azabının varlığına inanılıyorsa, bu mumyalanmış bedenler ateşten hiçbir iz taşımadığına göre, herhâlde kabirdeki azabın bedenlere herhangi bir etkisinin bulunmadığını itiraftan başka çare kalmamaktadır.

8. Câsiye 45/21

اَمْ حَسِبَ الَّذ۪ينَ اجْتَرَحُوا السَّيِّـَٔاتِ اَنْ نَجْعَلَهُمْ كَالَّذ۪ينَ اٰمَنُوا وَعَمِلُوا الصَّالِحَاتِ سَوَٓاءً مَحْيَاهُمْ وَمَمَاتُهُمْ سَٓاءَ مَا يَحْكُمُونَ "Yoksa kötülükleri işleyenler, kendilerini, inanıp iyi davranışlar gerçekleştirenler gibi yapacağımızı mı sandılar? Hayatları ve ölümleri onlarla bir olacak, öyle mi? Ne kötü hüküm veriyorlar!"

a) Müfessirlerimizin Âyet Hakkındaki Görüşleri

İyiler ile kötülere dünyada ve âhirette yapılacak muamelenin aynı olmayacağını bildiren bu âyet de kabirde azabın varlığına delil sayılmıştır.[1] Bu âyetle ilgili olarak müfessirlerin görüşlerine baktığımızda şu bilgilere rastlamaktayız:

Semerkandî, **Taberî**, **Zemahşerî** ve **Râzî** gibi pek çok müfessir, bu âyeti izahlarında kabir hayatından hiç söz etmemekte, konuyu dünya ve âhiretle ilişkilendirmektedir. Buna göre, müminin dünyada mümin olarak yaşaması halinde ölümünde de diriltilmesinde de mümin olacağını, kâfirin de

---

1 Toprak, *agmd.*, s. 37.

aynı durumda kâfir olarak ölüp kâfir olarak diriltileceği görüşünü ifade etmektedirler.[1]

b) Âyet Hakkında Bizim Değerlendirmemiz

Eserlerine müracaat ettiğimiz ve kabirde azabın bedensel, yani maddi olduğunu kabul eden müfessirlerin bile hiçbirisi bu âyet hakkındaki izahlarında konuyu kabir azabıyla herhangi bir şekilde ilişkilendirmemiş olmasına rağmen, bu âyetin kabir azabıyla nasıl bir anlam ilişkisinin kurulup ona delil sayıldığı daima bir soru işareti olarak zihinleri kurcalayacaktır.

İncelemeye çalıştığımız âyette, konunun dünya hayatında davranışlarını iyi şekilde düzenleyenler ile kötülük yapanların mukayesesi yapılmakta, 22. âyette ise hiçbir nefsin haksızlığa uğratılmayacağı ve her nefsin yaptığının tam karşılığının kendisine verileceğinden söz edilerek âhiret hayatındaki ceza veya ödüle değinilmektedir. Dolayısıyla müfessirlerin de ifade ettiği üzere, bu âyetlerdeki konu, iyilik sahibi müminlerle sürekli olarak kötülük işleyenlerin dünya hayatları ile âhiret hayatlarının farklılığı üzerine inşa edilmekte, durumlarının asla eşit tutulmayacağı mesajı evrensel olarak herkese verilmektedir. Konunun iddia edildiği gibi, kabir azabıyla veya kabir hayatıyla hiçbir ilgisi yoktur.

Ehl-i Sünnetten hangi ilim adamlarının bu âyeti, ne vesileyle kabir azabına delil saydığını bilemiyoruz. Söz konusu bilginin verildiği yerde bu hususta isim zikredilmediği için,[2]

---

1 Semerkandî, *age.*, III, 279; Taberî, *age.*, XXV, 148; Zemahşerî, *age.*, IV, 282-283; Râzî, *Mefâtîhu'l-Ğayb*, XXVII, 266-267. Benzer görüşler için ayrıca bk. Mâverdî, *age.*, V, 264; Ebu's-Suud, *age.*, VIII, 72; Kadı Beydâvî, *age.*, V, 171; Âlûsî, *age.*, XXV, 150-151; Kurtubî, *age.*, XVI, 110; Şevkânî, *age.*, V, 8; İbn Kesîr, *age.*, IV, 150; İbn Cevzî, *Zâdü'l-Mesîr*, VII, 165; Ebû Hayyân, *age.*, IX, 419-421; Tabresî, *age.*, IX, 115-116.

2 Toprak, *agmd.*, s. 37.

konuyu bütün Ehl-i Sünnet âlimlerinin kanaati olarak vermek de doğru değildir.

9. Tûr 52/45-47

فَذَرْهُمْ حَتّٰى يُلَاقُوا يَوْمَهُمُ الَّذ۪ي ف۪يهِ يُصْعَقُونَۙ يَوْمَ لَا يُغْن۪ي عَنْهُمْ كَيْدُهُمْ
شَيْـًٔا وَلَا هُمْ يُنْصَرُونَۜ وَاِنَّ لِلَّذ۪ينَ ظَلَمُوا عَذَابًا دُونَ ذٰلِكَ وَلٰكِنَّ اَكْثَرَهُمْ لَا يَعْلَمُونَ

"Artık çarpılacakları günlerine kavuşuncaya kadar onları kendi hallerine bırak. O gün planları kendilerine hiçbir fayda vermez ve yardım da görmezler. Şüphesiz zulmedenlere ondan başka da azap vardır. Fakat çoğu bilmezler."

Bu âyetler de kabirde azaba delil sayılmaktadır.[1] Âyetle ilgili müfessirlerimizin kanaati şöyledir:

a) Müfessirlerimizin Âyetler Hakkındaki Görüşleri

ı. Semerkandî, İbn Abbâs'a ve Katâde'ye nispet edilen bir rivayete göre buradaki azaptan kast edilmek istenenin "kabir azabı" olduğunu naklettikten sonra, bunun "savaş, çeşitli sıkıntılar ve dünyadaki cezalar" da olabileceği görüşünü dile getirmiştir.[2]

ıı. Taberî, benzer şekilde kabir azabını zikrettikten sonra maksadın "açlık, çocukların ve malların yok olması anlamında dünyada insanların başına gelen çeşitli musibetler" olduğu görüşünü de nakletmiş, ardından kendi görüşü olarak da maksadı Yüce Allah'ın tahsis etmediğini, dolayısıyla kıyamet öncesi bütün azapların kastedilmiş olabileceği kanaatinde olduğunu beyan etmiştir.[3]

---

1 Bu âyeti kabir azabına delil sayanlar için de ayrıca bk. İbn Receb, *age.*, s. 43; Toprak, *agmd.*, s. 37; Toprak, *age.*, s. 322.

2 Semerkandî, *age.*, III, 356-357.

3 Taberî, *age.*, XXVII, 36-37.

ııı. Zemahşerî, bunun "Bedir'de kâfirlerin öldürülmesi, 7 yıl süren kuraklık ve kıtlık ile kabir azabı" olduğunu ifade etmiş, Abdullah'ın mushafında عَذَابًا *'azâb* kelimesinin yanında bir de قَرِيبًا *karîb* kelimesinin bulunduğunu belirtmiştir.[1] Burada sözü edilen قَرِيبًا *karîb* kelimesinin, bir kıraat türü olarak kabul edilmesi, maksadın hem âhirete hem de kabre göre daha yakın olan dünyadaki bir azap, mesela Bedir'deki bozguna uğrama ihtimalini kuvvetlendirmektedir.

ıv. Râzî, âyetteki "zalimler" ifadesine dikkat çekerek "eğer bu zalimler Mekkeliler ise maksat Bedir bozgunudur; yok eğer genelde bütün zalimler ise maksat kabir azabıdır" görüşünü dile getirmiştir.[2]

v. Kurtubî, daha önce zikredilen görüşleri, insanların ölümden önce başlarına gelen çeşitli sıkıntılar olarak ele almış, bu arada Hz. Ali, Berâ b. Âzib ve İbn Abbâs kaynaklı bir görüş olarak da maksadın kabir azabı olduğunu beyan etmiştir.[3]

vı. Merâğî ise konuyu sadece dünyada insanların başlarına gelen sıkıntılar olarak ele almış, Secde 32/21. âyetteki "Gerçeğe geri dönme" ümidiyle insanlara bu tür dünyevî azapların verilmesine dikkat çeken bir izah getirmiştir.[4]

vıı. İbn Kayyim, buradaki azabın, çeşitli suçlardan dolayı "dünyada çekilen azap" olabileceği gibi "berzah azabı" olmasının da mümkün olduğunu, hatta bunun daha doğru olduğunu beyan etmiş, gerekçesini de pek çok suçlunun dünyada cezasını çekmeden ölmesi olarak belirlemiştir.[5]

---

1 Zemahşerî, *age.*, IV, 404.
2 Râzî, *Mefâtîhu'l-Ğayb*, XXVII, 273.
3 Kurtubî, *age.*, XVII, 52.
4 Merâğî, *age.*, XXVII, 38.
5 İbn Kayyim, *er-Rûh*, s. 75.

viii. **Süleyman Ateş**, Tûr sûresinin ilgili âyet grubunun Hz. Peygamber'i teselli etmek için indirildiğini, müşriklerin Allah'ın azabıyla devrilecekleri güne kadar onları kendi hâline bırakmasının ondan istendiğini, kurdukları tuzakların azap olarak başlarına döneceğini ve ondan kurtulamayacaklarını beyan etmektedir. Ayrıca, dünyadaki azaptan ayrı ve daha büyük olarak da âhiret azabının onları beklediğini, dünyadaki asıl felaketin Bedir'deki bozgun olduğunu ifade ederek konuyu bitirmiş, kabir azabına hiç temas etmemiştir.[1]

b) Âyetler Hakkında Bizim Değerlendirmemiz

Râzî'nin dikkat çektiği husus gereği, âyetteki zalimlerden maksadın öncelikle Mekkeliler olması gerekmektedir. Bu durumda onların başına gelen "dünyevî azap" Bedir'de yaşanmıştır. Çünkü hem bu âyette hem de daha önceki âyetlerde kullanılan zamirler bu durumu belirlemektedir. Eğer maksat bütünüyle zalimler ise onların başına dünyada gelen diğer felaketleri Bedir'dekine benzeterek konuyu izah edebiliriz.

Müfessir Merâğî'nin söyledikleri son derece önemlidir ve doğrudur. Çünkü âhiret öncesinde insanlara ceza vermenin tek amacı, onların pişman olmalarının sağlanmasıdır. Kabirde ceza vermenin, en azından kabirdeki kişiye yönelik böyle eğitici bir tarafının olamayacağı gayet açıktır.

İbn Kayyim, söz konusu âyetteki azabı kabirle ilişkilendirirken, bazı zalimlerin dünyada azap çekmeden ölmesini, dolayısıyla cehennem ateşinden önceki azabın kabir azabı olması gerektiğini söyleyerek, bizce görülmesi gereken bir noktayı görememiş veya görmezlikten gelmiştir. Çünkü Kur'ân'da yine zalimlerin, yaptıklarını Allah'ın bilmediğini

---

1 Ateş, *Tefsîr*, IX, 87.

zannetmemesi gerektiği, azaplarının âhirete tehir edildiği ilkesi konduğu halde, azabın kabre ertelenmesinden söz edilmemektedir:

وَلَا تَحْسَبَنَّ اللّٰهَ غَافِلًا عَمَّا يَعْمَلُ الظَّالِمُونَ اِنَّمَا يُؤَخِّرُهُمْ لِيَوْمٍ تَشْخَصُ فِيهِ الْاَبْصَارُ "Sakın, Allah'ı zalimlerin yaptıklarından habersiz sanma! Ancak, Allah onları (cezalandırmayı), korkudan gözlerin dışarı fırlayacağı bir güne erteliyor."[1] Bu âyet, çok açık bir şekilde azabın ertelenme gününü âhiret süreci olarak belirlemekte, iddia edildiği gibi kabirle ilgili bir bilgi ortaya koymamaktadır. Benzer bir erteleme olayı da yine kıyametle ilgili olarak Hûd sûresinde zikredilmektedir.[2] Kısaca söylemek gerekirse İbrahim 14/42 ve Hûd 11/104'e göre azap tehir edilecekse bu tehir âhirete olacaktır, kabre değil.

Diğer taraftan İbn Kayyim'in kabir azabına delil saydığı söz konusu âyette de, âhiret azabından farklı olarak dünyada da zalimlere azap edildiğine, fakat insanların çoğunun bunu anlayamadıklarına, bilemediklerine, fark edemediklerine veya hissedemediklerine âyetin sonunda dikkat çekilmektedir. İnsanların fark edememeleri, onlara azap edilmediği anlamına gelmez. Çekilen manevi veya psikolojik sıkıntıların, kâfirlerin başına gelen çeşitli dünyevî felaketlerin ve ölüm anı sıkıntılarının da âhiret öncesi azap anlamına gelmesinde herhangi bir engel yoktur.

Ateş'in yaptığı gibi âyetleri konu bağlamında ele alırsak, âyette kabirle ilgili bir mesajın kastedilmediğini rahatlıkla görebiliriz. Mekke'de indirilmiş olan bu âyetlerden maksadın, Hz. Peygamber'i teselli amacı taşıdığı son derece doğru bir tespittir. Çünkü o dönemde ve o zor şartlarda indirilmiş bir âyette, Mekkelilerin kabir azabına uğratılacağından söz edilmesi

1 İbrahim 14/42.
2 Hûd 11/104.

eğitici ve moral verici olarak görülemez. Daha doğru olan yaklaşım, inkârcı düşmanların bu dünyada devrilecekleri müjdesinin verilmesidir ki zaten Yüce Allah'ın da söylediği budur.

Bu âyetin kabir azabına delil sayılmasının doğru olabilmesi için ruhun bedenle kabirde buluşması gerekiyor. Oysa Kur'ân'a göre[1] ruhun bedenle tekrar buluşması kıyametin kopmasından hemen sonra, yani Sûr'a ikinci defa üfürülmesiyle gerçekleşecektir. Katâde'nin de dediği gibi Sûr'a ikinci defa üfürülmesi hakkında bilgi veren âyet şudur:

وَنُفِخَ فِي الصُّورِ فَاِذَا هُمْ مِنَ الْاَجْدَاثِ اِلٰى رَبِّهِمْ يَنْسِلُونَ "Nihayet Sûr'a üfürülecek. Bir de bakarsın ki onlar kabirlerinden kalkıp koşarak Rablerine giderler."[2] Bu âyette geçen الصُّورِ *es-sûr* kelimesi, الصورة *es-sûret* kelimesinin çoğulu olarak الصُّوَرِ *es-suver* şeklinde de okunabilir ve "sûretler, bedenler veya cesetler" anlamına gelebilir.[3] Dolayısıyla Sûr'a ikinci defa üfürülmesi, aynı zamanda ruhların da sûretlere, yani bedenlere üflenmesi anlamını çağrıştırmaktadır. Aksi takdirde, yani eğer kabirde bedene yönelik bir işlem yapılacaksa, o zaman öldükten sonra mahşerdeki diriltilme, yani *ba's* kavramı ortadan kalkacaktır. Durum böyle olunca kabirde azabı savunanlar için de aynı sorun veya tehlike söz konusudur, diyebiliriz.

10. Vâkı'a 56/83-96

فَلَوْلَٓا اِذَا بَلَغَتِ الْحُلْقُومَ وَاَنْتُمْ حِينَئِذٍ تَنْظُرُونَ وَنَحْنُ اَقْرَبُ اِلَيْهِ مِنْكُمْ وَلٰكِنْ
لَا تُبْصِرُونَ فَلَوْلَٓا اِنْ كُنْتُمْ غَيْرَ مَدِينِينَ تَرْجِعُونَهَٓا اِنْ كُنْتُمْ صَادِقِينَ فَاَمَّٓا اِنْ كَانَ مِنَ
الْمُقَرَّبِينَ فَرَوْحٌ وَرَيْحَانٌ وَجَنَّتُ نَعِيمٍ وَاَمَّٓا اِنْ كَانَ مِنْ اَصْحَابِ الْيَمِينِ فَسَلَامٌ لَكَ
مِنْ اَصْحَابِ الْيَمِينِ وَاَمَّٓا اِنْ كَانَ مِنَ الْمُكَذِّبِينَ الضَّٓالِّينَ فَنُزُلٌ مِنْ حَمِيمٍ وَتَصْلِيَةُ

1 Yâsîn 36/51; Zümer 39/68.

2 Yâsîn 36/51.

3 Bu görüş için bk. Ateş, *Tefsîr*, VII, 355.

جَح۪يمٍ ۘ اِنَّ هٰذَا لَهُوَ حَقُّ الْيَق۪ينِۚ فَسَبِّحْ بِاسْمِ رَبِّكَ الْعَظ۪يمِ "Hele can boğaza dayandığı zaman, o vakit siz bakar durursunuz. (O anda) biz ona sizden daha yakınız, ama göremezsiniz. Mademki ceza görmeyecekmişsiniz, o halde iddianızda doğru iseniz onu (canı) geri çevirsenize. Fakat (ölen kişi Allah'a) yakın olanlardan ise, ona rahatlık, güzel rızık ve nimet cenneti vardır. Eğer o kişi, defterini sağ tarafından alanlardan ise (ona), 'Ey sağdaki! Sana selam olsun!' (denir). Ama yalanlayıcı sapıklardan ise, işte ona da kaynar sudan bir ziyafet (!) vardır ve (onun sonu) cehenneme atılmaktır. Şüphesiz ki bu, kesin gerçektir. Öyleyse Yüce Rabbinin adını tesbîh ile an."

a) Âyetler Hakkındaki Görüşler

İbn Receb, bu âyetleri "Kabir Azabı ve Nimetleri" başlığında ele almış,[1] **İbn Kayyim** ise, burada zikredilen üç grubun, sûrenin başında sözü edilen âhiretteki üç gruptan farklı olduğunu, burada ölüm anındaki ruhların ahkâmından ve kabir hayatlarından söz edildiğini belirtmiştir.[2] Ancak kullandığı ifadelerle konunun kabir hallerini değil, bir bütün olarak hem ölüm anındaki durumları hem de âhiretteki sonuçları ifade ettiğini gözden kaçırmıştır.

b) Bizim Değerlendirmemiz

"Ölüm Anında Yaşanacaklar" başlığında da ifade ettiğimiz gibi, aynı bağlamda yer alan, اِذَا بَلَغَتِ الْحُلْقُومَۙ "Can boğaza dayandığı zaman" ifadesi, burada anlatılan hususların öncelikle ölüm anıyla ilgili olduğunu açıkça göstermektedir. Vâkı'a 56/88. âyetten itibaren de sûrenin başında değinilen

1 İbn Receb, *age.*, s. 41-42.

2 İbn Kayyim, *er-Rûh*, s. 75.

üç grup insanın âhirette nelerle karşılaşacağı hakkında ödül ve azap anlamında ifadelere yer verilmiş olduğu görülmektedir. Durum böyle olunca konuyu kabir hayatının herhangi bir parçası değil, aksine dünya hayatının henüz bitmemiş, ama bitmek üzere olan aşaması ile âhiret hayatı şeklinde anlamanın daha doğru olacağı kanaatindeyiz.

Müfessirlerin konuyla ilgili izahlarına bakıldığında onların da bu âyetleri tefsir ederken kabir azabından söz etmediği, hakkı yalanlayanlara ve dolayısıyla amel defterini sol taraftan alanlara yönelik tehdidin cehennem azabı olduğunu ifade ettikleri açık bir şekilde görülmektedir.[1]

11. Nûh 71/25

مِمَّا خَطِيٓئَاتِهِمْ اُغْرِقُوا فَاُدْخِلُوا نَارًا فَلَمْ يَجِدُوا لَهُمْ مِنْ دُونِ اللّٰهِ اَنْصَارًا

"Hatalarından dolayı boğuldular, ateşe sokuldular; kendilerine Allah'tan başka yardımcılar da bulamadılar."

a) Müfessirlerimizin Âyet Hakkındaki Görüşleri

Nûh kavminin boğulduktan sonra ateşe atılmasından söz eden bu âyetin de Ehl-i Sünnet âlimlerine göre kabirde azaba ilişkin deliller arasında sayıldığı ifade edilmektedir.[2]

Semerkandî, bu âyeti izahında "ateşe atılma"nın âhirette olacağı görüşünü benimsediğini ifade etmiş, konuyu kabirle ilişkilendirmemiştir. **Zemahşerî**, maksadın kabir azabı da olabileceğini ikinci görüş olarak zikretmiş,[3] **Kurtubî** ise konuyu tartışırken farklı görüşler bulunduğunu beyan etmiştir.[4]

---

1 Bu konuda bk. Semerkandî, *age.*, III, 399; Taberî, *age.*, XXVII, 214; Zemahşerî, *age.*, IV, 458; Kurtubî, *age.*, XVI, 151.

2 Toprak, *agmd.*, s. 37; Toprak, *age.*, s. 317-318.

3 Zemahşerî, *age.*, IV, 608.

4 Kurtubî, *age.*, XVIII, 201.

b) Âyet Hakkında Bizim Değerlendirmemiz

ı. Bu âyetteki boğulma olayı bu dünyadaki cezadır. فَاُدْخِلُوا نَارًا ifadesine de "ateşe girecekler" manası verilmelidir. Çünkü Kur'ân'ın geneline bakılınca kâfirlerin bir dost ve yardımcı bulamayacakları yer ve zaman mahşerdir. Hiçbir âyette Allah'ın yardımını görememe durumu kabirle ilgili olarak gösterilmemektedir. Cümledeki fiilin mazi (geçmiş zaman) kipinde oluşunun sebebi, Kur'ân'da bir üslup olarak âhirette yaşanacakların kesinlik ifade etmesidir.

ıı. Bu kıssanın işlendiği diğer âyetlere bakıldığında boğulmanın sonrasında herhangi bir işlemden söz edilmediği görülmektedir.[1] Sadece Furkân 25/37. âyetinde şöyle buyrulmaktadır:

وَقَوْمَ نُوحٍ لَمَّا كَذَّبُوا الرُّسُلَ اَغْرَقْنَاهُمْ وَجَعَلْنَاهُمْ لِلنَّاسِ اٰيَةًۜ وَاَعْتَدْنَا لِلظَّالِمِينَ عَذَابًا اَلِيمًاۚ "Nûh kavmine gelince, peygamberleri yalancılıkla itham ettiklerinde onları, suda boğduk ve kendilerini insanlar için bir ibret yaptık. Zalimler için acıklı bir azap hazırladık."

Bu âyette Nûh kavminin peygamberlerini yalanladıkları, bu zulümleri nedeniyle boğuldukları ve insanlara ibret kılındıkları belirtildikten sonra, zalimler için cehennem azabı anlamında elem verici bir azabın hazırlandığı bildirilmektedir. Buna göre Nûh 71/25'teki "ateş" ile Furkân 25/37'deki "elem verici azabın" aynı şey olduğu da söylenebilir.

ııı. Hz. Nûh'un kavminin ateşe atılacağından söz eden Nûh 71/25. âyetten başka hiçbir yerde onların cehenneme atılacağından söz edilmemektedir. İbn Kayyim de bu âyeti kabir azabı diye yorumladığına göre, bu durumda Hz. Nûh'un kavmi âhiretteki cehennem azabından kurtulmuş olacak ki, bu

---

1 A'râf 7/64; Yûnus 10/73; Hûd 11/37; Mü'minûn 23/27; Şu'arâ 26/120; 'Ankebût 29/14; Sâffât 37/82; Kamer 54/12.

anlayış kesinlikle kabul edilebilir bir yorum olamaz ve böyle bir yaklaşım Kur'ânî gerçeklerle de uyuşmaz.

ıv. Hz. Nûh'un inkârcı kavmi dünyadaki azgınlıklarının karşılığını, yine dünyada "boğularak" almışlardır. Âhirette ise cehennem ateşi onları beklemektedir. Bu arada mahşere kadar ruhlarının derin sıkıntı içerisinde olduğunu da belirtmekte yarar vardır.

v. Suda boğulma ile ateşe atılmanın yan yana getirilmesi sanatsal bir ifadedir. Dolayısıyla buradaki ateşe atılmanın suyun içerisinde boğulurken yaşanacak bir hasret ateşi olması veya boğulduktan sonra ruhun çekeceği manevi bir azap olması da elbette mümkündür. Ancak her halükârda meselenin kabirle ilgisi yoktur; çünkü söz konusu kişiler suda boğulup helâk edildikleri için kabirleri yoktur.

Merhum Elmalılı'nın derin bir anlayışla ortaya koyduğu şu nükteyi burada hatırlatmak gerekir: Suda boğulmakla ateşe atılmak iki zıt azabın bir arada oluşunu ifade eden üstün bir "tıbak sanatı"dır.[1] Gerçekten de su ve ateş birbirinin zıddı kavramlar olmasına rağmen, demek ki suda boğulurken de ateş azabını andıran bir yürek yangını yaşanmaktadır. Yâsîn 36/80 ve Vâkı'a 56/71-72'de ifade edildiği gibi, Yüce Allah yeşil yani ıslak ağaçtan, suyun zıddı ateşi yaratmaktadır. Demek ki zıtlardan zıtları yaratmak, hatta zıtları bir arada tutup belli oranlarda onları bir araya getirerek üçüncü bir zıddı yaratmak da sadece O'nun kudretindedir. İki zıt azabı bir arada sunan ilâhî kudret karşısında saygı ile eğilmekten başka ne yapılabilir ki? Rabbimiz bizleri de bütün inananları da her çeşit azabından muhafaza buyursun.[2]

---

1 Yazır, *age.*, VIII, 357.

2 Bu âyet hakkında daha geniş değerlendirmelerimiz için "Kısa Sûrelerin Tefsîri 4" adlı eserimize bakılabilir.

12. Fecr 89/27-30

يَآ اَيَّتُهَا النَّفْسُ الْمُطْمَئِنَّةُ ارْجِعِي اِلٰى رَبِّكِ رَاضِيَةً مَرْضِيَّةً فَادْخُلِي فِي عِبَادِي وَادْخُلِي جَنَّتِي "Ey (inkârla) huzura kavuş(tuğunu san)an insan! Artık sen O'ndan memnun, O da senden razı olarak Rabbine dön. (Böylelikle seçkin) kullarım arasına katıl ve cennetime gir!"

Bu âyetleri de kabir azabının veya kabir hayatının delilleri arasında zikreden İbn Kayyim, buradaki hitabın ne zaman söz konusu edileceği konusunun tartışmalı olduğunu, bazı âlimlere göre bunun ölüm anında olacağını belirtmiş, delil olarak da Hz. Peygamber'den nakledilen rivayetleri zikretmiştir.[1]

Fecr sûresinde yer alan bu âyetler muhteva olarak 21. âyetten itibaren şu bağlamda yer almaktadır:

Yeryüzünün parça parça döküldüğü, meleklerin saf saf dizilip Allah'ın emrinin geldiği, cehennemin getirildiği, cehennemlik insanın yaptıklarını teker teker hatırladığı, ancak bu hatırlamanın faydasız olduğu, kişinin yapmadıklarından dolayı pişmanlık duyacağı, o gün Allah'ın vereceği azabı hiç kimsenin yapamayacağı, O'nun vuracağı bağı kimsenin vuramayacağı açıkça ifade edildikten sonra kendilerine uyarı mahiyetinde şöyle seslenilmektedir: "Ey (inkârla) huzura kavuş(tuğunu san)an insan! Artık sen O'ndan memnun, O da senden razı olarak Rabbine dön. (Böylelikle seçkin) kullarım arasına katıl ve cennetime gir!" Açıkça görüldüğü gibi buradaki hitap tamamen âhiretteki olayları içermektedir ve inkârcı muhataplar uyarılmaktadır.[2]

Kur'ân'daki ifade tekniklerinden biri olan ve "bir olayı zıddıyla anlatmak" veya "çifterli anlatım tekniği" anlamına

---

1 İbn Kayyim, *er-Rûh*, s. 76.

2 Bu anlamı Mustafa Öztürk'e borçluyum.

gelen "Kur'ân'ın mesânî" oluşu gereği son âyetleri cennetliklerle de ilişkilendirmek mümkündür. Her iki durumda da konu, bütünüyle âhirete yönelik olarak ele alınmıştır.

Durum böyle olunca ilgili âyetleri kabir azabının delilleri arasında saymanın ne kadar büyük bir yanılgı olduğunu izaha gerek bile yoktur. Zaten Semerkandî ve Zemahşerî gibi müfessirler, bu âyetlerdeki ifadenin cennetle ilgili olduğunu, dolayısıyla konunun âhiretle ilişkilendirilmesi gerektiğini beyan etmiş, önceki âyetlerdeki azabın da âhirette olacağını belirtmişlerdir.[1]

13. Tekâsür 108/1-8

اَلْهٰيكُمُ التَّكَاثُرُ حَتّٰى زُرْتُمُ الْمَقَابِرَ كَلَّا سَوْفَ تَعْلَمُونَ ثُمَّ كَلَّا سَوْفَ تَعْلَمُونَ كَلَّا لَوْ تَعْلَمُونَ عِلْمَ الْيَقِينِ لَتَرَوُنَّ الْجَحِيمَ ثُمَّ لَتَرَوُنَّهَا عَيْنَ الْيَقِينِ ثُمَّ لَتُسْـَٔلُنَّ يَوْمَئِذٍ عَنِ النَّعِيمِ "Çokluk tutkusu/aç gözlülük sizi o kadar oyaladı ki, sonunda mezarlıkları dahi ziyaret ettiniz. Hayır! (bunun doğru olmadığını) ileride bileceksiniz! Elbette ileride bileceksiniz! Gerçek, zannettiğiniz gibi değil! Eğer kesin bilgi ile gerçeği bilmiş olsaydınız, mutlaka cehennemi görürdünüz. Sonra onu çıplak gözle göreceksiniz/bizzat müşahede edeceksiniz. Nihayet o gün (dünyada size verilen) nimetlerden elbette ve elbette hesaba çekileceksiniz."

a) Sûreye Yaklaşım

İbn Receb, sözünü ettiğimiz âyetlerden farklı olarak Hz. Ali'ye nispet edilen bir rivayeti esas alarak, Tekâsür sûresinin ilk âyetlerinin de kabir azabına delil olduğunu belirtmiştir. Bu konuda Hz. Ali'nin şöyle dediği kaydedilmiştir: "Mal ve çocuk çoğaltma yarışı sizi o kadar oyaladı ki nihayet mezar-

---

1 Semerkandî, *age.*, III, 580-581; Zemahşerî, *age.*, IV, 740-741.

lıkları ziyaret ettiniz" âyetleri ininceye kadar biz kabir azabı hakkında şüphedeydik."[1]

Bu âyetler hakkında özellikle dördüncü âyetteki "ikinci bilme"nin kabirde olacağını ifade edenler vardır. Üstelik âyetleri tercüme ederken yapılan ilaveler gerçekten düşündürücüdür. Âyetler şöyle tercüme edilmiştir: "...Hayır (bu hareketiniz uygun değildir), ileride (ölürken size ne yapılacağını) bileceksiniz. Yine sakının, ileride (kabirde size ne yapılacağını) bileceksiniz..."[2]

b) Bizim Değerlendirmemiz

1. Bu sûrenin 16. sırada indirildiği bilinmektedir. Yani risaletin ilk dönemlerinde muhataplar henüz neye inanacakları konusunda doğru dürüst bilgilendirilmeden, iman esasları henüz tam anlamıyla belirlenmeden, hayata dair ilkeler ortaya konulmadan konunun kabir azabıyla ilgili görülmesi gerçekten şaşırtıcıdır.

Mekkî sûrelerde genellikle işlenen konu âhiret inancının sağlanmasıdır; zaten bu sûrenin bütününe bakıldığında da bu durum rahatlıkla görülecektir. Tirmizî'nin nakline göre sûrenin son âyeti hakkında sahâbîlerin bir bölümü nelerden hesaba çekileceklerini sormuşlar, Hz. Peygamber de "nimetlerden" cevabını vermiştir[3] ki âyetlerde zaten bunlar açıkça ifade edilmektedir.

Bu âyetlerde hiçbir şekilde kabir-âhiret ayrımı veya ölüm hali-kabir hayatı ayrımı yoktur. İkinci âyette geçen الْمَقَابِر *el-mekâbir* "mezarlıklar" ifadesine bakıp olayın bir bölümünün kabir hayatını ilgilendirdiğini düşünmek doğru de-

1 İbn Receb, *age.*, s. 43. Ayrıca rivayet için de bk. Tirmizî, Tefsîru'l-Kur'ân, 102. Tirmizî bu rivayetin hasen garip olduğunu belirtmiştir.

2 Toprak, *age.*, s. 324.

3 Tirmizî, Tefsîru'l-Kur'ân, 103-107.

ğildir. Buradaki mesaj, bazı insanların ölünceye kadar dünya meşguliyetlerine dalmaları ve bu meşguliyetlerin onları oyalamasıyla ilgilidir.

ıı. İşte bu şekilde aldananların ve âhireti inkâr edenlerin yakın bir gelecekte, yani âhirette gerçeği, âhiret azabını bizzat görüp müşahede edecekleri, ayrıca dünyadaki bütün nimetlerden de orada mutlaka hesaba çekilecekleri kendilerine vurgulu bir şekilde hatırlatılmaktadır. "Âhiret hayatı ölüm anına göre uzak" olduğu için buradaki fiillerin başına سَوْفَ *sevfe* edatı getirilmiştir. Ölüm, âhirete göre daha yakındır; dolayısıyla kullanılan bu edat, söz konusu cehennemi görme işleminin iddia edildiği gibi ölürken değil de âhirette gerçekleşeceğini ortaya koymaktadır. Gerçi En'âm 6/93 ve Vâkı'a 56/83-84. âyetlerine göre insanlar ölürken de bazı hallerle karşılaşacaklardır; ancak burada sözü edilen konu özellikle âhiretle ilişkilendirilmiştir.

إِنَّهُمْ يَرَوْنَهُ بَعِيدًاۙ وَنَرٰيهُ قَرِيبًاۜ "Doğrusu onlar, o azabı uzak görüyorlar; Biz ise onu yakın görmekteyiz"[1] âyeti gereği bizim uzak zannettiklerimiz Yüce Allah'a göre aslında yakındır; ama bizlere insan algısına göre mesajlar verildiği için kullanılan edatların anlamını görmezlikten gelmemeliyiz.

ııı. Sûrenin son âyetinde yer alan يَوْمَئِذٍ *yevmeizin* "o gün" kelimesi bu sûrede ifade edilen ikinci görme işleminin yerinin âhiret olduğunu ortaya koymaktadır. İlk görme dünyada, ikincisi ise âhirette gerçekleşecektir. Dolayısıyla biz, bu sûrede işlenen konuların ölüm anı ve kabirle ilgili değil de, -o günün inkârcı ve inatçı müşriklerinin yoksun oldukları- âhiret inancını kabullenmelerini sağlamak ya da inanmayacaklarsa onları şiddetli bir şekilde uyarmak için özellikle âhiretle ilişkili olduğunu düşünmekteyiz.

---

1 Me'âric 70/6-7.

iv. Tekâsür sûresinin ilk âyetleri mana itibarıyla şöyle yorumlanabilir: İnsanlar bazen üstünlüklerini veya başarılarını ölüleriyle övünerek anlatırlar. Zira kendilerinin hiçbir başarısı yoktur. "Babamız veya dedemiz şunu yapmıştır" diyerek kendilerini avuturlar. Bu insanlar, ölülerinin başarısıyla övündükleri için bir bakıma yaşadıkları hayatı sanki onların ölüleri idare etmiş olur. Onların bu hali devamlı olarak mezarları ziyaretten ibarettir. Bu tür insanlar, geçmiş nesillerin ilmî buluşlarını, siyasi veya askerî başarılarını üstün görerek iradelerini onlara teslim ederler, kendileri düşünüp yaşadıkları çağa yön verecek bir fikir üretemezler. Âyetler işte bu anlamda değerlendirilince kabir azabıyla ilgili olmadıkları da görülecektir.

v. Bu âyetlerden çıkartılabilecek diğer bir anlam da şudur: Yüce Allah bu âyetlerde insanların mal ve evlat konusunda çoklukla durmadan övünmelerinin, oyalanmalarının veya bu şekilde birbirleriyle yarışmalarının onları öylesine meşgul ettiğini belirtmiştir ki bu tavırları onları mezara kadar sürüklemiş, bir bakıma bu anlamsız oyalanmaları ölümlerine neden olmuş, ölünceye kadar bu gereksiz tutumu devam ettirmişlerdir.

Kısaca kendisi bir şey yapmayan nesillerin mutlu ve huzurlu yaşama hakkı yoktur; gidecekleri yer sonuçta mezardır ve geriye de sadece mezarları ve yaptıkları iyi işler kalacaktır; anılacakları başka bir övünç kaynakları olmayacaktır. Bizlerin mezarlarla ilişkimizi şu hadis belirlemelidir: Hz. Peygamber buyurdu ki: "Ben, sizi kabirleri ziyaretten men etmiştim. Artık onları ziyaret edebilirsiniz. Çünkü onlar size âhireti hatırlatır."[1] Evet, kabirlerin, âhireti hatırlattığına dair hiçbir şüphe yoktur.

---

1 Müslim, Cenâiz 106; Ebû Dâvud, Cenâiz 81; Tirmizî, Cenâiz 60; Nesâî, Cenâiz, 100.

Bütün bu izahlardan anlaşılacağı üzere, Tekâsür sûresinde kabir âlemi veya kabirde azapla ilgili herhangi bir mesaj söz konusu değildir. Görüleceğinden söz edilen "ilk ateş"ten öncelikli maksat, inkârcıların ve mal-evlat çoğaltma yarışına girenlerin dünyayı ateşe çevirmeleri ve o ateşi görmeleridir. İkincisi ise mahşerde azaba dönüşecek cehennem ateşidir. İşte o ikinci görüşe göre dünyada kendilerine verilen bütün nimetlerden sorguya çekileceklerdir.[1]

Sonuç olarak;

Kabirde azabın varlığını kabul edenlerin, kendilerine delil olarak seçtikleri âyetlere getirdikleri yorumlar, zorlamalarla doludur. Âdeta bu konuda önce karar verilmiş, sonra delil araştırmasına girişilmiştir. Bunun doğal sonucu olarak, âyetlerde ifade edilen konular ile delil getirilmesi düşünülen konuların birbiriyle ilgisi olmamasına rağmen, birtakım zorlamalarla âyetlerin evrensel mesajı çarpıtılmış, âyet bağlamları hiç dikkate alınmadan anlaşılmaz yorumlar yapılmıştır. Bazen bağlam ihmal edilmiş, bazen de bizâtihi bir âyetin başı alınmış, sonu terk edilmiştir. Kur'ân'ı böyle bir muameleye tabi tutmak hiç kimsenin hakkı da haddi de değildir.

Kabirde sorgulanma ve kabirde azap konusunda dayanak aranırken mutlak surette âyet bulunması gerekmezdi. Bundan sonraki iki başlıkta da ele alacağımız üzere, mesele rivayetlere veya rüyalara dayandırılır, inanmak isteyenlere bu noktada bir yol bulunurdu. Bu yolu denemektense, maalesef âyetlerin mesajı ile oynanmış ve muhataplar yanlış yönlendirilmiştir. Rivayetler doğru ve sahih kabul edilerek esas alınmış, âyetler de bu doğrultuda yorumlanmıştır. Böylece

---

1 Tekâsür sûresinin tefsiri için bk. Okuyan, *Kısa Sûrelerin Tefsîri 1*, İstanbul, 2011.

rivayetler âyetleri değil, âyetler rivayetleri açıklar konuma indirilmiştir. İşte biz bu başlıkta söz konusu iddialara delil olduğu sanılan ayetlerin aslında konuyla hiçbir alakasının olmadığını ispatlamaya ve inanç meselesi hâline getirilmeye çalışılan "kabirde sorgulanma ve azap" konusunda Kur'ân'dan delil olmadığını ortaya koymaya çalıştık.

Kabirde azaba dair Kur'ân'dan getirilmeye çalışılan delilleri (!) yani âyetleri hatırlattıktan sonra, bu doğrultuda hem "kabirde azap" hakkındaki bazı rivayetleri, hem de ilgili rivayetler hakkındaki değerlendirmeleri okuyucunun dikkatine sunmak istiyoruz. Bu konudaki rivayetlerin hepsini sıralamak, hem bu çalışmanın hacmini genişleteceği hem de gereksiz bilgi aktarımına neden olacağından rivayetlerin bir kısmıyla yetinecek ve konuyu ana hatlarıyla ortaya koymaya çalışacağız.

B. RİVAYETLERE DAYALI DELİLLER

Kabirde sorgulanma ve azabın varlığına dair ileri sürülen Kur'ânî delilleri(!) ve onlar hakkındaki değerlendirmelerimizi ifade ettikten sonra, şimdi de konuyla ilgili rivayetleri ve değerlendirmelerimizi aktarmak istiyoruz. Bu arada öncelikle rivayetlere yaklaşımda nasıl bir yol takip edilmesi gerektiği ve bizim takip ettiğimiz yöntem konusunda açıklamalar yapacağız.

1. RİVAYETLERE YAKLAŞIMDA TAKİP EDİLMESİ GEREKEN YÖNTEM

Hz. Peygamber'e nispet edilen rivayetler hakkındaki genel tutumumuzu ifade bağlamında ve kültürümüzü şekillendiren pek çok rivayetin sağlam olup olmadığı konusunda nasıl bir yol takip etmemiz gerektiğini ortaya koymak durumundayız. Bazılarının belli konulardaki rivayetleri esas almak için onlara biçtikleri mütevâtirlik (kesin güvenilirlik) iddiası, kabir konusunda da sıkça tekrarlanan bir husus olarak gündeme getirilmektedir.

Daha önce de ifade etmeye çalıştığımız üzere Taftazânî, kabir azabı konusundaki rivayetlerin teker teker olmasa da manen ve topluca mütevâtir olduklarını söyleyip buna inanmayı dinin bir esası gibi sunması[1] karşısında, "mütevâtir" teriminin gerçekte ne anlam ifade ettiğini ve bunun pratikte mümkün olup olmadığını tespit etmek önemli bir husus halini almaktadır. Bu itibarla "mütevâtir" konusunda Hayri Kırbaşoğlu'nun konuyla ilgili şu değerlendirmeleri son derece açıklayıcı ve sorunu çözücü mahiyettedir:

"Mütevatir, İslâm'ın temel özellikleri sayılan namazın kılınışı, vakitleri, ezan, haccın yapılışı, bayram ve namazı, Hz. Peygamber'in hayatının ana hatları vb Hz. Peygamber'den bugüne bütün Müslümanların toplumsal pratik veya kitlesel rivayet şeklinde nesilden nesile aktardıkları bilgilerdir. Bunların doğruluğunda ne bir ihtilaf vardır, ne de şüpheyi gerektiren bir husus! İşte mütevatir denilen şeyler bu gibi hususlardır. Bunlardaki tevâtür, konuların kitaplarda yazılmasından değil, toplumsal pratiğe dayalı nakilden kaynaklanır. Bunların dışında hadis kitaplarında yer alan rivayetlerin hiçbirisi mütevatir değildir. Bir başka ifadeyle, bir rivayet belli râviler tarafından rivayet edilip bir isnada dayandırılmış ise artık onun mütevâtir olma şansı yoktur. Çünkü râvileri bulunan, râvilerinin *cerh* ve *ta'dîl*i mümkün olan, isnadının da *muttasıl* veya *munkatı'* olması söz konusu olan bir rivayet mütevatir olamaz, olsa olsa *âhâd* olur. Kaynaklardaki bazı hadislerin, onlarca hatta yüzü aşkın sayıda sahabeden rivayet edilmiş olması da tevatür için yeterli değildir. Çünkü bunların her biri âhâd olduğu için sayılarının yüksek olması her bir rivayetin âhâd olma durumunu ortadan kaldırmaz. Bir benzetme yapmak gerekirse, bir sepet kırık yumurta bir

---

1 Taftazânî, *age.*, s. 134.

sağlam yumurta etmediği, yumurtaların bir sepet olması onların kırık olmasını ortadan kaldırmadığı gibi, her biri âhâd olup zann ifade eden birçok hadisin bir araya gelmesi de kesin bilgi doğurmaz, onların her birinin zannîliğini ortadan kaldırmaz. Bu şekilde çok sayıda isnatla nakledilen rivayetlerin, olsa olsa *meşhûr* veya *müstefiz* oldukları söylenebilir. Bir hadisin Buhârî ve/veya Müslim'de yer alması da onun *mütevâtir* olması için yeterli değildir. Ümmetin bir hadisi kabul etmesi de onu tevâtür derecesine çıkaramaz. Çünkü ümmetin *mevzû* hadisleri ve bu tür hadisleri içeren eserleri de kabulle karşıladığı gözden uzak tutulmamalıdır. Bu durumda "mütevâtir, -uygulama olarak değil, râvisi isnadı bulunan bir hadis olarak- mevcut değildir" diyen İslâm âlimlerinin görüşlerinin daha doğru olduğu ve gerçekleri yansıttığı ortaya çıkmış olmaktadır. Özetle İbn Hibbân'ın dediği gibi elimizdeki bütün hadisler "âhâd"dır. Dolayısıyla hadis ilminde uzun uzun üzerinde durmayı gerektirecek bir mütevatir problemi veya konusu ihdas etmeye de pek fazla gerek olmadığı söylenebilir."[1]

Bu ifadelerden de anlaşıldığı üzere, "mütevâtir" kavramının içinin ne ile dolu olduğunu iyice tespit etmek gerekmektedir. Bazı konularda rivayetlerin çokluğunun, doğrulukları hakkında yeterli olmadığı, söz konusu kabullerin daha güvenilir bir kaynak tarafından desteklenmesi gerektiği gayet açıktır. Bir rivayetin niçin doğru olmadığını söylemeden ya da rivayetlerin doğruluğunu tespitte doğru bir ilke ortaya koymadan, sadece "bu rivayet doğru değildir" demek de inandırıcılıktan uzak bir nitelendirmedir. Bu nedenle söz konusu ilkeyi belirlemede, meseleyi "Kur'ân'a sunulma" ekseninde ele almak istiyoruz.

---

1 Kırbaşoğlu, *Hadis Metodolojisi*, s. 103-104.

a) Rivayetlerin Kur'ân'a Arz Edilmesi

Bir konuda ileri sürülen herhangi bir rivayetin doğruluğunu tespitte "efradını *câmi*' ağyarını *mâni*'" bir metot bulmak durumundayız. Prensip gayet açıktır: Rivayet her nerede bulunursa bulunsun, onu her kim rivayet etmiş olursa olsun, konu eğer Kur'ân'da varsa rivayetin sıhhati Kur'ân'a arz edilerek tespit edilebilir; bunun başka bir yolu yoktur. Nitekim sıhhati bazılarınca şüpheli görülse de bir rivayette Rasulullah (as) şöyle buyurmuştur:

ما جائكم عني فأعرضوه علي كتاب الله فما وافقه فأنا قلته وما خالفه فلم أقله

"Benden size geleni Allah'ın Kitab'ına arz edin; ona uyuyorsa onu ben söylemişimdir, ona aykırı ise onu ben dememişimdir."[1]

Bu rivayet, aslında her şeyi açıkça ortaya koymaktadır. Zira Hz. Peygamber elbette Kur'ân'a aykırı bir şey söylemezdi; söyleseydi zaten peygamber olamazdı. Yüce Allah bu konuda Hz. Peygamber için şöyle buyurmaktadır:

وَلَوْ تَقَوَّلَ عَلَيْنَا بَعْضَ الْاَقَاوِيلِۙ لَاَخَذْنَا مِنْهُ بِالْيَمِينِۙ ثُمَّ لَقَطَعْنَا مِنْهُ الْوَتِينَۘ

"Eğer (Peygamber) bize atfen bazı sözler uydurmuş olsaydı, elbette onu kıskıvrak yakalardık; sonra da onun can damarını koparırdık (onu yaşatmazdık)."[2]

Yukarıdaki rivayet bu âyetler çerçevesinde değerlen- dirildiğinde, ortaya koyduğu ilkenin doğruluğu, ifadenin Hz.

---

1 Muhammed b. İdris eş-Şâfi'î, *er-Risâle*, Kahire, baskı tarihi yok, s. 224. Gerçi İmam Şâfi'î, bu rivayeti kabul etmediğini de söylemektedir. Başka bazı ilim adamları da bunun uydurma olduğunu, bu hadisleri Hâricilerin, Râfızîlerin ve Zındıkların uydurmuş olduğunu söylemişler; ancak bu konuda toptancı yaklaşımların sağlıklı sonuç vermeyeceğini ileri sürenler de olmuştur. Bu konudaki kanaatler için bk. Ahmet Keleş, *Hadislerin Kur'ân'a Arzı*, İstanbul, 1998, s. 69-113. Ayrıca benzer rivayetler ve onlar hakkında çeşitli tartışmalar için de bk. Suat Yıldırım, *Peygamberimizin Kur'ân'ı Tefsîri*, İzmir, 2006, I, 66-70.

2 Hâkka 69/44-46.

Peygamber'e aidiyeti ispatlansa da ispatlanamasa da kendiliğinden ortaya çıkar.

Tüm rivayetlerin Hz. Peygamber'den geldiği konusunda herhangi bir fikir birliği bulunmamaktadır. Eğer bir sözü Hz. Peygamber'in söylediği kesin olarak bilinecek olsaydı, ona ilk inanan olma konusunda hiçbir müminin herhangi bir tereddüdü olamazdı. Buradaki asıl sorun, Hz. Peygamber'den geldiği söylenen rivayetlerin ondan gelip gelmediğinin kesin olarak bilinememesidir. Nitekim Hz. Peygamber'den geldiğine inandığımız bir rivayette Nebî (as) şöyle buyurmaktadır:

"Benden rivayet edilen bir hadisi duyduğunuzda kalpleriniz onu tanır (ona ünsiyet sağlar); içinizin ona karşı yumuşadığını, ruhunuzun onu özümsediğini, onun size yakın olduğunu hemen hisseder, anlarsınız; yani onun akla uygun olduğunu görürseniz ondan şüphe etmeyin. Fakat hadisi duyduğunuzda kalpleriniz ondan nefret eder, içiniz ondan ürperip uzaklaşır, aklınız da onu kabul etmezse o söz benden değildir."[1]

Hz. Peygamber'in Kur'ân'a aykırı olan, onun anlamını değiştiren herhangi bir sözü söylemeyeceği de inanan herkes tarafından kabul edilen veya kabul edilmesi gereken bir gerçektir. Bu noktada şu çok önemli tespiti burada aktarmak istiyoruz:

"Bir peygamberin, ilk olarak kendisinin uymakla yükümlü olduğu bir kitaba aykırı inanç, düşünce ve eylem içinde olması hiçbir sûrette söz konusu olamayacağındandır ki, biz bugün herhangi bir kaynakta rastladığımız makbul (sahih-hasen) bir hadisin, zâhiren Kur'ân'a ters düştüğünü görecek olursak, yapılacak ilk iş, bu ilkeyi uygulamaya koymak

---

1 Ahmed b. Hanbel, V, 224. Bu konuda geniş değerlendirmeler için bk. Sarmış, *age.*, s. 366-371.

olmalıdır. Hadislerin Kur'ân kriterine vurulmasının dinî bilginin epistemolojisiyle de yakın ilgisi vardır. Daha açık ifade edecek olursak, dinin esaslarının belirlenmesinde başvurulacak bilginin 'kesin' bir bilgi olması son derece önem arz eder. Elimizde mevcut bütün hadisler ise, *'âhâd'* hadis kategorisine dâhil olup Peygamberimize aidiyetleri 'kesin' değil, 'zannî'dir. Zannî nitelikteki rivayetlere başvururken herhangi bir yanlışlık yapmamak için, bunların Kur'ân ölçüsüne vurulması gerekir."[1]

Kırbaşoğlu, bu haklı değerlendirmelerinden sonra bu defa Debbûsî'den de şunları nakletmiştir:

"Hadislerin Kur'ân'a arz edilmesinde, küçümsenemeyecek kadar büyük bir ilim ve dinin korunması söz konusudur. Çünkü din sömürüsü ve bid'atların çoğu, *âhâd* haberlerin akide (inanç) ve amelde Kur'ân ve sabit sünnete arz edilmeden kabul edilmesinden kaynaklanmaktadır. Kur'ân'ı, *âhâd* haberler doğrultusunda yorumlamak, metbu (uyulan) ko-

---

1 Kırbaşoğlu, *Alternatif Hadis Metodolojisi*, s. 185-186. Bu arada hadislerin Kur'ân'a arzı konusunda geniş bir çalışma için ayrıca bk. Keleş, *Hadislerin Kur'ân'a Arzı*, İstanbul, 1998. Kırbaşoğlu, "Kur'ân Dışında Vahy Var mıdır?" başlığını verip de uzun uzun ilgili iddiaları ele alıp değerlendirdiği çalışma için bk. Kırbaşoğlu, *İslâm Düşüncesinde Sünnet -Eleştirel Bir Yaklaşım-*, Ankara, 1997, 271-303; Kırbaşoğlu, *Hadis Metodolojisi*, s. 199. Ayrıca bu konuda vahyin Kur'ân'la sınırlı olduğu, hadisin ise ilham olduğu, ancak Hz. Peygamber'in kendi hevasından konuşmaması ve Allah'ın indirmesi bağlamında Kur'ân ve hadisin vahy kaynaklı olmak bakımından bir oldukları şeklindeki kanaatler için de bk. Subhi es-Sâlih, *Hadis İlimleri ve Hadis Istılahları*, tercüme: Yaşar Kandemir, İstanbul, 1996, s. 254. Ayrıca konuyla ilgili olarak bk. Salih Karacabey, *Hz. Peygamber'de Nebevî ve Beşerî Bilgi*, İstanbul, 2002, s. 182-219; Nihat Hatipoğlu, "Hz. Peygamber'e Kur'an Dışında Vahiy Geldiğini Red Düşüncesine Yönelik Bir Alan Taraması", *İslami Araştırmalar*, c. XI, sayı: 3-4, Ankara, 1998, s. 273-296; Bünyamin Erul, "Hz. Peygamber'e Kur'ân Dışında Vahiy Geldiğini İfade Eden Rivayetlerin Tahlil ve Tenkidi", *İslâmiyat*, c. I, sayı. 1, Ankara, 1998, s. 55-73; Mevlüt Güngör, "Hz.Peygamber'in Kur'an'ın Dışında da Vahiy Aldığının Kur'an'dan Delilleri", *Kur'ân Araştırmaları*, c. II, sayı. 2, İstanbul, 1996, s. 53-86; Mehmet Erdoğan, *Akıl-Vahy Dengesi Açısından Sünnet*, İstanbul, 1995, s. 70-72.

numda olanı tâbi' (uyan) konumuna getirmek olduğundan, bu, dini kesin bilgi ifade etmeyen esaslara dayandırmak anlamına gelir. Böyle olunca da dinin esasları zan ifade eden delillerden oluşur. Buysa dinde bid'at yollarını açmaktan başka bir şey değildir. Bu anlayışın dine verdiği zarar, *âhâd* haberleri kabul etmeyenlerin verdikleri zarardan daha büyüktür. Çünkü âhâd haberleri kabul etmeyen kimse, (sübûtundaki) bir şüpheden dolayı *haber-i vâhid*i reddetmektedir... Âhâd haberleri Kur'ân ölçüsüne vurmayan kimse, *âhâd* haberleri 'asıl' kabul ederek, Kitâb'ı buna vurmakta, dolayısıyla dini, kesin bilgi ifade etmeyen hususlara dayandırmış olmaktadır. Burada orta yol, Allah'ın Kitâbı sübut açısından kesin olduğu için, onu 'asıl' kabul etmek, *âhâd* haberleriyse ona tâbi kılıp Kur'ân'a uygun olanları kabul, aykırı olanları da reddetmektir."[1]

Debbûsî'den yapılan bu değerlendirmelere katıldığımızı ifade ederek, rivayetlerin sıhhati konusunda şu noktanın da gözden kaçırılmaması gerektiğini özellikle hatırlatmak istiyoruz:

Bir konuda ifade edilen rivayetler her yönüyle birbirleriyle uyuşmadıkları ve çeşitlilik arz ettikleri için,[2] bunların hangisinin vahye uygun olduğunu kestirmek mümkün değildir. Dolayısıyla her rivayeti vahye dayalı gibi görmenin ya

---

1 Kırbaşoğlu, *Hadis Metodolojisi*, s. 186. (ed-Debbûsî'den nakil). Bu arada Serahsî'den naklen onun hadisleri kabulde ileri sürdüğü dört önemli ilke de şöyle sıralanmaktadır: Bir hadisin Kitâbullâha (Kur'ân'a) aykırı olması, Rasulullah'tan gelen meşhur/yaygın bir sünnete aykırı olması, genel ve özel herkesi ilgilendiren ve herkesin bilmesi gereken bir konu olduğu halde ilgili rivayetin meşhur/yaygın olmaması ve bir konuda ihtilafa düştükleri halde aralarındaki tartışmalarda bir hadisten bahsetmemelerine bakılarak ilk yüzyıldaki imamların ondan yüz çevirmiş olmaları. (Bk. Kırbaşoğlu, *Hadis Metodolojisi*, s. 177-178.)

2 Rivayet çeşitliliği ve bunları değerlendirme bağlamında pek çok örnek için bk. Enbiya Yıldırım, *age.*, s. 32-292.

da herhangi birini vahiy dışına itmenin Kur'ân'a arz dışında başka bir ölçüsünü bulmak mümkün değildir. Bu itibarla rivayetleri değerlendirirken onları Kur'ân aynasına, yani vahyin turnusolüne vurmak dışında başka yollar aramak veya üretmek güvenilirlikten yoksun çabalardır. Çünkü pek çok rivayetin sıhhati noktasında yeterli delil bulunmamasına rağmen, rivayetleri kollayıp âyetleri görmezlikten gelme anlamında çok çeşitli örneklerin bulunduğu herkesin malumudur.

"...Rivayet düşkünleri, elden geldiğince rivayetleri kollayıp korumayı âdeta bir din edinmişlerdir. Burada Yüce Allah ile onun kulu Hz. Peygamber ne ontolojik, ne de normatif açıdan denk olmadıkları, birinin yaratıcı, diğerinin ise yaratılmışlar kategorisine dâhil olduğu, biri emreden, diğeri itaat eden olduğu halde, kalkıp Yüce Allah ile Hz. Peygamber'i dinî otorite bakımından aynı şeyi paylaşan iki ortak gibi düşünmek büyük bir cüretkârlıktır. Zaten tarihte de Hz. Peygamber'in başına ne geldiyse onun -kazuratının, salya, tükürük, balgam, kan vb atıklarına varıncaya kadar- kutsallaştırılmasından, yani beşer olmaktan çıkartılmasından dolayı gelmiş değil midir?... Bu felaketten kurtulmanın yolu, iddia edilenin aksine, Hz. Peygamber'in bir kul (*abdühû*) olduğunun idrakine varmak ve sübutu kesin olmayan elimizdeki hadis malzemesinin, sağlamını çürüğünden ayırmak için, onları Kur'ân ölçüsüne vurmaktan geçer."[1]

Bu ifadeler, rivayetler konusunda Kur'ân ölçüsünün ne kadar önemli olduğunu ve Kur'ân'a müracaat yolunun takip edilmesi gerektiğini gayet net bir şekilde ortaya koymaktadır. Bu değerlendirmelere tamamen katıldığımızı belirterek, kabir hayatıyla ilgili bir sonraki başlıkta nakledeceğimiz ve

1 Kırbaşoğlu, *Hadis Metodolojisi*, s. 200.

her biri *âhâd* haber durumunda olan rivayetlerin tamamının bu mantıkla yeniden ele alınmasının zorunluluğunu tekrar vurgulamak istiyoruz.

Hz. Peygamber'in söylediği her şeyin vahiy olduğu iddiası da gerçeklerle uyuşmamaktadır. Çünkü Hz. Peygamber bir hadisinde şöyle buyurmuştur: "Bir iş eğer sizin dünya ile ilgili işlerinizden ise siz onu benden daha iyi bilebilirsiniz; ilgili iş eğer din ile ilgili ise ben onu daha iyi bilirim."[1] Dolayısıyla her söylenen sözün vahiy olması gerekmemektedir. Hayatın normal akışıyla ilgili olarak ve daha önemlisi bir insan olarak Hz. Peygamber'in vahye konu olmayan bazı sözleri söylemiş olması, bazı davranışları yapmış olması gayet normaldir; zaten böyle olmalıydı da. Aksi takdirde insanüstü bir varlık olduğu zannı ortaya çıkardı ki böyle bir zan Kur'ân'ın açık ifadelerine aykırıdır.[2]

Kendisinden Kur'ân'ı değiştirmesi ya da başka bir Kur'ân getirmesi istendiğinde, Hz. Peygamber'in vermesi istenen cevap şudur:

قُلْ مَا يَكُونُ لِيَ اَنْ اُبَدِّلَهُ مِنْ تِلْقَآئِ نَفْسِي اِنْ اَتَّبِعُ اِلَّا مَا يُوحٰى اِلَيَّ اِنِّي اَخَافُ اِنْ عَصَيْتُ رَبِّي عَذَابَ يَوْمٍ عَظِيمٍ قُلْ لَوْ شَآءَ اللّٰهُ مَا تَلَوْتُهُ عَلَيْكُمْ وَلَآ اَدْرٰيكُمْ بِهٖ فَقَدْ لَبِثْتُ فِيكُمْ عُمُرًا مِنْ قَبْلِهٖ اَفَلَا تَعْقِلُونَ "De ki: Onu kendiliğimden değiştirmem benim için olacak şey değildir. Ben, bana vahyolunandan başkasına uymam. Çünkü Rabbime isyan edersem, elbette büyük günün azabından korkarım. De ki: Eğer Allah dileseydi onu size okumazdım, Allah da onu size bildirmezdi. Ben bundan önce bir ömür boyu içinizde durmuştum. Hâlâ akıl erdiremiyor musunuz?"[3]

---

1 Hadis için bk. Ahmed b. Hanbel, III, 152.

2 Hz. Peygamber'in de diğer insanlar gibi bir insan olduğunu ifade eden âyetler için bk. Kehf 18/110; Fussılet 41/6.

3 Yûnus 10/15-16.

Bu ifadelerden de anlaşılacağı üzere, Hz. Peygamber'den olağanüstü işler istendiğinde kendisinin de bir insan olduğunu, farkının vahye muhataplıkta bulunduğunu, üstelik kendisinin de öncelikli olarak o vahye uymak zorunda olduğunu hatırlatma ihtiyacını hissetmiş, Yüce Allah da ona bu yönde emirler vermiştir.

Sözün burasında değinilmesi gereken bazı âyetler olduğunu belirtmek gerekir:

وَمَا يَنْطِقُ عَنِ الْهَوٰى اِنْ هُوَ اِلَّا وَحْيٌ يُوحٰى "O, arzusuna göre de konuşmuyor. (Size ilettiği şeyler, yani Kur'ân) kendisine vahyedilenden başka bir şey değildir."[1] Necm sûresinin bu ilk âyetlerinde konu, Hz. Peygamber'in ağzından çıkan her sözle ilgili değildir. O gün tartışılan ve muhataplarının karşı çıktığı şey, onun vahiy olarak aktardığı Kur'ân âyetleridir. Âyetlerin devamına bakıldığında bu gerçek daha net bir şekilde kendini göstermektedir:

"Çünkü onu (vahyi) güçlü, kuvvetli biri (Cebrâîl) öğretti. (Cebrâîl) en yüksek ufukta iken doğruldu; sonra (Muhammed'e) yaklaştı, (yere doğru) sarktı. O kadar ki (birleştirilmiş) iki yay arası kadar, hatta daha da yakın oldu. Bunun üzerine (Cebrâîl, Allah'ın) kendisine vahyettiğini kuluna vahyetti."[2]

İşte bu âyetlerde ifade edildiği gibi, Cebrâîl'in Hz. Peygamber'e öğrettiği şey Kur'ân âyetleriydi; bir insan olarak günlük hayattaki ihtiyaçlarını gidermek için söylediği sözler değildi. Zaten müşriklerin karşı çıktığı sözler de bunlar değil, diğerleri idi. Ayrıca müşrik Arapların, Hz. Peygamber'in risalet iddiaları dışındaki hayatına herhangi bir itirazları da söz konusu değildi. Çünkü ona *Muhammedü'l-Emîn* sıfatını

1 Necm 53/3-4.
2 Necm 53/5-10.

bizzat kendileri takmıştı. Hicret esnasında evindeki emanetler de onun risaletine karşı çıkan Mekke müşriklerine aitti. Durum böyle olunca, ilgili Necm 53/3-4. âyetlerde değinilen hususun vahye konu olan Kur'ân olduğunda şüphe yoktur.

Rivayetlerin Kur'ân'a arz edilmesi gereği konusuna destek olması bakımından bu yöntemi daha önce uygulayan ve dolayısıyla bize de önermiş bulunan İmâm-ı A'zam'ın konuya ilişkin tutumunu burada zikretmek istiyoruz.

b) Kur'ân'a Aykırı Rivayetlere İmâm-ı A'zam'ın Yaklaşımı

İmam-ı A'zam Ebû Hanîfe, rivayetler konusunda hassasiyetiyle tanınan bir âlimdir. Kur'ân'a arz ettikten sonra reddettiği hadislerle ilgili olarak *el-'Âlim ve'l-Müte'allim* adlı eserinde yer alan savunma ifadelerini burada naklederek, onun bu konuda nasıl bir yol takip ettiğini ve bizim "Kur'ân'a arz" adıyla ele aldığımız yaklaşımımızın asıl kaynağının neresi veya kim olduğunu bu vesileyle ortaya koyacağız.

Ebû Hanîfe, kendisine "Zina eden müminin, başından gömleğinin çıkarılması gibi imanı da çıkarılır"[1] hadisinin güvenilir insanlar tarafından rivayet edildiği, bunu kabul ederse Hâricilerle birlikte kabul edileceği, reddederse bu defa Hz. Peygamber'in sözünü reddetmek durumunda kalacağının sorulması üzerine şu açıklamayı yapmıştır:

"(Hz. Peygamber'i) yalanlamak, ancak 'Ben, Hz. Peygamber'in sözünü yalanlıyorum' diyen kimsenin yalanlamasıdır. Ancak bir kimse 'Ben, Hz. Peygamber'in söylediği her şeye iman ederim, fakat o, kötülük yapılmasını söylemedi, Kur'ân'a da muhalefet etmedi' derse, bu söz o kimsenin Hz. Peygamber'i ve Kur'ân-ı Kerîm'i onaylamasıdır; Allah'ın

1 Hadis için bk. Ebû Dâvûd, Sünne, 15; Tirmizî, İmân, 11.

Rasûlünü, Kur'ân'a muhalefetten tenzih etmesidir. Eğer Hz. Peygamber, Kur'ân'a muhalefet etse ve Allah için hak olmayan şeyleri kendiliğinden uydursa idi, Allah onun kudret ve kuvvetini alır, kalp/şah damarını koparırdı. Nitekim bu husus Kur'ân'da şöyle belirtilir: 'Eğer (Peygamber) bize atfen bazı sözler uydurmuş olsaydı, elbette onu kıskıvrak yakalardık. Sonra onun can damarını koparırdık (onu yaşatmazdık). Hiçbiriniz buna engel de olamazdınız.'[1] Allah'ın peygamberi, Allah'ın kitabına muhalefet etmez, Allah'ın kitabına muhalefet eden kimse de Allah'ın peygamberi olamaz. Onların rivayet ettikleri (yukarıdaki zina edenin imansız olacağı) şeklindeki bu haber Kur'ân'a aykırıdır. Çünkü Yüce Allah, Kur'ân-ı Kerîm'de 'zina eden kadın ve erkek'[2] âyetinde zina eden erkek ve kadından iman özelliğini kaldırmamıştır. Aynı şekilde 'Sizden fuhuş yapanlardan her ikisi de...'[3] âyetinde Allah 'sizden' kaydı ile Yahudi ve Hıristiyanları değil, Müslümanları kastetmektedir. O halde Kur'ân-ı Kerîm'in zıddına, Hz. Peygamber'den hadis nakleden herhangi bir kimseyi reddetmek, Hz. Peygamber'i reddetmek veya yalanlamak değildir. Aksine Hz. Peygamber adına yanlışı rivayet eden kimseyi reddetmek demektir. İtham Hz. Peygamber'e değil, nakleden kimseye yöneliktir. Hz. Peygamber'in söylediğini duyduğumuz yahut duymadığımız her şey can, baş üstünedir. Biz onların hepsine iman ettik, onların Allah'ın Rasûlü'nün söylediği gibi olduğuna şehâdet ederiz. Keza, Hz. Peygamber'in, Allah'ın yasakladığı bir şeyi emretmediğine, Allah'ın kullarına ulaştırılmasını emrettiği bir şeye de engel olmadığına şahitlik ederiz. O, hiçbir şeyi Allah'ın nitelendirdiğinden başka şekilde nitelendirmez. Yine şehadet ederiz ki

---

1 Hâkka 69/44-47.

2 Nûr 24/2.

3 Nisâ 4/16.

o, bütün işlerde Allah'ın emrine uymuş, hiçbir bid'at ortaya koymamıştır. Allah'ın söylemediği hiçbir şeyi de Allah'a isnat etmemiştir. Bunun için Yüce Allah, 'Rasûl'e itaat eden kişi Allah'a itaat etmiş demektir'[1] buyurmaktadır."[2]

Görüldüğü gibi İmâm-ı A'zam, Hz. Peygamber'in Kur'ân'a ters düşen bir söz söylemeyeceğini ve Kur'ân'a aykırı böyle bir davranışta bulunmayacağını öne sürmektedir. Hadislerde ve nakledilen sünnetinde Kur'ân'a ters düşen ne varsa o ifadeler, hadisi ve sünneti nakleden kişiye aittir. Çünkü Hz. Peygamber, İmam-ı A'zam'ın da naklettiği Hâkka sûresindeki âyetleri herkesten daha iyi biliyor ve ona göre davranıyordu. Bundan şüphe etmek, dolaylı da olsa Hz. Peygamber'in vahye uymadığını ve Yüce Allah'a itaat etmediğini iddia etmek olur.

İşte rivayetlere karşı ortaya konulması gereken tutum İmam-ı A'zam'ın tutumu gibi olmalıdır. Konuya onun da baktığı Kur'ân penceresinden bakmak ve böyle bir yol takip etmek, sorunların çözümünde büyük kolaylıklar sağlayacaktır.

Bu vesileyle rivayetler konusunda hassasiyetiyle bilinen İbn Kayyim el-Cevziyye'nin de konuyla ilgili yaklaşımını hatırlatmakta yarar olduğunu düşünmekteyiz.

c) İbn Kayyim el-Cevziyye'nin Rivayetlere Karşı Tutumu

İbn Kayyim, rivayetlere karşı hassasiyetiyle bilinen ve çeşitli rivayetleri eleştiriciliğiyle tanınan bir âlimdir. Öyle ki, onun "Senedi incelenmeksizin bir hadisin uydurma olduğu-

---

1 Nisâ 4/80.

2 Nu'mân b. Sâbit, İmam A'zam Ebû Hanîfe, *el-'Âlim ve'l-Müte'allim,* tercüme: Mustafa Öz, İstanbul, 2002, 24-25.

nun anlaşılıp anlaşılamayacağı"na dair *el-Menâru'l-Münîf fi's-Sahîh ve'd-Da'îf* adlı bir eser kaleme aldığı[1], Abdülfettah Ebû Ğudde'nin ifadesiyle, bunun İbnu'l-Cevzî'nin *el-Mevdû'ât*'ının muhtasarı olduğu da ifade edilmektedir. Daha sonra, bu eser *Nakdü'l-Menkûl* ismiyle basılmış, çeşitli ilim adamlarının tahkikleriyle yayımlanmıştır.[2]

Nakdü'l-Menkûl adlı bu eserde 228 tane rivayet ele alınmış ve bu rivayetlerin büyük çoğunluğu "uydurma" olarak tanıtılmıştır. Bir örnek olması bakımından "Ben kimin mevlası isem, Ali de onun mevlasıdır"[3] şeklinde çok yaygın bir kabule sahip olan bir rivayet hakkında şunları belirtmiştir:

"(Bir hadisin uydurma oluşunun alâmetlerinden biri de) Hz. Peygamber'in bütün sahabenin huzurunda açıkça bir iş yapması, sonra sahabenin bu durumu gizlemekte anlaşıp onu nakletmediklerinin iddia edilmesidir. Nitekim fırkaların en yalancısı (Şia) Rasulullah'ın Veda Haccı'ndan döner-

---

1 İbn Kayyim, *Nakdü'l-Menkûl* adlı eserinin başında kendisine "Senedi incelenmeksizin bir hadisin uydurma olduğunun anlaşılıp anlaşılamayacağı" şeklindeki bir soru sorulduğunu, kendisinin de cevap olarak bunun önemli bir soru olduğunu, ilgili rivayetleri ancak sahih sünnet konusunda uzmanlaşan, Rasulullah'ın hayatını iyice bilen, hadislere vukufiyeti derinlik kazanan, Nebî(as)'nin neyi emredip neyi emretmeyeceğini bilen, kısaca Rasulullah ile âdeta bütünleşmiş birinin bu kararı verebileceğini belirtmiştir (bk. İbn Kayyim el-Cevziyye, *Nakdü'l-Menkûl*, baskı yeri ve tarihi yok, Mukaddime, s. 1.) Biz, bu ifadelerden bazı insanların dikkat etmeden hadis uydurmuş olduklarını, bu tür rivayetlerin eserlere girdiğini ve bunları ayıklamanın önemli bir ihtiyaç olduğunu, dolayısıyla bu görevi yaparken de Rasulullah ile ünsiyetin şart olduğunu, yani onu çok iyi tanımak gerektiğini, onu tanımadan, mantığını kavramadan böyle bir işe kalkışmanın anlamsız olduğunu, hâsılı Rasulullah'ı tanımanın yolunun da Kur'ân'ı tam ve doğru anlamaktan geçtiğini anlamaktayız. Kur'ân'ı doğru tanımadan Hz. Peygamber'i anlamak mümkün değildir; çünkü Kur'ân, Rasulullah'ı sadece tanıtan bir kitap değil, onu "Abdullah'ın oğlu Muhammed" olmaktan "Allah'ın Elçisi Muhammed" olmaya dönüştüren, bir anlamda onu inşa eden, şekillendiren ve programlayan bir kitaptır.

2 H. Yunus Apaydın, "İbn Kayyim el-Cevziyye" md., *Diyanet İslam Ansiklopedisi*, İstanbul, 1999, XX, 121-122.

3 Tirmizî, Menâkıb, 19; İbn Mâce, Mukaddime, 11; Ahmed b. Hanbel, I, 84.

ken bütün sahabenin huzurunda Hz. Ali'nin elini tutup onu herkesin göreceği şekilde (ortaya) getirip 'Bu benim vâsim, kardeşim ve benden sonra benim halifemdir. Onun sözünü dinleyin ve ona itaat edin' dediğini, sonra herkesin bu durumu gizleyip bunu değiştirmek ve karşı çıkmak konusunda anlaştıklarını iddia etmeleri de böyledir."[1]

Bu ifadelerin sahibi olan İbn Kayyim, yine aynı doğrultuda bu defa uydurma hadislerin tespitinde şu ilkelerden söz etmektedir:

I. Hadisin komik ifadeler içeren veya diyet tariflerine benzer bir üslupta olması,[2]

II. Hadisin bir hadisten çok, doktor reçetesine ve üfürükçülerin muska ve yazılarına benzemesi,[3]

III. Hadisin lafızlarının rekâket ve çirkinliği, dolayısıyla kulağı tırmalaması, insanın yaratılışının onu kabul etmemesi ve zeki birinin manadaki bozukluğu fark etmesi.[4]

Hadisin komik olmaması, reçeteyi andırmaması, fıtratı zorlamaması gerekiyorsa, bu hassasiyet kabir azabıyla ilgili olarak da uygulanmalıydı. O rivayetlerde de komiklikler, zeki birinin kolayca reddedebileceği türden bozukluklar yer almaktadır.

Yine İbn Kayyim, "Bir kimse konuşurken aksırırsa bu onun doğru söylediğini gösterir" rivayetinin de uydurma olduğunu beyanla şu gerekçeleri ileri sürmüştür:

---

1 İbn Kayyim bu ifadeyi *Nakdü'l-Menkûl*'ün, فصل الصحابة بلغوا السنة ولم يكتموا منها شيئا başlığında ve 44 numaralı rivayet hakkında kullanmıştır.

2 İbn Kayyim bu ifadeyi *Nakdü'l-Menkûl*'ün فصل تكذيب الحس للحديث الموضوع başlığında ve 16-22. rivayetler hakkında kullanmıştır.

3 İbn Kayyim bu ifadeyi *Nakdü'l-Menkûl*'ün, فصل من علامات الوضع أن يشبه الحديث كلام الأطباء başlığında ve 70-80. rivayetler hakkında kullanmıştır.

4 İbn Kayyim bu ifadeyi *Nakdü'l-Menkûl*'ün فصل سماجة الحديث تدل على وضعه başlığında ve 23-41 numaralı rivayetler ile فصل ركاكة ألفاظ الحديث وسماجة معناه تدلان على وضعه başlığında ve 106-111. rivayetler hakkında kullanmıştır.

"Her ne kadar bazıları bu hadisin isnâdının sahih olduğunu söylese de tecrübemiz bunun uydurma olduğunu göstermektedir. Çünkü biz, aksırıp durduğu halde dilinden yalan akan pek çok insanın var olduğunu görüp duruyoruz. Bu sebeple mesela, Hz. Peygamber'den herhangi bir hadis rivayet edilirken 100.000 kişi dahi aksırsa sırf bu aksırıklardan dolayı o hadisin sahih olduğuna hükmedilemez. Keza yalan şahitlik yaparlarken aksırsalar, yine de onların doğru söyledikleri iddia edilemez."[1]

İbn Kayyim'in bütün bu gerekçelerinin haklı olduğunu tereddütsüz kabul etmekteyiz. Ancak bu sözlerin sahibi İbn Kayyim, yukarıda naklettiğimiz gibi konu kabir hallerine gelince kendisi de benzer rivayetlere sarılmakta, Kur'ân'a aykırılığı açıkça belli olan rivayetlere bel bağlamakta ve bu tür rivayetleri kabulde tecrübeye hiç itibar etmemektedir. Demek ki bazılarının bir rivayete sahih demesi onu sahih yapmaya yetmemektedir. Aksırmak gibi son derece insani bir özellik, herhangi bir bilginin doğruluğuna kaynaklık etmeye işaret veya delil değildir.

İbn Kayyim'in, daha çok bir doktor reçetesini andıran rivayetlere karşı duruşu, zaman zaman bir konuyla ilgili bütün rivayetlerin reddedilmesi gerektiği noktasına kadar ulaşabilmektedir. Mesela "Horozlarla ilgili hadislerin tamamı uydurmadır"[2] sözü işte bunun bir örneğidir. Ancak İbn Kayyim, kabir rivayetlerinde yapmadığı bu eleme işlemini horozlarla ilgili yaptığı bu son toptancılığında işleterek hemen bir istisnaya yer vermekte ve şunları belirtmektedir: "Sadece bir hadis hariç, o da şudur: Horozların öttüğünü duyduğunuz zaman Allah'ın lütfundan isteyiniz, çünkü o horozlar melekleri görmüşlerdir."[3]

---

1 İbn Kayyim, *Nakdü'l-Menkûl*, 18. rivayet.

2 İbn Kayyim, *Nakdü'l-Menkûl*, 197. rivayet.

3 İbn Kayyim bu sözünü *Nakdü'l-Menkûl*'de 197. rivayette söylemiştir.

Bu ifadesiyle İbn Kayyim açık bir çelişkiye düşmekten kendini kurtaramamıştır.[1] Çünkü Yüce Allah, Bakara 2/186 ve Mü'min 40/60. âyetlerde kullarının duasına icabet edeceğini söylerken, herhangi bir zaman sınırlaması koymamıştır. Ayrıca, sâlih amellerin, güzel sözleri yani dua ve niyazları Allah'a yükselteceği ifade edilirken de benzer zamanlara veya vesilelere hiçbir şekilde yer verilmemiştir.[2] Kaldı ki akıl sahibi olmadığı için sorumlu da olmayan hayvanların bazı hallerini diğer hallerinden istisna ederek, dahası bazı hayvanları diğerlerinden ayrı tutarak onlara belli ayrıcalıklar vermek hangi bilgiyle, hangi tecrübeyle ya da hangi delille desteklenebilir? Buradan da açıkça görülebileceği gibi, İbn Kayyim sadece kabir konusunda değil, prensibini kendisinin belirlediği bir konuda bile kendisinden beklenen sağlam bir duruş sergileyememiştir.

İbn Kayyim özellikle tecrübeye ve mantığa dayalı olarak bazı rivayetleri eleştirirken, onları uydurma kabul etmenin yanında uyduranlarına da ağır eleştiriler yöneltmektedir. Kendi değerlendirmelerine göre uydurma kabul ettiği mesela "patlıcan ne için yenirse ona yarar" veya "patlıcan her derde devadır" gibi rivayet sahiplerine şunları söylemektedir:

قبح الله واضعهما فإن هذا لو قاله بعض جهلة الأطباء لسخر الناس منه ولو أكل الباذنجان للحمى والسوداء الغالبة وكثير من الأمراض لم يزدها إلا شدة ولو أكله فقير ليستغني لم يفده غنى أو جاهل ليتعلم لم يفده العلم "Allah, bu sözleri uyduranların yüzünü karartsın. Bu sözü cahil tıpçılar (muhtemelen tıptan anlamayan herhangi biri) söyleseydi insanlar onunla alay eder (geçerler)lerdi. Patlıcan humma, sevdâ-i ğâlibe ve daha başka pek çok hastalık nedeniyle yense

1 Bu çelişki tespiti için de ayrıca bk. Kırbaşoğlu, *Alternatif Hadis Metodolojisi*, s. 263.

2 Âyet için bk. Fâtır 35/10.

sadece hastalığın şiddetini arttırırdı. Fakir bir adam zengin olmak için yese bir yararı olmayacağı gibi, cahil biri ilim öğrenmek için yese o ilmin kendisine faydası olmazdı."[1]

İbn Kayyim, *Nakdü'l-Menkûl* adlı eserinin başında kendisine "Senedi incelenmeksizin bir hadisin uydurma olduğunun anlaşılıp anlaşılamayacağı" şeklindeki bir soru sorulduğunu, cevap olarak bunun önemli bir soru olduğunu, ilgili rivayetleri ancak sahih sünnet konusunda uzmanlaşan, Rasulullah'ın hayatını iyice bilen, hadislere vukufiyeti derinlik kazanan, Nebî(as)'nin neyi emredip neyi emretmeyeceğini bilen, kısaca Rasulullah ile âdeta bütünleşmiş birinin bu kararı verebileceğini belirtmiştir.[2] Biz, bu ifadelerden bazı insanların dikkat etmeden hadis uydurmuş olduklarını, bu tür rivayetlerin eserlere girdiğini ve bunları ayıklamanın önemli bir ihtiyaç olduğunu, dolayısıyla bu görevi yaparken de Rasulullah ile ünsiyetin şart olduğunu, yani onu çok iyi tanımak gerektiğini, onu tanımadan, mantığını kavramadan böyle bir işe kalkışmanın anlamsız olduğunu, hâsılı Rasulullah'ı tanımanın yolunun da Kur'ân'ı tam ve doğru anlamaktan geçtiğini anlamaktayız. Kur'ân'ı doğru tanımadan Hz. Peygamber'i anlamak mümkün değildir; çünkü Kur'ân, Rasulullah'ı sadece tanıtan bir kitap değil, onu "Abdullah'ın oğlu Muhammed" olmaktan "Allah'ın Elçisi Muhammed" olmaya dönüştüren, bir anlamda onu inşa eden, şekillendiren ve programlayan bir hitaptır.

İşte bu örneklerde de görüldüğü gibi rivayete dayalı inanç esası belirlemenin ne kadar hatalı bir yaklaşım olduğu, bu konuda İmâm-ı A'zam'ın bütünüyle, İbn Kayyim'in de kısmen örnek alınmasının gerekliliği anlaşılmaktadır.

---

1 İbn Kayyim, *Nakdü'l-Menkûl*, 17. Rivayet.

2 İbn Kayyim, *Nakdü'l-Menkûl*, baskı yeri ve tarihi yok, Mukaddime, s. 1.

Yüce Allah'ın kitabına uyma noktasında en başarılı örnek olan Hz. Peygamber'i Kur'ân'a aykırı sözler söyleyen kişi konumuna düşürmemek için, rivayetleri Kur'ân ölçüsüne vurmak çok önemlidir. Dinî gerçeklerin kaynağını öncelikli olarak Kur'ân diye belirlemek, vahiy ile desteklenmeyen insanların görüşlerini Kur'ân derecesine yükseltmemek, bu arada iddia edilenin aksine, sayılı bazı insanları gaybla ilişkili gibi görmemek, bu noktada atılacak adımların temellerini oluşturmaktadır.

d) Gaybın Bildirildiği Sayılı Kullar İddiası

Genelde gaybla ilgili tüm konuları, özelde kabir hallerini bilmede bazı insanların diğerlerinden farklı olduğuna inanılmaktadır. Onlara göre Yüce Allah peygamberleri hariç, bazı insanlara ayrıcalık vermiştir. Bu bağlamda, kabir hayatı konusunda şu ilginç tespitte bulunulmuştur:

"Kabir halleri, Allah'ın bir ikram olarak *âlem-i ervah* (ruhlar âlemi)nin bazı sırlarını kendilerine açtığı bir kısım sayılı kullarının haberlerinden öğrenilir."[1] Bir başka ifadeyle "bu bilgiler bir kısım sayılı kulların verdiği haberlerden öğrenilir." İşte bu ifade, gayba dair bir konuda peygamber olmayan bazı insanların da bilgi sahibi olduğunu iddia etmektir. Böyle bir kabul, kabir konusunda ilgili sayılı kulların söylediği her sözün doğru olduğu zannını ortaya koyar. Çünkü sözü söyleyen kişi "bunu bana Allah öğretti, bana inanmayan kâfirdir" derse, kim ona "yok, Allah sana bunu öğretmedi" diyebilir ki?

"Sayılı birkaç kişi" ifadesinin kaç kişiyi ve kimleri kapsadığı bilinmediği ya da bunların kim olduğu herhangi bir

---

1 Gazâlî, *el-Iktisâd*, s. 161-162; *İhyâ*, IV, 532. Toprak, *age.*, s. 246-247.

yerde ifade edilmediği için, bu durum ucu açık bir yolun açılmasına sebep olmuştur. Oysa böyle bir iddianın, din adına ne kadar vahim sonuçlar doğuracağını söylemeye gerek dahi yoktur. Kanaatimize göre bu tür kabuller, bir yanlışı esas kabul edip sonraki yanlışları ona dayandırmaktan, onu referans kabul etmekten kaynaklanmaktadır. İşte buradaki ilk yanlış "Allah'ın bazı sayılı kullara ruhlar âleminin sırlarını açtığı iddiası"dır. Eğer bazı kabuller bu gibi öncüllerle şekillendirilmişse geri kalanların doğruluğunu aramaya ya da diğerlerinin yanlışlığını ispatlamaya nesillerin ömürleri yetmeyecektir.

Bu konuda benzer çıkışların tarihte de günümüzde de sıklıkla gündeme geldiği bilinmektedir. "Sayılı kullar" iddiasının sonucu olacak şekilde kendilerinin "mehdî" olarak görevlendirildiğini sanan şu kadar insana karşı çıkarken gösterilen hassasiyet, incelediğimiz konularda da gösterilmelidir.

Hz. Peygamber için gaybı bilememe durumu, haliyle sahâbîler için de geçerlidir. Bunun delili Enfâl 8/60. âyettir. Bu âyette, savaş hazırlığı yapılırken Allah'a da kendilerine de düşman olanlara karşı hazırlık yapılması emrinden söz edilmekte ve sonunda şu ifadelere yer verilmektedir:

وَاٰخَرٖينَ مِنْ دُونِهِمْۚ لَا تَعْلَمُونَهُمْۚ اَللّٰهُ يَعْلَمُهُمْ "Onlardan başka sizin bilmediğiniz, Allah'ın bildiği (düşman) kimseleri (korkutursunuz)."

İşte bu ifadelerde, o günkü muhatapların daha başka düşmanlarının olduğunu ve onları Müslümanların bilemediğini, sadece Yüce Allah'ın bildiğini ifade etmekle, gayb olan bir konunun insanlara kapalılığı vurgulanmış olmaktadır. Dolayısıyla "bazı insanlar, gaybla ilgili konularda bilgilendirilmiş olabilirler" şeklindeki iddia ve kabul de bu âyetin karşısında geçerliliğini kaybetmiş demektir. Çünkü sahâbîlere bile gayb kapalı olduğuna göre, daha sonrakiler için durum bundan farklı olmayacaktır.

"Sayılı Kullar" meselesi hakkında bizce çok önemli bir veri niteliği taşıyan ve konunun bütünüyle nereden geldiği noktasında bir fikir vermesi açısından ilginç bir tespite burada yer vermek istiyoruz:

Mehmet Paçacı "Apokaliptik Edebiyat'ta Âhiret Anlayışı" başlığında "Apokalips" kelimesini izah ederken, bunun "örtülü bir şeyi açmak, bir şeyin örtüsünü kaldırmak" olduğunu, özelde ilgili kelimenin "Allah veya ilahi irade hakkındaki gizli bir gerçeği açıklamak" anlamına geldiğini, bu kavramın Yahudilik ve Hıristiyanlık içindeki bir hareketi ifade ettiğini beyandan sonra şu çarpıcı tespitte bulunmuştur:

"Buna göre Allah, çok yakında gelecek dünyanın sonu hakkındaki sırları, bazı kişilere halka anlatmaları için açıklamıştır. Bu kişiler söz konusu gizlilikleri, vizyonlar aracılığı ile öğrenirler ve yazıya geçirirler. İşte bu vizyonların aktarıldığı kitaplara Apokaliptik Kitaplar adı verilmektedir."[1]

Paçacı'nın belirttiği bu noktadan şunu anlıyoruz: "Yüce Allah'ın, bazı sırları sayılı insanlara bildirdiği" iddiası, Yahudilik ve Hıristiyanlık kültüründe önemli bir yer işgal eden Apokaliptik bilgilerin bir yansıması olabilir. Zira her iki iddia da birbirine benzemekte, üstelik ele aldıkları konular da âhiretle ilgili olduğu için konu benzerliği oluşturmaktadır.

Başlıktaki kanaatleri kabul etmeme sebebimiz, sadece bu son benzetmemizle sınırlı değildir. Biz, gaybî bir konunun sadece Yüce Allah'ın kitabında verilen bilgilerle sınırlı olacağını, herkese kapalı olan bu alan hakkında değerlendirme

---

1 Paçacı, *age.*, s. 142.

yapmanın, üstelik bunu sayılı birkaç kişinin yapabileceğini söylemenin kabul edilebilir hiçbir tarafının bulunmadığını düşünmekteyiz.

Sonuç olarak şunları söyleyebiliriz ki, kabir hayatı konusundaki haber, rivayet veya görüşler ya da Peygamberimize isnad edilen rivayetler şu iki nedenden kaynaklanmış olabilir:

ı. Bu rivayetleri gündeme getirenler Kur'ân bilgisine yeterince sahip değillerdi veya biliyorlarsa da bunu referanslarında kullanmamışlar; konulara duygusal, yani subjektif yaklaşmışlardı. Çünkü Kur'ân'ın referans alınmadığı yerlerde dinî konuları konuşmak karanlığa gömülmek veya işi çıkmaza sürüklemektir.

ıı. Böyle bid'at ve hurafeleri kitaplarında nakleden ve İslâmî kültüre sokmaya çalışanlar yoğun bir İsrailiyyat içerikli din anlayışının etkisinde görünmektedirler. Çünkü yukarıdaki aktarımlar bunun en belirgin delillerinden biridir.

Yukarıda aktardığımız üzere, kabir azabının varlığına dair zorlama yorumlar ve çarpıtmalar hariç, Kur'ân'dan açık veya en azından işaret eden deliller bulamayanların, bu konudaki görüşlerini desteklemek için Hz. Peygamber'e isnat edilen birtakım rivayetlerden yararlanmaya çalıştıklarını görmekteyiz.

Bir konuda eğer âyet yoksa o konuda Kur'ân'ın temel ilkelerine ve mantığına aykırı olmamak, onun anlamını daraltıp bozmamak, çarpıtıp anlaşılmaz hale getirmemek ve senedinin de sağlam olması şartıyla rivayetlere elbette müracaat edilebilir; bunda hiçbir sakınca yoktur. Âyetlerin anlam dünyası eğer zedelenmeyecek ve Kur'ân'ın bir konuda belirlediği çizgi bozulmayacak veya eğriltilmeyecekse, elbette rivayetler de birer kültürel değer olarak dini doğru anlamada etkin kabul edilebilirler.

"Rivayetlere Yaklaşımda Takip Edilmesi Gereken Yöntem" başlığında ele aldığımız konular hakkındaki değerlendirmelerimizi bu şekilde toparlamaya çalıştık. Şimdi ise rivayetlerin Kur'ân'a aykırılık noktasında neden arzu edilmeyen sonuçlarla karşılaşıldığı meselesine kısaca değinmek istiyoruz.

Rivayetlerin dayandırıldığı kurum elbette peygamberlik kurumudur. Bu kurumun mahiyetini ve Kur'ân'da dile getirilen esasları gündeme taşıyarak, gaybın bilinmesi anlamına gelebilecek yaklaşımların çıkış noktasını ortaya koymaya gayret edeceğiz; ardından Hz. Peygamber'in gayb konusundaki pozisyonundan söz etmek istiyoruz. Göreceğiz ki doğru değerlerden oluşmayan peygamber algısı türlü felaketlere sebep olmaktadır. Vahyi uygulamak durumunda olan peygamberler yakıştırmaların muhatabı edilmişlerdir. Peygamberlik kurumunu vahyin tanıttığı bilgilerden bağımsız olarak anlamaya veya şekillendirmeye çalışmak, risalet kurumunu hiç anlamamaktır; o kurumu ilâhî inşa projesinin dışına itmektir; tanınmaz hale gelmesine neden olmaktır; hatta yeni bir risalet kültürü üretme cüretinde bulunmaktır.

Bu büyük felakete çanak tutmamak için peygamberlik müessesesine Kur'ân'dan bakmaya, nübüvvet ve risaleti vahyin bir projesi olarak anlamaya, Kur'ân-sünnet uyumunu sağlamaya, vahyin teorik yapısını risaletin pratikleriyle bütünleştirmeye, böylece doğru yerden bakıp doğru sonuçlar elde etmeye ve vahyin inşa ettiği bir inanç yapısıyla donanmış olmaya çalışacağız.

Kabir azabı hakkındaki rivayetlerin önemli bir bölümünde, Hz. Peygamber'in kabirde azaba maruz kalanların azaba uğratılma nedenini bildiği ve azabın sesini bizzat duyduğu ifade edilmektedir. Kabrin, yani ölüm sonrasının gaybî bir konu olduğu herkesin kabulüdür. Hz. Peygamber'in gayb karşısındaki konumunu bir sonraki başlıkta ele alacağımızı ifadeyle şu kadarını söylemekle yetinmek istiyoruz: Hz. Peygamber ve melekler de dâhil olmak üzere göklerde ve yeryüzünde Yüce Allah'tan başka hiç kimsenin gaybı bilemediği Kur'ân'ın açıkça ortaya koyduğu gerçeklerdendir.[1]

Hz. Peygamber'in gayb konusundaki durumuna değinmeden önce son olarak "Kur'ân'da peygamberlik kurumu"na dair bazı hatırlatmalar yapmak ve özellikle onun, peygamberler arasında cereyan ettirilen, kendisini diğer peygamberlerden üstün tutturmayı hedefleyen birtakım aşırı yüceltmeci tavırları nasıl karşıladığı, hatta bu konuda nasıl şiddetli uyarılarda bulunduğuna dair bazı rivayetler üzerinde durmak istiyoruz. Konuyu Hz. Peygamber ölçeğinde ele alınca diğer insanların durumunun kendiliğinden ortaya çıkacağını düşünmekteyiz.

e) Peygamberlik Kurumu ve Abartıcılık

1. Nübüvvet Kurumu

Bu başlıkta konuyla doğrudan ilişkili bilgiler vermeden önce, kısaca peygamberlik kurumu hakkında bilgi vermek istiyoruz.

Yüce Allah, Nahl 16/36'da her kavme bir elçi gönderdiğini, Ra'd 13/7'de her kavmin bir hidayet davetçisinin var olduğunu, Yûnus 10/47 ve Fâtır 35/24'te de her ümmetin bir uyarıcısının mutlaka bulunduğunu beyan etmektedir. Ayrıca İsrâ 17/15'te peygamber göndermedikçe azap edilmeyeceği de bir prensip olarak belirlenmiştir.

Şu husus kesinlikle unutulmamalıdır: Peygamberlik, Yüce Allah'ın seçimine bağlı bir kurumdur. Kur'ân'da pek çok âyet bu gerçeğin ispatı durumundadır:

---

1 Neml 27/65.

إِنَّ اللّٰهَ اصْطَفٰٓى اٰدَمَ وَنُوحًا وَاٰلَ اِبْرٰهٖيمَ وَاٰلَ عِمْرٰنَ عَلَى الْعَالَمٖينَۙ ذُرِّيَّةً بَعْضُهَا مِنْ بَعْضٍۜ وَاللّٰهُ سَمٖيعٌ عَلٖيمٌۚ "Muhakkak ki Allah, Âdem'i, Nûh'u, İbrahim ailesi ile İmrân ailesini seçip âlemlere üstün kıldı. Bunlar birbirinden gelme nesillerdir. Allah işitendir; bilendir."[1] Bu âyetlerde bazı ailelerin bazı fertlerine verilen risalet görevine dikkat çekilmekte ve risaletin Yüce Allah'ın seçimine bağlı olduğuna vurgu yapılmaktadır.

اِنَّٓا اَوْحَيْنَٓا اِلَيْكَ كَمَٓا اَوْحَيْنَٓا اِلٰى نُوحٍ وَالنَّبِيّٖنَ مِنْ بَعْدِهٖۚ وَاَوْحَيْنَٓا اِلٰٓى اِبْرٰهٖيمَ وَاِسْمٰعٖيلَ وَاِسْحٰقَ وَيَعْقُوبَ وَالْاَسْبَاطِ وَعٖيسٰى وَاَيُّوبَ وَيُونُسَ وَهٰرُونَ وَسُلَيْمٰنَۚ وَاٰتَيْنَا دَاوُ۫دَ زَبُورًاۚ وَرُسُلًا قَدْ قَصَصْنَاهُمْ عَلَيْكَ مِنْ قَبْلُ وَرُسُلًا لَمْ نَقْصُصْهُمْ عَلَيْكَۜ وَكَلَّمَ اللّٰهُ مُوسٰى تَكْلٖيمًاۚ "Biz, Nûh'a ve ondan sonraki peygamberlere vahyettiğimiz gibi sana da vahyettik. (Nitekim) İbrahim'e, İsmail'e, İshâk'a, Yakûb'a, esbâta (torunlara), Îsâ'ya, Eyyûb'a, Yûnus'a, Hârûn'a ve Süleyman'a vahyettik. Dâvûd'a da Zebûr'u verdik. Bir kısım peygamberleri sana daha önce anlattık, bir kısmını ise sana anlatmadık. Allah, Mûsâ'ya da gerçekten konuşmuştu."[2]

Benzer şekilde peygamberlerden bir bölümünün kıssalarının anlatıldığı, bir bölümünün anlatılmadığı Mü'min 40/78'de şu şekilde ifade edilmektedir: "Andolsun, senden önce de peygamberler gönderdik. Onlardan sana kıssalarını anlattığımız kimseler de var, durumlarını sana bildirmediğimiz kimseler de var. Hiçbir peygamber Allah'ın izni olmaksızın herhangi bir âyeti kendiliğinden getiremez. Allah'ın emri gelince de hak uygulanır ve o zaman bâtılı seçenler hüsrana uğrayacaklardır."

En'âm 6/82-90'da ise peygamberlerin pek çoğunun ismi sıralanmakta, hepsinin hidayete erdirildikleri, ihsan sahibi ve sâlih insanlardan oldukları, âlemlerden üstün tutuldukları,

1 Âl-i 'Imrân 3/33-34.

2 Nisâ 4/163-164.

seçildikleri ve doğru yola iletildikleri, hepsine kitap, hikmet ve peygamberlik verildiği zikredilmekte ve Hz. Peygamber'e de onların yoluna uyması emrinin verildiği açıkça belirtilmektedir.[1]

Yüce Allah insanları peygambersiz bırakmadığı gibi, bu görevlendirmede O'nun bilgisi ve seçiminin tek belirleyici etken olduğunu da şöyle ifade etmektedir:

اَللّٰهُ اَعْلَمُ حَيْثُ يَجْعَلُ رِسَالَتَهُ "Allah, peygamberliğini kime vereceğini gayet iyi bilir."[2] Elçi seçiminin insanlarla sınırlı olmadığı, melekleri de içerdiğine ise şu âyette değinilmektedir: اَللّٰهُ يَصْطَفٖي مِنَ الْمَلٰٓئِكَةِ رُسُلًا وَمِنَ النَّاسِ اِنَّ اللّٰهَ سَمٖيعٌ بَصٖيرٌ "Allah, meleklerden de, insanlardan da elçiler seçer. Allah işitendir; görendir."[3]

Genelde insanların peygambersiz bırakılmaması kuralı gereği ve bu kurumun devamı olarak Hz. Muhammed de risaletle buluşturulmuştur:

---

1 Âyetlerin mealleri şöyledir: "İşte bu, kavmine karşı İbrahim'e verdiğimiz delillerimizdir. Biz dilediğimiz kimselerin derecelerini yükseltiriz. Şüphesiz ki Rabbin hikmet sahibidir; hakkıyle bilendir. Biz O'na İshâk ve (İshâk'ın oğlu) Yakûb'u da armağan ettik; hepsini de doğru yola ilettik. Daha önce de Nûh'u ve O'nun soyundan Dâvûd'u, Süleyman'ı, Eyyûb'u, Yûsuf'u, Mûsâ'yı ve Hârûn'u doğru yola iletmiştik. Biz iyi davrananları işte böyle mükâfatlandırırız. Zekeriyya, Yahyâ, İsâ ve İlyâs'ı da (doğru yola iletmiştik). Hepsi de iyilerden idi. İsmail, Elyesa', Yûnus ve Lût'u da (hidayete erdirdik). Hepsini âlemlere üstün kıldık. Onların babalarından, çocuklarından ve kardeşlerinden bazılarına da (üstün meziyetler verdik). Onları seçkin kıldık ve doğru yola ilettik. İşte bu, Allah'ın hidayetidir, kullarından dilediğini ona iletir. Eğer onlar da Allah'a ortak koşsalardı yapmakta oldukları amelleri elbette boşa giderdi. İşte onlar, kendilerine kitap, hikmet ve peygamberlik verdiğimiz kimselerdir. Eğer onlar (kâfirler), bunları inkâr ederse şüphesiz yerlerine bunları inkâr etmeyecek bir toplum getiririz. İşte o peygamberler Allah'ın hidayet ettiği kimselerdir. Sen de onların yoluna uy. De ki: Ben buna (peygamberlik görevime) karşılık sizden bir ücret istemiyorum. Bu (Kur'ân), âlemler için ancak bir öğüttür" (En'âm 6/82-90).

2 En'âm 6/124.

3 Hacc 22/75.

وَكَذٰلِكَ اَوْحَيْنَٓا اِلَيْكَ رُوحًا مِنْ اَمْرِنَاۜ مَا كُنْتَ تَدْر۪ي مَا الْكِتَابُ وَلَا الْا۪يمَانُ وَلٰكِنْ جَعَلْنَاهُ نُورًا نَهْد۪ي بِه۪ مَنْ نَشَٓاءُ مِنْ عِبَادِنَاۜ وَاِنَّكَ لَتَهْد۪ٓي اِلٰى صِرَاطٍ مُسْتَق۪يمٍۙ

"İşte böylece sana da katımızdan bir rûh (Kur'ân) vahyettik. Sen, kitap nedir, iman nedir bilmezdin. Fakat biz onu kullarımızdan dilediğimizi kendisiyle doğru yola eriştirdiğimiz bir nur kıldık. Şüphesiz ki sen doğru yolu göstermektesin."[1] Yâsîn 36/1-4'te de aynı gerçekler dile getirilmektedir. Bu görev öncesinde Hz. Peygamber'in böyle bir beklentisi de yoktu.[2]

İşte sözünü ettiğimiz bunca âyet, risaletin Yüce Allah'ın seçmesiyle ilgili bir kurum olduğunu, peygamberlerin birbirlerine herhangi bir üstünlüklerinin bulunmadığını,[3] aralarında sadece bazı farkların bulunduğunu, yani farklı oldukları konularda diğerlerinden üstün olduklarını,[4] yoksa görev anlamında herhangi bir üstünlüğün söz konusu olamayacağını, çünkü bu görevin çalışılarak elde edilmediğini, sadece bazı seçkin ve ehliyetli insanlara verildiğini ortaya koymaktadır.

Hz. Peygamber kendisinden önceki peygamberler zincirinin bir halkası olmasına[5] ve onlara tabi olmak zorunda olduğu[6] bilgisi kendisine ulaştırılmasına rağmen, peygamberler arasında ayırım yapmak, onları birbirinin rakibi gibi görmek veya onları yarıştırmak Kur'ânî dayanaktan yoksun bir çabadır. Bir peygamber başarılı, diğeri başarısız olamaz; aksi takdirde Yüce Allah yanlış bir seçim sahibi olur ki bu

---

1 Şûrâ 42/52. Benzer âyetler için ayrıca bk. A'râf 7/158; Sebe' 34/28,...
2 Kasas 28/86.
3 Bakara 2/136, 285; Âl-i 'Imrân 3/84.
4 Bakara 2/253; İsrâ 17/55.
5 Ahkâf 46/9.
6 En'âm 6/90; Nahl 16/123.

da O'nun ezelî ve eşsiz ilmine uymaz. Peygamberlik kurumu hakkında bu bilgileri verdikten sonra, şimdi de başlığımızın konusuna dair açıklamalar yapmak istiyoruz.

11. Aşırı Yüceltmecilik

Kendi konumu hakkında pek çok defa ümmetini uyarmasına rağmen, Hz. Peygamber'i aşırı yüceltici bir tavırla tanıtmaya çalışmak, aslında onu yüceltmek değil, onu tanımamak ve anlamamak demektir. Yüce Allah, Kur'ân'da Hz. Peygamber'i nasıl tanıtmışsa bizim de onu öyle tanımamız gerekmektedir. Mucizelerde yarıştırıldıkları gibi yüceltmecilikte de yarıştırılmaları peygamberleri ve onların misyonunu kavramamak demektir.

Rasulullah şöyle buyurmaktadır:

الأنبياء اخوة لعلات امهاتهم شتي ودينهم واحد "Peygamberler anneleri farklı olsa da baba bir kardeştirler; dinleri de birdir."[1]

Başka bir rivayette ise şöyle buyurmaktadır:

لا تخيروا بين الأنبياء "Peygamberlerin birini diğerine üstün tutmayın."[2]

İşte bu ifadeler onun konuya bakışını özetlemektedir. Bu noktada Bakara 2/253 ve İsrâ 17/55. âyetlerde zikredilen "peygamberlerin tafdîli"ni, "üstünlük" anlamında değil de "farklılık" olarak anlamak zorundayız. Özellikle her iki âyetten de anlaşılacağı üzere, mesele peygamberlerin özel olarak bazı konularda birbirinden üstün olduklarını, yani sadece kendileriyle ilgili özel konularda farklı olduklarını beyan etmektedir. Çünkü yine Bakara 2/285 ve Âl-i 'Imrân 3/84. âyetlerde "peygamberler arasında ayrım yapılamayacağı", Kur'ân ilkeleri ve iman esasları arasında yer almaktadır.

---

1 Hadis için bk. Buhârî, Enbiyâ, 48.

2 Hadis için bk. Müslim, Fedâil, 42.

Hz. Peygamber, aşırı yüceltmecilik noktasında Hıristiyanların yaptığını Müslümanların yapmamasını istemekte ve şu uyarıları yapmaktadır:

لا تطروني كما أطرت النصاري ابن مريم فانما انا عبده فقولوا عبد الله و رسوله "Beni, Hıristiyanların Meryem'in oğluna (Hz. Îsâ'ya) yaptıkları gibi aşırı yüceltmeyin. Ben, sadece Allah'ın kuluyum. (Benim için), 'Allah'ın kulu ve elçisi' deyin."[1]

Benzer bir uyarı da şu rivayette yer almaktadır:

عن انس ابن مالك أن رجلا قال: يا محمد يا سيدنا وابن سيدنا وخيرنا وابن خيرنا فقال رسول الله صلي الله عليه وسلم: يا ايها الناس عليكم بتقويكم ولا يستهوينكم الشيطان انا محمد بن عبد الله عبد الله ورسوله والله ما أحب أن ترفعوني فوق منزلتي التي أنزلني الله عز و جل Enes b. Mâlik'ten rivayet edildiğine göre, bir gün adamın biri Hz. Peygamber'e gelip, "Ey Muhammed, ey efendimiz, ey efendimizin oğlu, ey en hayırlımız, ey en hayırlımızın oğlu" şeklinde seslenince, Hz. Peygamber herkese hitaben şöyle buyurmuştur: "Ey insanlar, sorumlu davranın (sözlerinize dikkat edin) ki şeytan sizi etkisi altına almasın. Ben, Abdullah'ın oğlu Muhammed'im; Allah'ın kulu ve elçisiyim. Allah'ın beni konumlandırdığı yerimden daha üstün bir yere beni yükseltmenizden (yüceltmenizden) hoşlanmam."[2]

İşte bu iki rivayetten de anlaşıldığına göre, Hz. Peygamber onu Allah'ın yerleştirdiği konumdan memnundur; ama ümmetinden bazıları bu kadarını yeterli görmemiş olacaklar ki Yüce Allah'ın vermediğini Hz. Peygamber'de görme yarışına girişmişlerdir.[3]

---

1 Hadis için bk. Buhârî, Enbiyâ, 48.

2 Hadis için bk. Ahmed b. Hanbel, III, 153. Benzer başka bir rivayet için bk. Ahmed b. Hanbel, II, 241.

3 Hz. Peygamber'e yönelik aşırı yüceltmeci ve aşırı indirgemeci yaklaşımlar ile Kur'ân'ın inşa ettiği konumu hakkında geniş değerlendirmeler için bk. Mustafa İslamoğlu, *Üç Muhammed: İki Tasavvur Bir Gerçek*, İstanbul, 2004.

Ebû Hureyre kaynaklı bir rivayete göre biri Müslüman diğeri Yahudi olan iki kişi tartışmaya başlamışlar; Müslüman olan, "Allah'ın, alemlere üstün kıldığı kişi Muhammed'dir" demiş; Yahudi de aynı şeyi Hz. Mûsâ için söylemişti ki, Müslüman olan kişi Yahudinin yüzüne bir tokat vurunca, Yahudi, Hz. Peygamber'e gelip durumu anlatmış. Bunun üzerine Nebî (as) ilgili kişiyi çağırmış ve şunu söylemiştir:

لا تخيروني علي موسي فان الناس يصعقون يوم القيمة فأصعق معهم فأكون أول من يفيق فاذا موسي باطش جانب العرش فلا أدري أكان فيمن صعق فأفاق قبلي أو كان ممن استثني الله "Beni Mûsâ'dan hayırlı tutmayın; zira insanlar kıyamet günü bayılacak, ben de onlarla bayılacağım; ancak ilk ayılan ben olacağım. O esnada bir de bakacağım ki Mûsâ arşa tutunmuş. Artık onun bayılıp da mı benden önce ayıldığını, yoksa Allah'ın onu bu bayılmaktan istisna mı ettiğini bilemiyorum."[1]

Bu rivayette Hz. Peygamber, kendisinin Hz. Mûsâ'dan üstün tutulmamasını istemiş, muhtemelen arşa tutunmada onun, kendisini geçtiğini söyleyerek de bir tevazu ortaya koymaya çalışmıştır.

* Ebû Sa'îd el-Hudrî'nin anlattığına göre benzer bir rivayette de şu ifadeler yer almaktadır:

عن أبي سعيد الخدري رضي الله عنه قال بينما رسول الله جالس جاء يهودي فقال يا أبا القاسم ضرب وجهي رجل من أصحابك فقال من؟ قال رجل من الأنصار قال ادعوه فقال أضربته؟ قال سمعته بالسوق يحلف والذي اصطفي موسي علي البشر قلت أي خبيث علي محمد صلي الله عليه و سلم فأخذتني غضبة ضربت وجهه فقال النبي صلي الله عليه و سلم لا تخيروا بين الأنبياء فان الناس يصعقون يوم القيمة فأكون أول من تنشق عنه الأرض فاذا أنا بموسي آخذ بقائمة من قوائم العرش فلا أدري أكان فيمن صعق أم حوسب بصعقة الأولي "Bir gün Rasulullah (sav) ile beraberdik. Bir Yahudi geldi ve,

1 Bu hadis için bk. Buhârî, Husûmât, 1. Benzer başka bir rivayet için de ayrıca bk. Müslim, Fedâil 42; Ebû Dâvûd, Sünne, 13.

'Ey Kâsım'ın babası, ashâbından biri bana bir tokat vurdu' deyince Nebî (as) kim olduğunu sordu. 'Ensardan biri' cevabını alınca, 'Çağırın onu' dedi ve ilgili şahsa, 'Ona vurdun mu?' diye sordu. O şahıs olayı şöyle anlattı: 'Çarşıdayken bu adamın, (Allah) Mûsâ'yı insanlığa üstün seçmiştir, dediğini işittim. 'Muhammed (as)'dan da mı ey çirkin adam?' dedim ve sinirlenip yüzüne bir tokat vurdum. Bunun üzerine Hz. Peygamber şöyle demiştir: Peygamberler arasında hayırlılık yapmayın. Çünkü insanlar kıyamet günü bayılacak, yerin ilk çıkarttığı (ilk diriltilen) ben olacağım. Ben bu haldeyken Mûsâ da arşa tutunmuş halde olacaktır. Artık bayılanlar arasında mıydı, yoksa ilk bayılmada hesaba mı çekilmişti onu bilemiyorum."[1]

İşte bu rivayette de konu, aşırı yüceltmeyi reddeden bir durum arz etmektedir.

Bu bağlamda aktarmayı uygun bulduğumuz diğer bir örnek de Hz. Yûsuf ile ilgilidir. Ebû Hureyre'den gelen bir rivayete göre Nebî (as)'a, "İnsanların en üstünü kimdir?" diye sorulunca o, "Allah'a en çok saygı duyandır" cevabını vermiştir. "Biz bunu sormuyoruz" dediklerinde; "Yûsuf, Allah'ın peygamberidir, Allah'ın dostu, peygamberinin oğlunun oğludur" cevabını vermiştir..."[2] Bu ifadede Hz. İshak'ın oğlu Hz. Yakub'un oğlu Hz. Yûsuf kast edilmektedir.

Aşırı yüceltmecilik konusunda sözü edilmesi gereken çarpıcı bir örnek de kızı Hz. Fâtıma ile ilgili olandır. Hz. Peygamber, "En yakın akrabanı uyar"[3] âyeti gelince, Muttaliboğullarına ve diğer kabilelere yönelik dile getirdiği gibi kızına da şunları söylemiştir:

---

1 Buhârî, Husûmât, 1.

2 Hadis için bk. Buhârî, Menâkıb, 1; Müslim, Fedâil 43.

3 Şu'arâ 26/214.

يا فاطمة أنقذي نفسك من النار فإني لا أملك لكم من الله "Ey Fatıma, nefsini ateşten koru; çünkü Allah'tan gelecek bir (ceza) konusunda sizin için (cezayı giderme konusunda) herhangi bir gücüm yoktur."[1]

İşte bütün bu örneklerde görüldüğü gibi, Hz. Peygamber kendisini diğer peygamberlerden üstün göstermeye ve onu aşırı şekilde yüceltmeye çalışanlara karşı konuyu daima bir başka peygambere yönlendirmiş, aşırı yüceltmeciliğe karşı anlamlı bir duruş sergilemiştir.[2] O kadar ki, Hz. Yûsuf'la ilgili naklettiğimiz rivayette Hz. Peygamber en üstün olmayı en muttakî olmakla ilişkilendirerek Hucürât 49/13. âyetiyle tam uyumlu bir cevap vererek, bizce bu konuda söylenebilecek en son sözü Kur'ân'dan referansla söylemiş ve olaya noktayı koymuştur. Bunun dışında konuyla ilişkilendirilebilecek diğer mesajları da bu çerçevede ve bu mantıkta izaha çalışmak en doğrusudur.

Hz. Peygamber, tebliğ ettiği Kur'ân'da sadece bir beşer olduğunu söylemekle emrolunmuş,[3] melek olmadığı için[4] ölümlü olduğu kendisine hatırlatılmış,[5] dolayısıyla onun kul-

---

1 Müslim, Îmân, 89. Bu başlıkta bazı değişikliklerle 10 rivayet daha yer almaktadır.

2 Hz. Peygamber'in kendisinin diğer peygamberlerden üstün tutma yarışını reddettiği örnekler bağlamında kendisinin değil "Hz. İbrahim'in yeryüzünün en hayırlısı olduğu" (Hadis için bk. Müslim, Fedâil 41 (Bâbu Fedâili İbrahim), Ebû Dâvûd, Sünne, 13), ayrıca hiç kimsenin "Ben Yûnus b. Mettâ'dan daha hayırlıyım" diyemeyeceği (Buhârî, Enbiyâ 35; Müslim, Fedâil 42, 43; Ebû Dâvûd, Sünne, 13) şeklinde de ifadeleri hadis kaynaklarında mevcuttur. Aynı şekilde başka rivayetlerde de onun bütün mahlükattan üstünlüğü anlamında da hadis kaynaklarında özellikle "Fedâil" bahislerinde rivayetler vardır. Ancak biz Kur'ân ile örtüşmesi bağlamında aşırı yüceltmeciliği içeren rivayetlerin Hz. Peygamber'e aidiyetinin sorgulanması gerektiğini ya da mümkünse tevil edilmesi gerektiğini düşünmekteyiz.

3 İsrâ 17/93; Kehf 18/110; Fussılet 41/6.

4 En'âm 6/50.

5 Enbiyâ 21/34; Zümer 39/30.

luğuna vurgu yapılmıştır. Buna rağmen "Hz. Peygamber'i insanüstü bir varlık olarak gösterme gayretindeki kitâbiyatın hacmi ve muhtevası, bu cereyanın oldukça eskilere gittiğine delil mahiyetindedir. Hz. Peygamber'in şemâiline, hasâisine tahsis edilen ciltlerle eserin incelenmesi, bir yandan bize, Peygamber'e duyulan sevginin sınır tanımazlığını tespit imkânı vereceği gibi, diğer taraftan, peygamberini gerçek hüviyetiyle tanımak ve tanıtmak isteyecek günümüz ilahiyatçısını ne çapta bir kültür arıtma hizmetinin beklediğini de göstermektedir."[1]

Hz. Peygamber'i "aşırı yüceltmeci" bir anlayışla değerlendirmeye çalışmak, naklettiğimiz rivayetlerden de anlaşılacağı üzere son derece hatalı bir yaklaşımdır. En az bunun kadar, hatta daha da tehlikeli bir başka yaklaşımın da onu "aşırı indirgemeci" bir anlayışla değerlendirmek olduğu unutulmamalıdır.[2] Aşırı yüceltme ve aşırı indirgemecilikten uzak durarak Kur'ân'da tanıtıldığı şekliyle Hz. Peygamber'i anlamaya çalışmak en doğru yaklaşımdır.

ııı. Peygamberlik ve Mucize

Aşırı yüceltmecilikle bağlantılı olarak ele alınması gereken en önemli konu mucizelerle ilgilidir. Kur'ân'da peygamberlerin kıssaları incelendiğinde görülecektir ki her peygamberin, etrafındakilerle mücadelesinde daima bir mucize konusu olmuştur. Öyle anlaşılıyor ki insanlar ya da Kur'ân'ın haber verdiği peygamberlerin muhatapları, hayatın görünen kısımlarıyla ilgilenip üzerlerine düşen görevleri yapmak yerine, zaman zaman olağanüstü olaylara ihtiyaç hissetmişler

1 Aşırı yüceltmecilik konusunda ve bu alıntı için bk. Mehmed Said Hatiboğlu, "Hz. Peygamber'i Yanlış Yorumlama Tezahürleri", *Müslüman Kültürü Üzerine*, Ankara, 2004, s. 145-156.

2 Bu konuda Mustafa İslâmoğlu, *Üç Muhammed* adıyla çok önemli bir çalışma kaleme almıştır.

ve inanmadıkları peygamberlerden mucizeler istemişlerdir. Gönderilen mucizelere de inanmadıkları için bu defa helâk edilmişlerdir.[1]

Son peygamber Hz. Muhammed'in risalet hayatında da elbette mucize konusu yer almıştı. Ancak Yüce Allah, önceki kavimlerle ilgili olarak gönderdiği türden Hz. Peygamber'e mucizeler göndermemiş, gerekçesini de şöyle ifade etmiştir: وَمَا مَنَعَنَٓا اَنْ نُرْسِلَ بِالْاٰيَاتِ اِلَّٓا اَنْ كَذَّبَ بِهَا الْاَوَّلُونَۜ "Bizi, âyetler (mucizeler) göndermekten alıkoyan tek şey, öncekilerin bunları yalanlamış olmasıdır."[2] Âyetten açıkça anlaşılan şudur:

---

1 Mucizelere veya peygamberlere inanmama sonucu helak edilen kavim örnekleri:

Nûh kavminin helaki ve gerekçesi için bk. A'râf 7/59-64; Tevbe 9/70; Yûnus 10/71-73; Hûd 11/25-49; 89; İbrahim 14/9; Enbiyâ 21/76-77; Müminûn 23/23-32; Furkân 25/37; Şu'arâ 26/105-122; 'Ankebût 29/14-15; Sâffât 37/75-83; Mümin 40/5-6; Kâf 50/12; Zâriyât 51/46; Necm 53/52; Kamer 54/9-17; Nûh 71/1-28.

'Âd kavminin helaki ve gerekçesi için bk. A'râf 7/65-72; Hûd 11/50-60; Furkân 25/38-39; Şu'arâ 26/123-140; 'Ankebût 29/38; Fussılet 41/13-16; Zâriyât 51/41-42; Kamer 54/18-22; Necm 53/50; Hâkka 69/4-8; Fecr 89/6-8.

Semûd kavminin helaki ve gerekçesi için bk. A'râf 7/73-79; Tevbe 9/70; Hûd 11/61-68; 95; İbrahim 14/9; İsrâ 17/59; Hacc 22/42; Furkân 25/38; Şu'arâ 26/141-159; Neml 27/45-53; 'Ankebût 29/38; Mümin 40/30-31; Kâf 50/12; Zâriyât 51/43-45; Necm 53/51; Kamer 54/23-32; Hâkka 69/4-5; Şems 91/11-15.

Lût kavminin helaki ve gerekçesi için bk. A'râf 7/80-84; Hûd 11/77-83; Hicr 15/59-77; Enbiyâ 21/74-75; Hacc 22/43; Şu'arâ 26/160-175; Neml 27/54-58; 'Ankebût 29/26-35; Sâffât 37/133-138; Kâf 50/13; Zâriyât 51/32-37; Kamer 54/33-40;

Medyen ve *Eyke* halkının (Şu'ayb peygamberin muhatabı) helaki ve gerekçesi için bk. A'râf 7/85-93; Hûd 11/84-95; Hicr 15/78-79; Hacc 22/44; Şu'arâ 26/176-191; 'Ankebût 29/36-37; Sâd 38/13-14; Kâf 50/14;

Firavun ve taraftarlarının helaki için bk. Bakara 2/49-50; Âl-i 'İmrân 3/11; A'râf 7/103-155; Enfâl 8/52-54; Yûnus 10/75-92; Hûd 11/96-99; İsrâ 17/101-103; Tâhâ 20/9-97; Mü'minûn 23/45-48; Şu'arâ 26/10-68; Neml 27/12-14; Kasas 28/1-51; Sâd 38/12-14; Mümin 40/23-46; Zuhruf 43/46-56; Dühân 44/17-33; Kâf 50/12-14; Zâriyât 51/38-40; Kamer 54/41-42; Hâkka 69/9; Müzzemmil 73/15-16; Nâzi'ât 79/15-25; Fecr 89/10.

2 İsrâ 17/59.

Yüce Allah, Hz. Peygamber'e öncekiler gibi mucizeler göndermemiştir. Çünkü öncekiler mucize istemişler, gelince de inanmamışlar ve sonunda helâk edilmişlerdir. Nitekim âyetin devamı da bunu ifade etmektedir:

وَاٰتَيْنَا ثَمُودَ النَّاقَةَ مُبْصِرَةً فَظَلَمُوا بِهَا "Semûd kavmine, açık bir mucize olmak üzere bir dişi deve vermiştik. Onlar ise, (bu deveyi boğazladılar ve) bu yüzden zalim oldular." Semûd kavminin zalim oluş nedeni, kendilerine mucize olarak verilen deveyi boğazlamaları ve böylece Allah'ın emrinden yüz çevirmeleriydi.[1] Söz konusu âyetin son cümlesinde mucizelerin gönderilme gerekçesi şöyle belirlenmektedir:

وَمَا نُرْسِلُ بِالْاٰيَاتِ اِلَّا تَخْوِيفًا "Oysa biz, mucizeleri ancak korkutmak için göndeririz."

Bu cümlenin zaten açık olan anlamını belirleyen bir örnek olması açısından şu bilgileri aktarmakta yarar görmekteyiz: "Âyetin son cümlesinden, mucizenin ikna için değil, korkutmak için gönderildiği anlaşılmaktadır. Hz. Muhammed'in peygamberliğini ispat için yeterli delil vardı. Mucize göstermeye gerek yoktu. Mucize, delilleri gördükleri halde inanmayanları korkutmak için gönderilir. Onu görüp de inanmayanlar derhal cezalandırılır. Oysa Hz. Muhammed'e şimdi inanmayan kişilerin gelecekte inanmaları ihtimali vardır. Kendileri inanmasa da çocukları inanabilir. Bundan dolayı Yüce Allah, azabının belirtileri olan mucizeleri göndermemiştir. Nitekim Peygamber'e inanmayanların çoğu sonradan inanmış, en azılı kâfirlerin çocukları birer İslâm mücahidi olmuşlardır."[2]

Bütün bu ifadelerden anlaşılıyor ki, Hz. Peygamber'e inanmayan muhatapları da, ondan, eski ümmetlerin istediği

---

1 A'râf 7/77; Şems 91/14 ve yukarıdaki kavimlerin helak nedenlerini saydığımız dipnottaki Semûd kavmiyle ilgili âyetlere bkz.

2 Ateş, *Tefsîr*, V, 228-229.

türden mucizeler istemişlerdi.[1] Mucize istekleri arasında Hz. Peygamber'e melek indirilmesi,[2] hazine gönderilmesi,[3] bahçesinin[4] ve altından bir evinin olması[5] gibi Hz. Peygamber'e başkası tarafından bir şeylerin gönderilmesinin istenmesi şeklinde arzular yer almaktaydı. Bazen de bizzat onun Kur'ân'dan başka bir metin getirmesi veya onu değiştirmesi,[6] yerden göze fışkırtması, hurma ve üzüm bahçelerinin olması ve aralarından ırmaklar akıtması, gökten parçalar düşürmesi de kendisinden istenmiş, dahası, önlerine Yüce Allah'ı ve melekleri getirmesi ya da göğe yükselmesi ona teklif edilebilmiş, hatta yükseldiği gökten kendilerinin okuyabilecekleri (yeni/başka) bir kitap getirmedikçe göğe yükselmesine dahi inanmayacakları beyan edilmiştir.[7]

Mucize isteklerini Hz. Peygamber'e Yüce Allah tarafından verilmesi gereken ya da bizzat onun yapması istenen olağanüstü işlerle sınırlı ve yeterli görmeyen müşrikler, sırayı Kur'ân'a da getirmiş ve Kur'ân aracılığıyla dağların yürütülmesi, arzın parçalanması ve ölülerin konuşturulması mucizelerini de istekleri arasında dile getirmişlerdir.[8]

Esasında Yüce Allah Kur'ân'da, kendilerine mucize gelse bile onların inanmayacağını şu şekilde açıkça beyan etmektedir:

---

1 Genel olarak mucize gönderilmesi isteğiyle ilgili âyetler için bk. En'âm 6/37; Yûnus 10/20; Ra'd 13/7; 27; 'Ankebût 29/50.

2 Mucize olarak melek gönderilmesiyle ilgili âyetler için bk. En'âm 6/8; Hûd 11/12; Furkân 25/7; 8; 21.

3 Hazine indirilmesi isteği hakkında bk. Hûd 11/12; Furkân 25/8;

4 Bahçesinin olması hakkında bk. Furkân 25/8;

5 İsrâ 17/93.

6 Yûnus 10/15.

7 İsrâ 17/90-93.

8 Ra'd 13/31.

وَاَقْسَمُوا بِاللّٰهِ جَهْدَ اَيْمَانِهِمْ لَئِنْ جَٓاءَتْهُمْ اٰيَةٌ لَيُؤْمِنُنَّ بِهَا قُلْ اِنَّمَا الْاٰيَاتُ عِنْدَ اللّٰهِ وَمَا يُشْعِرُكُمْ اَنَّهَٓا اِذَا جَٓاءَتْ لَا يُؤْمِنُونَ "Kendilerine bir mucize gelirse ona mutlaka inanacaklarına dair kuvvetli bir şekilde Allah'a yemin ettiler. De ki: Mucizeler ancak Allah katındandır. Ama mucize geldiğinde de inanmayacaklarının farkında mısınız?"[1] Bu âyette Yüce Allah, genel olarak onların mucizelere inanmayacağını ifade ettikten sonra, somut örnekler de vererek onların inanmama kararlılıklarını şu şekilde ortaya koymaktadır: وَلَوْ اَنَّنَا نَزَّلْنَٓا اِلَيْهِمُ الْمَلٰٓئِكَةَ وَكَلَّمَهُمُ الْمَوْتٰى وَحَشَرْنَا عَلَيْهِمْ كُلَّ شَيْءٍ قُبُلًا مَا كَانُوا لِيُؤْمِنُوٓا اِلَّٓا اَنْ يَشَٓاءَ اللّٰهُ وَلٰكِنَّ اَكْثَرَهُمْ يَجْهَلُونَ "Eğer biz onlara melekleri indirseydik, ölüler onlarla konuşsaydı ve her şeyi toplayıp karşılarına getirseydik, Allah dilemedikçe yine de inanacak değillerdi; fakat çokları bunu bilmezler."[2] Bu âyette daha önce de ifade ettiğimiz gibi, onların isteklerine uygun olarak kendilerine melekler indirilse, ölülerle konuşsalar, hatta her şey toplanıp önlerine konsa, yani bütün istekleri yerine getirilmiş olsa dahi inanmayacakları açıkça beyan edilmektedir.

Müşrikler, belirttiğimiz üzere Hz. Peygamber'den kendisine melek indirilmesini de istemişlerdi; ancak En'âm 6/8. âyeti melek indirilmesi halinde hükmün, yani cezanın artık kesinleşmiş olacağını ve kendilerine hiç göz açtırılmayacağını beyan etmektedir. Bu durumda mucizeye inanmamanın sonucu kesinlikle azap veya helâk olarak tanımlanmaktadır.

Mucizeler gaybın konusudur; mucize isteyen de kendisinden mucize istenen de sonucu Allah'tan beklemek durumundadır.[3] Zaten Ra'd 13/7. âyette kendisinden mucize istenen Hz.

1 En'âm 6/109.

2 En'âm 6/111.

3 Yûnus 10/20.

Peygamber, sadece uyarıcı olmakla nitelendirilmekte, bu noktadaki etkisizliği açıkça إنما *innemâ* "ancak ve ancak" anlamındaki edat kullanılarak vurgulanmaktadır. Aynı şekilde diğer bir mucize isteğine cevaben, Yüce Allah mucizeyi indirmeye sadece kendisinin gücünün yeteceğini Hz. Peygamber'den ilan etmesini istemekte,[1] hiçbir elçinin Allah'ın izni olmadan mucize getiremeyeceğini ifade etmektedir.[2]

Bu tür mucize istekleri karşısında Hz. Peygamber cevaben; bütün bunları kendiliğinden yapmasının mümkün olmadığını, kendisine vahyedilene uymaktan başka bir seçeneğinin bulunmadığını, aksi takdirde Allah'a asi olması durumunda büyük günün azabından korktuğunu, işin tamamen Yüce Allah'ın kontrolünde olduğunu, kendisinin Kur'ân vahyinden önce yıllarca aralarında yaşadığını, dolayısıyla böyle bir isteği kesinlikle karşılayamayacağını beyan etmiştir.[3] Kendilerine istedikleri bir mucize gelmeyince "Bunu da derleseydin ya", yani "Allah'tan bir şekilde elde etmeye çalışsaydın ya" diyen müşriklere karşı yine Hz. Peygamber'in "Ben, sadece bana Rabbimden vahyolunana uyuyorum" demesi kendisine emredilmiştir.[4]

Daha fazla isteklerin yer aldığı ve bizim de naklettiğimiz İsrâ 17/90-93. âyetlerdeki mucize talepleri karşısında Hz. Peygamber'in sergilediği tutum kelimenin tam anlamıyla insanca olmuştur:

قُلْ سُبْحَانَ رَبِّي هَلْ كُنْتُ اِلَّا بَشَرًا رَسُولًا "De ki: *Fe sübhânellâh* (Rabbimi tenzih ederim). Ben, sadece beşer/insan bir elçiyim."[5]

---

1 En'âm 6/37.
2 Ra'd 13/38.
3 Yûnus 10/15-16.
4 A'râf 7/203.
5 İsrâ 17/93.

Şunu çok kesin olarak hatırlatmak gerekiyor ki, mucize getirme konusu Kur'ân'da tamamen Yüce Allah'la sınırlı tutulmakta, başka hiç kimsenin bu konuda söz söyleme veya uygulama yapma yetkisinin bulunmadığına sıkça ve ısrarla vurgu yapılmaktadır.[1]

Bütün bu ifadelerden sonra şu hususun açıkça ortaya konması kaçınılmazdır: Müşriklerin mucize isteklerinin cevapsız kalması Hz. Muhammed'e hiç mucize indirilmediği, onun mucizesiz bırakıldığı anlamına alınmamalıdır. Ona verilen tek ve ebedî mucize kendisine vahyedilen Kur'ân'dır. Bu bağlamda Yüce Allah, Hz. Peygamber'e başka mucizeler indirilmesi gerektiğini dillendiren müşriklere cevaben şu evrensel bildiriyi göndermiştir:

اَوَلَمْ يَكْفِهِمْ اَنَّٓا اَنْزَلْنَا عَلَيْكَ الْكِتَابَ يُتْلٰى عَلَيْهِمْ اِنَّ فٖي ذٰلِكَ لَرَحْمَةً وَذِكْرٰى لِقَوْمٍ يُؤْمِنُونَ "Kendilerine okunmakta/aktarılmakta olan Kitâb'ı sana indirmemiz onlara yetmemiş mi? Elbette iman eden bir kavim için onda rahmet ve ibret vardır."[2] Bu âyet, mucize bekleyenlere Kur'ân'ı göstermekte, onun yeterli olduğunu bildirmekte ve inananlar için ya da inanmak isteyenler için onun yeterli rahmet ve öğüdü içermekte olduğunu beyan etmektedir.

Asıl mucize olan Kur'ân, başka bir âyetinde yine bir mucize isteğinin cevabı olarak bu defa kendisini önceki vahiylerin de beyanı olarak tanıtmakta ve insanlık için aslında tek mucizenin Kur'ân olduğunu söylemek istemektedir:

وَقَالُوا لَوْلَا يَأْتٖينَا بِاٰيَةٍ مِنْ رَبِّهٖ اَوَلَمْ تَأْتِهِمْ بَيِّنَةُ مَا فِي الصُّحُفِ الْاُولٰى

"Onlar: '(Muhammed) bize Rabbinden bir mucize getirmeli değil miydi?' dediler. Önce gelen kitaplardakinin apaçık delili (Kur'ân) onlara gelmedi mi?"[3]

1 Ra'd 13/31; 'Ankebût 29/50.
2 'Ankebût 29/51.
3 Tâhâ 20/133.

Kur'ân'da mucize konusu bunca etraflı bir şekilde açıklanmasına rağmen, hâlâ daha bunu yeterli görmeyip mucize arayışlarına girişenlerin bulunduğu da bir gerçektir. Hz. Peygamber şöyle buyurmuştur:

ما من الأنبياء نبي الا أعطي ما مثله آمن عليه البشر و انما كان الذي أوتيت وحيا اوحاه الله اليّ فأرجو أن أكون أكثرهم تابعا يوم القيمة "Her peygambere insanların ona inanmalarının sağlanacağı bir esas verilmiştir. Allah bana da bir vahiy ikram etmiştir. Kıyamet günü en çok tâbi olunan kişi olmak isterim."[1] İşte bu metinden de anlaşıldığı gibi her peygambere, insanların ona inanmalarının sağlanacağı bir esas verilmiş, kendisine de Allah'ın vahyettiği (kitap/Kur'ân) verilmiştir. Bu arada insanların çoğunluğunun kıyamet günü kendisine tâbi olmasını arzu ettiğini de Hz. Peygamber bu hadisinde belirtmiştir.

Aşırı yüceltmeciliğin en önemli örneklerinden biri olarak kabul ettiğimiz mucizeler konusunda Kur'ân'ın tavrının bu netlikte olması bize şunu öğretmektedir: Hz. Peygamber'in insanüstülüğünü[2] hissettirecek donanımlara sahip olduğu

1 Hadis için bk. Buhârî, Kitâbu Fedâili'l-Kur'ân, 1. Müslim'deki rivayetlerde ise küçük değişiklikler vardır Bk. Müslim, Îmân, 70, 239.

2 Hz. Peygamber'in beşerüstü oluşu kabulleri arasında gösterilebilecek en çarpıcı örneklerden biri de ona nispet edilen: "Ben önümü gördüğüm gibi arkamı da görürüm" şeklindeki rivayettir. (Bk. Buhârî, Cemaat, 42; Müslim, Salât, 4.) İşte bu gibi rivayetler Hz. Peygamber'in beşer üstülüğünü ıspata çalışmaktan öte sırf bu rivayeti doğrulama adına Hz. Peygamber'de vücudunun arkasında maddi gözler aramaya da aslında gerek yoktur. Çünkü ona nispet edilen bu rivayet eğer sahihse bu konudaki görme fiili, bir şeyden haberdar edilme, namazda saftakiler tarafından bilgilendirilme veya göz ucuyla görebilme şeklinde de yorumlanabilir. (Bu konudaki başka örnekler için bk. Keleş, *age.*, s. 161.) Bu bağlamda sözünü etmemiz gereken örneklerden biri de Hz. Peygamber'in, 18 aylık veya 70 günlük iken (bk. Ebû Dâvûd, Cenâiz, 48-49) ölen oğlu İbrahim'in vefatında yaşandığı rivayet edilen bir "Güneş tutulması" olayıdır. Ashâb, bunun İbrahim'im ölümüyle ilgili bir olağanüstülük veya mucize olduğunu zannedince Hz. Peygamber bunun normal bir olay olduğunu beyan ederek şunları ifade etmiştir: "Güneş ve ay Allah'ın âyetlerinden iki tanesidir. Herhangi bir kişinin ölümü veya hayatı için tutulmazlar. Onları bu halde gördüğünüzde Allah'a dua edin ve açılın-

iddia edilen anlayışlar bu âyetler ışığında daha doğru ve daha sağlıklı bir şekilde değerlendirilmelidir. Ayrıca yine unutulmamalıdır ki, mucize istekleri inançsızlardan geldiğinde ve kendilerine mucize gösterildiğinde onlar da inanmazlarsa sonunda helâk edilirler. İşte sırf bu nedenle bile olsa, Hz. Peygamber'e Kur'ân dışında bir mucize verilmediği anlaşılmaktadır.

ıv. İnsan Peygamber Hz. Muhammed

Aşırı yüceltmeci anlayışın aksine, Kur'ân'da Hz. Peygamber'in bir insan olduğu kendisine daima hatırlatılmakta ve bu husus onun ağzından itiraf ettirilerek insanlığa sunulmaktadır. Kur'ân'da özellikle vurgulanan, اِنَّمَآ اَنَا۬ بَشَرٌ مِثْلُكُمْ "Ben de sadece sizin gibi bir insanım"[1] şeklindeki ifadelere ve farklı hatırlatmalara ilave olarak, bizzat Hz. Peygamber'den nakledilen çeşitli olaylar da bu konuda aydınlatıcı bir içerik arz etmektedir.

a) Hz. Peygamber'in meşhur hurma aşılaması olayındaki tutumu, onun insan olduğu gerçeğini gözden uzak tutmamanın gerekliliğini ortaya koyan örneklerden sadece biridir. Hurma aşılayan bir grubun yanına gelen Hz. Peygamber, neler yapıldığını sormuş, aşılama işlemi yapıldığı cevabını alınca, "Bunun bir işe yarayacağını sanmıyorum" demiş, bunun üzerine aşılama işi terk edilmişti. Daha sonra durum Hz.

---

caya kadar namaz kılın" (Müslim, Küsûf, 5). Görüldüğü üzere bazılarının olağanüstülük atfettikleri bir olayı Hz. Peygamber iki gezegenin normal halleri olarak nitelendirmiştir. Durum böyle olunca bir olaya bazılarının mucize demesiyle onun mucize olmasının gerekmediği anlaşılmaktadır; belki de mucize iddiasıyla rivayet edilen pek çok olay da bu şekilde aslında normal olaylardır, ancak mucize gibi algılanmışlardır. Kamer sûresinin ilk âyetinde yer alan ve aslında kıyamet günü gerçekleşecek olan bir hakikatı anlatmasına rağmen "ayın yarılması" mucizesi diye sunulan olay da eğer Hz. Peygamber'in hayatında gerçekleşmişse bu olay da bir çeşit ay tutulması olayıdır, diyebiliriz.

1 Kehf 18/110; Fussılet 41/6.

Peygamber'e ulaşınca, Müslim'in nakline göre bu defa Nebî (as) şöyle buyurmuştur:

ان كان ينفعهم ذلك فليصنعوه فاني انما ظننت ظنا فلا تؤاخذني بالظن ولكن اذا حدثتكم عن الله شيأ فخذوا به فاني لن أكذب علي الله عز و جل "Eğer bir yarar sağlayacaksa yapsınlar. Ben sadece bir tahminde bulundum; tahminim nedeniyle sorumluluğu bana yüklemeyin. Ben size Allah'tan gelen bir konuda bir şey söylersem onu alın; çünkü ben Yüce Allah'a asla yalan isnat etmem."[1]

b) Aynı konuyla ilgili başka bir rivayette Hz. Peygamber'in şöyle buyurduğu nakledilmektedir:

انما انا بشر اذا امرتكم بشيء من دينكم فخذوا به واذا أمرتكم بشيء من رأيي فانما انا بشر "Ben de sizin gibi bir insanım. Din işlerinizle ilgili olarak size bir şey emrettiğimde onu alın (kabul edin); kendi görüşüm olarak size bir şey emrettiğim (söylediğim) zaman (unutmayın ki,) ben de insanım."[2]

Bu olayın son cümlesi bir başka rivayette şöyledir:

أنتم أعلم بأمر دنياكم "Siz dünya işlerinizi daha iyi bilirsiniz."[3]

Bu üç rivayette de Hz. Peygamber, kendisinin insan olduğu gerçeğini hatırlatma ihtiyacı hissetmiş ve âdeta aşırı yüceltmeciliğin sadece âhirette değil, dünyada da insanlara bazı şeyleri kaybettirebileceği mesajını canlı bir örnekle vermek istemiştir.

c) Müslim'de nakledilen şu iki örnek de önemlidir:

عن أبي هريرة أن النبي صلى الله عليه وسلم قال ثم اللهم إني أتخذ عندك عهدا لن تخلفنيه فإنما أنا بشر فأي المؤمنين آذيته شتمته لعنته جلدته فاجعلها له صلاة وزكاة وقربة تقربه بها إليك يوم القيامة "Ebû Hureyre Hz.

---

1 Müslim, Kitâbü'l-Fedâil, 38.

2 Müslim, Kitâbü'l-Fedâil, 38.

3 Müslim, Kitâbü'l-Fedâil, 38. Benzer başka rivayetler için de bk. Müslim, Kitâbü'l-Fedâil, 139, 140, 141.

Peygamber'in şöyle dua ettiğini nakletmektedir: Ey Allah'ım, katında kesinlikle yerine getireceğin bir söz almıştım. Ben de bir insanım; hangi mümine eziyet etmiş, lanet etmiş, bir sopa vurmuşsam, onu onun için dua, arınma ve kıyamet günü sana yaklaştıracağı bir yakınlık (vesilesi) kıl."[1]

d) Sâlim'den gelen bir başka rivayette Ebû Hureyre, Rasulullah (as)'ın şöyle buyurduğunu rivayet etmiştir:

عن سالم قال سمعت أبا هريرة يقول سمعت رسول الله صلى الله عليه وسلم يقول ثم اللهم إنما محمد بشر يغضب كما يغضب البشر وإني قد اتخذت عندك عهدا لن تخلفنيه فأيما مؤمن آذيته أو سببته أو جلدته فاجعلها له كفارة وقربة تقربه بها إليك يوم القيامة "Ey Allah'ım, Muhammed de bir insandır; diğer insanlar gibi o da kızabilir. Katında kesinlikle yerine getireceğin bir söz almıştım. Hangi mümine eziyet etmişsem veya kötü söz söylemişsem ya da bir sopa vurmuşsam, onu onun için kefaret ve kıyamet günü sana yaklaştıracağı bir yakınlık (vesilesi) kıl."[2]

Hz. Peygamber'in bir insan olduğu vurgularının yer aldığı, aşırı yüceltmeciliği reddedip, ümmetini bu konuda nasıl uyardığı noktasındaki tutumunu ortaya koyan bu ifadelere rağmen kaynaklarda şöyle rivayetlere de rastlamaktayız:

1. Ashâbdan her gün oruç tutmak isteyenlere engel olmak üzere Rasulullah (as)'ın söylediği belirtilen, Buhârî, Müslim ve başkalarının naklettiği şu ifadeler gerçekten çok ilginçtir: "Ben, sizler gibi değilim, Rabbim beni doyurur ve içirir, "Hanginiz benim gibidir?", "Rabbim beni geceleyin doyurur ve içirir", "Ben sizler gibi değilim; geceleyin beni doyuran ve içiren vardır."[3]

---

1 Müslim, Kitâbü'l-Birr, 25.

2 Müslim, Kitâbü'l-Birr, 25. Müslim aynı yerde, "Hz. Peygamber'in kötü söz söylediği ya da kendilerine dua ettiği kişiler" başlığında bu iki rivayetin benzeri olarak küçük değişikliklerle 11 rivayet daha nakletmektedir.

3 Buhârî, Savm, 49, 50; Hudûd 42; İ'tisâm 5; Temenni, 9, 65; Müslim, Sıyâm, 57, 58, 60,61.

Hiç kuşku yok ki Hz. Peygamber'i insanüstü bir varlık gibi gösteren bu rivayetler yukarıda hatırlattığımız "Ben de sadece sizin gibi bir insanım"[1] hitabına açıkça aykırıdır. Daha önce de belirttiğimiz gibi, Hz. Peygamber'in insan oluşu, peygamberlik misyonu dışında, diğer insanların kendisini örnek alacak ve izleyecek şekilde hayatının bütün alanlarını kapsamaktadır. Nitekim Hz. Peygamber'in, yaptığı ibadetleri azımsayarak kendilerinin daha çok ibadet yapması gerektiğine inanan kişileri uyarırken, kendisinin evlendiğini, namaz kıldığını ve uyuduğunu, bazen oruç tuttuğunu, bazen tutmadığını söyleyerek, yolunun ve sünnetinin bu olduğunu, bundan yüz çevirenlerin kendisiyle ilgisinin olamayacağını söyleyip, bu noktada örnek alınması gerektiğini pek çok defa belirtmiştir. Aksi takdirde hem kendisinin örnek alınması gerektiğini söylemesi, hem de başkalarından farklı olduğunu söylemesi bir çelişki olurdu.

"...Düşmana karşı hendek kazılırken açlıktan ashâbın karınlarına taş bağladığı gibi Hz. Peygamber'in de açlıktan karnına taş bağladığını,[2] oruç tutarken başkaları gibi acıkan Hz. Peygamber'in uzun uzun namaz kılmaktan ayaklarının şiştiğini de yine Buhârî ve diğer bazı hadisçiler rivayet etmektedir. Kureyşlilerin Müslümanlara uyguladığı ambargoya boyun eğmesi, Uhud savaşında düşman saldırısı ile yaralanması, unutması, yanılması, karar değiştirmesi, eşlerinin veya başkalarının davranışlarına üzülmesi, hastalanması ve nihayet vefat etmesi gibi hayatının tümü, ashâbı ve diğer insanlar gibi bir insan olduğunu göstermektedir. Belirttiğimiz gibi bu da insanlara örnek olması ve başkaları tarafından uygulanabilmesinin gerektirdiği bir durumdur. Onun için

---

1 Kehf 18/110; Fussılet 41/6.

2 Buhârî, Meğâzî, 5-6.

kendisini Kur'ân'ın belirttiği "Ben de ancak sizin gibi bir insanım" gerçeğinin dışına çıkaran rivayetlerden ve bu yöndeki anlatımlardan sakınarak anlamak gerekir."[1]

Kur'ân, Hz. Peygamber'in beşer bir peygamber olarak görevlendirilmesini alay konusu eden müşriklere[2] karşı, "Yeryüzünün sakinleri eğer melekler olsaydı biz de melek bir peygamber gönderirdik"[3] diyerek onları cevaplandırmaktadır. Burada gözden kaçırılmaması ve mutlaka sorulması gereken soru, müşriklerin neden beşer bir peygambere tahammül edememeleridir. Bu soruya diğer peygamberlerin hayatında da görüleceği gibi "onu kıskanmaları", "onu beğenmemeleri"[4] ya da "başkalarının peygamberliğini beklemeleri"[5] gibi cevaplar verilebilir ve elbette bunlar da doğrudur. Ancak bizim kanaatimize göre, Mekke müşriklerinin beşer bir peygamberi değil de melek bir peygamberi arzu etmelerinin nedeni onu takip edememe, Allah'ın isteklerini yerine getirme noktasında meleğin örnek alınamaması ve dolayısıyla sorumluluktan kurtulma bahaneleri ya da arayışlarıdır. Oysa pek çok âyette vurgulandığı üzere Hz. Peygamber de vahiy alması dışında diğer insanlar gibi bir insandır ve o, insanlar örnek alsınlar diye en güzel örnek olarak görevlendirilmiştir.[6] Hatta Hz. Peygamber'in kulluk boyutunun elçilik boyutuna itaati de kendisi için zorunluydu; yani beşer/insan Muhammed, nebî ve rasûl Muhammed'e tâbi olmak zorundaydı.

---

1 Sarmış, *age.*, s. 463-464.

2 İsrâ 17/94; Furkân 25/7-8.

3 İsrâ 17/95.

4 Hûd 11/27.

5 Başka peygamber beklentileri hakkındaki âyet için bk. Zuhruf 43/31.

6 Ahzâb 33/21.

Müşriklerin bu son derece saçma beklentilerle ortaya koymaya çalıştıkları peygamber modeli, müminler tarafından bu defa aşırı yüceltmecilik yapılarak büyük oranda tekrarlanır olmuştur. Hz. Peygamber'in dilinden kendisinin bir insan olduğu, hatalar yapabileceği ve bu nedenle hem kendisinin bağışlanmasını, hem de muhatabının bağışlanmasını istediği, dolayısıyla aşırı yüceltmeci anlayışı reddettiği çok açık bir şekilde görülmektedir.

11. Aşırı yüceltmecilik her zaman karşımıza böyle de çıkmamaktadır. Bunun başka örnekleri de kaynaklarda yer almaktadır. Mesela Hz. Peygamber'i çok merhametli ve çok nazik gösterme gayretkeşliğinin bir sonucu olarak, onu Yüce Allah'ın çok açık bir emrinin karşısına dahi çıkartabilmişlerdir. Rivayete göre Abdullah b. Übeyy öldüğünde, oğlu Hz. Peygamber'e gelerek babasının cenazesini kıldırmasını istemiş, o da bunu kabul etmiştir. Tam namaz kılınması esnasında Hz. Ömer, "Allah bunu bize yasaklamasına rağmen nasıl kıldırıyorsun?" diye sorunca, Nebî (as) şu cevabı vermiş: "Allah beni muhayyer (serbest) bırakmış ve 'onlar için ister af dile, ister dileme' demiştir. 'Ayrıca onlar için yetmiş defa da af dilesen, Allah onları asla affetmeyecektir' buyurmuştur. Ben de yetmişten fazla dileyeceğim."[1] Burada sözü edilen âyet Tevbe 9/80. âyettir:

اِسْتَغْفِرْ لَهُمْ اَوْ لَا تَسْتَغْفِرْ لَهُمْ اِنْ تَسْتَغْفِرْ لَهُمْ سَبْعِينَ مَرَّةً فَلَنْ يَغْفِرَ اللّٰهُ لَهُمْ

"Ey Muhammed!) Onlar için ister af dile, ister dileme; onlar için yetmiş kez af dilesen de Allah onları asla affetmeyecektir." İmam Gazâlî'ye göre, âyetteki "yetmiş" ifadesinden maksat sayı değil, çokluktur; anlatılmak istenen de o münafıkların kesinlikle bağışlanmayacağıdır. İmam Gazâlî devamla şunları dile getirmiştir: "Bu haberin sahih olmadığı açıktır. Zira

---

1 Bu rivayet için bk. Buhârî, Tefsîr Sûre-i Tevbe.

Allah Rasûlü, sözün anlamlarını en iyi bilendi."[1] Gerçekten de bu ifadeyle neyin kastedildiğini Hz. Peygamber'den daha iyi kim anlamış olabilir ki? İfade, bağışlama işleminin ebediyyen gerçekleşmeyeceğini anlatan son derece açık bir metne sahiptir. Sarmış'ın da dediği gibi "bağışlamayacağını bildiği halde Rasulullah 'laf olsun' yahut 'Allah'a inat için' mi münafıkların, hem de lideri için istiğfar ediyor. Şüphesiz (Yüce Allah'ın o münafıkları bağışlamayacağını) biliyordu ve Allah'ın açık yasağına muhalefet etmekten de uzaktı. Ama rivayetlerin kitaplarda son şeklini alıncaya kadar çok evrilme ve çevrilmelerden geçtiği unutulmamalıdır."[2]

Konuyla ilgili olarak burada gözden kaçırılmaması gereken bazı noktalar vardır. Tevbe 9/80. âyette konu çoğul zamirler kullanılarak ele alınmakta, dolayısıyla olayın bir kişiye indirgenmesinin yanlışlığı görülmektedir. Olay ve uyarı tıpkı Tevbe 9/113. âyette olduğu gibi duadan ibarettir ve kâfir olarak ölenlere dua edilmemesi uyarısını içermektedir:

وَلَا تُصَلِّ عَلَى اَحَدٍ مِنْهُمْ مَاتَ اَبَدًا وَلَا تَقُمْ عَلَى قَبْرِهِ "Onlardan ölmüş olan hiçbirisine asla dua etme/destek olma; onun kabri başında da durma!" ifadesi bunun bir kişiye özel bir uygulama değil, herhangi birine yönelik olarak da yapılmaması gereken genel bir uyarı olduğunu hissettirmekte ve âyetin sonunda da bunun inkârcılıkla ölen bütün inançsızları kapsayan genel bir uyarı olduğu anlaşılmaktadır:

اِنَّهُمْ كَفَرُوا بِاللّٰهِ وَرَسُولِهِ وَمَاتُوا وَهُمْ فَاسِقُونَ "Çünkü onlar, Allah ve Rasûlünü inkâr ettiler ve fâsık olarak öldüler." Eğer "ölen münafıklara yönelik namaz olarak kılınmaması emrini içeren Tevbe 9/84. âyet olaydan sonra indirilmişti" denirse, Hz.

---

1 İslamoğlu, *Üç Muhammed*, s. 171. Gazâlî'nin *Mustasfâ* adlı eserinden nakil.

2 Sarmış, *age.*, s. 509.

Ömer'in Hz. Peygamber'e yönelik çıkışı izah edilemeyecektir. Eğer âyet önceden indirildiyse bu defa da Hz. Peygamber, Yüce Allah'ın çok açık bir emrine karşı gelmiş olacaktı ki bu durum diğerlerinin hepsinden daha kafa karıştırıcıdır.

Rivayetler bu haliyle doğru kabul edilirse Hz. Ömer'in, Yüce Allah'ın emirlerine Hz. Peygamber'den daha duyarlı davranmakta olduğu sonucu ortaya çıkacaktır. Bu tür yaklaşımlar maalesef kaş yaparken göz çıkartmanın örneklerini oluşturmaktadır. Alçak gönüllü ve merhametli, hatta en azılı düşmanına karşı bile bu kadar mütevazı bir peygamber profili çizerken, aynı peygamberin Allah'a karşı nasıl bir tutum ortaya koyduğu gözden kaçırılmaktadır. Dahası burada Hz. Ömer'in zekasına ve duyarlılığına vurgu yapalım derken, Hz. Peygamber'in düşürüldüğü durum hiç de hoş bir görüntü vermemektedir.

ııı. "Kaş yaparken göz çıkartma" türünden benzer bir başka yanlışlık da Hz. Peygamber'e yaşatılan "açık kalp ameliyatı"nda gerçekleştirilmiştir. Müslim'de bu konuda birbirleriyle çelişen çeşitli rivayetler vardır. Öncelikle şunu belirtelim ki, bu rivayetler çeşitli eserlerde "Rasulullah'ın Göklere İsrası ve Namazın Farz Kılınması" başlığı altında yer almaktadır. "Bunda ne var ki?" diye sorulabileceğini düşünerek şunu ifade edelim: İsrâ sûresinin ilk âyetinde isrâ, Mescid-i Harâm'dan Mescid-i Aksâ'ya gerçekleştirilen sınırlı bir yolculuk iken, burada olay göklere taşınmış, dolayısıyla mi'raca da Kur'ân'dan böylece bir delil (!) bulunmuş oldu. İşte bu başlıkta verilen rivayetlerin birincisinde Enes b. Mâlik kaynaklı uzunca bir miraç hadisi yer almakta, ikincisinde yine Hz. Enes kaynaklı olarak Hz. Peygamber'in zemzem kuyusuna götürüldüğü, göğsünün yarıldığı, zemzem suyuyla yıkandığı ifade edilmektedir. Üçüncüsünde olay bu defa biraz daha detaylandırılarak ve yine Hz. Enes kaynaklı olarak, Rasulullah delikanlılarla oynarken Cebrail onu alıp yere yatırmış, kalbini yarmış, yerinden çıkarmış, içinden bir et parçası kopartmış; "İşte bu, şeytanın sendeki payıdır" demiş, sonra kalbini altın bir tepsiyle zemzem suyunda yıkamış, yarayı sarmış, kalbi yerine koymuş; birlikte oynadığı çocuklar koşarak sütannesine gelmişler, onun öldürüldüğünü söylemişler, daha sonra beti benzi atmış bir şekilde onu karşılarında görmüşler. Hz. Enes, rivayete devamla onun göğsündeki dikiş izlerini dahi gördüğünü belirtmiştir. Dördüncü rivayette ise Hz. Enes bu defa konuyu Kâbe Mescidi'nde yaşanan israya dönüştürmüş, Hz. Peygamber henüz vahiy almadan önce uykudayken üç kişinin gelip onu aldığını beyan etmiş ve önceki rivayetteki olayları aynen zikretmiştir.

Beşinci rivayette olay Ebû Zerr'in anlatımı ve yine Enes b. Mâlik'in nakliyle yer almakta, bu defa olay Mekke'deyken Hz. Peygamber'in evinin tavanının açıldığı, Cebrail'in -muhtemelen oradan içeri girdiği- indiği, göğsünü yardığı, zemzem suyuyla yıkadığı, hikmet ve imanla dolu bir testi getirdiği, onu göğsüne boşalttığı, sonra elinden tutup göğe doğru yükseltmeye başladığı, daha sonra miracın bilinen aşamalarının yaşandığı ifade edilmiştir. Altıncı rivayette Enes b. Mâlik bu defa Mâlik b. Sa'sa'a kaynaklı bir bilgiye yer vermiş, Nebî (as), Beyt'te yani Mecsid-i Harâm'da uyku ile uyanıklık arası bir haldeyken üç kişiden birinin seslendiği, götürüldüğü, yıkandığı, beyaz bir canlıya, yani Burak'a bindirildiği, sonra da uzun yolculuğun yaşandığı ifade edilmiştir. Aynı şahısların naklettiği yedinci rivayette de benzer olaylar anlatılmış, sadece Hz. Peygamber'in boğazından karnına kadar yarıldığı şeklinde ilave bilgilere yer verilmiştir.[1]

1 Müslim, İman, 74 (1-7. rivayetler).

Bu rivayetlerde yer alan bazı ifadelerin ve nakledilen olayların yer, zaman ve şahıslarının farklılığı, rivayetleri şüpheli hale getirmektedir. Mesela bazı rivayetlerde olay yukarıda -muhtemelen göklerde- olmuş gibi bir izlenim verilmişken -çünkü *ünzile* (indirildi) fiili kullanılmaktadır-, bazılarında olayın yerde, yani Mekke'de, Kâbe'nin yanında gerçekleştiği ifade edilmektedir. Bazı rivayetlerde Cebrail'den söz edilmişken, bazılarında üç kişiden söz edilmektedir; bu da bir uyumsuzluk arz etmektedir. Bazı rivayetlerde olay Mescid'de gerçekleşmiş gibi aktarılmışken, bazılarında olayın evde yaşandığı söylenmektedir. Bazılarında mesele vahiy ile ilişkilendirilmişken, çoğunda vahiyden söz edilmemektedir. Bazılarında olay çocuk yaşta ve arkadaşlarıyla oyun oynarken gerçekleşmiş olarak verilmişken, bazılarında konu İsrâ ve Mi'rac'ın başlangıcıyla ilişkilendirilmiştir ki bu da anlaşılabilir bir durum değildir. Çünkü miraçla ilgili rivayetlerde isradan, yani önce Mesid-i Aksâ'ya gidişten söz edilmişken, burada önce göğe yükseltilmeden söz edilmektedir.[1] Bu durumda bu kalp ameliyatının zannedildiği gibi sadece çocuklukta bir kere değil de, en az iki kere gerçekleştiğini kabul etmek zorunluluğu hasıl olmaktadır.

Sarmış'ın dediği gibi, bu takdirde de bu defa her zaman kirlenen ve sürekli yıkanmak zorunluluğu olan bir kalp[2] devreye girmektedir ki bunu Hz. Peygamber için düşünmek bile akla ziyandır.

Burada gözden kaçırılmaması gereken noktalardan biri de, Enes b. Mâlik'ten başka bu olayın içerisinde onun çocukluk arkadaşlarından herhangi birinin bulunmaması, özellikle

---

1 İsrâ-Mi'rac sürecinden söz eden rivayet için bk. Buhârî, Bed'ü'l-Vahy, 6.

2 Bu rivayetler hakkında detaylı bir değerlendirme için bk. Sarmış, *age.*, s. 27-29.

de ameliyat yarası izlerinin, sütannesi veya hanımlarından herhangi birinin değil de Enes b. Mâlik tarafından görüldüğünün nakledilmesidir ki bu da son derece problemli bir durumdur. Hâsılı bu rivayetlere neresinden bakılırsa bakılsın, konu son derece karmaşık, birbiriyle çelişkili ve kabulü imkânsız motiflere sahip bir hal arz etmektedir.

Bütün bunlara ilaveten, olay eğer çocuklukta gerçekleştiyse çocuğun kalbinde günah aranmaması gerektiği, günah maddi bir obje olmadığı için onu suyla yıkamanın anlamsızlığı, daha çocuk yaştaki birinin kabın madenini dahi hatırlamasının zorluğu, gelenin veya gelenlerin melek olduklarını ve kalbine doldurdukları şeyin iman ve hikmet olduğunu fark edebilmesinin mantıksızlığı, küçücük bir çocuğun her şeyi bu kadar net ve ayrıntılı bir şekilde hatırında muhafaza edip anlatması, bu anlatılanları esas alıp âyetleri bu doğrultuda anlamaya çalışması vs hususlar, olayın üzerinde yeniden ve dikkatli bir şekilde durmamızı zorunlu kılmaktadır.

Eğer bütün bu anlatılanlar doğru ise, o zaman Kasas sûresindeki şu âyetin çok da bir anlamı kalmamaktadır:

وَمَا كُنْتَ تَرْجُوٓا اَنْ يُلْقٰٓى اِلَيْكَ الْكِتَابُ اِلَّا رَحْمَةً مِنْ رَبِّكَ فَلَا تَكُونَنَّ ظَهِيرًا لِلْكَافِرِينَ "(Daha önce), bu Kitâb'ın sana vahyolunacağını ummuyordun. (Bu) ancak Rabbinin sana bir rahmetidir. O halde sakın kâfirlere arka olma!"[1] Çünkü bunca olağanüstülükleri yaşayan bir insanın ileride peygamber olacağını ve kendisine kitap verileceğini bilmesi değil, bilmemesi çok garip olurdu. Ayrıca bunca farklı tecrübelere rağmen Hz. Peygamber'in Şûrâ sûresinin, "Sen kitap nedir, iman nedir bilmezdin" meâlindeki 52. âyetinde ifade edildiği gibi, hâlâ kitabı ve imanı bilmemesinin söz konusu iddia sahipleri tarafından nasıl yorumlandığı da merak konusudur.

---

1 Kasas 28/86.

Eğer bütün bu anlatılanlar ve bizim burada nakletmeyi gerekli görmediğimiz daha onlarca olağanüstülükler yaşanmışsa, o zaman herkesin, özellikle de Hz. Peygamber'in ve onun yakın çevresinin peygamberlikle ilgili beklentileri de anlatılan ve yaşananlardan çok farklı olmalıydı.

"Bu mantık, farkında olmadan Hıristiyanlığa sonradan sokuşturulan 'asli günah', doğuştan getirilen günah, şeytanın aldatması, ilk insan Âdem'in hatası anlayışını çağrıştırmaktadır. Hıristiyan din adamlarının sonradan benimsedikleri sözde "asli günah"tan insanları arındırmak veya herkesin doğuştan getirdiği iddia edilen günahtan kurtarmak için Hz. İsâ'nın bile bile kendini Roma çarmıhı üzerinde idam ettirdiği inancı, yahut doğan çocukları papazların vaftiz ettiği gibi, bir nevi "yürek vaftizi" inancına çanak tutmaktadır. Hâlbuki İslâm inancına göre, herkes İslâm/sâlim fıtrat üzere doğar, sonra annesi babası bu fıtratı bozarak onu Yahudi, Hıristiyan, Mecusi vs yapar. Yüce Allah bunu "Hakka yönelerek benliğini Allah'ın, insanları üzerinde yarattığı fıtrata/yaratılışa yönelt. Zira Allah'ın yaratışında değişme yoktur; işte dosdoğru din budur, fakat insanların çoğu bilmezler"[1] sözleriyle belirtmektedir.[2]

Burada da belirtildiği üzere, Hz. Peygamber'in, çocukken tabi tutulduğuna inanılan bu işlem, Hıristiyanlıktaki gibi insanın doğuştan ezelî bir günahla doğduğu fikrine hizmet eder. Hıristiyanlıktaki vaftiz olayı ile Hz. Peygamber'in tâbi tutulduğu kalp yıkama işlemi, meseleyi kötüye kullanmak isteyenler için büyük benzerlikler içermektedir. İşin daha da vahim olanı, bizce Hz. İsa kendisini feda ettiği gibi Hz. Peygamber de bir anlamda kendini daha çocukken ümmeti

1 Rûm 30/30.

2 Sarmış, *age.*, s. 26-27.

için feda etmiş olur ki, böylesi bir anlayışın Kur'ân'dan desteği yoktur. İşte yüceltmeci bir tutum izleyerek günahsız bir peygamber oluşturma ve peygamber yarıştırma niyetiyle ortaya konan bu anlayışlar, maalesef "suçu ferdîleştiren ilke"yi getiren İslâm dininin peygamberine ezelî günah nispet edilmesine neden olabilmektedir.

Peygamberler tarihinde diğer hiçbir peygamber için anlatılmayan bu işlemler, muhtemelen Hz. Peygamber'i onlardan üstün görme gayretinin bir sonucudur. Bu arada diğer peygamberleri kalp yarılması uygulamasından uzak tutmak, zannedildiği gibi Hz. Peygamber'i onlardan daha üstün yapmaz; aksine daha sorunlu tecrübeler yaşanmış bir geçmişin sahibi yapar. Oysa Kur'ân, Hz. Peygamber'in geçmiş ve gelecek bütün günahlarının affedildiğini haber vermektedir:
لِيَغْفِرَ لَكَ اللّٰهُ مَا تَقَدَّمَ مِنْ ذَنْبِكَ وَمَا تَاَخَّرَ وَيُتِمَّ نِعْمَتَهُ عَلَيْكَ وَيَهْدِيَكَ صِرَاطًا مُسْتَقِيمًاۙ "Böylece Allah, senin geçmiş ve gelecek günahını bağışlar. Sana olan nimetini tamamlar ve seni doğru yola iletir."[1] Bu âyete rağmen hâlâ daha maddi anlamda günah temizleme operasyonlarından söz edilmesini anlamak mümkün değildir.

Aşırı yüceltmecilik/ifrat, yani -hâşâ- ilâhlaştırmaktan da; indirgemecilik/tefrit, yani hiç ciddiye almamaktan, Hz. Peygamber'i sıradan ve cansız bir iletici gibi görmekten de uzak durarak onu Kur'ân'ın inşa ettiği ve tanıttığı gibi anlamak ve tanımak yapılması gerekenler anlamında işin en doğrusudur.

Aşırı yüceltmecilik bağlamında sözünü ettiğimiz veya edemediğimiz pek çok örneğin Hz. Peygamber'le ilişkilendirilmesinin en önemli nedenleri; Yüce Allah'ın ona verdiği özellikleri yeterli görmeme, peygamberler arasında derin ka-

1 Feth 48/2.

lite farkları oluşturup Hz. Peygamber'i diğer bütün peygamberlerden üstün görme, peygamberlere verilen herhangi bir mucizeyi, hatta bir aşama ileri bir örneğini Hz. Peygamber'de görüp onu yarışın en önüne geçirme, böylece farkında olmayarak ve art niyet taşımayarak da olsa yarı ilâh gibi bir misyonla onu şekillendirme arayışıdır.

Şimdi ise aşırı yüceltmeciliğin en aşırısı diyebileceğimiz bir konuya, Hz. Peygamber'in gayb karşısındaki konumuna ve ümmetinin onu nasıl görmek ve göstermek istediğine değinmek istiyoruz.

v. Hz. Peygamber ve Gayb

Hz. Peygamber'e yönelik aşırı yüceltmeci anlayışın doğal bir sonucu olarak onun gaybı bildiği iddiaları da İslâm kültüründe oldukça geniş bir yer işgal etmiştir.

Gayb, "duyularla algılanamayan şey"dir. Daha genel bir ifadeyle, "insanın gözlem ve deney sınırları dışında kalan şey"e *gayb* denir. Bir zaman bilinemeyen şey, daha sonra insanların icat ettikleri bilimsel ve teknik araçlarla bilinebiliyorsa o şey gayb değildir; insanın bilgi alanı içindedir. Mesela bir gün sonraki hava durumu meteorolojik alet ve uydularla tespit ediliyorsa bu gayb sayılmaz. Çünkü bu, insanın bilgi alanı içinde kalır.[1]

a) Gaybın Bilinemezliği

Kur'ân'a göre hiçbir insan veya Yüce Allah'tan başka hiçbir varlık gaybı bilemez:

قُلْ لَا يَعْلَمُ مَنْ فِي السَّمٰوَاتِ وَالْاَرْضِ الْغَيْبَ اِلَّا اللّٰهُ "De ki: Göklerde ve yerde Allah'tan başka hiç kimse gaybı bilemez."[2] Bu âye-

1 Ateş, *Tefsîr*, VI, 381.
2 Neml 27/65.

te göre gaybı bilme noktasında Yüce Allah tektir; dolayısıyla gaybı bilemeyenlere melekler de peygamberler de dâhildir.

Hz. Nûh'la ilgili kıssanın işlendiği bir bölümde Yüce Allah, onun şöyle dediğini bize hatırlatmaktadır:

وَلَٓا اَقُولُ لَكُمْ عِنْدٖي خَزَٓائِنُ اللّٰهِ وَلَٓا اَعْلَمُ الْغَيْبَ وَلَٓا اَقُولُ اِنّٖي مَلَكٌ وَلَٓا اَقُولُ لِلَّذٖينَ تَزْدَرٖٓي اَعْيُنُكُمْ لَنْ يُؤْتِيَهُمُ اللّٰهُ خَيْرًاۜ اَللّٰهُ اَعْلَمُ بِمَا فٖٓي اَنْفُسِهِمْۚ اِنّٖٓي اِذًا لَمِنَ الظَّالِمٖينَ "Ben size, 'Allah'ın hazineleri benim yanımdadır' demiyorum; gaybı da bilmem. 'Ben bir meleğim' de demiyorum, sizin gözlerinizin hor gördüğü kimseler için, 'Allah onlara asla bir hayır vermeyecektir' de diyemem. Onların kalplerinde olanı Allah çok iyi bilmektedir. Onları kovduğum takdirde, ben gerçekten zalimlerden olurum."[1]

İşte bu âyette açıkça görüldüğü üzere, Hz. Nûh çeşitli cümleler söyleyerek insan oluşunu muhataplarına hatırlatmıştır. Kaldı ki etrafındakilerin hor gördüğü kimselere Allah'ın ilerde herhangi bir hayır vermeyeceğini de söyleyemeyeceğini belirterek ileriye dönük bilgilerden uzak olduğu mesajını bize iletmiştir. Hz. Nûh örneğinden ve Kur'ân'daki konuyla ilgili diğer âyetlerden anlaşıldığına göre gayb alanı Yüce Allah'tan başkasına kapalıdır.[2]

b) Gaybın Allah'ın Dilediği Elçisine Açılması

Cinn 72/27. âyetinde Hz. Peygamber'e bildirildiği ifade edilen gayb ise kanaatimizce Kur'ân'dır. İlgili âyetin de içinde bulunduğu konuyla ilgili 26-28. âyetler şöyledir:

عَالِمُ الْغَيْبِ فَلَا يُظْهِرُ عَلٰى غَيْبِهٖٓ اَحَدًاۙ اِلَّا مَنِ ارْتَضٰى مِنْ رَسُولٍ فَاِنَّهُ يَسْلُكُ مِنْ بَيْنِ يَدَيْهِ وَمِنْ خَلْفِهٖ رَصَدًاۙ لِيَعْلَمَ اَنْ قَدْ اَبْلَغُوا رِسَالَاتِ رَبِّهِمْ وَاَحَاطَ بِمَا لَدَيْهِمْ

1 Hûd 11/31.

2 Allah'tan başka hiç kimsenin gaybı bilemeyeceği hakkında âyetler için bk. Meryem 19/78; Sebe' 34/14.

وَاَحْصٰى كُلَّ شَيْءٍ عَدَدًا "O bütün görülmeyenleri bilir. Sırlarını kimseye açmaz. Ancak, (bildirmeyi) dilediği elçi bunun dışındadır. Çünkü O, bunun önünden ve ardından gözcüler salar ki böylece onların (elçilerin), Rablerinin gönderdiklerini hakkıyla tebliğ ettiklerini bilsin. (Allah) onların nezdinde olup bitenleri çepeçevre kuşatmış ve her şeyi bir bir saymıştır (kaydetmiştir)."

Bu âyetlerin hemen öncesinde bulunan, "De ki, size vaat edilen şey yakın mıdır, yoksa Rabbim onun için uzun bir süre mi koyacaktır, bilemiyorum (keşke biseydim)"[1] gibi ifadeler, konunun kıyametin kopma zamanıyla ilgili olduğunu da göstermektedir. Çünkü Kur'ân'da daha pek çok âyette kıyametin kopma zamanını Yüce Allah'tan başka hiç kimsenin bilemeyeceği, o bilginin sadece Yüce Allah'a ait olduğu çok açık ifadelerle dile getirilmektedir.[2] Durum böyle olunca "Kur'ân'ın Kur'ân'la Tefsiri" tekniği gereği Cinn sûresinde sözü edilen, "Sırlarını kimseye açmaz. Ancak, (bildirmeyi) dilediği elçi bunun dışındadır" şeklindeki istisnanın da aslında gerçekleşmediği, kıyametle ilgili diğer pek çok âyetin muhtevasından anlaşılmaktadır. Görünen o ki kıyametle ilgili gayb Hz. Peygamber'den de uzak tutulmuştur. Yüce Allah kendine ait kıldığı o alanı hiç kimseyle paylaşmamaktadır ve bunu özellikle Hz. Peygamber'e de söyletmektedir.

Konu bu bağlamda değerlendirildiğinde aslında mesele açıklığa kavuşmuş olmaktadır. Ancak bağlamı esas almadan âyetler parça parça veya tek tek değerlendirilirse, Yüce Allah'ın maksadını anlamakta sıkıntı çekilir. Bu nedenle âyetleri doğru anlamada bağlam, yani konu bütünlüğü çok önemlidir.

---

1 Cinn 71/25.

2 Kıyametin bilgisi hakkındaki âyetler için bk. A'râf 7/187-188; Tâhâ 20/15; Ahzâb 33/63; Muhammed 47/18; Nâzi'ât 79/42-44.

İnsanlara çeşitli gerçeklerden haberdar edilmeleri, biraz olsun bilgi sahibi olmaları için zaman zaman peygamberler ve kitaplar gönderilmiştir. İnsanlar, gerçeği kendilerine gönderilen kitaplardan öğrenmeye çalışırlar. İşte elçiye açılan *gayb*, sadece vahye konu olan ve yazılı vahiy metinlerinde yer alan ilâhî bilgilendirmelerdir. İncelemeye çalıştığımız âyetteki رَسُول *rasûl* "elçi" eğer Hz. Peygamber ise, söz konusu *gayb*, Taberî'nin de ifade ettiği gibi "Yüce Allah'ın ona vahyettiği Kur'ân"dır.[1] Kur'ân dışında Hz. Peygamber'e bildirildiğine inanılan şeyler bildiğimiz anlamda gayb değildir. Risaletle buluşturulan diğer bütün peygamberler gibi Hz. Muhammed de kendisine ulaştırılan gaybı, yani vahiy ürünü Kur'ân'ı insanlara ulaştırmada herhangi bir kusur işlememiştir. Zaten peygamberlerin masumluğu da bu noktada kendini gösterir; yani onlar vahyi insanlara ulaştırmada masumdurlar; ne herhangi bir şeyi eksiltirler, ne de herhangi bir şey ilave ederler.[2] وَمَا هُوَ عَلَى الْغَيْبِ بِضَنِينٍ "O, gaybın bilgilerini (sizden) esirgemez"[3] âyeti Hz. Peygamber'in gaybı, yani vahyi insanlara ulaştırmada hiçbir şekilde cimrilik yapmadığını da göstermektedir.

Şevkânî'nin nakline göre başkaları uzak bir ihtimal gibi görse de Sa'îd b. Cübeyr, Cinn 72/27. âyette geçen رَسُول *rasûl* kelimesinin "vahiy getiren melek", yani Cebrâîl olduğu kanaatindedir.[4] Bu takdirde insanların da gaybı bilebileceğine inananlar Kur'ânî dayanaktan büsbütün mahrum kalmış olurlar.

Söz konusu sûrenin tefsirindeki başlıca prensipleri sıralayan Süleyman Ateş şunları belirtmektedir:

---

1 Taberî, *age.*, XXIX, 122.

2 Konuyla ilgili âyetler için bk. Mâide 5/67; Hûd 11/12; İsrâ 17/73-75; Hâkka 69/44-47; Cinn 72/27-28.

3 Tekvîr 81/24.

4 Şevkânî, *age.*, V, 311.

"Allah, gayb bilgisini, yalnız razı olduğu elçiye (meleğe) bildirir. Ona verdiği gayb bilgisini (vahyi) de, sağdan ve soldan onu kollayan muhafız meleklerin koruması altında insan elçisine gönderir. Melek elçi, Allah'tan aldığı bilgiyi, insan elçiye aynen tebliğ eder. İnsan elçi de ondan aldığı vahyi, hiçbir değişikliğe uğratmadan insanlara duyurur."[1] İlgili âyetlerden bizim de anladığımız budur. Gaybla ilgili muhatap vahiy meleğidir; gayba konu olan ise vahyedilen Kur'ân'dır.[2] İşte Hz. Peygamber de tıpkı diğer peygamberlerde olduğu gibi kendisine vahiy geldiğinde şeytanın bazı müdahale teşebbüslerine karşılık,[3] vahiy getiren meleklerin müdahalesiyle korunmuştur. Zaten Cinn 72/27. âyetteki "koruyucu"luktan kasıt da bu olsa gerektir. Cinn sûresinin bu son âyetleri bütünüyle risalet mekanizmasını melek ölçeğinde bu şekilde ortaya koymaktadır, diyebiliriz.

Muhammed Esed, gaybı "insan idrakini aşan şey" diye tanımlamış ve gayb konusunun işlendiği bir diğer âyet olan Âl-i 'Imrân 3/179. âyeti şu şekilde tercüme etmiştir:

وَمَا كَانَ اللّٰهُ لِيُطْلِعَكُمْ عَلَى الْغَيْبِ وَلٰكِنَّ اللّٰهَ يَجْتَبِي مِنْ رُسُلِهِ مَنْ يَشَاۤءُ فَاٰمِنُوا بِاللّٰهِ وَرُسُلِهِ "... Allah, insan idrakini aşan şeyleri kavrama gücünü size verecek değildir. (Bunun için) Allah, elçileri arasından dilediğini seçer. Öyleyse Allah'a ve elçilerine inanın..." Bu mealin izahında da "Yani Allah, insana, sadece kendisinin tüm bilgisine sahip olduğu hakikat hakkında kısmî bir görüş sahibi olmayı bu elçiler aracılığıyla sağlar"[4] diyerek, gaybı sadece Yüce Allah'ın bildiğini, insana ise kısmen bazı

1 Ateş, *Tefsîr*, X, 111.

2 Bu âyetin de içinde bulunduğu bağlam dikkate alındığında buradaki gayb, yine Kur'ân'da yer alan bir konu olan kıyametin ne zaman kopacağının bilinemeyeceği bilgisidir.

3 Konuyla ilgili âyet için bk. Hacc 22/52.

4 Esed, *age.*, s. 126-127'de 137. not.

şeyler bilsinler diye elçiler gönderildiğini ifade ederek, gaybı beşerin bilgi alanının dışında gören bir yaklaşım sergilemiştir. Çünkü biraz önce de naklettiğimiz üzere, o, haklı olarak gaybı insan idrâki sınırları dışında görmektedir.

Hz. Peygamber'e bildirilen gaybdan söz eden âyetlere bakıldığında konuyla ilgili olarak önce Kur'ân'da bilgi yer almış, daha sonra, "İşte bu, sana vahyettiğimiz gayb haberlerindendir"[1] gibi ifadeler kullanılmıştır.[2] Demek ki gayba dair bir konunun delili sadece Kur'ân olmak zorundadır. Bu konudaki kanaatimizin dayandığı asıl gerekçe şudur:

Eğer Kur'ân dışında vahiyler varsa neden yazdırılmamış ve tüm muhataplara Kur'ân ciddiyetinde ulaştırılmamışlardır? Oysa Yüce Allah Mâide 5/67. âyetinde risâlet ve tebliğ bağlamında şöyle buyurmaktadır:

يَٓا اَيُّهَا الرَّسُولُ بَلِّغْ مَٓا اُنْزِلَ اِلَيْكَ مِنْ رَبِّكَۜ وَاِنْ لَمْ تَفْعَلْ فَمَا بَلَّغْتَ رِسَالَتَهُۜ وَاللّٰهُ يَعْصِمُكَ مِنَ النَّاسِۜ اِنَّ اللّٰهَ لَا يَهْدِي الْقَوْمَ الْكَافِرِينَ "Ey Rasûl! Rabbinden sana indirileni tebliğ et. Eğer bunu yapmadıysan O'nun elçiliğini yapmamış olursun. Allah seni insanlardan koruyacaktır. Doğrusu Allah, kâfirler topluluğuna rehberlik etmez." Demek ki Hz. Peygamber, kendisine Allah tarafından indirilen her şeyi muhataplarına tebliğ etmekle yükümlü tutulmuştur. Eğer iddia edildiği gibi vahyin bir kısmının konumu farklı olsaydı âyet metni بَلِّغْ مَٓا اُنْزِلَ اِلَيْكَ مِنْ رَبِّكَ "Rabbinden sana indirilen her şeyi tebliğ et" şeklinde değil de بَلِّغْ مما أنزل اليك من ربك "Rabbinden sana indirilenin bir kısmını tebliğ et" şeklinde olurdu.

Şüphe yok ki âyetteki maksat, vahye konu olan her şeyin muhataplara ulaştırılmasıyla ilgilidir. Zaten Hz. Ayşe "Kim Rasulullah'ın Allah'ın kitabından bir şeyi gizlediğini zanne-

1 Âl-i 'Imrân 3/44.
2 Bu tür ifadeler için bk. Hûd 11/49; Yûsuf 12/102; Tekvîr 81/24.

derse, o da Allah'a en büyük iftirayı atmış olur" demiş ve yukarıdaki âyeti okumuştur.[1] Bu nedenledir ki Hz. Peygamber de sık sık "bakın tebliğ ettim mi?" sorusunu sahâbîlerine sorma ihtiyacını hissetmiştir. Aksi takdirde görevini yapmamış olmakla itham edilmesi kaçınılmaz olacaktı.

c) Hz. Peygamber'in Gaybı Bilememesi

Hz. Peygamber'in gayb konusundaki durumu hakkında çeşitli âyetlerin mesajlarını bu şekilde aktardıktan sonra, konunun daha iyi bir şekilde ortaya konulması için şu âyetlerin de hatırlanmasında büyük yararlar vardır:

قُلْ لَٓا اَقُولُ لَكُمْ عِنْدٖي خَزَٓائِنُ اللّٰهِ وَلَٓا اَعْلَمُ الْغَيْبَ وَلَٓا اَقُولُ لَكُمْ اِنّٖي مَلَكٌۚ اِنْ اَتَّبِعُ اِلَّا مَا يُوحٰٓى اِلَيَّۜ قُلْ هَلْ يَسْتَوِي الْاَعْمٰى وَالْبَصٖيرُۜ اَفَلَا تَتَفَكَّرُونَ "De ki: Ben size, Allah'ın hazineleri benim yanımdadır, demiyorum; gaybı da bilmem. Size, ben bir meleğim de demiyorum. Ben, sadece bana vahyolunana uyarım. De ki: Hiç kör ile gören bir olur mu? Düşünmüyor musun?"[2]

قُلْ لَٓا اَمْلِكُ لِنَفْسٖي نَفْعًا وَلَا ضَرًّا اِلَّا مَا شَٓاءَ اللّٰهُۜ وَلَوْ كُنْتُ اَعْلَمُ الْغَيْبَ لَاسْتَكْثَرْتُ مِنَ الْخَيْرِۚ وَمَا مَسَّنِيَ السُّٓوءُۜ اِنْ اَنَا اِلَّا نَذٖيرٌ وَبَشٖيرٌ لِقَوْمٍ يُؤْمِنُونَ "De ki: Ben, Allah'ın dilediğinden başka kendime herhangi bir fayda veya zarar verecek güce sahip değilim. Eğer ben gaybı bilseydim elbette daha çok hayır yapardım ve bana hiçbir fenalık da dokunamazdı. Ben sadece inanan bir kavim için uyarıcı ve müjdeleyiciyim."[3]

İşte bu âyetler, Yüce Allah'ın Kur'ân'da kendisine bildirdiği dışında Hz. Peygamber'in gaybı bilemediğini açıkça ortaya koymaktadır. Eğer Hz. Peygamber gaybı bilseydi, bu âyette

---

1 Hadisin tamamı için bk. Müslim, İman, 77.
2 En'âm 6/50.
3 A'râf 7/188.

de ifade edildiği üzere, kendisine hiçbir kötülük erişemez, hiçbir sıkıntıya maruz kalmaz, her şeyin önlemini çok önceden alırdı. Unutulmamalıdır ki o da bir insandır ve Kur'ân haricinde ona da gaybdan herhangi bir bilgi verilmemiştir.

Çalışmamızın ana çerçevesiyle bağlantı kuracak olursak; kendisine fayda vermeye gücü yetmeyen bir peygamber, mezarına bir ağaç dikerek ölüye nasıl fayda verebilir ki? Diğer taraftan âyetin sonunda yer alan "onun gaybı bilmemesi, eğer gaybı bilseydi iyiliği çoğaltıp kendisine zarar dokunmasını önleyebileceği" ifadesi de oldukça ilgi ve dikkat çekicidir. Hakkındaki gaybı bilemediği için iyiliği çoğaltamayan ve kendisine verilecek zararı engelleyemeyen bir insandan, başkasına yönelik zararı önlemesini beklemek ona karşı haksızlık değil midir?

Esasında kabirlerde nelerin yaşandığı noktasında Hz. Peygamber'e nispet edilen pek çok rivayetin gaybla ilişkili oluşu, rivayetlerin sıhhatini de şüpheli hale getirmektedir. Konu, bilgisini Yüce Allah'ın kendisine özel kıldığı, bizim bilemeyeceğimizi ilan ettiği[1] bir alanla ilgili olunca, Kur'ân'da Hz. Peygamber'in kendi çevresindeki bazı olaylar hakkındaki tutumunu da hatırlatmakta yarar görüyoruz.

Kur'ân'dan Deliller

1. وَمِمَّنْ حَوْلَكُمْ مِنَ الْاَعْرَابِ مُنَافِقُونَ وَمِنْ اَهْلِ الْمَد۪ينَةِ مَرَدُوا عَلَى النِّفَاقِ لَا تَعْلَمُهُمْ نَحْنُ نَعْلَمُهُمْ سَنُعَذِّبُهُمْ مَرَّتَيْنِ ثُمَّ يُرَدُّونَ اِلٰى عَذَابٍ عَظ۪يمٍ

"Çevrenizdeki bedevî Araplardan ve Medine halkından birtakım münafıklar vardır ki, münafıklıkta maharet kazanmışlardır. Sen onları bilemezsin, onları biz biliriz. Onlara iki kez azap edeceğiz, sonra da onlar büyük bir azaba itileceklerdir."[2]

1 Âyet için bk. Bakara 2/154.
2 Tevbe 9/101.

İşte bu âyetteki, لَا تَعْلَمُهُمْ "Sen onları bilemezsin/tanıyamazsın" ifadesi Hz. Peygamber'in, çevresindeki münafıkları tanımadığını, yani onların içlerinde neler taşıdığını, neleri düşündüklerini vs bilemeyeceğini söylemektedir. Davranışlarından ya da zaman zaman söylediklerinden hareketle kimlerin münafıklık yapmış olabileceği tahmin edilebilir olmasına rağmen, bunu bilemeyen bir peygamberin ağzından kabirde meydana gelecek olaylar hakkında detaya varacak derecede bilgiler nakledilmesi, doğrusu bize çok inandırıcı gelmemektedir.

11. عَبَسَ وَتَوَلّٰى اَنْ جَٓاءَهُ الْاَعْمٰى وَمَا يُدْرٖيكَ لَعَلَّهُ يَزَّكّٰى اَوْ يَذَّكَّرُ فَتَنْفَعَهُ الذِّكْرٰى "Görme engelli biri yanına geldi diye (Velid b. Muğîra) yüzünü ekşitti ve arkasını döndü. (Ey Peygamber!) Nereden biliyorsun, belki de o (görme engelli) arınacak, yani öğüt alacak da öğüt ona fayda verecek?"[1]

Yanına gelenlerden hangisinin öğüt alacağını veya almayacağını bilemeyen, etrafındakilere yönelirken asıl öğüt almak isteyene itibar etmeyen Hz. Peygamber, bu davranışı nedeniyle uyarılmıştır. Daha sonra Abdullah ibn Ümmi Mektûm'a "Kendisi sebebiyle Allah'ın beni azarladığı kimse" diyerek olaya gönderme yapar olmuştu. "Yanına gelen görme engelli bir insanın ve Mekke ileri gelenlerinin hangisinin arınıp arınmayacağını bilemeyen bir peygamber, gaybdan haber vererek yanından geçtiği mezarların içindekilerinin azap gördüğünü nereden bilecekti? Hz. Peygamber'in konuştuğu o müşriklerin ve kâfirlerin gönlü ölü idi. Onlar manen mezarda idiler. Karşısında manen mezarda olan gönüllerde neler olacağını bilemeyen peygamber, bedenen mezardakileri nereden ve nasıl bilebilirdi?

"Mezardakileri bilmesi mucize idi" deniyor. Bu durumda "Yüce Allah, ona bedensel/maddi anlamdaki ölüler için

---

1 'Abese 80/1-4.

mucize vermiş de, çok daha önemli olan ruhen/manen ölü olanlar için acaba niçin mucize vermemiş ki?” sorusu akla gelmektedir. Çünkü onlar arınıp imana gelecekler ve İslâm kuvvetlenecekti.”[1] Bu haklı tespitlere ilave olarak, mucizenin, aslında prensip olarak inanmayanlara gösterildiği, ancak kabirle ilgili rivayetlerde muhatapların, Müslümanlar olduğu da gözden kaçırılmamalıdır.

III. وَلَوْ نَشَٓاءُ لَاَرَيْنَاكَهُمْ فَلَعَرَفْتَهُمْ بِسٖيمٰيهُمْ وَلَتَعْرِفَنَّهُمْ فٖي لَحْنِ الْقَوْلِ وَاللّٰهُ يَعْلَمُ اَعْمَالَكُمْ “Biz dileseydik onları sana gösterirdik de, sen onları yüzlerinden ve sözlerinin üslübundan tanırdın. Allah işlediklerinizi bilir.”[2]

Âyete böyle mana vermek zorundayız.[3] Bazılarının tercih ettiği gibi eğer, “Biz dileseydik onları sana gösterirdik de, sen onları yüzlerinden tanırdın. Andolsun ki sen onları konuşma tarzlarından tanırsın. Allah işlediklerinizi bilir” anlamını kabul edersek, bu durumda âyetin ilk cümlesiyle ve daha önce bu konuda zikrettiğimiz âyetlerle çelişki meydana gelirdi. “Dileseydik gösterirdik” demek, “dilemedik ve göstermedik” demektir. İşte bu âyette de Hz. Peygamber'in, etrafındaki münafıkların simalarını ve sözlerini ilâhî vahiy desteği olmadan tanıyamadığını göstermektedir.

IV. قَالَتِ الْاَعْرَابُ اٰمَنَّا قُلْ لَمْ تُؤْمِنُوا وَلٰكِنْ قُولُوٓا اَسْلَمْنَا وَلَمَّا يَدْخُلِ الْا۪يمَانُ فٖي قُلُوبِكُمْ وَاِنْ تُطٖيعُوا اللّٰهَ وَرَسُولَهُ لَا يَلِتْكُمْ مِنْ اَعْمَالِكُمْ شَيْـًٔا اِنَّ اللّٰهَ غَفُورٌ رَحٖيمٌ “Bedevîler ‘İnandık’ dediler. De ki: Siz iman etmediniz, ama ‘Boyun eğdik’ deyin. Henüz iman kalplerinize yerleşmedi. Eğer Allah'a ve elçisine itaat ederseniz, Allah işlerinizden hiçbir şeyi eksiltmez. Çünkü Allah, çok bağışlayandır; çok esirgeyendir.”[4]

---

1 Bayraklı, *age.*, XX, 232.

2 Muhammed 47/30.

3 Bu tercüme ve âyetle ilgili gerekli için bk. Ateş, *Tefsîr*, VIII, 438.

4 Hucurât 49/14.

Burada sözü edilen konu, göçebelerin ya da başka bir ifade ile bedevîlerin iman iddiaları karşısında Yüce Allah'ın duruma müdahale edip onların iman etmediğini, sadece teslim olduklarını bildirmesidir. Bedevîlerin durumlarıyla ilgili olarak asıl bilgilendirilen kişi Hz. Peygamber olduğu için Yüce Allah'ın bildirmesi olmadan onun da gaybı bilemeyeceği ortaya çıkmış, Allah'ın kendisine bildirdiği gayb da bu örnekte açıkça görüldüğü gibi Kur'ân'da yer almıştır.

v. Hz. Peygamber'in, hanımlarından birine gizli bir söz söylediği, ancak eşinin bu sırrı saklayamayıp başkalarına haber vermesi üzerine indirilen Tahrîm sûresinin 3. âyeti de konuyla ilgili olarak göz önünde tutulması gereken örneklerden biridir:

وَاِذْ اَسَرَّ النَّبِيُّ اِلٰى بَعْضِ اَزْوَاجِه۪ حَد۪يثًاۚ فَلَمَّا نَبَّاَتْ بِه۪ وَاَظْهَرَهُ اللّٰهُ عَلَيْهِ عَرَّفَ بَعْضَهُ وَاَعْرَضَ عَنْ بَعْضٍۚ فَلَمَّا نَبَّاَهَا بِه۪ قَالَتْ مَنْ اَنْبَاَكَ هٰذَاۜ قَالَ نَبَّاَنِيَ الْعَل۪يمُ الْخَب۪يرُ "Peygamber, eşlerinden birine gizlice bir söz söylemişti. Fakat eşi, o sözü başkalarına haber verip Allah da bunu Peygamber'e açıklayınca, Peygamber bir kısmını bildirmiş, bir kısmından da vazgeçmişti. Peygamber bunu ona haber verince eşi, 'Bunu sana kim bildirdi?' dedi. Peygamber, 'Bilen, her şeyden haberdar olan Allah bana haber verdi' dedi."

Bu âyetten anlaşılan şudur: Hz. Peygamber, sırrını verdiği eşinin, bu sırrı kime açtığını bilememektedir. Kendi evinde eşleri arasında mahrem olabilecek bir konuda bile, Yüce Allah bildirmediği sürece Hz. Peygamber bazı konuları bilememekte, vahiy desteği olmadan konu açıklığa kavuşmamaktadır. Evinin içindeki gaybı bilemeyen bir peygambere kabirle ilgili gayb söyletmek Kur'ânî dayanaktan yoksundur; böylesi kabuller de Hz. Peygamber'e haksızlık yapıldığını gösteren bir anlayışı temsil eder. İşte bu son örnekte de olduğu gibi, Yüce Allah'ın Hz. Peygamber'e bildirdiği vahiy, tıpkı

Cinn 72/27. âyette zikredildiği üzere Kur'ân'da yer alan vahiydir.[1] Yüce Allah'ın açtığı gayb, peygamberlere vahiy ile gönderdiği kitaplardır ve peygamberler de bu bilgileri ümmetlerine tebliğ etmişlerdir.

vı. Cinn sûresinin ilk âyetlerine baktığımızda çok ilginç bir detayı daha görmemiz mümkündür. Sûrede, kendisini dinlemeye gelen bir cin grubunun olgusu Hz. Peygamber'e haber verilmektedir. Tebliğcisi olduğu dinin esaslarını kimlere duyurup ulaştırabildiği, bu bağlamda cinlerin onu dinlediği ve çeşitli itirafları kendisine bildirilmektedir. Kendisini dinlemeye kimlerin geldiğini haklı olarak bilemeyen bir Peygamber'e gaybın detaylarına varıncaya dek sözler söyletmek gerçeği yansıtmaktan uzaktır. Cinlerin vahiy dinlemesiyle ilgili daha farklı bilgilerin bir bölümü de Ahkâf 46/29-32. âyetlerinde hatırlatılmakta, Hz. Peygamber konudan vahiy aracılığıyla haberdar edilmekte ve bu olay da Kur'ân vahyi ile tespit edilmektedir.

Etrafındakilerden kimlerin arınıp kimlerin arınmayacağını,[2] savaşa gitmeme noktasında izin isteyenlerden kimin doğru, kimin yalan söylediğini bilemeyen, dolayısıyla hakikat ortaya çıkmadan bazılarına izin verdiği için uyarılan,[3] bir silah ve zırh çalınması olayında Yahudi aleyhine Müslüman lehine hüküm verecekken "sakın hainlerden yana olma, Allah'a istiğfar et, kendilerine ihanet edenleri savunma" anlamındaki âyetlerin gelmesiyle bilgilendirilen,[4] çevresindeki

1 Bunun bir benzeri de Fetih 48/27. âyetinde zikredilen "Mescid-i Harâm'a güven içinde girileceği" bilgisidir. Yani bu da gaybî bir bilgidir; ama Kur'ân'da bu bilgiye yer verilmiştir. İddia edildiği gibi Kur'ân dışında gaybî bilgilerin varlığı şüpheli bir kabuldür.

2 'Abese 80/3-4.

3 Tevbe 9/43.

4 Nisâ 4/105-107.

münafık ve bedevilerin içlerini, aile içi sırları deşifre edeni bilemeyen, kendini dinlemeye gelen cinlerden de kendiliğinden haberdar olamayan Hz. Peygamber, belli ki çevresindeki insanları, onların kalplerinden neler geçirdiklerini vs haklı olarak bilememektedir. Yakın çevresi hakkında bile bilemediği hususlar bulunan Hz. Peygamber'e gaybî bilgiler söyletmek, hatalı bir yaklaşımdır.

Hadisten Deliller:

Hz. Peygamber'in gaybla ilgili konumunu Kur'ân'dan verdiğimiz çeşitli örneklerle bu şekilde ifade etmeye çalıştıktan sonra, şimdi de konuya hadisler açısından bakmak istiyoruz.

Münâfikûn 63/1-8. âyetlerinin nüzul sebebi olarak şöyle bir olay nakledilmektedir: Zeyd b. Erkam diyor ki, Abdullah b. Übeyy, "Allah'ın elçisinin yanında bulunanlara infâkta bulunmayın... Eğer Medine'ye dönersek üstün olan, düşük olanı oradan çıkaracaktır..."[1] ifadelerini kullanınca, durumu Rasulullah'a haber verdim. Ensâr beni bu haberimden dolayı kınadı; Abdullah b. Übeyy de böyle bir şey söylemediğine dair yemin edince evime döndüm. Daha sonra Rasulullah beni çağırdı, yanına gittim. Bana, "Allah seni doğruladı" dedi ve onlar hakkında Münâfikûn 63/7. âyet indi.

Başka bir rivayette Zeyd b. Erkam, Abdullah b. Übeyy'in yukarıdaki sözleri söylediğini amcasına naklettiğini, durumu Rasulullah'a onun hatırlattığını, Abdullah'ın ve adamlarının bunları söylemediğine dair yemin ettirildiklerini, bunun üzerine Rasulullah'ın da onları haklı görüp kendisini yalanladığını, daha sonra kendisinin benzersiz bir şekilde üzüldüğünü, işte bu olay üzerine Münâfikûn sûresinin ilk 8 âyetinin indirildiğini belirtmiştir.[2]

---

1 Münâfikûn 63/7-8.

2 Bu olay için bk. Buhârî, K. Tefsîri'l-Kur'ân, Tefsîr Sûre 63; Tirmizî, Tefsîr Sûre 63.

Nakledilen bu olaylar, âyetlerin metnine de gayet uygun görünmektedir. Eğer Rasulullah, iddia edildiği gibi gaybı bilseydi, çok kıymet verdiği sahâbîlerinden olan Zeyd'i milletin içinde yalanlamaz, münafık Abdullah'ın ve adamlarının sözüne itibar edip onları haklı görmez ve dolayısıyla Zeyd'i de üzmezdi.

Buhârî'nin naklettiğine göre Rasulullah'a biât eden Müslüman hanımlardan biri olan Ümmü'l-'Alâ' şöyle demiştir: "Muhacirlerin, (Medine'de ensârdan) kimin evinde kalacağı konusunda Ensâr kur'a çektiğinde Osman b. Maz'ûn bize düştü. Şikâyetlenip hastalanınca vefat etti, daha sonra onu elbiselerine sardık (kendi elbiseleriyle onu kefenledik). O esnada Rasulullah yanımıza geldi. Ben, 'Ey Ebû Sâib[1], Allah'ın rahmeti üzerine olsun, ben sana şahidim, Allah mutlaka sana ikram etmiştir (veya ikram edecektir)' deyince Nebî (as), 'Sen nereden biliyorsun?' diye sordu. Ben de, 'Allah'a yemin olsun ki, bilmiyorum (nereden bileyim ki)' dedim. Bunun üzerine Rasulullah şöyle buyurdu: 'Ona (Osman'a) gerçek geldi (yani gerçekle karşılaştı); onun için Allah'tan hayır dilerim. Allah'a yemin olsun ki, ben, Allah'ın elçisi olmama rağmen bana da size de ne yapılacağını bilmiyorum.' Ümmü'l-'Alâ' devam ederek şöyle demiştir: Allah'a yemin olsun ki ondan sonra hiç kimse için böyle şeyler söylemedim."[2]

Bu olay hakkında Hz. Peygamber'in şöyle buyurduğu da rivayet edilmektedir:

فقال رسول الله صلي الله عليه وسلم أما هو فو الله لقد جائه اليقين والله اني لأرجو له الخير ووالله ما أدري و انا رسول الله ما ذا يفعل بي "Allah'a yemin olsun ki, ona gerçek geldi (o gerçekle yüzleşti) artık. Allah'a yemin olsun ki, onun için sadece hayır dilerim; Allah'a yemin

1 Bu ifade, Osman b. Maz'ûn'un lakabıdır.

2 Buhârî, Ta'bîr, 27. Benzer bir başka rivayet için de bk. Buhârî, Cenâiz, 3, 23.

olsun ki, Allah'ın elçisi olmama rağmen bana ne yapılacağını bilmiyorum."[1]

Bu rivayette Hz. Peygamber'in söylediği nakledilen sözler Yüce Allah'ın, Ahkâf 46/9. âyetinde daha önceden, yani Mekke'deyken Hz. Peygamber'den söylemesini emrettiği şu ifadelerdir:

قُلْ مَا كُنْتُ بِدْعًا مِنَ الرُّسُلِ وَمَٓا اَدْر۪ي مَا يُفْعَلُ ب۪ي وَلَا بِكُمْ "De ki: Ben peygamberlerin ilki değilim. Bana ve size ne yapılacağını da bilmem." Kendisine ne yapılacağını bilemeyen bir Peygamber nasıl oluyor da mezardakilere nelerin yapıldığını bilebiliyor? Bu bilgi iddiası ister dünya için, isterse kabir için olsun sonuç her iki durumda da aynıdır. İşte özellikle bu âyetin ışığında ilgili rivayetlere bakıldığında bunların inanç oluşturmadaki gücü, daha doğrusu güçsüzlüğü açıkça görülmektedir. Mezarda ölüye yapılan uygulamalarla haber vermek gayb alanına girdiği için, gaybı bilemeyen peygamberin, bu konuda bilgi verdiğini iddia etmek doğru olabilir mi?

Hz. Ayşe, üç şeyden birini söyleyenin Allah'a en büyük iftirayı yapacağı tehdidiyle şunu söylemiştir: "Kim, o (Hz. Peygamber) yarın ne olacağıyla ilgili haber veriyor derse Allah'a en büyük iftirayı yapmış olur. Zira Yüce Allah, 'De ki: Allah'tan başka göklerde ve yerdeki hiç kimse gaybı bilemez' buyurmaktadır."[2] Yarından söz etmek gayba ait bir bilgi olacağı için, Hz. Ayşe o alana hiç kimsenin giremeyeceğini, dolayısıyla Hz. Peygamber'i de buraya sokmaya çalışanların Allah'a iftira edeceğini beyan etmiştir. Bu rivayeti nakleden İslâmoğlu konu hakkında şu ilginç tespiti yapmaktadır:

"Hz. Ayşe'nin aşırı yüceltmenin bu tür tezahürünü, ısrarla insan-Allah ilişkileri çerçevesinde bir sapma olarak

1 Buhârî, Ta'bîr, 13.

2 Rivayetin tamamı için bk. Müslim, İman, 77.

görmesi manidardır. Oysaki bu çerçevede yanlış anlamanın objesi, görünürde Allah değil Hz. Peygamber'dir. Fakat Hz. Ayşe, bu tür bir yanlış anlamanın sadece peygamber tasavvurunu etkilemekle kalmayıp insanın "Allah inancını" da etkileyeceği içtihadındadır."

"Elbette Hz. Peygamber Allah'ın bildirdiğini bilir. Onun, peygamber olmayan hiçbir insanın ulaşamadığı Vahiy Meleği gibi özel bir bilgi kaynağı olduğu da bir gerçek. Ne ki Hz. Peygamber'in yüceliğini yeterli bulmayıp ona bir parça daha karizma kazandırmak isteyen yüceltmeci gelenek, hiçbir tevile sığmayan bir yığın haber üretmekten geri kalmamıştır."[1]

Yukarıdaki rivayet hakkında değerlendirme yaparken Süleyman Ateş ise şu bilgilere yer vermiştir:

"Bu hadislerin açık ifadesine göre, Peygamber (sav) vahiy dışında yarın ne olacağını bilmezse, binlerce yıl sonraki olayları da bilmez. Şayet bu konuda vahiy olursa o zaman bilebilir. Böyle bir vahiy olsaydı, onun da Kur'ân'da bulunması gerekirdi. Hâlbuki Kur'ân'da bu hadislerde anlatılan gayb haberlerinin hiçbirine rastlamıyoruz. Gaybı Allah'tan başka, ne gökte ne de yerde hiç kimsenin bilemeyeceğini vurgulayan âyetleri buluyoruz. Sanıyorum ki Hz. Ayşe de Peygamber (sav)'den rivayet edilen bu tür istikbal haberleri üzerine onun gaybı bildiğini, yarın olacak şeyleri haber verdiğini söyleyenin Allah'a iftira etmiş olacağını söyleyerek, bu tür rivayetlerin Peygamber'e iftira olduğunu vurgulamak istemiştir."[2]

Naklettiğimiz her iki değerlendirmede de Hz. Peygamber'in gaybla ilgili konumunun vahiyle sınırlandırılmış olduğu, eğer gayba dair bir bilgilendirme olmuşsa bunun Kur'ân'da yer alması gerektiği vurgulanmış, bunun

---

1 İslâmoğlu, *Üç Muhammed*, s. 68.

2 Ateş, *Tefsîr*, VI, 382.

dışında gaybla ilgili rivayetlerin Hz. Ayşe'nin ifadesiyle Hz. Peygamber'e, dolayısıyla Yüce Allah'a iftira etmek olduğu anlatılmak istenmiştir.

Hz. Ayşe gibi Hz. Peygamber'in evinde hayatı geçen, hayatı onunla paylaşan bir kişinin bu konudaki duyarlılığı maalesef ümmetin geri kalanları arasında aynı hassasiyetle izlenememiş, kültürümüz gayb haberleriyle dolup taşmıştır. Üstelik aslından emin olunamayan rivayetler esas alınmaya başlanmış ve Kur'ân âyetleri âdeta devre dışı bırakılır olmuştur. Oysa Kur'ân'da gayb konusu Yüce Allah'ın bilgisiyle sınırlandırılmış, gaybın açıldığı elçiler bağlamındaki sınır da vahyedilen kitaplar olarak belirlenmiştir. Bize göre bunun dışında daha farklı sonuçlara gidebilecek yollar aslında kapatılmak istenmiştir.

- Rasulullah'ın gaybı bilememesi örneklerinden bir diğeri ve belki de en çarpıcı olanı dünyevî hukukla ilgili olandır. Burada söz konusu edilen olay, Ensâr'dan Tu'me b. Ubeyrık adında birinin Katâde b. Nu'mân'dan bir gece bir zırh çalması, onu Yahudi Zeyd b. Semin'in yanına bırakması ve sorgulanınca da zırhı Yahudinin çaldığı şeklindeki iftirasıyla ilgilidir. Zeyd b. Semin, zırhı Tu'me'nin getirdiğini söyleyince, bu defa bazı Yahudiler Zeyd'in, bazı Müslümanlar da Tu'me'nin haklılığına dair şâhitlik etmişler, Rasulullah da Tu'me lehinde hüküm vermek üzereyken Nisâ sûresinin şu âyetleri nazil olmuştu:

اِنَّٓا اَنْزَلْنَٓا اِلَيْكَ الْكِتَابَ بِالْحَقِّ لِتَحْكُمَ بَيْنَ النَّاسِ بِمَٓا اَرٰيكَ اللّٰهُ وَلَا تَكُنْ لِلْخَٓائِن۪ينَ خَص۪يمًا وَاسْتَغْفِرِ اللّٰهَ اِنَّ اللّٰهَ كَانَ غَفُورًا رَح۪يمًا "Allah'ın sana gösterdiği şekilde insanlar arasında hükmedesin diye sana Kitâb'ı hak ile indirdik; hainlerden taraf olma! Allah'tan mağfiret iste, çünkü Allah, çok bağışlayıcıdır; çok esirgeyicidir."[1]

1 Nisâ 4/105-106. Rivayet için de bk. Buhârî, Şehâdât, 27; Müslim, Akdıye, 4; Ebû Dâvûd, Akdıye, 7.

Hukukî bir konuda hüküm verilirken bilgi eksikliği nedeniyle taraflardan birine haksızlık yapılırsa ağır mağduriyetler yaşanacaktır. Bu nedenle Nebî (as) kendisine gelen davalılara karşı bilgiden veya savunmadan kaynaklanan yanlış bir karar vermiş ve bir tarafın mağduriyetine neden olmuş ise hakkı yenen kişiye hakkının verilmesini, yoksa hak yiyenin, karnına ateşten bir parça almış olacağını söylemiştir.[1] İşte bu uyarı onun da bir insan olduğunu, zâhire göre hükmettiğini, gaybı bilmediğini ve dolayısıyla bazı hatalar yapabileceğini göstermektedir. Peygamberimizin ifadesiyle, o "diğer insanlar gibi bir insandı, unuttukları gibi unutur, hatırladıkları gibi de hatırlardı."[2] Eğer Hz. Peygamber gaybı bilseydi bu tür bir uyarıya da tarafların itiraflarına da ihtiyaç hissetmez, sonu pişmanlıkla bitecek herhangi bir hatayla da karşılaşmazdı.

- Bu konuda başka bir örnek de Hz. Ayşe'ye yönelik gerçekleşen ifk (iftira) hadisesidir. Hz. Ayşe, çektiği onca sıkıntıya rağmen, iftirayla ilgili süreçte Rasulullah'tan kendisini rahatlatacak, onun suçsuz olduğunu söyleyen herhangi bir söz duyamamış, sadece olayın başlangıcında kendisinden babasının evine gitmesi için izin istemiş, o da izin vermişti. Aradan bir ay geçmişti ki Nebî (as) evine gelmiş, ama o iftiradan sonra o güne kadar Hz. Ayşe'nin yanına oturmamıştı. Hz. Peygamber, Hz. Ayşe'ye yönelerek şöyle demişti: "Eğer suçsuzsan Allah yakında suçsuzluğunu ortaya çıkarır. Eğer suçluysan Allah'a istiğfar et, O'na tevbe et/yönel. Zira kul, günahını itiraf eder de Allah'a yönelirse Allah da onun yönelişini/tevbesini kabul eder."

---

1 Bu hadis için bk. Buhârî, Şehâdât, 27; Müslim, Akdıye, 4; Ebû Dâvûd, Akdıye, 7.

2 Müslim, Mesâcid, Sehiv Secdesi Babı, 1. Hz. Peygamber'in namazlarında bazen unutmalar yaşadığı hakkındaki rivayetler, rivayetlerin kaynakları ve değerlendirmeler için bk. Sarmış, *age.*, s. 91-93.

İşte bu konuşmadan sonra Hz. Ayşe kelimenin tam anlamıyla perişan olmuştu. İstiyordu ki hakkında bir vahiy gelsin; ama kendisinin Kur'ân'da konuşulmaya layık biri olmayacağını düşünerek kendisinin ve içinbde bulunduğu dudumun adının vahye değil de hiç olmazsa Rasulullah'ın rüyasına konu edilmesini arzu ediyordu. Aradan bir süre geçtikten sonra Rasulullah'tan mutluluk verici bir haber geldi ve haberi getiren kişi gülerek, "Ey Ayşe, Allah'a hamd et; Allah seni temize çıkardı/suçsuzluğunu onayladı" dedi. Bunun üzerine annesi, "Kalk Rasulullah'a git" deyince Hz. Ayşe, "Hayır, Allah'a yemin olsun ki ona gitmem, Allah'tan başkasına da hamd etmem" dedi. İşte bu konuşmaların hemen öncesinde Yüce Allah, Nûr 24/11'den itibaren ilgili âyetleri indirmişti.[1]

Eğer Hz. Peygamber gaybı bilseydi ya da Hz. Peygamber'e Kur'ân'dan başka gayb bildirilmiş olsaydı, kendi eşiyle ilgili bir iftirada bunca acılar yaşanmaz ve Müminlerin annesi Hz. Ayşe de bu sıkıntıları çekmezdi. Demek ki konu vahiyle ilgiliydi ve Hz. Peygamber, Kur'ân dışı vahiylere de sahip değildi.[2]

- Hz. Peygamber'in gayb konusundaki konumunu ifade bağlamında Hz. Ayşe'nin şu sözü çok anlamlıdır: "Kim, Peygamber'in gaybı bildiğini iddia ederse ona iftira etmiş olur."[3] Kur'ân'da gaybla ilgili pek çok âyetle uyumlu olduğu ve Hz. Peygamber'in de pratik hayatında yaşadıklarına uyduğu için bu rivayetin doğru ve sahih olduğunu düşünüyoruz.

---

1 Bu olay hakkında geniş bir rivayet için bk. Buhârî, Şehâdât, 15 (İfk Hadisi). Bu âyetler indirildiğinde Hz. Peygamber'in Hz. Ebûbekir'in evinde olduğu ve söz konusu müjdeyi Hz. Ayşe'ye bizzat Hz. Peygamber'in verdiğine dair rivayetler de vardır (bk. Ateş, *Tefsîr*, VI, 166).

2 Hz. Peygamber'in gayb karşısındaki durumu hakkında geniş izahlar için bk. Sarmış, *age.*, 109-113.

3 Buhârî, Tevhîd, 4.

İşte bütün bu anlatılanlar, İslâm âleminde yaygınlık kazanan dinî bilgilerin arasına ciddi yanılmalara sebep olabilecek hatalı kabullerin de girmiş olduğunu göstermektedir. Kabir gibi bütünüyle gayb olan bir konuda başta Hz. Peygamber olmak üzere başka insanların da pek çok detayı dahi bildirecek şekilde konuşturulması, hem Kur'ân'a, hem de bizzat Hz. Peygamber'in sözlerine aykırıdır. Neml sûresindeki, "De ki: Allah'tan başka, göklerde ve yerdeki hiç kimse gaybı bilemez"[1] âyeti meleklerin de peygamberlerin de gaybı bilemeyeceğini ilan etmektedir.

"Razı olduğu elçiden başka hiç kimseye gaybını açmaz"[2] âyetindeki elçiyi vahiy meleği olarak kabul edersek, Cebrâil hariç başka hiç kimseye gayb açılmamıştır. Cebrâîl'in bildiği ise Yüce Allah'ın ona bildirdiği ve peygamberlere ulaştırmakla yükümlü tutulduğu mesajlardır.

Elçiyi Hz. Peygamber diye kabul edersek Yüce Allah'ın bildirmesiyle sadece onun bilebileceği gaybdan söz edebiliriz ki bu da Kur'ân'dır veya bağlamı dikkate alarak, Kur'ân'ın bir konusu olan kıyametin bilinemeyeceği konusudur. Durum böyle olunca, Kur'ân dışında kalan ve güvenilirlikleri problemli olan birtakım rivayetleri esas alarak, üstelik aynı kaynaklarda tersi rivayetler de bulunmasına rağmen, o rivayetleri görmezlikten gelerek gayb alanını şehâdet alanına dönüştürüp onu sıradan bir nesnel âlemmiş gibi göstermeye çalışmak son derece hatalıdır.

Gayb konusu Hz. Peygamber için bile böylesine bir hassasiyet arz etmesine rağmen, Kur'ân'a aykırılık içeren böylesi bir konuda başka kulların da gaybı bilenler arasına katılması anlamına gelen "rüyalar ve ölülerle kabirde gerçekleştirildiği

1 Neml 27/65.
2 Cinn 72/26-27. Benzer bir diğer âyet için de bk. Âl-i 'Imrân 3/179.

iddia edilen diyaloglar" meseleyi büsbütün karmaşık bir hale getirmektedir. Sayılı bazı kulların sözlerinin de Kur'ân'dan destek alamayan birtakım âhâd (tek kişiye dayalı, kesinlik arz etmeyen) haberlerin de iman esası oluşturamayacağı açıktır. Daha önceden değindiğimiz üzere "Sayılı bazı kişilerin gaybden haber verdiği"ni söylemek İslâm dininin en önemli ilkelerinin başında yer alan "gayba iman"ın temelini sarsar. Gayb, insan için bilgi alanında değil, iman alanındadır. Yüce Allah, "gabya inananlar" diyor, "gaybı bilenler" ifadesini kullanmıyor. Onun için meseleyi gayb diye belirledikten sonra, hakkında bilgi verme yarışına girmişçesine malumat vermeye kalkışmak doğru bir davranış değildir.

2. RİVAYETLERE DAYALI DELİLLER

Rivayetlere yaklaşımda takip edilmesi gereken yöntem ve bizim konuları ele almadaki metodumuz hakkında geniş bilgiler verdikten sonra, şimdi de rivayetlere dayalı kabulleri ve onlar hakkındaki değerlendirmelerimizi yapmak istiyoruz.

a) Ölürken Gidilecek Yerin Gösterilmesiyle İlgili Rivayetler

Bu başlıkta ele alınabilecek oldukça fazla rivayet olsa da aynı mesajda toparlanabilecekleri için üç farklı rivayete değinmekle yetineceğiz.

1. İlk rivayet Abdullah b. Ömer'den gelmektedir. Buna göre Rasulullah (as) şöyle buyurmuştur:

قال ان أحدكم اذا مات عرض عليه مقعده بالغداة والعشي ان كان من اهل الجنة فمن اهل الجنة وان كان من اهل النار فيقال هذا مقعدك حتي يبعثك الله

الي القيمة "Sizden biriniz ölünce kendisine gideceği yer sabah akşam arz edilir; eğer cennet ehlindense cennetliklerden (yer gösterilir). Eğer cehennemliklerden ise ona şöyle denilecektir: İşte kıyamette Yüce Allah'ın seni dirilteceği zamana kadarki yerin burasıdır."[1]

Öncelikle belirtmeliyiz ki, bu rivayetin başındaki ان أحدكم اذا مات ifadesi, "ölen kişi" şeklinde değil de "ölmek üzere olan kişi" şeklinde anlamlandırılmalıdır. Bu takdirde söz konusu rivayet, Vâkı'a sûresinin son grup âyetlerinin tefsiri olarak kabul edilebilir. Bu yaklaşımımız, "ölülere kelime-i tehlîl (*lâ ilâhe illallâh*) telkıni" veya "ölülere Yâsîn okunması"yla ilgili hadisler için de geçerlidir. Bu hadislerde de maksat, ölmüş kişiler değil, ölmek üzere olan kişilerdir.

Bu rivayetlerdeki bilgiler, "ölen kişi" şeklinde tercüme edilirse bu durumda ilgili rivayet Vâkı'a sûresinin son grup âyetlerine ters düşmüş olacaktır. Çünkü ilgili âyetlere göre ölmeden önce defalarca yapıldığı gibi ölüm anında da kişiye hangi tür davranışların nasıl bir akıbetle neticeleneceği bildirilecektir. Ancak ilgili ödül veya azabın ruh ve beden birlikteliği şeklinde görülüp yaşanacağı yer âhiret olacaktır. Bunun öncesinde, yani kabirde böyle bir buluşma ile ilgili Kur'ân'da bilgi yoktur.

Kaldı ki bazı rivayetlerde, gösterilen yerlerin bu kişilerin âhiretteki yerleri olduğu da ifade edilmektedir. Mesela İbn Ömer kaynaklı başka bir rivayette benzer içerikte bilgiler yer almakta, ancak konu ölüm ve kabirle ilişkilendirilmemektedir.[2] Bu tür mesajların verildiği bütün rivayetlerde asıl maksat genel bir bilgilendirmedir, yoksa yargılanmadan gidilecek

---

1 Buhârî, Cenâiz, 90; Bed'ü'l-Halk, 8; Rikâk 42; Müslim, Cennet, 65; Mâlik b. Enes, Cenâiz, 47, Tirmizî, Cenâiz, 70; Nesâî, Cenâiz, 116.

2 Ahmed b. Hanbel, II, 26.

yerin bizzat kendisi değildir; aksi takdirde âhirette yaşanacak aşamalar büyük oranda anlamını kaybedecektir.

"Ölüm Esnasında Yaşanacaklar" başlığında da ifade ettiğimiz gibi, insanlar ölürken çeşitli olaylarla karşılaşmakta, meleklerle konuşmakta ve kötüler sıkıntı çekerken, iyiler hoşnutluk içerisinde ruhlarını teslim etmektedirler. Bu bağlamda ölürken insanlara mahşerde gidecekleri yerin gösterileceğine dair rivayetlerle ilgili âyetlerin birbiriyle uyumlu olduğunu söylemekte hiçbir sakınca yoktur. Ancak unutulmamalıdır ki, gidilecek yeri görmek oraya gitmek değildir. Ödül yeri olan cennete veya azap yeri olan cehenneme gidiş mahşerdeki yargılamadan sonra gerçekleşecektir.

11. Abdulah b. Ömer kaynaklı ilk rivayetin de yer aldığı Buhârî'de Ebû Sa'îd el-Hudrî kaynaklı şöyle bir rivayet daha vardır. İddiaya göre Rasulullah şöyle buyurmuştur:

"Cenaze insanların omuzlarında taşınırken o kişi eğer sâlihlerden ise, 'Beni çabuk götürün, beni çabuk götürün'; eğer salihlerden değilse, 'Eyvâh, bunlar (beni) nereye götürüyorlar?' dermiş ve o esnada sesini insanlar hariç tüm varlıklar duyarmış. Eğer o sesi insanlar duysaymış hepsi düşer bayılırmış."[1]

Bu rivayetin sahihliği noktasında elde herhangi bir veri bulunmadığı için, insanlar hariç sesi duyan diğer varlıklardan bunu öğrenme ihtimali de haliyle ortadan kalkmaktadır. İşin enteresan tarafı, mademki bu sesi cenazeyi taşıyanlar ya da etrafta bulunan insanlar bile duyamıyorlar, o takdirde ölü kişinin, "Beni çabuk götürün, beni çabuk götürün" veya "Eyvâh, bunlar (beni) nereye götürüyorlar?" şeklindeki sözleri söylemesinin ne anlamı olabilir ki?

---

1 Buhârî, Cenâiz, 53, 91.

İnsanlar ölünün bu şekildeki sesleniışini anlayamayacak veya duyamayacaklarsa, kabirde azabı kabul edip ölülerle dirilerin birbirleriyle konuştukları, birbirlerini duydukları şeklindeki kabuller de bir anlamda geçerliliğini kaybetmektedir. Eğer "bazıları bunları duyabilir" denirse, bu defa da gözümüz bu rivayetlerde istisna cümleleri aramak durumunda kalmaktadır; aksi takdirde, duyanların ya da duyduğunu söyleyenlerin nasıl birer varlık olduğu sorusu kaçınılmaz olmaktadır.

ııı. Bu konuda başka bir rivayette de Güneş ve Ay'ın Allah'ın iki âyeti oldukları, tutulmalarının herhangi bir insanın doğumu veya ölümü için secde anlamına gelmediği belirtilmektedir. Buna göre herkesin kabirde sorguya çekileceğinin Hz. Peygamber'e gösterildiği ve onun da bu konuda insanları uyardığı, dolayısıyla cennetliklere cennetteki yerlerinin, cehennemliklere de cehennemdeki yerlerinin gösterileceği, hatta cennetliklerden olmak isteyen birinin dua isteğinin kabul edilip yerine getirildiği de uzunca bir rivayette yer almaktadır.[1]

Elbette rivayetlerde çeşitli karışıklıkların yaşandığı açıkça görülmektedir. Güneş ve Ay tutulması olaylarıyla ilgili olarak namaz kılarken Hz. Peygamber'in konuyu bir anda kabre getirmesinin gerekçeleri rivayetlerde yer almamaktadır. Kaldı ki başka rivayetlerde soruların âdeta detayları verilmişken, burada olay çok genel ifadelerle geçiştirilmiştir. Hepsinden önemlisi ve asıl gözden kaçırılmaması gereken problemli husus ise, Hz. Peygamber'in bir kişiye dua etmesiyle onun da cennetliklerden olmasının sağlanması olayıdır.

Eğer böyle bir olay gerçekleşmişse bu kişinin kimliği hakkında neden bilgi verilmediği, neden diğer sahabilerin de böyle bir istekte bulunmadığı, ilgili kişinin neden böyle özel bir muameleye tabi tutulduğu, malını ve canını Yüce Allah ve

1 Ahmed b. Hanbel, VI, 409.

Hz. Peygamber yolunda feda ederek fedakârlığı tescillenmiş insanların niçin böyle garantili bir yoldan yararlanmadıkları da elbette merak konusudur.

Hz. Peygamber'in, amcasının vefatı esnasında nasıl bir psikolojiye büründüğü ve onun Müslüman olarak ölmesi için aralarında nasıl diyalogların yaşandığı bilinen bir gerçektir. Mademki bu kurtuluş işi bir dua ile oluyordu, Hz. Peygamber bu duasını neden amcasından esirgedi de bu rivayetteki gibi adı ve kimliği belli olmayan birisi için söz konusu duayı yaptı. İşte doğruluğu Kur'ân aynasına vurulmadan kabul edilen bu tür rivayet kaynaklı kabuller, maalesef cevabı imkânsız pek çok sorunun sorulmasına yol açmaktadır.

b) Genel Olarak Kabir Sorgusuyla İlgili Rivayet

Kabirde azabı kabul edenlerin en önemli delillerinden birisi "münker ve nekir"in sorularının yer aldığı Hz. Enes kaynaklı şu rivayettir: Hz. Peygamber'in şöyle buyurduğu rivayet edilmiştir:

عن أنس رضي الله عنه عن النبي صلي الله عليه وسلم قال : العبد اذا وضع في قبره وتولي وذهب اصحابه حتي انه ليسمع قرع نعالهم اتاه ملكان فأقعداه فيقولان له : ما كنت تقول في هذا الرجل محمد صلي الله عليه وسلم ؟ فيقول : اشهد انه عبد الله ورسوله فيقال : انظر الي مقعدك من النار ابدلك الله به مقعدا من الجنة قال النبي صلي الله عليه وسلم فيراهما جميعا واما الكافر او المنافق فيقول : لا أدري كنت أقول ما يقول الناس فيقال لا دريت ولا تليت ثم يضرب بمطرقة من حديد ضربة بين اذنيه فيصيح صيحة يسمعها من يليه الا الثقلين

"Kul, kabrine konulup, arkadaşları ayrılıp onların ayak seslerini duyduğunda iki melek gelir ve onu oturtup kendisine, 'Bu Muhammed hakkında ne derdin?' diye sorarlar. Bu kul eğer mümin ise, 'Onun, Allah'ın kulu ve elçisi olduğuna şâhitlik ederim' der. Bunun üzerine kendisine, 'cehennemdeki yerine bak; Allah onu cennette bir mekânla değiştirdi' denilir ve o kul her iki yeri de görür. Şayet söz konusu kul, kâfir ve münafık ise Hz. Muhammed'le ilgili soruya, 'Onu tanımıyorum, bilmiyorum (kabul etmiyorum). (Olumsuz anlamda) insanların onun için söylediklerini ben de söylüyordum' cevabını verir. Ona da, 'Anlamadın ve tâbi olmadın (öyle mi?)' denir ve kulaklarının arasına demir sopayla öyle bir vurulur ki insan ve cinler hariç ona yakın olan herkes onun (sopanın) çıkardığı sesi duyar."[1]

Bu rivayet hakkında "Kabirde Sorgulanma" başlığında detaylı bilgi vermiştik. Bu nedenle kabirde azap konusuyla ilgili olarak sadece birkaç hatırlatma yapmakla yetineceğiz.

I. Söz konusu rivayetin bir benzerini nakleden Tirmizî, Ebû Hureyre'nin rivayet ettiği bu hadisin "hasen ve garip" olduğunu belirtmiştir.[2] Bu ifadeler, ilgili rivayetlerin çok da güvene layık olmaması manasına gelmektedir.

II. Bu rivayette ifade edildiğine göre, kâfir veya münafık kişi soruya doğru cevap veremeyince kendisine bir azap uygulanmaktadır. Ancak bu azap genelde kabul edilen türden "ateş azabı" değildir. Demir çubuklarla uygulanan bir ceza söz konusu edilmektedir. Oysa kabirdeki sorgulamadan başarıyla geçemeyenlere, cehennem çukurlarından bir çukurda ateş azabının uygulanacağı iddia edilmekteydi.

III. Nurânî varlıklar olup maddi bir yapısı olmayan meleklerin ellerine madde olan demir nesnelerinin verilme nedeni kolay kavranabilecek bir mesele değildir.

Bu ve benzer rivayetlerde münker ve nekir meleklerinin ellerinde bulunduğu söylenen demir kamçılar, aslında cehen-

---

1 Buhârî, Cenâiz, 68, 87; Müslim, Cennet, 70; Ebû Dâvûd, Cenâiz, 78; Nesâî, Cenâiz, 110.

2 Tirmizî, Kitâbü'l-Cenâiz, 70.

nemde gerçekleşecek azabı niteler durumda olup Kur'ân'da şöyle yer almaktadır:

هَٰذَانِ خَصْمَانِ اخْتَصَمُوا فِي رَبِّهِمْ فَالَّذِينَ كَفَرُوا قُطِّعَتْ لَهُمْ ثِيَابٌ مِنْ نَارٍ يُصَبُّ مِنْ فَوْقِ رُؤُسِهِمُ الْحَمِيمُ يُصْهَرُ بِهِ مَا فِي بُطُونِهِمْ وَالْجُلُودُ وَلَهُمْ مَقَامِعُ مِنْ حَدِيدٍ "Şu iki grup, Rableri hakkında çekişen iki hasımdır: İnkâr edenler için ateşten bir elbise biçilmiştir. Onların başlarının üstünden kaynar su dökülecektir! Bununla, karınlarının içindeki (organlar) ve derileri eritilecektir! Bir de onlar için demir kamçılar vardır!"[1] İşte buradaki ateşten giysiler, başların üstünden karınları ve derileri eriten kaynar su dökülmesi ve demir kamçılar, cehennemde suçlulara uygulanacak cezanın uygulanış biçimini göstermektedir. Ayrıca "boyunlara vurulan zincirler"[2] konusu da cehennemliklerin azaba atılış şekli hakkındadır.

Naklettiğimiz bu âyet grubunda yer alan uygulamalar aslında âhiretteki azabı nitelendirmesine rağmen, -konular arasında benzerlik bulunması nedeniyle olsa gerek- mesele, kıyamet-âhiret sürecinden çıkartılıp kabirle ilişkilendirilmiştir. Öyle anlaşılıyor ki, farklı konularla ilgili bilgiler isim benzerliği nedeniyle farklı alanlara taşınıp yeni anlayışlar meydana getirilmektedir. Oysa benzer nesnel aletler veya giysiler ya da genel anlamıyla uygulamalar Kur'ân'da cennetliklerle ilgili olarak da zikredilmesine rağmen,[3] kabirde maddi nimetlendirilmeye inananlar nesnel ödüllerden söz etmemektedir. Bu durum yaşanan kafa karışıklığının önemli bir göstergesidir.

---

1 Hacc 22/19-21.

2 Bu konudaki âyetler için bk. Sebe' 34/33; Yâsîn 36/8; Mü'min 40/71-72; Hâkka 69/32. Benzer âyetler için de ayrıca bk. Nisâ 4/56; Mü'min 40/71-72.

3 Hacc 22/23; Fâtır 35/33; Yâsîn 36/55-57; Sâffât 37/44-49.

c) Ölülere Ağlamanın Azaba Neden Oluşuyla İlgili Rivayetler

Toplumda konuyla ilgili en çok kullanılan rivayet gruplarından birisi de bu meseleyle ilişkilidir. Bu nedenle biz de bazı rivayetleri özellikle incelemek istiyoruz.

ı. Hz. Peygamber'in, ölülere ağlamanın kabir azabına neden olacağı[1] konusunda pek çok uyarısının bulunduğuna dair rivayetler vardır. Bunları teker teker ele almak ve konuyu uzatmak istemiyoruz. Ancak hemen belirtelim ki, özellikle ölenin yakınlarının ağlaması nedeniyle ölüye azap edileceği rivayetinin de bulunduğu bölümde Rasulullah'ın kendi çocuğunun mezarında gözyaşı döktüğü rivayeti de yer almaktadır.[2]

ıı. Abdullah b. Ömer'den ölüye ağlanmasını Rasulullah'ın yasakladığı, bunun ölüye azap nedeni olacağı rivayetinin yanında şöyle bir rivayet daha vardır: Hz. Ömer yaralandığında ona ağlayan Suheyb'e, "Bana ağlıyor musun? veya "ağlayacak mısın?" demiştir. Hz. Ömer vefat edince bu diyaloğu Hz. Ayşe'ye nakleden İbn Abbâs, Hz. Ayşe'nin şöyle dediğini haber vermektedir:

يرحم الله عمر والله ما حدث رسول الله صلي الله عليه و سلم ان الله ليعذب المؤمن ببكاء اهله عليه لكن رسول الله صلي الله عليه وسلم قال ان الله ليزيد الكافر عذابا ببكاء اهله عليه وقالت : حسبكم القرآن ولا تزر وازرة وزر اخري "Allah, Ömer'e rahmet etsin. Allah'a yemin olsun ki Rasulullah, mümin bir kişiye ailesinin ağlaması nedeniyle kabirde azap edileceğine dair bir söz söylememiştir. Rasulullah'ın, ağlamanın kâfirlerin azabını arttıracağını

---

1 Rivayetler için bk. Buhârî, Cenâiz, 32, 33, 92; Meğâzî, 8; Müslim, Cenâiz, 18, 19, 20, 21, 22, 23, 27; Tirmizî, Cenâiz, 25; Nesâî, Cenâiz, 14, 15; İbn Mâce, Cenâiz, 54; İmam Mâlik, Cenâiz, 37; İbn Hanbel, I, 38.

2 Buhârî, Cenâiz, 33.

söylediğini bildirmiş ve 'Hiçbir suçlu başkasının yükünü yüklenemez'[1] âyetini hatırlatarak bu konuda 'size söz konusu âyet yeter' demek istemiştir."[2] Bunun üzerine İbn Abbâs da ilgili âyetin devamındaki, "Güldüren de ağlatan da O'dur"[3] âyetini okumuştur.[4]

- Şimdi Hz. Ayşe'nin bu ve benzeri yorumlamalarına bakarak, hatta bazı rivayetlere yönelik gerçekleştirdiği itirazlarına ve reddine dayanarak onu "sünnet inkârcısı" olarak göstermek mümkün müdür? Ya da rivayet edilen hadisleri Kur'ân ölçüsüne veya aynasına vurduğu için onu suçlamak doğru olur mu? Hz. Ayşe'nin Rasulullah'ın misyonunu bilmediğini ya da ona saygısızlık ettiğini söylemeye kim cüret edebilir? O halde, sorun doğru bakmak ve doğru görmekle alakalıdır ve Hz. Ayşe de bunu yapmıştır.[5]

- Ölüye ağlamanın kabir azabına sebep olacağı rivayetleri bu halleriyle Kur'ân'ın genel sorumluluk ilkelerine kesinlikle aykırıdır. Çünkü Kur'ân, sorumlulukların ferdîliği prensibini getirmiştir. Hiç kimse başkasının günahından sorumlu tutulmayacak, herkes kendi davranışından sorgulanacaktır.[6] Bu konuda mutlak sûrette bilinmesi gereken âyet şudur:

وَلَا تَزِرُ وَازِرَةٌ وِزْرَ اُخْرٰى "Hiç kimse başkasının (günah) yükünü yüklenemez."[7] Demek ki günahlar ferdîdir; bir başkası kendisiyle ilgili olamayan bir konuda başkasının davranışından sorumlu tutulamayacaktır.

---

1 Necm 53/38.

2 Buhârî, Cenâiz, 33.

3 Necm 53/43.

4 Bu rivayetler için bk. Buhârî, Cenâiz, 33.

5 İslamoğlu, *age.*, s. 170.

6 Âyetler için bk. Bakara 2/134, 141, 286; İsrâ 17/7; Lokmân 31/33; Sebe' 34/25; 'Abese 80/34-37.

7 En'âm 6/164; İsrâ' 17/15; Fâtır 35/18; Zümer 39/7; Necm 53/38.

Burada Nahl 16/25. âyette geçen, "Kıyamet gününde kendi günahlarını tam olarak taşımaları ve bilgisizce saptırmakta oldukları kimselerin günahlarından da bir kısmını yüklenmeleri için" şeklindeki ifadeden saptıranların, saptırdıkları kişilerin günahlarından bir bölümünü taşıyacakları anlaşılıyor ise de bu âyeti konuyla ilgili diğer âyetlerle beraber düşündüğümüzde meselenin "onları saptırmaktan dolayı kendi kazandıkları saptırma günahı" olduğu anlaşılmaktadır. Çünkü Kur'ân, sapanları da saptıranları da azapta müşterek ilan etmektedir.[1]

• Kaldı ki Hz. Peygamber'in, kendi çocuğunun mezarında gözyaşı dökmesi,[2] zaten günahsız olan çocuğun azap çekmesine herhâlde neden olmayacaktır. Çünkü Hz. Peygamber'in, oğlu İbrahim için gözyaşı döktüğüyle ilgili rivayette de belirtildiğine göre, gözyaşı dökmek ve kalbin hüzünlenmesi normaldir; normal olmayan ise, Yüce Allah'ın gazabını gerektirecek sözlerin söylenmesidir.[3] Bu tür sözlerde sorumluluk sözü söyleyenindir, kendisi için ağlananın değil.

• Rivayette yakınlarının ağlaması nedeniyle müminin değil de kâfirin azap göreceğinin ifade edilmesi de kanaatimizce gerçeği yansıtmamaktadır. Çünkü burada sadece isimler değişmekte, olay özü itibarıyla yanlışlığını korumaktadır. Kur'ân'ın ilkesi çok nettir: "Hiç kimse başkasının günahından sorumlu tutulamaz." Burada mümin-kâfir ayrımı yoktur.[4]

• Rivayetlerden anlaşıldığına göre bir konuda birden çok rivayet bulunabilmekte, birisi bir konuyu öne çıkarırken, di-

---

1 Âyetler için bk. İbrahim 14/21-22; Ahzâb 33/64-68; Sebe' 34/33; Sâffât 37/33; Zuhruf 43/39.

2 İbn Mâce, Cenâiz, 53.

3 İbn Mâce, Cenâiz, 53.

4 Bu konuda benzer kanaatleri için bk. Erul, *Hz. Ayşe'nin Sahâbeye Yönelttiği Eleştiriler*, s. 44.

ğeri başka bir yönüyle ilgilenebilmektedir. Bu arada çok daha başka incelikler maalesef kaybolup gitmektedir. Elbette ki kabirde azabı kabul edenler bunun gerekçelerini de bulmalıydılar; kendilerince buldular da. Ancak birbiriyle o kadar açık çelişkiler içeren bu rivayetler arasından tercih yapabilmek gerçekten çok zordur, hatta imkânsızdır. "Kabirde azabın gerekçesi ölünün arkasından yakınlarının ağlaması mıdır, yoksa başka bir şey midir?" derken, aslında hakkında Kur'ân'da hiçbir açık bilginin, hatta hiçbir işaretin dahi bulunmadığı bir konuda, cevabı imkânsız pek çok soruyu gündeme getirecek tartışmalara girmeyi de gereksiz bulduğumuzu belirtmek istiyoruz.

• Naklettiğimiz bu son bölümdeki rivayetlerden açıkça anlaşılıyor ki ölünün arkasından ağlamanın kabir azabına neden olduğu kabulü gerçeği yansıtmamaktadır. Çünkü hem Hz. Peygamber'in ölen oğlu için ağlaması hem de bir günahkârın başka birinin günahını yüklenemeyeceği gerçeği bizi bu kanaate sevk etmektedir. Bu vesileyle hatırlatmakta yarar gördüğümüz bir nokta da Hz. Ayşe'ye ilaveten İbn Abbâs'ın da, "Ölü, ailesinin ağlamalarından dolayı azaba uğrar" hadisini reddettiği bilgisidir.[1]

• Bu son örneklerde de görüldüğü gibi bazı konularda nakledilen rivayetlerin o konularda tek olduğu zannedilmektedir. Aynı konuda farklı rivayetlerin bulunabildiği, bazılarının tercihleri doğrultusunda diğer rivayetlerin gölgede bırakıldığı, hatta doğruluk-yanlışlık değerlendirmesi hiç yapılmadan "başka rivayetlere uyuyor" diye bazıları tercih edilirken, diğerlerinin de uyabileceği kaynakların olup olmadığının tespit edilmediği, üstelik bu son rivayette Hz. Ayşe'ye nispet edilen rivayetteki bilginin Kur'ân'da bir âyetle desteklenmesine rağmen bunun görmezlikten gelindiği çok açık bir şekilde ortadadır.

---

1 Kırbaşoğlu, *Hadis Metodolojisi*, s. 174.

• Bir rivayet, eğer bir âyetle destekleniyorsa o konuda başka rivayetlerle yetinmek doğru olamaz. Çünkü rivayetleri esas alırken âyetlerin ihmal edilmesi son derece sakıncalı sonuçlar doğurur. İmam Serahsî'nin, *Usûl* adlı eserinde de açıkça ifade ettiği üzere "kabir azabı vb. konulardaki haberlerin bir bölümü meşhur, bir bölümü de âhâd haber mesâbesinde bulunduğu" için,[1] konuyu bu tür rivayetlerle şekillendirmeye çalışmak, âyetlerin mesajının gölgelenmesine neden olmaktadır.

d) Mezara Dal Konulmasıyla İlgili Bazı Rivayetler

Kabir azabıyla ilgili olarak Rasulullah (as)'tan pek çok mütevâtir hadis rivayet edildiği iddia edilmektedir. Bunlardan bir bölümünü burada aktarmakla yetineceğiz.

1. İbn Abbâs'tan gelen rivayette Hz. Peygamber'in şöyle buyurduğu nakledilmektedir:

عن ابن عباس رضي الله عنهما عن النبي صلي الله عليه وسلم أنه مرّ بقبرين يعذبان فقال انهما ليعذبان وما يعذبان في كبير أما أحدهما فكان لا يستتر من البول وأما الآخر فكان يمشي بالنميمة ثم أخذ جريدة رطبة فشقّها بنصفين ثم غرز في كل قبر واحدة فقالوا يا رسول الله لم صنعت هذا ؟ فقال لعله أن يخفف عنهما ما لم ييبسا "Nebî (as), bir gün içindekilere azap edilen iki kabre uğramış ve 'Onlar azap çekiyorlar, üstelik büyük günahlarından dolayı da değil. Bunlardan birisi idrar (sıçramasından) kaçınmazdı; diğeri de söz taşırdı' demiş. Bu ifadelerinden sonra Nebî (as), taze bir hurma dalı alıp ikiye ayırmış, her birini bir mezarın üzerine koymuş. Bunu niye yaptığını sorduklarında ise, 'Bunlar kuruyuncaya kadar belki azapları hafifletilir' şeklinde cevap vermiştir."[2]

---

1 Serahsî, *age.*, I, 329.

2 Buhârî, Cenâiz, 81, 82, 88; Vudû', 55, 56; Edeb, 46, 49; Müslim, Tahâret, 111; Tirmizî, Tahâret, 53; Ebû Dâvûd, Tahâret, 11; Nesâî, Tahâret, 27.

Kabir azabına delil sayılan bu rivayette Hz. Peygamber'in iki kabre uğradığı ifade edilmekte, bahçeden de bahçenin yerinden de söz edilmemektedir. Ayrıca yaş hurma dalını Hz. Peygamber'in kendisinin alıp ikiye yardığı belirtilmektedir. Bu arada azaptan ve azabın nedenlerinden söz edilmesine rağmen, azabın nasıllığı hakkında bilgi verilmemektedir.

ıı. Bu konuda yine Buhârî'de bu defa gerekçesi "gıybet ve idrar sıçratmasından kaçınmamak" olarak belirlenen başka bir rivayet daha vardır.[1] İkisi arasındaki fark, birinde laf taşıyıcılık, yani koğuculuk, diğerinde ise gıybetin ifade edilmesidir.

ııı. Diğer bir rivayette ise şu ifadeler yer almaktadır:

مر النبي بحائط من حيطان المدينة أو مكة ، فسمع صوت انسانين يعذبان في قبورهما ... ثم دعا بجريدة فكسرها كسرتين "Nebî (as) Medine veya Mekke bostanlarından birisinin yanından geçerken kabirlerinde kendilerine azap edilen iki insanın sesini işitti... Sonra yaş bir hurma çubuğu isteyerek onu iki parçaya ayırdı."[2]

Görüldüğü gibi bu rivayette ilkinden farklı olarak, kabirlerin bahçede olduğu söylendiği gibi bahçenin yeri Medine veya Mekke diye ifade edilmektedir. Ayrıca Hz. Peygamber, ilk rivayetten farklı olarak bu rivayette ismi zikredilmeyen başka birinden hurma dalı istemiş ve onu yarmayıp iki parça şekline ayırmıştır.

ıv. Ebû Hureyre kaynaklı diğer bir rivayete göre Hz. Peygamber bir kabre uğrayıp başında durmuş ve kendisine iki hurma dalı getirilmesini istemiş, dalların birisini (mezarın) baş tarafına, diğerini de ayak tarafına koymuştur.[3]

---

1 Buhârî, Cenaiz, 88-89; Ahmed b. Hanbel, I, 225.

2 Buhârî, K. Vudû', 55.

3 Bu rivayeti Enbiya Yıldırım, Ahmed b. Hanbel'in Müsned'i VI, 441 diye dipnotta vermiş olmasına rağmen biz bu rivayeti ilgili yerde bulamadık (bk.

v. Bir başka rivayette bu defa İbn Abbâs, خرج النبي من بعض حيطان المدينة "Nebî (as) Medine bahçelerinin birinden çıktı ..." diye başlayan bir haber nakletmiş, burada bahçenin Medine'de olduğunu zikretmiş, üstelik Hz. Peygamber'in bu işlemi bahçeden çıktıktan sonra yaptığını belirtmiştir.[1]

İbn Hacer, naklettiğimiz rivayetlerde bulunmamasına rağmen bu bahçenin Ümmü Mübeşşir el-Ensâriyye'ye ait olduğunu Dârekutnî'nin *Efrâd*'ında Câbir rivayetine dayandırarak şu sözlerle ifade etmiştir: وفي الأفراد للدارقطني من حديث جابر أن الحائط كان لأم مبشر الأنصارية [2]

vı. Müslim'de Câbir kaynaklı uzun bir rivayette Câbir'in, Nebî (as) ile yaptığı bir seyahatten söz edilmektedir.[3] Bu rivayette Nebî (as)'ın, (tuvalet) ihtiyacı için uzaklaştığı, Câbir'in de bir su kabıyla arkasından onu takip ettiği, örtünecek bir şey bulamadığı, vadinin kenarında bulunan iki ağaçtan birine yöneldiği ve bir dal aldığı ifade edilmektedir. Ardından, Allah'ın izniyle dalın onu örtmesini istediği, peşinden diğer ağaca yöneldiği ve aynı şekilde ondan da bir dal alıp onunla (mucizevî bir şekilde) örtündüğü beyan edilmektedir. Bu arada Câbir'in de Nebî (as)'a onu hissetmemesi için belli bir mesafede durduğu, nihayet ihtiyaç giderilip, "Ey Câbir, durduğum yeri gördün mü?" diye sorunca onun da, "Evet" cevabını verdiği, bunun üzerine kendisine, "O iki ağaçtan iki dal kes ve bana getir, durduğum yere gelince birini sağına, diğerini de soluna bırak" diye emrettiği, Câbir'in de kendisine emredileni aynen yaptıktan sonra şöyle sorduğu belirtil-

---

Enbiya Yıldırım, *Geleneksel Hadis Yorumculuğu*, İstanbul, 2001, *age.*, s. 227).

1 Buhârî, Edeb, 49.

2 Ahmed b. Ali b. Hacer el-Askalânî, *Fethu'l-Bârî Şerhu Sahîhi'l-Buhârî*, Beyrut, baskı tarihi yok, I, 317'de 213. rivayet.

3 Bu rivayet çok uzun olduğu için genel hatlarıyla aktarmakla yetinmek istediğimiz için Arapça metnini vermeye gerek görmedik.

mektedir: "Ey Allah'ın Elçisi, bütün bunların sebebi neydi?" Buna karşılık Nebî (as)'ın da, "İçindekilere azap edilen iki kabre uğradım; iki dalın yaşlığı devam ettiği sürece ve şefaatim sayesinde azaplarının hafifletilmesini istedim" şeklinde bir cevap verdiği ifade edilmektedir.[1]

Bu rivayet, meseleyi aydınlığa kavuşturmaktan ziyade, daha da karmaşık bir hale getirmiştir. Çünkü bu rivayet diğerlerinden çok farklıdır, dahası onlarla pek çok noktada çelişmektedir. Şöyle ki:

• Her şeyden önce bu rivayette geçen "Allah'ın izniyle dal parçalarının Hz. Peygamber'i örtmesi mucizesi", olayı Câbir'den başkası görmediği için tek bir Müslümana gösterilen mucize konumuna getirmiştir. Oysa biliniyor ki, mucizeler genellikle inançlı olmayanlara gösterilir ki inanmalarına bir katkı olabilsin. Bu rivayet, sırf bu açıdan bile derin şüpheler içermektedir.

• Rivayette mezarlığın yanında ihtiyaç gideren bir Peygamber devreye girmiştir ki bu durum Hz. Peygamber'in nezahet ve nezaketine uygun değildir.

• Hz. Peygamber, ihtiyaç gidereceğinde onun arkasından bir insanın kendisini su kabıyla takibi de anlaşılır bir şey değildir. Kendisine lazım olan taharet suyunu neden başkasına taşıtmış veya buna müsaade etmiş olsun ki?

• Diğer rivayetlerde olay bir bahçede veya bahçeden çıktıktan sonra meydana gelmişken, burada işin içine bir de vadi eklenmiştir.

• Rivayette konu edinilen vadinin adının belirtilmemesi de şüphe uyandırmaktadır.

• Mekân bildirilen rivayetlerin bir bölümünde olay Mekke veya Medine olarak şehirle ilişkilendirilmişken, bu-

---

1 Müslim, Zühd, 18.

rada merkezden uzaklaşılmıştır. Kaldı ki böyle bir olayın Mekke ile ilişkilendirilmesi şüpheleri daha da arttırmaktadır.

• Diğer rivayetlerde olay bir grubun gözleri önünde cereyan etmişken, burada sadece Câbir bulunmaktadır.

• Câbir'in elinde su kabıyla Hz. Peygamber'i takibinden de anlaşılıyor ki bu olay uzun bir yolculukta yaşanmıştı; oysa diğer rivayetlerde bu, sadece bahçe kenarında gerçekleşmişti.

• Diğer rivayetlerin bir bölümünde dal parçasını Hz. Peygamber'in kendisi koparmışken, burada bu iş Câbir'e havale edilmiştir.

• Diğer bazı rivayetlerde bir dal ikiye ayrılmışken veya kırılmışken, burada iki farklı ağaçtan iki farklı dal devreye sokulmuştur. Muhtemelen Hz. Peygamber'in örtünmesini sağladıkları için bu iki ağaç bir şekilde ödüllendirilmiş, hayırlı bir işte istihdam edilmeleri düşünülmüştür.

• "İki dalın Hz. Peygamber'i örtmesi olayı" öyle anlaşılıyor ki bir mucizedir. Mademki mucizeler devreye giriyordu, o zaman bu işi bir dal da yapabilirken, hatta hiç dala ihtiyaç bile olmayacak şekilde mesele halledilebilecekken, neden örtücü dalların devreye sokulduğu da merak konusudur. Herhalde konulanlar dal olduğu için gölgeler de dallara verilmiştir. Mademki mucizeler devrededir, o zaman duruma en uygun olanı, yaprağı çok geniş bir dalın ve dolayısıyla ağacın yaratılması veya olayı temelden çözecek şekilde hemen oracıkta bir tuvaletin yaratılmasıydı. Hz. Peygamber'in peşinden su taşınması da, mucizevî bir şekilde fışkırtılabilecek bir suyla çözümlenebilir, böylece onu takip eden kişi de bu işten âzâd edilebilirdi.

• Bu olay eğer ilk defa ve tek bir kez yaşanmışsa, bu söylediğimiz çekinceler geçerlidir; yok eğer birden çok defa mezarlara dal konulması yaşanmışsa, iki dalı kesip getiren Câbir'in daha önce bundan haberdar olmaması da garip bir durumdur.

• Durulan yerde mezar olduğuna dair bir işaret olmadığı da Câbir'in hayret içeren sorusundan anlaşılmaktadır. Belli ki Hz. Peygamber, ihtiyaç için gittiği yerde mezarları görmüştü. O zaman bu dalların mezarlara değil de herhangi bir yere konulduğu akla gelmektedir ki bu durum, bu rivayeti diğer bütün rivayetlerle çelişkili hale getirmektedir.

• Diğer bazı rivayetlerde kabir azabının gerekçeleri zikredilmişken, burada herhangi bir bildirimde bulunulmamış olması da gözden kaçmamaktadır.

• Diğer rivayetlerde dalların konulması, azabın hafifletilmesi ümidine bağlanmışken, burada devreye bir de şefaat girmektedir. Algılandığı ve kabul edildiği şekliyle şefaat, âhiretle ilgili bir kurum iken burada mevzi değiştirmiş ve birden bire kabirle ilgili bir hal almıştır. Ayrıca genelde rivayetlerde, لعله *le'allehû* "Umulur ki o" ifadesi varken, burada فأحببت *fe ahbebtü* "İstedim ki" ifadesinin yer almış olması da ayrı bir çelişki olarak görülmelidir.[1]

Bu rivayetle birlikte daha farklı rivayetleri de inceleme konusu yapan Enbiya Yıldırım, konuyla ilgili rivayetler hakkında çizdiği bir şemada rivayetlerin ravilerinin İbn Abbâs, Câbir, Ebû Hureyre, Ebû Râfi', Ebû Ümâme, Ebû Bekra ve Ya'lâ b. Siyâbe olduğunu, kabirdekilerin bazı rivayetlere göre 1, bazılarına göre 2 kişiden oluştuğunu belirtmiştir. Ayrıca, kabir azabına maruz kalmalarının sebeplerinin bazı rivayetlerde bevl/idrar sıçratma ve koğuculuk, bazılarında gıybet ve koğuculuk olarak zikredildiğini, bazı rivayetlerde dal par-

---

1 İbn Hacer, bazı farklılıklar içermesi nedeniyle bu olayın iki kez gerçekleştiğini beyan etmiştir (bk. İbn Hacer, *age.*, I, 317-319'da 213. rivayetin izahı). İbn Hacer'in bu tutumu, rivayetleri değerlendirme yerine onları kurtarma çabası olarak görünmektedir.

çasını Hz. Peygamber'in ikiye ayırdığını, bazılarında iki dal parçası istediğini, bazılarında bir veya iki dal parçası kırdığını, bazılarında ise bu işi Câbir'e yaptırdığını ifade etmiştir. Bazı rivayetlerde dalları Hz. Peygamber'in kabirlere bizzat kendisinin koyduğunu, bazılarında Câbir'e koydurduğunu, bazılarında dalları sahâbîlerin kabirlere koymasını istediğini, bazılarında kendisinin aynı kabrin baş ve ayak kısmına koyduğunu beyan etmiştir. Daha sonra bunca farklılığa rağmen bazı ilim adamlarının rivayetleri aynı kabul ettiğini, bazılarının ise olayların farklı olduğunu benimsediklerini, bu arada rivayetler konusunda tereddüt gösterenlerin de bulunduğunu belirtmiş, en sonunda kendi değerlendirmesi olarak kabre hurma dalı konması olayının dörtten fazla gerçekleştiğini, rivayetlerde adı geçmesi nedeniyle Câbir'in en az iki kere bu olaya şahit olmasının gerekli olduğunu, fakat farklı rivayetlerin hiçbirinde "zaten daha önce de böyle bir hususa şahit olmuştum" demediğini özellikle belirtme ihtiyacı hissetmiştir. Kabre dal konması olayında azap çekenlerin hepsinin bevl/idrar sıçratma ve gıybetten dolayı azap çektiklerinin belirtildiğini, Rasulullah'ın başka günahlardan dolayı azap çeken insanların kabirlerine dal koymadığını, rivayetler arası günah benzerliğinin olayların aynı mı yoksa ayrı mı olduğu noktasında tereddütler meydana getirdiğini, dolayısıyla rivayetlerin birbirine karışmış olma ihtimalinin bulunduğunu da dile getirmiş ve en sonunda şunları belirtmiştir:

"Sonuç olarak, İbn Abbâs'tan gelen iki rivayette geçen 'bostandan çıkma' ve 'bostana girme' ifadelerini dahi farklılaştıran, bunun bir bostandan çıkılıp diğer bostana girildiği anlamında olduğunu söyleyen İbn Hacer'in kabre dal konulması kıssasını üçe çıkarması -daha sonra da bunu ihtimal olarak zikretmesi- olayı çoğaltmaktadır. Olayları farklı olarak kabul eden İbn Hacer'in, rivayetler arası yaptığı göndermeler de çelişkilerle doludur. Örneğin, Ebû Hureyre'nin tek kabir rivayetini teyit etmek için Ebû Râfi'den gelen rivayeti zikreden İbn Hacer, İbn Abbâs'tan gelen ilk rivayette geçen "Hz. Peygamber sonra yaş bir hurma çubuğu istedi" sözündeki çubuğun istendiği şahsın Bilal olduğunu belirtir. Buna delil olarak da Ebû Râfi' rivayetini gösterir. Oysa İbn Abbâs rivayetinde iki kabir, Ebû Râfi' rivayetinde ise tek kabir söz konusu edilmektedir. Bu durumda birinin diğerine delil getirilmesi çelişki olmaktadır. Bütün bu hususlar konuyla ilgili rivayetlerde problem olduğunu, sağlıklı nakledilmediklerini göstermektedir."[1]

Görüldüğü gibi, bu rivayetlerde kabir azabının nedenlerinde, ilgili şahıslarda, mekânlarda, yaşananların sayısında, hâsılı olayın kahramanlarından tutun da her aşamasına kadar soru işaretleri mevcuttur. Bu arada azabın nasıllığına değinilmemesi de ilginç bir nokta olarak hafızaları zorlamaktadır.

e) Bedir'de Ölen Kureyşlilere Seslenilmesiyle İlgili Rivayetler

Kabirde azabın konuşulduğu hemen her ortamda dile getirilen rivayetlerden birisi de Hz. Peygamber'in, Bedir'de öldürülen müşriklerin başına gelip onlarla konuştuğu iddiasıdır. Konuyla ilgili bazı rivayetler şu şekildedir:

1. Abdullah b. Ömer'den nakledildiğine göre Hz. Peygamber, Bedir Savaşı'ndan sonra yerde yatan Kureyş büyüklerinin cesetlerine karşı, "Rabbinizin vadettiği azabın doğru olduğunu anladınız mı?" diye seslenmişti. Hz.

---

1 Geniş bilgi için bk. Enbiya Yıldırım, *age.*, s. 223-234.

Ömer'in, "Ey Allah'ın Rasûlü! Bu duygusuz cesetlere mi hitap ediyorsunuz?" demesi üzerine, Resûlüllâh'ın şöyle buyurduğu nakledilmiştir: "Siz bunlardan daha fazla işitici değilsiniz; fakat bunlar cevap veremezler."[1]

II. Bu rivayete benzer bir başka rivayette de Nebî (as), ölülere isimleriyle hitap etmiş ve, "Rabbinizin size vadettiğini gerçek olarak buldunuz mu? Ben, Rabbimin bana vaat ettiğini gerçek olarak buldum" deyince Hz. Ömer, "Ey Allah'ın Elçisi, ölmüş ve kokuşmuş bir toplulukla mı muhatap oluyorsun?" diye sormuş, Hz. Peygamber de ona şu cevabı vermiştir: "Beni hak ile gönderen Allah'a yemin olsun ki, benim onlara söylediklerimi siz onlardan daha iyi duyamazsınız (yani onlar beni daha iyi duyarlar); ancak onlar cevap vermeye güç yetiremezler."[2]

III. Bu konuda Hz. Ayşe'den, ölülerin işitmesi yerine, Hz. Peygamber'in; "Gerçeği ölünce şimdi daha iyi anlarlar. Nitekim Cenâb-ı Hakk da, 'Sen, ölülere hiçbir şey duyuramazsın'[3] buyurmuştur" hadisi de nakledilmiştir. Ancak çoğunluk İslâm bilginleri bu konuda Hz. Âyşe'ye muhalefet etmişler, başka rivayetlere uygun düştüğü için yukarıda zikrettiğimiz Abdullah b. Ömer'in rivayetini esas almışlardır.[4]

Bu rivayette Hz. Ayşe'nin ortaya koyduğu tavır, rivayetlerin nasıl değerlendirilmesi gerektiği noktasında son derece güzel bir örnektir.[5] Hz. Ayşe'ye muhalefet edenler Fâtır 35/22.

---

1 Ahmed b. Hanbel, II, 121.

2 Buhârî, Cenâiz, 86; Meğâzî, 8; Müslim, Cenâiz, 26; Cennet, 76, 77, 78; Nesâî, Cenâiz, 117; Ahmed b. Hanbel, I, 72; VI, 276. İbn Kayyim, *er-Rûh*, s. 5.

3 Fâtır 35/22.

4 Zeynüddîn Ahmed b. Ahmed b. Abdüllatif ez-Zebîdî, *Sahîh-i Buhârî Muhtasarı Tecrîd-i Sarih Tercemesi ve Şerhi*, tercüme: Kâmil Miras, Ankara 1985, IV, 580. Bu rivayet ve Hz. Ayşe'nin yorumu Buhârî'nin *Sahîh*'inde "Kabir azabı" bölümünde yer almaktadır.

5 Hz. Ayşe'nin bu arz konusunda haklı olduğunu kabul edenlere örnek ola-

âyete rağmen Hz. Peygamber'in ölülerle konuştuğunu, bir anlamda kabirlerle diyalog kurduğunu iddia ederlerken rivayetin zâhiriyle yetinmişler, konunun başka delillerle desteklenmesi gerektiğini düşünmemişlerdir. Oysa Hz. Ayşe, rivayeti yalanlamayarak, aksine onu Kur'ân'la destekleyerek başka türlü yorumlamanın da mümkün olduğunu göstermiştir.

Bu rivayeti "Kur'ân'a Aykırı Hadisler" başlığı altında ele alan İbrahim Sarmış, söz konusu rivayetin Kur'ân'ın açık âyetlerine aykırı olduğunu beyan ederek bazı âyetleri[1] zikretmiş ve şu değerlendirmeyi yapmıştır:

"Şüphesiz Kur'ân, kimi yerlerde Allah'ın âyetlerine kulak vermeyen ve Peygamber'in çağrısını dinlemeyen kişileri, işitmeyen ölülere benzetir. Bu durumda benzetilen kâfirler ve kendisine benzetilen ölüler olmak üzere benzetmede iki unsur ortaya çıkmaktadır. Benzetilen kâfirler, çağrıyı duymuyorlarsa, kendisine benzetilen ölüler hiç duymuyorlar demektir. Çünkü benzetme yönü/ortak özellik, kendisine benzetilende daha büyük ve daha açık olmalıdır ki ona başkasını benzetmenin bir anlamı olsun. Değilse, taş, taş gibidir veya güneş ampul gibidir, türünden bir benzetmenin hiçbir anlamı olmaz. Onun için çağrıdan yüz çeviren kişilerin ölüler gibi çağrıyı işitmediklerinin belirtilmesi, ölülerin hiç işitmediklerini gösterir. Zaten Fâtır 22. âyette bu durum çok açık ve kesindir. Bunu başka şekilde tevil etmek veya mecaz olduğunu söyleyerek anlamını saptırmak doğru değildir..."

"Kur'ân âyetleri bu kadar açık olduğu ve Hz. Peygamber'in ne söylediğini Hz. Ayşe bu kadar net belirttiği halde, ona açıkça aykırı olarak rivayetin sonuna Katâde'nin

---

rak bk. Bünyamin Erul, *Hz. Ayşe'nin Sahâbeye Yönelttiği Eleştiriler*, Ankara, 2000, s. 37.

1 Neml 27/80; Rûm 30/52; Fâtır 35/22.

'Onlara kınama, horlama, kötüleme ve pişmanlık olması için Allah onları diriltti ve sözlerini işittirdi'[1] sözleri de eklenmiştir. Hâlbuki bütün bunlar gerçek dışı olup Kur'ân'a aykırıdır. Öyle anlaşılıyor ki Kur'ân'a açıkça aykırı bu tür haberlerin rivayet edilmesindeki bütün mesele, yüceltmeci mantığın Hz. Muhammed'in mucize olarak ölüyü dirilten Hz. İsa'dan geri kalmadığını, İsa'nın ve diğer peygamberlerin gösterdikleri bütün mucizeleri Hz. Muhammed'in de gösterdiğini anlatma çabasıdır. Hâlbuki Allah, her peygambere peygamberliğini kanıtlamak üzere değişik mucizeler vermiş, Hz. Peygamber'e de, hadiste belirtildiği[2] gibi, mucize olarak Kur'ân'ı vermiştir. Onları bu kulvarda yarıştırmanın hiçbir anlamı yoktur."[3]

Biz, ilgili rivayetlere yaklaşımda Hz. Ayşe'nin bakışını ve yukarıda naklettiğimiz değerlendirmeyi yerinde bulduğumuzu beyanla yetinmek istiyoruz.

f) Kabrin En Zor Durak Olduğuna İlişkin Rivayet

Hz. Osman kaynaklı olduğu kabul edilen rivayet şöyledir:

كان عثمان اذا وقف علي قبر بكي حتي يبل لحيته فقيل له : تذكر الجنة والنار فلا تبكي وتبكي من هذا؟ فقال : ان رسول الله صلي الله عليه وسلم قال : ان القبر اول منازل الأخرة فان نجا منه فما بعده أيسر منه وان لم ينج منه فما بعده اشدّ منه قال : وقال رسول الله صلي الله عليه وسلم ما رأيت منظرا قط الا القبر أفظع منه "Osman, bir kabrin başında durduğunda sakalı ıslanıncaya kadar ağlarmış. Kendisine, 'cennet, cehennem hatırlatıldığında ağlamıyorsun da bundan dolayı mı ağlıyorsun?' denilince Osman, Peygamber (as)'ın şöyle dediğini ifade et-

---

1 Buhârî, Meğâzî, 8.

2 Buhârî, Fedâilü'l-Kur'ân, 1; Müslim, İmân, 239.

3 Sarmış, *age.*, s. 360-361.

miştir: Kabir, âhiret duraklarından birincisidir. Ondan kurtulan, sonraki duraklardan da kurtulur. Kurtulamayanların sonraki durakları daha da zor olur. Gördüğüm en korkutucu ve ürkütücü manzara kabir manzaralarıdır."[1]

I. Öncelikle belirtelim ki Tirmizî, هذا حديث حسن غريب لا نعرفه الا من حديث هشام بن يوسف ifadesiyle "bu rivayetin hasen[2] garip[3] bir hadis olduğunu, Hişâm b. Yûsuf'tan başkasından bunu duymadığını" belirtmiştir.

II. Bu rivayetin vâhid/âhâd[4] olduğunu görüyoruz. Bu nedenle tek kişiye ait bu rivayetle inanç hâsıl olamaz ve bu tür rivayetlerle de tek başına amel edilmesi mümkün değildir.

III. Kıyamet kopunca milyarlarca insan ölecek ve hiçbiri kabir hayatı yaşamadan âhirete intikal edecektir. Peki, bu en zor duraktan ilgili kişiler muaf tutulmuş mu olacaktır? O

---

1 Tirmizi, Zühd, 5. Hem buna benzer bir rivayet hem de "kabir ya cennet bahçelerinden bir bahçe ya da cehennem çukurlarından bir çukurdur" rivayeti için 'Aclûnî, bu iki rivayetin zayıf bir senetle merfu olduğunu ifade etmiştir. (İsmail b. Muhammed el-'Aclûnî, *Keşfu'l-Hafâ ve Müzîlü'l-İlbâs 'ammâ İştehera Mine'l-Ehâdîs 'alâ Elsineti'n-Nâs,* Beyrut, 1988, II, 90).

2 "Hasen hadis", sahih hadisin bütün niteliklerini taşıdığı halde râvilerinden/aktarıcılarından birinin veya birkaçının hafıza güvenilirliği noktasında eksiklik bulunduğu kabul edilen hadistir. (Geniş bilgi için bk. Abdullah Aydınlı, *Hadiste Tesbit Yöntemi,* İstanbul, 2003, s. 74).

3 "Garip hadis", hangi tabakada olursa olsun, tek bir şahsın rivayette teferrüd ettiği (yalnız kaldığı) hadistir. Esâsen garîb, lügat olarak "yalnız", "vatanından uzakta bulunan" kimse manasına gelir. Böylece bir rivayete, kendisine benzeyen bir başka rivayet bulunmadığı veya muhâlefet etmek sûretiyle emsâline katılmadığı için "yalnız kalmış" manasına garîb denmiş olmaktadır. "Garîb"e ferd veya münferid de denir. Teferrüd (veya garâbet), senedin sahâbeye bakan cihetinde veya esnâsında olmasına göre iki çeşittir: Mutlak veya nisbî garâbet (bk. İbrahim Canan, *Kütüb-i Sitte Tercüme ve Şerhi,* Akçağ Yayınları, Ankara, 1995, II; 79, 137).

4 "Vâhid (cemi âhâd)" lügat olarak "bir" demektir. Binaenaleyh haberi vâhid tabiri de lügat açısından, "bir kişinin rivayet ettiği hadîs" manasına gelir. Ancak, hadîs ıstılahı olarak, "haber-i vâhid, mütevâtir olmayan haber" demektir. Böyle olunca iki tarikden de gelse üç tarikden de gelse rivayete, haber-i vâhid denir. Cemi olarak kullanınca ahbâr-ı âhâd denir (bk. Canan, *age.,* II, 78).

zaman bu durum, daha önce ölenler için adaletsizlik olmayacak mıdır?

ıv. Hz. Peygamber'in, kabir hayatını âhiretten daha fazla önemsediği iddiasının ona aidiyeti de şüphelidir. Çünkü onun tebliğ ettiği ve herkesten çok daha iyi bildiği Kur'ân'da kabir hayatının dehşetinden ya da onun en önemli durak olduğundan hiç söz edilmemektedir. Buna karşılık kıyamet-âhiret süreci hakkında Kur'ân'da oldukça fazla âyet vardır. Birkaçını hatırlatmak istiyoruz:

• Kamer sûresinde kâfirlerin mahşerde şöyle diyecekleri beyan edilmektedir:

يَقُولُ الْكَافِرُونَ هٰذَا يَوْمٌ عَسِرٌ "Kâfirler, 'Bu, çok çetin bir gündür!' derler."[1] Bu ifade, kâfirler tarafından kıyamet-âhiret sürecinde söylenecektir.

• Müddessir sûresinde de konuyla ilgili şöyle buyrulmaktadır:

فَاِذَا نُقِرَ فِي النَّاقُورِ فَذٰلِكَ يَوْمَئِذٍ يَوْمٌ عَسِيرٌ عَلَى الْكَافِرِينَ غَيْرُ يَسِيرٍ

"Çünkü Sûr'a üfürüldüğü zaman, işte o gün, çok zor bir gün olacaktır; özellikle kâfirler için (hiç de) kolay olmayacaktır."[2] Bu ifade gereği kıyamet-âhiret sürecinin en zor döneminin mahşer günü gerçekleşeceği ve kâfirler için hiçbir kolaylık içermeyeceği anlaşılmaktadır.

• Müzzemmil sûresindeki şu âyet konuyu özetlemektedir:

فَكَيْفَ تَتَّقُونَ اِنْ كَفَرْتُمْ يَوْمًا يَجْعَلُ الْوِلْدَانَ شِيبًا "Eğer çocukları ak saçlı ihtiyarlara çevirecek o güne karşı kâfir davranırsanız, nasıl korunabileceksiniz ki!"[3] Burada kıyametin nasıl korkunç bir mahiyet arz edeceği görülmektedir.

---

1 Kamer 54/8.

2 Müddessir 74/8-10.

3 Müzzemmil 73/17.

Bu ve benzer âyetlerde mahşerde yaşanacak sıkıntılı süreç ve cehennem azabının şiddeti hakkında oldukça fazla bilgi verilmektedir. Şimdi nasıl olur da Hz. Peygamber'in, kabri kıyametten daha zor bir dönem olarak gösterdiği iddia edilebilir? Asıl zor gün ve sorgulama, âhirette gerçekleşeceğine göre, kabir aşamasını geçen birinin asıl zoru başarmış olacağını iddia etmek, âhireti hafife almak anlamına geleceği için de ilgili iddia ayrıca sorunlu bir kabuldür.

g) Verilen Selâmı Duyan Ölülerle İlgili Bazı Rivayetler

Hz. Peygamber'in mezarlıklara gittiğinde orada selam verdiğini gösteren oldukça fazla rivayet vardır. Bunların hepsini değil de bir bölümünü aktarmakla yetineceğiz.

i. Bu konudaki bir rivayete göre Yüce Allah, söz konusu ölünün ruhunu, kendisine selam verene cevap versin ('*aleyküm selâm* desin) diye ona iade eder.[1]

ii. Yine ölü, kabrini ziyaret eden ve selam veren kişiye '*aleyküm selâm* der. Aynı şekilde ölü eğer gelen kişiyi tanıyorsa ona '*aleyküm selâm* der ve onu tanır; eğer tanımadığı biriyse sadece '*aleyküm selâm* demekle yetinir;[2] bunda tanımak yoktur.

iii. Hatta, rivayete göre ölen kişi, kendisini ziyarete gelenlerin, geri döndükleri zaman ayak seslerini bile duyar.[3]

iv. Kabir hayatı hakkında delil kabul edilen rivayetlerden birisi Abdurrahman b. Zeyd'in de senedinde bulunduğu Ebû Hureyre kaynaklı şu ilginç rivayettir: Bu rivayete göre Rasulullah (as) şöyle buyurmuştur: "Kişi, dünya ha-

---

1 Rivayet için bk. İbn Kayyim, *er-Rûh*, s. 5.

2 Rivayet için bk. İbn Kayyim, *er-Rûh*, s. 5.

3 Rivayet için bk. Müslim, Cennet, 71; İbn Kayyim, *er-Rûh*, s. 5.

yatında tanıdığı birinin kabrine uğrar ve ona selam verirse, kabirdeki onu tanır ve selamını alır/*aleyküm selam* der."[1]

Ebû Hureyre kaynaklı söz konusu ilk rivayet hakkında İbnü'l-Cevzî, bunun sahih olmadığını, çünkü senette bulunan Abdurrahman b. Zeyd'in, hadis rivayetinde zayıf birisi olduğu hususunda ilim adamları arasında fikir birliği bulunduğunu belirtmiştir. Ayrıca yine İbnü'l-Cevzî, İbn Hıbbân'ın, bu kişinin haberleri karıştırdığını, hatta bilgisizliği nedeniyle *mürsel*[2] rivayetleri ve *mevkûf*[3] isnatları Hz. Peygamber'e dayandırdığını ve bütün bunların sonucunda onun rivayetini terk etmenin/kabul etmemenin normal olduğunu söylediğini ifade etmiştir.[4]

Bu rivayet ve senedi hakkında İbnü'l-Cevzî'nin *el-'ılel* adlı eserinin muhakkiki, İbn Abdilberr ve Abdülhakk'ın benzer bir rivayet hakkında sustuğunu, bu iki kişinin benzer rivayetleri sahih saydığını iddia edenlerin doğru söylemediğini, 'Irâkî ve benzerlerinin bunu sahih saydığını, ama bunda da şüphe olduğunu, çünkü İbn Abdilberr'in hocasının, bu kişiyi güvenilir sayan hiç kimseyi bulamadığını Humeydî'den nakletmiştir. Ayrıca hocaları arasında bulunan Fâtıma'nın tanınmadığı, hakkında rical (senetler/râvîler)den söz eden

---

1 Bu konuda benzer bir rivayet için bk. Gazâli, *age.*, IV, *Ziyâretü'l-Kubûr* bahsi.

2 Mürsel hadis, muhaddislerin genel tarifine göre, isnâdında sahabî râvisi düşmüş olan hadistir. Tabiun neslinden birisinin hadis aldığı sahabî ravînin adını anmadan, onu atlayarak doğrudan doğruya "Rasulullah (s.a.s.) buyurdu ki..." diyerek rivayet ettikleri hadislere "mürsel" denilmiştir. Usul âlimleri kelimenin sözlük anlamını ele alarak, onunla "munkatı", hattâ "mu'dal" arasında hiçbir ayırım yapmazlar. (Bk. Suyûtî, *Tedrîbu'r-Râvî*, Neşreden: Abdulvehhab Abdullatif, Medine, 1972, s. 196.)

3 Rivayet edilen söz, fiil veya takrir'in kaynağı sahâbî ise (rivayet munkatı veya muttasıl olsun) buna mevkuf hadîs denir (bk. Canan, *age.*, II, 131).

4 İbnü'l-Cevzî, *el-'Ilelü'l-Mütenâhiye fi'l-Ehâdîsi'l-Vâhiye*, Beyrut, 1983, II, 911-912.

eserlerde bilgi bulunmadığı, bu hadisle bir konuda delil getirmenin uygun olmadığı da belirtilmiştir.[1]

v. Bu konuda en çok bilinen rivayet ise şudur: İbn Abbâs anlatıyor: Rasulullah, Medine ehlinin mezarlarına uğramıştı. Mezarlara yüzünü çevirerek, "*Esselamu 'aleyküm* (selam üzerinize olsun) ey kabir halkı! Allah size ve bize mağfiret buyursun. Sizler bizim seleflerimizsiniz. Biz de arkadan geleceğiz" buyurdu.[2]

Oldukça yaygın bir şekilde dile getirilen bu rivayet hakkında detaya girmeden özet bilgilerle yetineceğiz.

Hz. Peygamber, İbrahim sûresinin, رَبَّنَا اغْفِرْ لِي وَلِوَالِدَيَّ وَلِلْمُؤْمِنِينَ يَوْمَ يَقُومُ الْحِسَابُ "Ey Rabbimiz! (Amellerin) hesap olunacağı gün beni, ana-babamı ve müminleri bağışla!"[3] âyetindeki duada olduğu gibi, ölülere selam vererek onlara rahmet okumuş ve dua etmiş olabilir. Onun selamı, rahmet dilemek ve dua etmek anlamlarına alınmalıdır. Yüce Allah, benzer durumla ilgili olarak imanla ölenler için şu duayı öğretmiştir: وَالَّذِينَ جَاؤُ مِنْ بَعْدِهِمْ يَقُولُونَ رَبَّنَا اغْفِرْ لَنَا وَلِاِخْوَانِنَا الَّذِينَ سَبَقُونَا بِالْاِيمَانِ وَلَا تَجْعَلْ فِي قُلُوبِنَا غِلًّا لِلَّذِينَ اٰمَنُوا رَبَّنَا اِنَّكَ رَؤُفٌ رَحِيمٌ "Bunların arkasından gelenler şöyle derler: Rabbimiz! Bizi ve bizden önce gelip geçmiş imanlı kardeşlerimizi bağışla; kalplerimizde, iman edenlere karşı hiçbir kin bırakma! Rabbimiz! Şüphesiz ki sen çok şefkatli, çok merhametlisin!"[4] Ölen Müslümanlar için sağ olanların dua edebileceğine ve bağışlanmaları için Yüce Allah'tan dilekte bulunabileceklerine dair pek çok rivayet eserlerde yer almaktadır.[5]

---

1 Halil el-Meys, *el-'Ilelü'l-Mütenâhiye Şerhi*, Beyrut, 1983, II, 911-912.

2 Tirmizî, Cenâiz, 59.

3 İbrahim 14/41.

4 Haşr 59/10.

5 Örnek için bk. Ahmed b. Hanbel, II, 509; VI, 252.

Ölülerin selam almaları ve mezarlığa gelenlerin ayak seslerini duymaları gibi ifadeler Zümer 39/42. âyet gereği Allah'ın kontrolünde olduğu bildirilen ruhların mezarlara gönderilmesi sonucunu doğuracağı için güvenilir bilgiler değillerdir. Bu rivayetlerdeki selâm ifadelerini gündelik hayattaki gibi "selam verip almak" şeklinde değil de "dua etmek ve rahmet dilemek" şeklinde anlamak çok daha anlamlı ve doğru olsa gerektir.

Kabirleri ziyaretin ölüden ziyade diriye, yani kabri ziyaret edene faydası olacaktır. Çünkü Hz. Peygamber'in ifadesiyle "kabir ziyareti insana ölümü ve âhireti hatırlatır."[1] Âhireti için ibret almayı sağlar. İnsanı zühd (dünyaya aşırı derecede itibar etmemeye) ve takvaya yöneltir. Aşırı dünya hırsını ve haram işlemeyi engeller. Kişiyi iyilik yapmaya yöneltir.[2] Kabir ziyareti, ruhlara ferahlık sağlar ve yüce duyguların oluşmasına yardım eder. Bu ziyaret, insanın geçmişi, dinî kültürü ve tarihi ile bağlarının güçlenmesine yardımcı olur.

h) Ziyarete Gelenleri Tanıyan Ölülerle İlgili Bazı Rivayetler

Bu konuda da oldukça fazla rivayet vardır. Bir kısmı şu şekildedir:

1. Bir görüşe göre sâlih kulların cennette olmakla birlikte kabirleriyle olan bağlantıları kesilmez. Bu irtibat özellikle Cuma gecesi ve gündüzü ile Cumartesi gecesi güneş doğuncaya kadar, pek canlı bir şekilde devam eder. Cennetliklerin ruhları dünya haberlerini izleme imkânı bulabilirler. Vefat edip yeni gelenlere dünyadan haber sorarlar. Kendilerini zi-

---

1 Müslim, Cenâiz, 108; Tirmizî, Cenâiz, 59; İbn Mâce, Cenâiz, 47-48; Ahmed b. Hanbel, I, 145.

2 İbn Mâce, Cenâiz, 47.

yarete gelenlerin selâmını duyarlar, hatta izin verilirse, selâma karşılık vermeleri de mümkündür.[1]

ıı. Süfyan-ı Sevrî, Dahhâk kaynaklı bir rivayette onun şöyle dediğini nakletmektedir: "Her kim Cumartesi günü güneş henüz doğmadan bir kabri ziyaret ederse, ölü onun ziyaretini bilir."[2]

ııı. Benzer bir başka rivayette bu defa Hasan el-Kassâb'ın şöyle dediği nakledilmektedir: "Bana ulaştığına göre ölüler Cuma günü, bir önceki (Perşembe) günü ve bir sonraki (Cumartesi) günü kendilerini ziyaret edenleri bilirler."

ıv. Bir diğer rivayette daha enteresan ifadeler yer almaktadır: Atının üzerinde bir kişi mezarlığın yanına gelince mezardaki ölülerin, kabirlerinin üzerinde oturduğunu görmüş, ölüler de o günün Cuma günü olduğunu anlamış, ziyaret eden kişi ölülere, "Sizler Cuma gününü bilir misiniz?" diye sorunca onlar da, "Elbette biliriz; hatta o gün kuşun ne dediğini de, yani 'selam selam' dediğini de biliriz" cevabını verirlermiş.[3]

v. "Ölen kişi, yedi gün süreyle evindeki insanları görür" şeklindeki bir rivayet de ölülerin, dünya ile irtibatlarının kesilmediğini, yedi gün süreyle evlerinde âdeta olup bitenleri gördüklerini göstermektedir.[4] Oysa bu rivayet hakkında Aliyyü'l-Kârî, *el-Masnû' fî Ma'rifeti'l-Hadîsi'l-Mevdû'* adlı eserinde 69. sırada ve Ahmed b. Abdilkerîm el-'Âmirî de *el-Ceddü'l-Hasîs fî Beyân limâ leyse bi Hadîs* adlı eserinde 75. sırada zikrettikleri bu rivayetin bâtıl olduğunu, aslının bulunmadığını ve bid'at olduğunu haklı olarak beyan etmiştir.

---

1 Zebîdî, *age.*, IV, 504, 505.

2 Rivayet için bk. İbn Kayyim, *er-Rûh*, s. 6.

3 Rivayet için bk. İbn Kayyim, *er-Rûh*, s. 6.

4 Bu rivayetteki *en-nâs* "insanlar" ifadesinin *en-nâr* "ateş" olduğunu beyan eden Ebü'l-Mehâsin el-Kavakcî de *el-Lü'lü'ü'l-Marsû'* adlı eserinde 119. sırada verdiği bu rivayet hakkında benzer değerlendirmeleri yapmıştır.

Bu tür rivayetlerde cennetin şu anda mevcut oluşu iddiasından başlayarak bazı gece veya gündüzlerin birtakım üstünlüklerle veya imtiyazlarla donatıldıkları görülmektedir. Oysa Yüce Allah, geceye, sabaha, gündüze, kuşluk vaktine ve nihayet asra yemin ederek bütün zamanların aslında aynı değerde olduğunu göstermiş olmaktadır.[1] Perşembe, Cuma ve Cumartesi günlerini diğerlerinden ayıran ne olabilir ki? Diğer günlerin nasıl bir dezavantajından söz edilebilir? Kaldı ki eğer bu günlerin diğerlerinden farkı olsaydı bunun açıkça belirtilmesi gerekirdi. Ramazan'ın son on günü ile Kadir gecesi[2] dışında herhangi bir özel güne Kur'ân'da gönderme yapılmaz; kaldı ki bu günlerin ve Kadir gecesinin farkı da sadece Kur'ân'ın indirilmesiyle ilgilidir. Bir de Cum'a suresinde Cuma namazıyla ilgili bir zaman bildirimi vardır[3] ki bu da herhangi bir üstünlüğe değil, Cuma'nın zamanını bildirmek amacına bağlanmıştır. Tekrar vurgulamak gerekirse, tüm zamanların yaratıcısı Yüce Allah'tır. Zamanı kıymetli veya daha az kıymetli yapan husus, onda insanların yaptığı veya yapmadığı uygulamalardır.

İşin belki de en ilginç tarafı, bu tür rivayetlerde kuşların da konuşturulmasıdır. Oysa Kur'ân'da Neml sûresinde yer alan Hz. Süleyman'ın ulak Hüdhüd ile keyfiyetini bilemeyeceğimiz konuşması dışında başka konuşmalara kapının açılması, izahı zor sorunların çıkmasına neden olur. Kuşların kendi aralarındaki iletişimini bilim insanları henüz çözememişken, konuyu ölülerle ilişkilendirmek meseleyi daha da zorlaştırmaktadır. Burada sözü edilen kuş eğer, "Eski Arabistan İnançları ve Cahiliye Dönemi" başlığında ele al-

1 Bu konuda örnek yemin ifadeleri için bk. Müddessir 74/33-34; Şems 91/1-4; Leyl 92/1-2; Duhâ 93/1-2; 'Asr 103/1.

2 Dühân 44/3; Fecr 89/2; Kadr 97/1-2.

3 Cum'a 62/9.

dığımız gibi Cahiliye Araplarındaki "hâme kuşu" anlayışının bir sonucu ise durum daha da vahim bir hal almış olur.

i) Kabirde Azabı Hayvanların Duyabildiğini Bildiren Rivayet

Hayvanların, kabirde azabı duyduğunu ifade eden rivayetlerden birini Zeyd b. Sâbit anlatmaktadır. Rivayete göre Hz. Peygamber'in atı, dört, beş veya altı mezarın yanından geçerken muhtemelen mezardakilerin azabından etkilenerek tökezlemiş, bunun üzerine Hz. Peygamber kabirdekilerin kim olduklarını ve ne zaman öldüklerini sormuş, şirk döneminde öldükleri cevabını aldıktan sonra şöyle buyurmuştur: ان هذه الأمة تبتلي في قبورها فلولا ان تدافنوا لدعوت الله ان يسمعكم من عذاب القبر الذي اسمع منه... "Bu ümmet kabirde fitneye (azaba) tâbi tutulacak. Eğer birbirinizi (bu korku nedeniyle) defnetmemenizden korkmasaydım, burada duyduklarımı size işittirmesi için Yüce Allah'a dua ederdim..." Bu rivayetin devamında kendisinden Yüce Allah'a sığınılması istenenler "kabir azabı, cehennem azabı, açık-gizli fitneler ve Deccal'in fitnesi" olarak belirlenmektedir.[1]

Zeyd b. Sâbit kaynaklı olduğu ileri sürülen bu rivayete göre, eğer hayvanlar, mezarda ölüye yapılan azabı duyuyorsa hangi mezarda kabir azabının olduğu kolaylıkla tespit edilebilir demektir. Oysa şimdilerde mezarlarda otlayan hayvanların bu şekilde tökezlediklerine hiç şahit olunmamaktadır. Böylesi akıl dışı, hakikat dışı ve Kur'ân dışı bir konuşmayı Hz. Peygamber'in yapması mümkün değildir.

Öte yandan öyle anlaşılıyor ki, kabirde azap konusunda Hz. Peygamber'in duyduğu ifade edilen kabir aza-

1 Müslim, *Cennet*, 67.

bı sesleri, aslında birer mucize kabilinden olaylardır. Hz. Peygamber'in, duyduğu seslerle ilgili rivayetlerin hemen hemen tamamına yakını etrafındaki Müslümanların yanında gerçekleşmiş olarak nakledilmektedir. Oysa mucizeler inançsızlara gösterilmekteydi ki inansınlar. Rivayetler mucize kabilinden seslerle dolu olduğu için, bu mucizelerin kimler için gösterildiğini belirtmek ihmale uğramıştır. Hz. Peygamber'in gösterdiğine inanılan bu veya başka konularla ilgili mucizeleri Müslümanlarla ilişkilendirmek, en basit ifadeyle mucizenin amacını saptırmaktan başka bir şey değildir. Unutulmamalıdır ki Hz. Peygamber'e verilen tek ve kalıcı mucize Kur'ân-ı Kerîm'dir ve muhatabı da bütün insanlıktır.

j) Câhiliye Döneminde Ölen Kişinin Azabıyla İlgili Rivayet

Hz. Enes'ten gelen bir başka rivayete göre Nebî (as) bir kabirden ses işitince bu kişinin ne zaman öldüğünü sormuş, câhiliye döneminde öldüğü cevabını alınca sevinmiş ve "Eğer birbirinizi (bu korku nedeniyle) defnetmemenizden korkmasaydım, kabir azabını size işittirmesi için Yüce Allah'a dua ederdim" demiştir.[1]

Bu ve benzer rivayetler hakkında bazı değerlendirmelerde bulunmak istiyoruz:

1. Hem Hz. Zeyd hem de Hz. Enes'ten geldiği iddia edilen rivayetlere göre, cahiliye döneminde ölen insanlar fetret döneminde ölmüşlerdi. Yani kendilerine peygamber mesajı ulaşmamıştı. Bu durumda وَمَا كُنَّا مُعَذِّبِينَ حَتّٰى نَبْعَثَ رَسُولًا "Biz, bir peygamber göndermedikçe (kimseye) azap edecek değiliz"[2] âyetine göre bunlara nasıl azap edilir ki? Ayrıca, ذٰلِكَ اَنْ لَمْ يَكُنْ

1 Müslim, *Cennet*, 68; Nesâî, *Cenâiz*, 114.

2 İsrâ 17/15.

رَبُّكَ مُهْلِكَ الْقُرٰى بِظُلْمٍ وَاَهْلُهَا غَافِلُونَ "Gerçek şu ki: Halkı habersizken, Rabbin haksızlık ile ülkeleri helâk edici değildir"[1] âyeti, bu mazeret grubunun varlığını ifade ettiğine göre, söz konusu rivayetlerin doğruluğu, haklı olarak şüphe uyandırmaktadır.

ii. Şu soru elbette sorulmalıdır: Aşırı yüceltmeciliğin bir sonucu olarak kendisine Kur'ân dışı gaybın, özellikle kabir halleriyle ilgili bütün detayların bildirildiğine inanılan Hz. Peygamber, acaba nasıl olmuş da kabirdekilerin azap çekmekte olduklarını bilmiş de azap çekenlerin kimler olduğunu ve ne zaman öldüklerini bilememiştir? Aslında oradakilerin kimler olduğunun bilinmesi, onlardan ibret alınmasını daha yüksek düzeyde sağlar ve hayatta olanlar da kendilerine daha çok çekidüzen verirlerdi.

iii. Ayrıca Hz. Zeyd ve Hz. Enes'e nispet edilen rivayetlerde yer alan; "kabir azabı korkusuyla ölülerin kabre konulmaması endişesi"ni Hz. Peygamber dile getirebilir mi? Bu durumda Kur'ân'da sıkça vurgulanan ve azapların en şiddetlisi olarak tanıtılan cehennem azabını âhiretteki azaptan daha şiddetli görmek Kur'ân'ın ilgili âyetlerine ters düşmez mi? Kabul edenlerine göre kabirdeki azabın şiddeti, cehennem ateşinden daha hafif ve daha kısa süreli olduğuna göre, oradaki bu dehşeti öne çıkartmak cehennem azabını hafife almak anlamına gelmez mi? Kaldı ki, eğer kabirde o dehşet ve şiddette bir azap gerçekleşiyorsa bu gerçeği çevresindekilere haber vermek veya duyurmak neden garip karşılansın ki? Çünkü ilâhî öğretide ölenlerin toprağa gömülmesi gerektiğine dair bildirimler vardır.[2]

iv. Şimdi yukarıda naklettiğimiz şu cümleyi yeniden düşünelim: "Eğer birbirinizi (kabir azabından kaynaklanan

1 En'âm 6/131.

2 Mâide 5/31; Tâhâ 20/55; 'Abese 80/21.

bu korku nedeniyle) defnetmemenizden korkmasaydım, kabir azabını size işittirmesi için Yüce Allah'a dua ederdim." Bu cümleden "Hz. Peygamber'in, ümmetinden bazı şeyleri sakladığı" sonucunu mu çıkarmak gerekiyor? Yoksa Hz. Peygamber bildiği bazı gerçekleri, karşısındakiler yanlış anlarlar veya endişeye ya da tedirginliğe kapılırlar diye onlardan gizlemiş mi oluyor? Böyle bir kapı açıldığında insanların aklına "acaba başka nelerden habersiz bırakılıyoruz?" sorusu gelmez mi?

v. Önder ve örnek bir şahsiyet olarak ümmetinin önünde bulunan Hz. Peygamber'in asıl görevi risaletin tebliğiydi ve bu görev onun için bağlayıcıydı:

يَٓا اَيُّهَا الرَّسُولُ بَلِّغْ مَٓا اُنْزِلَ اِلَيْكَ مِنْ رَبِّكَۜ وَاِنْ لَمْ تَفْعَلْ فَمَا بَلَّغْتَ رِسَالَتَهُۜ وَاللّٰهُ يَعْصِمُكَ مِنَ النَّاسِۜ اِنَّ اللّٰهَ لَا يَهْدِي الْقَوْمَ الْكَافِرِينَ "Ey Rasûl! Rabbinden sana indirileni tebliğ et. Eğer bunu yapmadıysan, O'nun elçiliğini yerine getirmemiş olursun. Allah seni insanlardan koruyacaktır. Doğrusu Allah, kâfirler topluluğuna rehberlik etmez."[1] Bu âyete göre o, kendisine Rabbinden indirilen bütün vahiyleri tebliğ etmekle yükümlü tutulmuştu ve eğer bunu yapmadıysa veya yapmazsa risalet görevini yerine getirmemiş sayılacaktı. Bu âyete göre aslında Hz. Peygamber'in, tebliğde veya bildirimde herhangi bir şeyden korkmasına hiç de gerek yoktu; çünkü onun destekçisi Yüce Allah'tı. Farklı endişeler ileri sürerek Hz. Peygamber'in, bir gerçeği ashâbından ve dolayısıyla ümmetinden gizlediği sonucunu veren bu tür kabuller, onun nezih ve örnek hayatıyla nasıl örtüştürülebilir ki?

---

1 Mâide 5/67.

k) Yahudi Kadının Öğrettiği Kabir Azabı Rivayeti

Rivayete göre Yahudi bir kadın, Hz. Ayşe'nin yanına girmiş, kabir azabından bahsederek, "Allah seni kabir azabından korusun!" demiş; Hz. Ayşe de Rasulullah (as)'a kabir azabını sormuş, O da, "Evet, kabir azabı haktır. Onlar kabirde azap çekerler, onların azabını hayvanlar işitir!" cevabını verince Hz. Ayşe şunları söylemiştir: "Bundan sonra Hz. Peygamber'i namaz kılıp da, namazında kabir azabından Allah'a sığınmadığını hiç görmedim."[1]

Öncelikle şunu belirtelim: Mi'rac hadisinde Hz. Peygamber, olayların arka planını bilemeyen, üstelik (hâşâ) kendi ümmetini hiç tanımadığı anlaşılan biri olarak sunulmaktadır. Bu arada Hz. Peygamber'i defalarca Yüce Allah'ın yanına gönderen Hz. Mûsâ da (hâşâ) kendi konumunu tıpkı bir danışman, hatta bilge bir kişi olarak belirleyerek duruma müdahale etmektedir. Namaz vakitlerindeki pazarlıklar ve Hz. Mûsâ'nın bu son ümmet hakkındaki kanaatleri karşısında Hz. Peygamber'in sessizliği başka şekillerde açıklanamaz.

1. Hz. Ayşe'ye nispet edilen bu rivayette çok enteresan hususlar olduğunu düşünüyoruz. Şöyle ki: Mi'râc olayında gerçekleştiği gibi bu anlayışın devamı olarak, bu defa kabir azabı konusunda da devreye yine Yahudi bir kadın sokulmuş ve o Yahudi kadın danışmanlık görevini üstlenmiş görünmektedir. Çünkü kabirde azap konusunda sanki o zamana kadar Hz. Peygamber konuyla ilgili hiçbir şey söylememiş, devreye bu kadın girmiş. Zira Hz. Ayşe ilk defa bir şeyler duymanın şaşkınlığıyla Yahudi kadının "Allah seni kabir azabından korusun!" şeklindeki duasını duyunca, olaydan ancak o zaman haberdar olmuş ve durumu Hz. Peygamber'e

---

1 Buhâri, *Cenâiz*, 89; Müslim, *Mesâcid*, 123; Nesâî, *Cenâiz*, 115. Benzer başka bir rivayet için de ayrıca bk. Buhâri, *Cenâiz*, 88.

açmış. Hayatının önemli bir kesitini kendisiyle paylaştığı eşine -Yahudi kadının hatırlatması anına kadar-, bu çok önemli kabir sorgulamasından bahsetmediği anlaşılan Hz. Peygamber de -yine rivayetten anlaşıldığına göre- bu defa bizzat kendisi kabir azabından Allah'a sığınma sünnetini başlatmış görünmektedir.

Bu ifadelerimiz bazılarınca garip karşılanabilir, ama Hz. Ayşe'nin yukarıda da naklettiğimiz, "Bundan sonra Hz. Peygamber'i namaz kılıp da, namazında kabir azabından Allah'a sığınmadığını hiç görmedim" ifadesinin herhâlde bundan başka bir anlamı olmasa gerektir.

11. Bu arada bu rivayeti nakledenler, aslında Hz. Ayşe'yi söz taşıyıcılıkla suçladıklarını göz ardı etmekte ve bu rivayette bir Hz. Ayşe antipatisinin bulunduğunu maalesef görememektedirler. Müminlerin annesi Hz. Ayşe'yi çok önemli bir konudan habersiz görmek, dahası bu konuyu ona haber vermeyerek Hz. Peygamber'i de bir anlamda görevini tam yapamayan bir peygamber gibi algılamak son derece sakıncalı bir kabuldür.

Öyle anlaşılıyor ki, sırf kabir azabını kabul ettirme gayesi veya kabul ettirememe endişesiyle doğruluğu Kur'ân'ın desteğini alamamış birtakım rivayetler esas alınabilmiş, adı bile belli olmayan bir Yahudi kadının sözleriyle inanç esaslarımızın içine -kabirde azaba inanmak gibi- yenileri eklenebilmiş ve maalesef bütün bunlar, görmezden gelindiği için din kültürümüzün içerisine sızmıştır.

l) Kabir Azabı Çeken Yahudiler Hakkındaki Rivayet

عن ابي أيوب رضي الله عنهم قال خرج النبي صلي الله عليه وسلم وقد وجبت (بعد ما غربت) الشمس فسمع صوتا فقال يهود تعذب في قبورها "Ebû Eyyûb el-Ensârî (ra) şöyle demiştir: Rasulullah (as) Güneş battıktan sonra bir ses duydu ve dışarı çıkıp, 'Bu, kabirlerde azap çeken Yahudilerin sesidir' dedi."[1]

Bir başka rivayet Hz. Ayşe'ye nispet edilmekte ve Yahudi bir kadının kabir azabına uğratıldığı ifade edilmektedir.[2]

Yahudilerle ilgili olarak nakledilen bu rivayetin de bir Yahudi düşmanlığından kaynaklandığı açıkça ortadadır. Kaldı ki Hz. Ayşe'den geldiği bildirilen rivayetteki Yahûdi kadının kabir azabına uğratılma gerekçesi de önceki rivayetle çelişiktir. Çünkü bir önceki maddede hatırlattığımız rivayette nakledilen "gıybet" suçlamasının muhatabı Hz. Ayşe iken, burada mesele tersine dönmüş, nemime (laf taşıyıcılık) ve gıybet bu defa Yahudi kadınla ilişkilendirilmiştir.

Rivayet kültürümüzde çok garip ve sırıtıcı bir şekilde Yahudi düşmanlığı motifi göze çarpmaktadır. Nerede bir kötülük ve aykırılık varsa onun ya münafık Abdullah b. Sebe'e ya da bir Yahudiye nispet edildiği görülmektedir. Durum böyle olunca bu tür rivayetlerin doğruluğu veya yanlışlığı noktasında daha belirleyici ve daha doğru bir ölçü kullanmak gerekir ki bu ölçü Kur'ân ve onun ruhudur.

m) Tekâsür Sûresiyle İlgili Rivayet

Rivayette yer aldığına göre

عن علي رضي الله عنه قال : ما زلنا نشكّ في عذاب القبر حتي نزلت : الهيكم التكاثر "Hz. Ali (ra) şöyle demiştir: '(Mezarlıkları ziyarete kadar vardırdığınız) çoklukla övünmeniz sizi oyaladı'[3] âyeti ininceye kadar kabir azabı hakkında şüphedeydik."[4]

---

1 Buhârî, *Cenâiz,* 88; Müslim, *Cennet,* 69; Nesâî, *Cenâiz,* 114.

2 Buhârî, *Cenaiz,* 89; Müslim, *Mesâcid,* 123; Nesâî, *Cenâiz,* 115.

3 Tekâsür 102/1.

4 Tirmizî, *Tefsir Sûre-i Tekâsür* 102.

ı. Bu rivayeti eserinde nakleden Tirmizî, bu hadisin de "garip" olduğunu beyan etmiştir.[1]

ıı. "Kur'ân'dan Deliller" başlığında 13. sırada geniş bir şekilde ele aldığımız hususlara ilave olarak, ilgili rivayet hakkında burada şu hususu da hatırlatmak istiyoruz: Tekâsür sûresinin ilk âyetleri kabir azabıyla ilgili değildir. Dolayısıyla Hz. Ali gibi bir vahiy kâtibinin ve ilim açısından bir dehanın söz konusu âyetleri bu şekilde yorumlaması mümkün değildir.

Bu başlıkta ele aldığımız ve büyük bir kısmını nakledip değerlendirdiğimiz rivayetlerin önemli bir bölümü sorunlu görünmektedir. Ancak içlerinden bir kısmının Kur'ân'a uygun olduğu da bir gerçektir. Bu durumda Kur'ân'a uyanların kabul edilip diğerlerinin te'vil edilmesi veya sahih olmadıklarının söylenmesi gerekmektedir. Bu nedenle "Rivayetlere Yaklaşımımız" başlığında yöntemin nasıl olması gerektiğini ele almış ve Kur'ân-sünnet bütünlüğünü sağlamanın gerekliliğini ifade etmeye çalışmıştık.

3. RÜYA KAYNAKLI DELİLLER

Kabirde azabın varlığını kabul edenler Kur'ân'dan destek alamayınca ve rivayetler de yeterli ve güvenilir bir delil oluşturmayınca, bu defa devreye rüyalar sokulmaya çalışılmıştır. Rüyanın doğruluğu veya yanlışlığının ölçüsü görene göre değişeceği için, kabirde azabı savunan bazı âlimler çok sayıda rüyayı bu konunun delilleri arasına sıkıştırmaya çalışmışlardır.

Daha önce "Kabirde Sorgulanma" başlığında ele aldığımız İbrahim 14/27. âyete Ebu's-Suud'un getirdiği yorumda da naklettiğimiz gibi, kabir hayatı hakkındaki bilgilerin

---

1 Tirmizî, *Tefsir Sûre-i Tekâsür* 102.

önemli bir bölümü bazı rüyalara dayandırılmaktadır. İbn Kayyim de bu noktada pek çok rüya nakletmiştir. Bunlardan bize en ilginç gelen birkaçını zikretmek istiyoruz.

a) Rivayete göre Âsım el-Cahderî (Cuhderî) ailesinden bir kişi, ölümünden iki yıl sonra rüyasında Âsım'ı gördüğünü söylemiş, ona "Sen daha önce ölmemiş miydin?" diye sormuş, "Evet" cevabını alınca, bu defa "Peki şimdi nerdesin?" sorusunu yöneltmiş, Âsım da şu cevabı vermiş:

"Ben ve Allah, cennet bahçelerinden birindeyiz. Ben, arkadaşlarımdan bir grup ile her Cuma gecesi ve sabahı Ebû Bekir b. Abdillah el-Müzenî ile toplanırız, sizin haberlerinizi alırız." "Cesetlerinizle mi yoksa ruhlarınızla mı?" sorusuna da, "Ruhlar toplanır" cevabını vermiş, ardından "Sizi ziyaretimizi bilir misiniz?" deyince de bu defa, "Evet, her Cuma akşamı ve Cumartesi güneş doğuncaya kadar (gelenleri) biliriz" demiş, Cuma gününün tahsisini de o günün diğer günlere göre faziletli oluşuna ve yüceliğine bağlamış.[1]

I. Bu rüyada Yüce Allah'ın da cennet sakinleri arasında sayılması çok ama çok tehlikeli bir kabuldür. Allah'a mekân tahsisi kabul edilebilir bir fikir olamaz. Ziyaretleşmelerin sadece ruhlarla gerçekleştirildiği ifadesi, kabir hayatının bedensel olacağını kabul edenlerin görüşleriyle de çelişkilidir.

II. Bir de daha önce Kabirde Azabı Kabul Edenlerin Getirdiği "Rivayet Kaynaklı Deliller" başlığındaki (h) maddesinde ele aldığımız ziyaret günleri ile burada sözü edilen günler arasında da farklar görülmektedir ki bu da ayrı bir çelişkidir. Bu gibi rüyalarda anlatılanlar, cennet ve cehennem henüz kurulmadığı ve faaliyette olmadığı için doğru olamaz.

---

1 İbn Kayyim, *er-Rûh*, s. 5-6.

b) İbn Kayyim'in naklettiği bir başka rivayette, rüyasında annesini gören birine annenin verdiği cevapta, onların kabirde güzel kokular sürüldüğü ve çeşitli ipek elbiseler giydiklerinden söz edilmektedir.[1]

Demek ki kabir hayatının bedensel veya ruhsal olduğu kabulü hakkındaki rüya nakilleri, rüyalardan destek arayanları hiç rahatsız etmemektedir. Bir taraftan ruhsal bir hayattan söz ederlerken, diğer taraftan bedensel motifleri de rahatlıkla kullanabilmektedirler. Bu durum elbette açık bir çelişki barındırmaktadır.

c) Bir başka rüya da şöyle nakledilmektedir: Süfyan b. 'Uyeyne, babası ölünce çok üzülmüş; bu nedenle de her gün babasının kabrine gidermiş. Bir gün yine kabri ziyarete gidince orada oturmuş, uykusu gelmiş ve uyumuş; rüyasında babasının kabrinin açıldığını ve babasının, gömülü olduğu kabrinin üstünde oturduğunu görmüş. Ağlamaklı bir haldeyken babası ona, "Yavrum, niye geciktin?" demiş; o da babasına, "Sen benim geldiğimi biliyor musun?" diye sormuş, bunun üzerine babası, "Her gelişini biliyorum, senin her gelişinde hem ben hem de çevremdekiler duaların vesilesiyle mutlu oluyoruz" cevabını vermiş, o günden sonra da Süfyan, ziyaretlerini sıklaştırmış.[2]

1. Bu rivayette de şöyle bir problem göze çarpmaktadır: Rivayetin başında Süfyân, babasını her gün ziyaret ettiğini söylemiş, babası da onu her geldiğinde gördüğünü ve etrafındakilerin de bundan mutlu olduğunu ifade etmişti. Demek ki bu geliş-gidişlerdeki tanıma sadece Cuma günüyle sınırlı değilmiş; tüm geliş gidişleri içermekteymiş. Tanıma her gelişi

---

1 İbn Kayyim, *er-Rûh*, s. 7.

2 İbn Kayyim, *er-Rûh*, s. 6. Gazâlî de bu konuda 50 civarında rüya anlatmaktadır. Gazâlî, *İhyâ*, IV, 536-542.

kapsadığına göre, gelenlerin tanınmasını sadece belli günlere ait görme anlayışı, önceki rüyadaki belli günlerdeki tanıma tahsisiyle çelişmektedir.

ii. Eğer ölüler dirileri görüyor ve onlarla bilgi alışverişi anlamında ilişki kurabiliyorlarsa bunu en iyi peygamberlerin yapması gerektiği muhakkaktır. Bu durumda "peygamberler acaba bunca kötülüğe neden müdahale etmiyorlar?" sorusu akla gelmektedir. Neden her şey gün geçtikçe daha kötüye gidiyor? Bugün neden hiç kimse kabirde yaşananlar hakkında yeni şeyler söyleyemiyor?

Bütün bunlardan anlaşılıyor ki peygamberler hariç hiç kimse için rüyalarla bilgi elde etmek diye bir yol yoktur; rüyalar bilginin kaynağı olamaz. Kaldı ki peygamberlerin gördüğü rüyalar bile, gündüzleyin ayrıca vahiy ile destekleniyordu.

iii. Hayatı, kabulleri ve bilgisi vahiy ile desteklenme durumunda olmayan diğer insanların kendilerine ait bilgiler, başka insanları bağlamayacağı gibi, rüyaları da diğer insanlar için elbette bir delil değeri taşımamaktadır.

d) Birileri kalkıp babasını, annesini veya hocasını rüyasında gördüğünü, ona çeşitli sorular sorduğunu iddia edebilir. Bir başkası da bu defa Rasulullah'ı rüyasında gördüğünü söyleyebilir; tıpkı İbn Kayyim'in Ebû Hureyre kaynaklı naklettiği şu rivayette olduğu gibi: Süleyman b. Nu'aym demiş ki; rüyamda Rasulullah'ı gördüm ve "Ey Allah'ın Elçisi, sana gelen ve selâm verenleri anlıyor (veya tanıyor) musun?" dedim. O da, "Evet, onların selâmını alıyorum (yani *aleyküm selam* diyorum)" cevabını vermiş.[1]

Rüyaların bu noktada belirleyici olup olmadığını tespitte son derece çarpıcı bir kanaati de özellikle hatırlatmak istiyoruz. İbn Kayyim, "kabirde hayat ve kabirde azap" konularında

1 İbn Kayyim, *er-Rûh*, s. 12.

rüyaya dayalı rivayetlerin oldukça fazla olduğunu, her ne kadar tek başına bir şeyin ispatı için doğru olmasalar da hepsinin bir arada bir fikir birlikteliği sağlama noktasında etkili olduğunu beyan etmiştir. Bu noktada Hz. Peygamber'e nispetle de şöyle bir usul ortaya koymaya çalışmıştır: Müminlerin bir konu hakkındaki rüyaları eğer birbirlerine uygun olursa bu durum, onların rivayetlerindeki uygunluğuna, hatta bir konunun iyi veya kötü oluşu hakkındaki görüş birlikteliklerine benzer. "Müslümanların güzel gördüğü şey Allah katında da güzeldir; çirkin gördükleri şey de aynı şekilde Allah katında da çirkindir. Kaldı ki biz bu konuda sadece rüyalarla yetinmiyoruz; aksine pek çok deliller de ayrıca zikrediyoruz."[1]

Konu rüyalara terk edilince iddia edenler de ispatı mümkün olmayan, sadece inanca terk edilen bir noktayı hedeflemiş olurlar ve onu kabulü iman gereği sayarlar. Bu arada rüyasında Cenâb-ı Hakk'ı gördüğünü iddia edenler de çıkabilmiştir. Nitekim Yüce Allah'ı beşinci kat gökte veya cennet bahçelerinin birinde meskûn kabul edenler olmuş, neyse ki fazla itibar görüp Yüce Allah'ı rüyalarının merkezi hâline getirememişlerdir.

Görülüyor ki rüyaların delil olabileceği kabul edilince artık rüya görenlerin de görüldüğü iddia edilen rüyaların da ardı arkası kesilmemektedir. Peygamberlerin gördükleri ve vahiyle de desteklenen rüyaların haricinde, diğer insanların gördükleri rüyaları esas alarak ve onların çokluğunu da önemseyerek bir konuyu delillendirmeye çalışmak, İslâm inanışının ruhuyla hiçbir şekilde bağdaşmaz.

Esasında, kabir hayatıyla ilgili olarak nakledilen rüyaların doğruluğunu kim, nasıl ispat edebilir? Verilen bilgilerin rüya olduğundan kim emin olabilir? Ya insanlar kendi kur-

---

1 İbn Kayyim, *er-Rûh*, s. 9.

gularını rüya formatına kendileri sokup anlatmışlarsa bunun ayıklamasını kim yapacaktır? varsayalım öyle bir rüya gördü; bunun bağlayıcılığı kanaatine nasıl varılabilir? Rüyada gördüğünün (hâşâ) Yüce Allah veya Rasulullah olduğu nasıl anlaşılabilir? Yüce Allah'ı neye, Nebî (as)'ı kime benzetiyorlardı acaba? Bu ve benzer soruların cevabı elbette verilemeyecektir. Bu nedenle herhangi bir konuda fikir veya inanç belirlemede rüyalar referans olamazlar. Dinî konularda kanaat edinmek için de onları inanç hâline getirmek için de vahyin desteği şarttır; bu desteği almadan ileri sürülecek yaklaşımlar daima eleştiriye açıktır.

C. KABİRDE AZAPLA İLGİLİ KABÜLLERİN GÜVENİLİRLİĞİ

Kabirde azabın varlığını kabul edenlerin delil kabul ettikleri rivayetlerin sıhhati konusu, rivayete dayalı herhangi bir meselenin doğruluğunun ortaya çıkmasında son derece büyük bir öneme sahiptir. Kabir hayatı ve özellikle de kabirde azap konusunda nakledilen rivayetleri değerlendirebilmek için rivayetlerin doğruluğunu belirlemek, bu noktada doğru bir yaklaşım içerisinde olmak zorunludur. Çünkü kabir hayatı ve kabirde azap hakkındaki hatalı inanışların tamamı rivayet kaynaklıdır.

Bu bilgilerin İsrailiyat kaynaklı bir etkileşime sahne olduklarını ve Hz. Peygamber'i aşırı yüceltmenin bir sonucu olarak kaynaklarda yer aldıklarını düşünmekteyiz. Bu anlamda rivayetlerin inanç konularında referans alınmasının geçerliliği, peygamberlik ve gayb konusu ile rivayetlere yaklaşımda takip edilmesi gereken metoda dair bilgi verme ihtiyacı hissettik.

Yüce Allah, Kur'ân'da ölülerle ilgili olarak "ölümüne hükmettiği canları yanında tutar"[1] ve "(Allah yolunda öldürülen-

1 Zümer 39/41.

ler) diridirler; ancak siz anlayamazsınız"[1] buyurmaktadır. Bu nedenle hakkında vahiy ile bildirilen bir esas olmadığı için kabir hayatı bütünüyle gaybı ilgilendirmektedir, diyebiliriz.

Bir konu gayb olarak belirlendikten, üstelik Yüce Allah da "siz bilemezsiniz/anlayamazsınız" buyurduktan sonra, o konu hakkında detaya varacak şekilde bilgi vermek, başlı başına problem oluşturmak demektir. Yüce Allah, Kur'ân'da gaybı hiç kimseye açmayacağını bildirmiştir; Hz. Peygamber'e açtığı gaybın da ona vahyettiği Kur'ân olduğu düşünüldüğünde, bu konuda Kur'ân'da olmayan bilgilere dayanarak hüküm vermenin ne kadar sakıncalı olacağı herkesin malûmudur.

1. KONUYU ŞİDDETLE SAVUNANLARA BİR ÖRNEK

Gaybla ilgili oluşu ve hassasiyeti nedeniyle bu konuda verilen bilgilerin inandırıcı olmasını sağlamak için, kabir hayatı ve özellikle kabirde azapla ilgili nakledilen rivayetleri eleştirmenin karşısına nasıl engeller konulduğunu ve bir inanca dönüştürülen kabir sorgulaması ve kabir hayatı konusunda farklı görüşlerin önünün nasıl ve niçin kesildiğini gösterebilmek gayesiyle şu ifadeleri hatırlatmak istiyoruz:

"Bedenler genellikle çürüyüp toprak olduğu ve ruhlar bâkî kaldığı için "ruhlar âlemi" de denilen ölümden sonraki hayat, gaybî konulardandır. Hayatta olan insan ile berzah âlemine göçmüş olan kişi ayrı ayrı âlemlerdedirler. Berzah âlemindekinin de kendine göre bir hayatı vardır; lezzetleri, elemleri, ferah ve sevinçleri hisseder. Fakat henüz madde âleminde bulunurlar. Ruhun bedenden sonraki hayatını ve orada kişinin neler hissettiğini, nelerle karşılaşacağını normal

---

1 Bakara 2/154.

duyularla hissedip bilemez. Bu hususu, ancak ilâhî gerçeklere vakıf olan peygamberlerden öğrenebiliriz."

"İnsanın kabir âlemini ve oradaki ahvali hissedememesi, inkârını gerektirmez. Nitekim ashâb-ı kirâmla beraberken Peygamber (as)'a Cebrail (as) gelip vahiy getirirdi. Ashaptan hiçbiri bu esnada meleği görmezlerdi; ama Rasulullah (as) meleğin geldiğini ve vahiy getirdiğini söyleyince hepsi kabul ederlerdi. Hiçbiri 'biz görmedik, geldiğini hissetmedik' diye inkâr etmezlerdi."

"Aslında duyularla algılanamayıp Allah'ın dilediği kullarına gösterdiği ve onların haber vermesiyle bilinen bu gibi şeyleri inkâr etmek, Allah'ın kudretinin genişliğini inkâr etmektir. Eğer haber verilen şeyler mümkinattan ise yani olması imkânsız olmayan şeyler ise biz hissetmesek de Allah onları halketmeye kâdirdir. Çünkü Allah'ın gücü ve kudreti karşısında mümkinattan olmaz şey yoktur. Kaldı ki haber veren Peygamber (as) olunca zaten onun haber verdiği her şeyi kabul etmekle mükellefiz, isterse mahiyetini kavrayamamış olalım."

"Nitekim Allah Teâlâ, kendi yolunda öldürülenlerin diri olduklarını, fakat bizim onların diriliğini bilemeyeceğimizi haber vermiştir. Bizim onlara ölüler dememiz, dünya kanunlarıyla hükmettiğimiz ve dünya gözüyle baktığımız içindir. Allah Teâlâ onların ruhânî hayatta diri olduklarını haber vermekle, cismânî hayatta olan bizlerin ruhânî hayattakileri idrak edemeyeceğimizi bildirmiştir."

"Demek ki ölümden sonraki hayatı idrak edemeyeceğimiz hem tecrübe ve müşahede ile hem de Allah'ın haber vermesiyle sabittir. Ama bu, hiçbir zaman Allah'ın dilediği kullarına o hayatı ve berzah âlemini idrak ettirmeyeceği manasına gelmez.".

"Binaenaleyh, ölümden sonraki hayat ve berzah âleminde ruhların birbirleriyle olan münasebetlerine dair bilgiyi Allah'ın kendilerine bu âlemde olacak ve olan şeyleri haber verdiği ve bizzat müşahede ettirdiği Peygamberler ile yine Allah'ın bir ikram olarak âlem-i ervahın bazı sırlarını kendilerine açtığı bir kısım sayılı kullarının haberlerinden öğrenebiliyoruz."[1]

Bu görüşü uzun uzadıya aktardıktan sonra, şimdi de konuyu bizim nasıl değerlendirdiğimize değinmek istiyoruz.

2. KONUYA BİZİM YAKLAŞIMIMIZ

a) Dinî meselelerde Kur'ân'a aykırı kabullerin, eserlerde veya kültürümüzde yer almasının muhtemel bazı nedenleri vardır. Bunlardan biri, konuyu önce Kur'ân'dan incelemeye başlamama problemidir, yani konuyu Kur'ân merkezli ele almama sorunudur. İnsanlar, dinin asıl ve birinci kaynağı olan Kur'ân'ın, bir konuda neler söylediğine bakmadan başka eserlere veya kanaatlere yönelince farklı şekillerde şartlanmalar yaşanmakta; sonuçta Kur'ân'a ya hiç müracaat edilememekte ya da çeşitli ön kabullerle müracaat edilip onun doğru anlaşılmasının önü kesilmektedir.

Diğer bir neden ise, bir ilim adamının ortaya koyduğu herhangi bir görüşün, daha sonra gelenler tarafından hiçbir eleştiriye veya değerlendirmeye tabi tutulmadan aynen kabul edilmesidir ya da aktarılmasıdır; hatta daha da ileri gidilerek bunu kabul etmenin iman gereği olduğu, kabul etmemenin ise küfür sayılacağı tehdidinin devreye sokulmasıdır. Mesela Ebü'l-Hasan el-Eş'arî, kabir konusunu da tartıştığı eserinde kendi görüşünde olanlara "Ehl-i Sünnet ve'l-İstikâmet", di-

1 Toprak, *age.*, s. 246-247. Bu konuda benzer ifadeler için bk. Gazâlî, *el-Iktisâd*, s. 161-162; *İhyâ*, IV, 532.

ğerlerine ise "Ehl-i Bid'a ve'l-Hevâ" adını vererek karşı tarafın bütün fikirlerini tartışma dışına itmiş olmaktadır.[1] Hâlbuki konular iyice incelenip araştırıldığında eski dönemlerde de farklı fikirlerin söylenmiş olduğu görülmektedir. Ancak bu farklılıkların ya üzeri örtülmüş ya da itibar edilmemesi gerekenler kategorisine atılmıştır. Durum böyle olunca yeni fikirler üretmek bir tarafa, "eskiyi aynen kabul" dayatmasıyla ilerlemenin önü kesilmiş olmaktadır. Hâlbuki, referansları doğru belirlemek ve donanımlı olmak şartıyla insanların fikir üretmelerinin önünü açık tutmak, ilâhî mesajı her çağda daha iyi anlamayı mümkün kılacaktır.

Yeni fikirler üretmek, tıpkı hukuktaki içtihatlara benzer. İçtihatlar, doğru referanslara sahip ve bu işi yapanlar da donanımlı iseler yapılan içtihatlar gereklidir, yararlıdır ve yapılmalıdır. Burada gerçekleştirilmesi arzu edilen değerlendirme, yapılan içtihadın doğru olup olmadığıdır, içtihadı kimin yaptığı ve hangi çağda yaptığı değil. Benzer bir örnek de definecilikle ilgili olarak verilebilir. Gerekli donanıma sahip bir define arayıcısı eğer defineyi bulabilmişse kimin bulduğuna değil, bulunan şeyin gerçek olup olmadığına bakılmalı, başka değerlendirmeler yapılmamalıdır.

b) Bu ifadelerle ilgili olarak şunları belirtmek gerekmektedir: Kur'ân'da pek çok âyette hayata dair "iki âlem" tanıtılmış olmasına rağmen, rivayetlere dayanarak bunun üçe çıkartılması, üstelik kıyamet-âhiret sürecine ait pek çok konunun, bağlamından kopartılarak kabirle ilişkiliymiş gibi gösterilmesi çok önemli bir sorundur. Dahası bu, Kur'ân'ın mesajını kavramamak anlamına gelmektedir. Gayba dayalı bilginin, yani Kur'ân'ın iki çeşit olarak belirlediği hayatla ilgili âlemleri üçe çıkarmak hangi mantıkla veya hangi "*mümkinât*

1 Eş'arî, *Makâlât*, I, 338-340.

(olabilirlik)" ile izah edilebilir? Yüce Allah'ın insanları başka sûretlerde yaratması da mümkinattandır; ama böyle bir yaratma gerçekleşmemiştir.

Biz, inancımızı bize haber verilen Kur'ân vahyi ile şekillendirmeliyiz. İhtimal içeren iddialar inancımızı şekillendirmemeli, ihtimali sorgulamak ve sağlam delile sahip olmayanları reddetmek, Yüce Allah'ın kudretini inkâr anlamına kesinlikle alınmamalıdır. Hakkında Kur'ân'ın açık bilgiler vermediği bir konuyu şüpheyle karşılayıp onu inançla ilişkilendirmemek, Yüce Allah'ın kudretini sorgulamak anlamına gelmeyeceği gibi, bunu yapan da hiçbir şekilde inkârcılıkla suçlanamaz.

c) Vahiy gelirken Cebrâîl (as)'ı görmediği halde -ki sahâbîlerin Cebrâîl (as)'ı az da olsa gördükleri rivayetlerde yer almaktadır-[1] Hz. Peygamber'e inanan sahabîlerin inandığı vahiy ile insanların kendi fikirlerine dayalı olarak ileri sürdüğü görüşleri aynı kabul edip o görüşleri inkâr etmeyi Kur'ân'ı inkâr gibi göstermek son derece tehlikeli bir benzetmedir; çünkü rivayetlerin hiçbiri Kur'ân değerinde olamazlar. Vahiy ile kabir hayatı hakkındaki rivayetler aynı değerde ve sağlamlıkta değillerdir. Hz. Peygamber'e gelen vahiy, Nebî (as) tarafından pek çok sahâbîye, yani vahiy kâtibine yazdırılıyordu. Ayrıca o vahiyler, Hz. Peygamber tarafından kontrol ediliyordu; üstelik her yıl gelen vahiyler, Cebrâîl (as) ile mukabele ediliyordu.[2] Böylece korumaya alınmaları, yazı ve ezberle muhafaza edilmeleri de sağlanmış oluyordu. Her vahiy yıllarca tekrar tekrar okunuyor, uygulanıyor ve tüm sahâbîlerce kavranmış ve yaşanmış oluyordu.

---

1 Vahiy esnasında Cebrâîl'in genç insan şeklinde, ashâbdan "Dihye" şeklinde geldiği de nakledilmektedir. Bk. İsmail Cerrahoğlu, *Tefsîr Usûlü*, Ankara, 1979, s. 49.

2 Bu arz olayı hakkındaki rivayetler için bk. Buhârî, Bed'ü'l-Vahy, 5; Müslim, Salât, 148; Fedâilü'l-Kur'ân, 7; Menâkıb, 25; Fedâilü's-Sahâbe, 98.

d) Korunması ilâhî garantiye alınan bir kitap ile güvenilirliği rivayet edenleriyle sınırlı olan, üstelik Hz. Peygamber'e aidiyeti konusunda hiçbir garantinin bulunmadığı, bazen birbiriyle çelişkili metinlere sahip olan rivayetleri, aynı kefede tutmak ve onları da vahiy kategorisinde değerlendirmek son derece hatalı bir yaklaşımdır. Söz konusu rivayetleri eleştirmek veya sıhhatlerini tartışılır görmek ya da zayıf veya uydurma olabileceklerini düşünerek onlara karşı mesafeli durmak vahyi inkârla nasıl eşdeğer tutulabilir?

e) Bir rivayetin doğru kabul edilebilmesinin en önemli ölçüsü o rivayetin Kur'ân'a, onun ilkelerine ve mantığına uygunluğudur. Bu ölçüye uyan rivayetler elbette kabul edilmelidir; ancak ölçüyü başka türlü belirleyip, sonra da ona inanılmasını beklemek Kur'ân'a ve onun ilkelerine karşı samimiyetsizliktir.

"Rivayetleri esas alıp âyetleri yorumlamak" yerine, bunun tam tersinin yapılması gerektiğine inanmaktayız; yani "âyetler esas alınmalı, rivayetler -eğer âyetlere uyuyorsa- kabul edilmeli, uymuyorsa "Hz. Peygamber, Kur'ân'a aykırı bir şey söylemez" diyerek, onlara karşı ihtiyatlı davranılmalı, gerekiyorsa reddedilmelidir." Dinî anlamda başka kaynaklar esas alınarak fikir veya kanaat sahibi olduktan sonra Kur'ân'a müracaat etmek, ya Kur'ân'ın aydınlığını gölgeler ya da onun öğretisini ikinci plana itmeye ve bunun doğal sonucu olarak da ilgili konudaki mesajın yanlış veya eksik anlaşılmasına yol açar.

f) Herhangi bir rivayeti bir yerde okuduğumuz veya işittiğimiz zaman, yapılacak ilk iş, onun kaynaklarda, isnadıyla birlikte bulunup bulunmadığını araştırmaktır. Kaynağı zikredilmeyen veya kaynaklarda bulunmayan bir rivayet, kaynaklarda bulunup, isnadı incelenerek sağlam olup olmadığı tespit edilmedikçe yok hükmündedir ve onun hadis olarak kabul edilmesi asla mümkün değildir. Bu tür kaynaksız ve isnatsız bir hadis, hangi eserde bulunursa bulunsun, eserin yazarı kim ve ne kadar ünlü olursa olsun, sonuç değişmez. Hele hele rüya, keşf, ilham gibi subjektif ve istismara tamamen açık yollardan alındığı iddia edilen rivayetlere asla itibar edilmemesi gerekir.[1]

Yukarıdaki bilgiler ışığında kıyamet öncesi dönemde kabirde sorgulanma ve bedensel bir azap olmayacağı kanaatini elde etmiş olduğumuzu belirtmek istiyoruz. Bununla birlikte, insanların dünyada yaptıklarının hesabının hiçbir yerde sorulmayacağı da kesinlikle zannedilmemelidir. Bedeni ölen bir insanın ruhu Yüce Allah'ın katında olduğu için onunla ilgili çok net şeyler söylenemez. Elbette iyi bir insanın ruhu ile kötü bir insanın ruhu aynı konumda olamaz.

İyi insanların ruhları, ödülü bekleyen insan psikolojisinde olduğu gibi heyecanlı ve gönül huzuru içerisinde bir bekleyişte olacaktır. Buna karşılık kötü insanların ruhları da elbette sıkıntıdadır. Ancak bu sıkıntılı hal, iddia edildiği gibi ruh-beden birlikteliğiyle fiziksel azapta veya cehennem ateşinde değildir; çünkü henüz yargılanmadan cehenneme atılmak bir anlamda yargısız infaz olacağı için bunu Yüce Allah'a isnat etmek doğru değildir. Kabir azabından kasıt, eğer beden öldükten sonra ruhun çektiği sıkıntılar ise bu vardır; fakat dünya ve âhiret hayatı dışında üçüncü bir hayat olmadığı için iki âlem arasında üçüncü bir âlem de söz konusu değildir.

Bedenden ayrılan ruhla ilgili söylenebilecek en doğru yaklaşım, bu durumun rüyaya benzetilmesi olabilir. İyi insanların ruhunun huzurlu ve güzel güzel rüyalara, kötü insanlarınki de sıkıntılı rüyalara benzetilebilir, *vesselâm*. Her konuda olduğu gibi bu konuda da gerçeği sadece ve sadece Yüce Allah bilmektedir.

---

1 Kırbaşoğlu, *Hadis Metodolojisi*, s. 182.

GENEL DEĞERLENDİRME

Bedensel anlamda insan hayatının sonu demek olan ölüm ve sonrasına dair yaşanacaklar, âhirete inanan herkesin ilgisini çekmektedir. Çalışmamızın giriş bölümünde incelediğimiz gibi, diğer inançların da kabulleri arasında önemli yer tutan "ölüm sonrası hayat" hakkında birbirinden farklı birçok kanaat geliştirilmiş ve insanların anlayışına sunulmuştur. Bu anlayışların bir bölümü çeşitli kaynaklarla desteklenmeye çalışılmışken, bir kısmı ise eleştiriye açık ve kabulü çeşitli sorunlar oluşturacak mahiyet arz etmiştir.

Esaslarını dinin belirlediği bir meselede kanaat sahibi olmak için İslâm dinini benimseyenler veya araştırmacılar, öncelikle Kur'ân'a müracaat etmelidir. Konu eğer Kur'ân'da varsa ilgili bütün âyetler dikkate alınarak, iniş sıraları takip edilerek ve bağlamları da göz önünde tutularak, söz konusu mesele hakkında Kur'ân'a dayalı bütüncül bir yaklaşım sergilenmeli ve bunun sonucunda fikir sahibi olunmalıdır. Parçacı yaklaşımlarla konulara Kur'ân'ın bakışı anlaşılamaz. Kur'ân'da hakkında bilgi verilen bir meseleyle ilgili eğer çeşitli rivayetler varsa onların da Kur'ân'a uygun olup olmadığına ve rivayetleri nakledenlerin güvenilirliklerine bakılmalıdır. Rivayet, eğer Kur'ân'a uygunsa alınmalı, aykırı ise terk edilmelidir. Bir konuda eğer Kur'ân'da bilgi yoksa o zaman yapılacak iş, nakledicileri güvenilir olan rivayetlerin Kur'ân'a, onun temel ve genel ilkelerine aykırı olmamasına dikkat etmektir.

Bu çalışmada delilsiz bir şekilde yeni bir fikir ileri sürülmeye çalışılmamıştır. Ölüm sonrasıyla ilgili olarak Kur'ân'da söylenenlerin neler olduğu, konu hakkında farklı iddiaların Kur'ânî dayanaktan nasıl yoksun olduğu ortaya konulup, meseleye Kur'ân perspektifinden bakmak amaçlanmıştır. Kur'ân'da olan bir gerçeğin üzerindeki küller ortadan kaldırılıp, gerçeğin ortaya çıkmasına yardımcı olmaya çalışılmıştır.

İncelediğimiz ölüm sonrası hakkında çeşitli eserlerde belirli kabuller yer almış, farklı görüşler ise gerekçe gösterilmeden "bâtıl" olarak nitelendirilmiş ve reddedilmiştir. Ancak konu böyle basite indirgenecek bir mahiyette değildir. Eğer kabir/berzah, iddia edildiği gibi ise o zaman âhiret hayatının hiçbir önemi kalmamaktadır. Çünkü âhirette vaat edilen sorgulama, azap veya ödül kabirde başlatılmış olmaktadır. Oysa Kur'ân'a göre bedensel hayat, dünya ve âhiret olmak üzere iki çeşit olduğu için bedensel azap da dünya ve âhirette olmak üzere iki çeşittir.

Ölülere hiçbir şey işittirilemeyeceği[1] ve onlardan hiçbir şey duyulamayacağı[2] Kur'ân'da açıkça ortaya konulmaktadır. Buna rağmen, geçmiş kültürlerin etkisinde oluştuğunu düşündüğümüz ve güvenilirlikleri son derece problemli olan birtakım rivayetleri esas alarak, ölmüş insanların kabirde ve bedensel olarak cezalandırılmasına ya da ödüllendirilmesine inanmak, Kur'ân'a uygun bir kabul değildir.

---

1 Fâtır 35/22. Bu âyet hakkında "*Kabr* Kelimesinin Kur'ân'daki Kullanımı" başlığında geniş izah yapılmıştır.

2 Âyet için bkz: Meryem 19/98.

Kabirde bedensel ve ruhsal bir hayatın, dolayısıyla esas olarak da "kabirde azabın" var olup olmadığının incelendiği bu çalışmada insanın ölümüyle başlayan âhiret yolculuğunda onu nelerin beklediği Kur'ân'ın ışığında ortaya konulmaya çalışılmıştır. Ölüm sonrasında kabir sorgulaması ve sonuçları hakkındaki çeşitli kabullerden oluşan iddialar Kur'ân'a uygun değildir. Ölen insanın ruhu Allah'ın katındadır, bedene dönüşü ise âhirette gerçekleşecektir. Onun için, kıyamette yeniden çalıştırılmak üzere beden-ruh birlikteliği anlamında "saat durdurulmuştur."

Kabirde azabın veya kabirde ödülün bedensel anlamda gerçekliğinin mümkün olmadığını ilgili bölümlerde zikrettiğimiz âyetlerle delillendirdik. Kabirde azabın varlığını kabul edenlerin Kur'ân'dan veya rivayetlerden zorlayarak getirmeye çalıştıkları delilleri ve bunların Kur'ân'ın genel muhtevası ve mantığıyla nasıl çeliştiklerini de önceki bölümlerde göstermeye gayret ettik.

Çalışmamızın "giriş" ve diğer bölümleriyle ilgili olarak şu özetlemeleri yapabiliriz:

• "Giriş"te "Kabir azabı" meselesini doğru kavramak için öncelikle nasıl bir metot takip ettiğimizi ifade ettik. Vahyi esas alarak, diğer kabulleri onun onayına sunmaya çalıştık. Daha sonra farklı inançların konuya bakışını inceleyerek, İslâm kültüründe yer alan bu meselenin hangi kültürlerden alındığını veya nasıl bir etkileşimin yaşanmış olabileceğini çeşitli boyutlarıyla anlamaya çalıştık.

• "Birinci Bölüm"de *kabr* ve *berzah* kavramları gibi konuyla ilgili kelimeleri yakından tanıtmaya çalıştık. Buna göre *kabr*, aslında bir mekânın değil, ölüm sonrası ve kıyamet öncesinin mecazi bir ismidir. Çünkü eğer kelimeyi "ölünün konulduğu yer" olarak kabul edersek, mezarı olmayanlar için bütün söylenenler anlamını kaybedecektir. *Berzah* kelimesi ise iddia edildiği gibi bir âlemin adı değil, kelimenin anlamı ve Kur'ân'daki diğer kullanımları da dikkate alınarak "ölümden sonra dünyaya geri dönme isteğinin karşısındaki engel" anlamına gelmektedir.

Ayrıca "Ruhun Mahiyeti ve Ölüm Sonrasındaki Durumu" hakkında çeşitli açıklamalar yaptık. Bu bağlamda gereksiz tartışmalara kapı aralamamak için sonu gelmez çatışmalardan kaçınarak, ruhun mahiyetini ortaya koymaya gayret ettik. "Beden öldükten sonra ruhun konumu" hakkında çeşitli âlimlerimizin yaklaşımlarını özetleyerek, ölüm sonrasında ruhun durumuyla ilgili olarak Zümer 39/42, 58 ve Mü'minûn 23/99-100. âyetler ışığında açıklamalar yapmaya çalıştık.

• "İkinci Bölüm"de çeşitli âyetlerde verilen bilgileri esas alarak, ölüm esnasında yaşanmakta olan halleri inceledik. Bu bağlamda Kur'ân'a göre insanlar ölürken, hayatlarındaki kazanımlarına göre çeşitli muamelelere tabi tutulmaktadırlar. İyi insanlar ölürken meleklerin lütuf ve müjdesine mazhar olurken, kötüler ise meleklerin çeşitli darbelerine maruz kalmaktadır. Ölüm esnasında yaşanacaklar genellikle ve hatalı olarak kabirle ilişkilendirilmektedir. Ölüm esnasında meleklerin bazı sözleri, kabir sorgusu şekline büründürülmüşe benzemektedir. Meleklere *Münker* ve *Nekîr* adlarının verilmesi de her türlü mantıkî delilden uzaktır. Zaten bu isimlere Kur'ân'da hiçbir şekilde yer verilmemektedir. Bu çerçevede hem sorgulanmanın hem de ödül elde etme yerinin mahşer olduğuna dair oldukça fazla âyetin bilgi verdiğini beyan ettik.

Bakara 2/154 ile Âl-i 'İmrân 3/169-171. âyetlerinde "Allah yolunda öldürülenler"e ölü denmeyeceği, onların gerçekte diri oldukları, fakat bu diriliği bizim anlayamayacağımız ifade edilmektedir. Bu arada şehitlerin Rableri katında rızıklandırıldığı, Yüce Allah'ın onlara verdikleriyle mutlu oldukları, henüz kendilerine yetişemeyenlere korku ve üzüntülü olmamaları ve müminlerin ödüllerini Yüce Allah'ın zayi etmeyeceği gerçeğiyle sevinmekte oldukları beyan edilmektedir. Eğer ifade edilen bu hususlar kıyametten sonra gerçekleşecekse, zaten sorun yok demektir. "Manevi Rızıklandırılma" başlığında da izah ettiğimiz gibi, şehitlerle ilgili bu rızıklandırılmanın âhirette gerçekleşeceğini kabul edenler vardır.[1] Ölüm sonrası kıyamet öncesindeki rızıklandırma görüşü ise bunun manevi bir huzur olduğunu ortaya koymayı amaçlamalıdır. Yüce Allah'ın "bizim bilemeyeceğimizi" söylediği bir konuda en küçük ayrıntılarına varıncaya kadar detay verip, bunu sıradanlaştırmak sağlıklı bir yaklaşım değildir.

Bu arada "Kabir Azabı" başlığında ele aldığımız üzere, "azap" kavramını mutlak surette cehennem ateşi olarak algılamanın da derin bir yanılgı olduğunu göstermeye çalıştık. Çünkü "azap", kapsamı geniş bir kavramdır. Hem dünya hayatını hem de âhiret hayatını içermektedir. "Azap etmek" fiili bazı âyetlerde insanlara bile nispet edilmektedir. Buradan hareketle, ölüm sonrası için "azap" ifadesini sadece cehennem ateşi olarak algılamamak gerektiği üzerinde durduk.

İslâm geleneğinde kabir azabıyla ilgili kabulleri incelerken çeşitli ilim adamlarının görüşlerini ve ortaya koydukları delilleri verdikten sonra, söz konusu görüşler ve delillerle ilgili kendi yaklaşımlarımızı ortaya koyduk. Özellikle vahiy dışı delillerin savunulabilir hiçbir tarafının bulunmadığını ispat etmeye çalıştık.

---

1 Böyle bir görüş için bk. Esed, *age*, s. 43, 124.

- "Üçüncü Bölüm"de ise öncelikle "Kur'ân'dan Sunulan Deliller" ana başlığında kabirde azaba delil sayılan 13 âyet üzerinde durduk. Gördük ki, iddia edilen âyetler aslında böyle bir azabın delili olabilecek konumda değillerdir. Bunlardan en önemlileri Mü'min 40/46 ve Secde 32/21'dir. Mü'min 40/46'daki "sabah akşam ateşe sunulma" işleminden maksat, dünyada iken onlara yapılan nasihatler olabilir. Zira dindarlar sabah akşam onlara özendirme, yani teşvik; sakındırma, yani korkutma anlamında hatırlatmalarda bulunduklarında ve onları Allah'ın azabıyla korkuttuklarında da onlara ateş arz olunmuş oluyordu. Buradaki ateşe sunulma, onların iktidarı kaybetme, kıtlık, felaket gibi dünyada uğratıldıkları çeşitli sıkıntılar anlamına gelmektedir. Bağlam da dikkate alındığında, âyetteki konunun sanıldığı gibi kabirle değil, dünya hayatıyla ilgili olduğu görülmektedir. Secde 32/21'deki "yakın azap" da insanlar gerçeğe geri dönsünler diye onlara sunulan çeşitli dünyevî sıkıntılardır.

"Rivayetlere Dayalı Deliller" başlığında, öncelikle rivayetlere yaklaşımda nasıl bir yöntemin takip edilmesi gerektiği üzerinde durduk. Konunun en çok detaylandırılarak ele alındığı başlık bu olduğu için rivayet merkezli bakışlarda peygamberlik kurumu ve gayb meselesi üzerinde durduk. Aşırı yüceltmeciliğin nasıl sorunlara neden olduğunu örneklendirmeye çalıştık. Ardından, âyetlerde olduğu gibi rivayetleri de 13 başlıkta özetlemeye ve incelemeye gayret ettik. Şunu gördük ki; kabirde azabın delilleri olarak sunulan rivayetlerin önemli bir bölümü çeşitli "sıhhat" sorunları içermektedir. Elbette bütününün problemli olduğunu söylemek istemiyoruz; ancak bu konuda verilen örneklerin anlaşılmasında çok büyük sorunlar yaşanmaktadır. Öyle ki, meseleyi rivayetlere terk edenler bununla da yetinmeyip, devreye rüyaları dahi sokmuşlardır.

Çalışmamızı özetlediğimiz bu genel hatırlatmalardan sonra şimdi de daha önce ele aldığımız âyetlere ilave olarak, "kabir hayatı" veya "kabirde azaba" dair kabulün nasıl hatalı sonuçlar içerdiğini, Kur'ân bütünlüğü ve mantığı ile nasıl çeliştiğini ifade etmeye gayret edecek ve çalışmamızı tamamlayacağız.

1. KABİR-GAYB İLİŞKİSİ

Her şeyden önce şunu belirtmeliyiz: "Kabirde azap" konusu gaybî bir konudur; yani bilinemezler arasında yer almaktadır. Bakara 2/155'te beyan edildiği gibi şehitlerin diriliğinin hiç kimse tarafından anlaşılamayacağının belirtilmesi, konunun gayb alanına aidiyetini ortaya koymaktadır. Dolayısıyla bilinemez diye belirlenen bir konuda normal meseleler gibi haber verildiğini iddia etmek ihtiyatla karşılanmalıdır.

Meselenin gayb olması nedeniyle bu konuda söz söylemenin ciddiyetine dikkat çekilmesi gerekmektedir. Bu nedenle peygamberlik kurumuna dair aşırı yüceltmeci mantığın önüne geçilmesi hedeflenmeli, peygamberleri sadece ve sadece Yüce Allah nasıl tanıtmışsa onunla sınırlı olarak tanıtılması sağlanmalıdır. Gayba dayalı meselelerde maksadı aşan ifadelerden kaçınmak için inanç esaslarını zedeleyecek, istismara kapı aralayacak ve vahyin evrensel esaslarını tartışmaya açacak yaklaşımlardan uzak durulması gerektiği ümmetin zihnine kazınmalıdır.

Eğer bahsi geçen türden bedensel bir azap olsaydı, Kur'ân'da kabirlerden nasıl kalkılacağı söylenirken, oradaki azaptan söz edilmez miydi? Bu kadar ciddi bir konuda Yüce Allah'ın söylemediğini Hz. Peygamber söyleyebilir mi? Eğer kabirde azap varsa bunu gerçekleştirecek olan Yüce Allah'tır. O zaman bu konudaki bilgileri de Yüce Allah'ın kitabında aramak zorundayız.

2. RİVAYET-İNANÇ İLİŞKİSİ

Konunun Kur'ân'dan delilinin bulunmaması nedeniyle "kabirde azap" meselesi ağırlıklı olarak Hz. Peygamber'e nispet edilen rivayetler üzerinden işlenmektedir. Bu sebeple rivayetlerin güvenilirliği son derece önemli bir yer işgal etmekte, vahiy-rivayet karşılaştırmasında vahyin hakemliğinin öne çıkartılması ve tek ölçü olarak belirlenmesi bir zorunluluk arz etmektedir.

Kur'ân'ın hakemliğine başvurulduğunda pek çok rivayetin güvenilirliğinin şüpheli olduğu ortaya çıkmakta, zan ile inanç esası tespit etmenin ne kadar korkunç bir bozulmaya neden olduğu anlaşılmaktadır. Kur'ân'da genelde iman esaslarından söz eden âyetlere bakıldığında hiçbir âyette kabir hayatına imandan söz edilmediği, aksine ölüm sonrası hayat anlamında daima âhirete imana vurgu yapıldığı görülmektedir.[1] Bu âyetlerde ölümden sonraki dönem için inanılması gereken husus, sadece âhiret olarak tespit edilmektedir.

Kur'ân'da ölüm sonrası, kıyamet öncesine dair bir mekâna ve onun detaylarına imandan bahsedilmemesi, kabir hayatına inananların bu inançlarını Kur'ân ölçeğinde yeniden sorgulamak zorunda olduklarını göstermektedir. Bu bağlamda Âl-i 'Imrân 3/185'de "her canın ölümü tadacağı" ifadesinin ardından "insanlara ecirlerinin verileceği yer olarak kıyamet gününün belirlenmesi" ve arada başka bir âleme gönderme yapılmaması da bu gerçeğin bir delilidir.

---

1 Bu konuda birkaç örnek için bk. Bakara 2/4, 8, 177; Nisâ 4/136; Me'âric 70/26; ...

3. DÜNYA HAYATI VE ÂHİRET HAYATI

a) Bilinen haliyle hayat kavramı iki türlüdür.[1] Kur'ân'a göre hayat "dünya hayatı" ve "âhiret hayatı"[2] şeklinde ikiye ayrılmıştır. Şehitlerin özel durumu hariç, bu iki hayatın dışında üçüncü bir hayata Kur'ân'da değinilmemektedir. Durum böyle olunca, iki hayatın dışında Kur'ân'a rağmen bir üçüncü hayatı oluşturmaya kalkışmak, son derece hatalı bir davranıştır. Hayat, ruh ve beden birlikteliği ile anlam kazandığı için iki hayata göndermeler yapılmaktadır. Dünya ve âhiret hayatının karşılığı olarak Yüce Allah, Kur'ân'da dünya ve âhiret azabından söz etmektedir. Üçüncü bir hayat mevcut olmadığı için Kur'ân'da üçüncü bir hayata dair azap türünden de hiçbir şekilde söz edilmemektedir.

b) Hûd 11/15-16 ve Şûrâ 42/20. âyetlerde dünya hayatını isteyenlere, isteklerinin dünyada verileceği, böylelerinin âhirette ateşten başka nasiplerinin olmayacağı vurgulanmaktadır. Ayrıca Yûnus 10/64. âyette "müjdenin yeri" ve Fussılet 41/31'de inanıp istikamet sahibi olanlara "meleklerin dostluklarını" ilan ettikleri yer de "dünya hayatı ve âhiret hayatı" olarak belirlenmektedir. Kur'ân'da bu tür müjde içeren âyetlerde, müjdelenme yeri dünya ve âhiret olarak ifade eilmekte, üçüncü bir mekâna herhangi bir şekilde gönderme yapılmamaktadır.[3]

---

1 Bu değerlendirme için bk. Isfehânî, *age.*, s. 268-270.

2 Ayrıca dünya ve âhiret hayatı hakkındaki pek çok örnekten bir bölümü için bk. Bakara 2/85, 86, 114, 130, 212, 217, 220; Âl-i 'İmrân 3/22, 45, 56, 185; Nisâ 4/74, 77, 109; Mâide 5/5, 33, 41; En'âm 6/32; A'râf 7/32; Tevbe 9/38, 69, 74; Yûnus 10/64; Ra'd 13/26, 34; Nahl 16/41, 107, 117, 122; İsrâ 17/75; Hacc 22/9, 11, 15; Nûr 24/14; 'Ankebût 29/27, 64; Rûm 30/7; Ahzâb 33/27-28, 57; Mü'min 40/39, 43; Fussılet 41/16, 31; Zuhruf 43/35; Hadîd 57/20; Nâzi'ât 79/25; A'lâ 87/16-17.

3 Ödülün veya müjdenin âhirete veya hem dünyaya hem de âhirete aidiyeti hakkındaki âyetler için bk. Bakara 2/25, 97, 155, 223; Âl-i 'İmrân 3/126; Enfâl 8/10; Tevbe 9/21, 100, 112, 124; Yûnus 10/2, 4, 87; İsrâ 17/9; Kehf 18/2-3; Hacc 22/34, 37; Ahzâb 33/47; Yâsîn 36/11; Zümer 39/17;

c) Meleklerin dostluğunun neden sadece dünya ve âhiret için zikredildiği, kabirde niçin böyle bir dostluğa ihtiyaç hissedilmediği ve Yüce Allah'ın ikramının -varsa- kabirdeki kısmına neden değinilmediği de kabir hayatını kabul edenlerce cevaplandırılması gereken sorular arasında yer almaktadır.

d) Dünya ve âhiret dışında üçüncü bir karşılık yerinin bulunmadığı Âl-i 'İmrân 3/145 ve İsrâ 17/18-19'da da benzer içeriklerle sunulmaktadır. Özellikle Nahl 16/97'de, iyi işler yapanların güzel bir hayatla yaşatılacakları, ödüllerinin de en güzel şekilde verileceği ifade edilmekte, diğer âyetlerin de desteğiyle bu ödülün âhirette verileceği anlaşılmaktadır. Sâlih amel işlemenin yeri dünyadır; onun dünyevî karşılığı da, dünyada Rahmân'ın hoşnutluğunu kazanacak güzel bir hayat yaşamaktır. Bunun dışında, daha güzel karşılık ise âhirete özel kılınmakta, arada herhangi bir dönem veya mekâna işaret bulunmamaktadır.

e) İnsanların organlarının konuşturulacağı[1] ve hak ettiklerinin tam karşılığının verileceği yerin de "âhiret" olacağı Kur'ân'da belirtilmektedir.[2] İnsanlara hak ettiklerinin karşılığı âhirette verileceği ve bu işlemin sorgulama sonrasında gerçekleşeceği gerçeğine rağmen, söz konusu işlemlerin yaşanmayacağı kabirde azaba yönelik iddialar delilden yoksundur. Kabirde azap yoktur; çünkü orada bedenle birlikte asıl muhatap olan ruh yoktur. Zümer 39/42'de açıkça ifade edildiği gibi "ruh, Yüce Allah'ın kontrolündedir."

f) Kur'ân, kişilerin işledikleri amellerin karşılıklarını -en küçük bir parçası dahi göz ardı edilmeden- mutlaka

---

Fussılet 41/30; Şûrâ 42/23; Ahkâf 46/12; Hadîd 57/12; Saff 61/13; ...

1 Nûr 24/24; Yâsîn 36/65; Fussılet 41/20.

2 Nûr 24/25; Necm 53/40-41.

göreceklerini, bu karşılığın ya diri iken bu dünyada, ya da diriltildikten sonra âhirette veya her ikisinde olduğunu vurgulamaktadır. Ölüm anından kıyamet gününe kadar geçecek sürede, ölülere yönelik herhangi bir eylemden söz edilmemektedir. Bu bağlamda kıyamet sonrası dönem için kafirlerin vermek isteyeceği fidyenin kabul edilmeyeceğinden söz eden âyetler de dikkat çekmektedir. Kur'ân'a göre fidyenin verilme isteği, kıyamet sonrası cehennem azabıyla ilgilidir; kabirde bu tür bir fidye kabulü veya reddinden hiç söz edilmemektedir.[1]

g) Kur'ân'da bazı konularda kınanan muhatapların sürekli olarak âhiretteki cehennem ateşiyle tehdit edildikleri görülmektedir. Bunun, Kur'ân'da çok sayıda örneği vardır.[2] İnsanların dünya hayatlarında yaptıklarının ödül veya azap olarak karşılığından söz edilen âyetlerde ödül veya azabın yeri âhiret olarak belirlenmiştir. Eğer âhiretten önce ödül veya azaba konu olabilecek başka bir mekân veya zaman olsaydı, hem tehdidin hem de ödül veya cezanın, öncelikle daha yakın olan o zaman ve mekânla ilişkilendirilmesi gerekirdi. Bu konuda, yani daha yakın olduğu bilinen kabirde azabın olduğu veya olacağı tehdidinin yer aldığına dair elimizde herhangi bir Kur'ânî veri bulunmamaktadır. Eğer âhiretten önce bir hayat ve ona yönelik azap veya ödül verilecek olsaydı, bu tür tehdit veya teşvik âyetlerinde ona yönelik ifadeler de bulunurdu.

h) وَاِذْ قَالَ اِبْرٰهِيمُ رَبِّ اجْعَلْ هٰذَا بَلَدًا اٰمِنًا وَارْزُقْ اَهْلَهُ مِنَ الثَّمَرَاتِ مَنْ اٰمَنَ مِنْهُمْ بِاللّٰهِ وَالْيَوْمِ الْاٰخِرِ قَالَ وَمَنْ كَفَرَ فَاُمَتِّعُهُ قَلِيلًا ثُمَّ اَضْطَرُّهُٓ اِلٰى عَذَابِ النَّارِ وَبِئْسَ الْمَصِيرُ "İbrahim de demişti ki: 'Ey Rabbim! Burayı

---

1 Konuyla ilgili âyetler için bk. Âl-i 'İmrân 3/91; Mâide 5/36; Yûnus 10/54.

2 Örnekler için bk. Bakara 2/24, 174, 281; Âl-i 'İmrân 3/77; En'âm 6/15-16; A'râf 7/179; İsrâ 17/39; ...

güvenli bir şehir yap, halkından Allah'a ve âhiret gününe inananları çeşitli meyvelerle besle.' Allah buyurdu ki: İnkâr edenleri de az bir süre faydalandırır, sonra onu cehennem azabına sürüklerim. Ne kötü varılacak yerdir orası!"[1]

Hz. İbrahim'in, Yüce Allah'a yönelik gerçekleştirdiği bu duasında dile getirdiği nimetlendirilme isteği kâfirleri kapsamamaktaydı. Ancak Yüce Allah, kâfirleri az da olsa belli bir süre dünyada geçindireceğini, sonunda ateş azabına atacağını beyan etmektedir. Demek ki dünya hayatından sonra âhiret öncesinde başka bir hayat yoktur; eğer olsaydı, bu sıralamada mutlaka ve öncelikli olarak onun yer alması gerekirdi.

i) وَأُتْبِعُوا فِي هٰذِهِ لَعْنَةً وَيَوْمَ الْقِيٰمَةِ بِئْسَ الرِّفْدُ الْمَرْفُودُ "Onlar dünyada da, kıyamet gününde de lanete uğratıldılar. (Onlara) verilen bu armağan ne kötü armağandır!"[2]

Bu âyette Firavun taraftarlarının, başka âyetlerde de 'Âd kavminin[3] ve iffetli kadınlara iftira atanların lanete uğratılma yeri "dünya ve ahret" olarak belirlenmektedir.[4] İddia edildiği gibi eğer üçüncü bir hayat olsaydı herhâlde ona da bu bağlamda değinilirdi. Zaten Mü'min 40/46'nın izahında da ayrıntılı bir şekilde incelediğimiz gibi Firavun ve adamlarının azaba ilk uğratılma yeri dünyadır ve sonrasında da âhiret olacaktır.

4. HESAP GÜNÜ MÜ, HESAP GÜNLERİ Mİ?

a) Fâtiha sûresinin dördüncü âyetinde şöyle buyrulmaktadır:

---

1 Bakara 2/126.
2 Hûd 11/99.
3 Hûd 11/60.
4 Nûr 24/23.

مَالِكِ يَوْمِ الدِّينِ "(O), din gününün sahibidir." Bu âyette geçen, يَوْمِ الدِّينِ "Din günü" ifadesinden maksat "hesap günü"dür, yani "ceza günü, karşılık günü"dür. Eğer dünya hayatındaki davranışların karşılığı âhiretten başka bir yerde de görülecek olsaydı, bu âyette "hesap günü"nden değil, "hesap günleri"nden söz edilirdi. Bu anlamda Kur'ân'ın herhangi bir âyetinde مَالِكِ دين القبر "Kabir hesabının sahibi" veya مَالِكِ أيام الدين "Hesap günlerinin sahibi" şeklinde ifadelerin bulunmadığı, Kur'ân ehli herkesin bildiği bir gerçektir.

b) Hesabın yaklaşmasıyla ilgili olarak şöyle buyrulmaktadır:

اِقْتَرَبَ لِلنَّاسِ حِسَابُهُمْ وَهُمْ فِي غَفْلَةٍ مُعْرِضُونَ "İnsanların hesaba çekilecekleri (gün) yaklaştı. Hal böyle iken onlar, gaflet içinde yüz çevirdiler."[1] Bu âyet, hesabın herkesi içerdiğini ve bunun kıyamet sonrası dönemde gerçekleşeceğini açıkça ortaya koymakta, dolayısıyla kabirde azapla ilgili kabuller bu ve benzer âyetlerle çelişmektedir. Kur'ân'da hesap günüyle ilgili pek çok âyet[2] bulunmasına rağmen, o âyetlerin hiçbirisinde âhiretten başka herhangi bir yerde veya zamanda hesaptan söz edilmemektedir. Bu durum, dünya hayatından sonra ve mahşerden önce herhangi bir yerde ve zamanda bedensel bir azaptan söz edilmemesi gerektiğini de göstermektedir.

Kabir azabını kabul edenlerin hiçbirisi bu âyeti ilgili azaba delil saymadığı gibi müfessirlerimiz de âyetteki "yaklaşan hesabı" kabirle ilişkilendirmemişlerdir. Çünkü burada sözü

1 Enbiyâ 21/1.

2 Hesabın âhirette şekilleneceği veya âhiret azabından korunma isteği konusunda başka örnek âyetler için bk. Bakara 2/284; Âl-i 'İmrân 3/16, 147, 193; Nisâ 4/137, 168; Mâide 5/18, 40; İbrahim 14/41; Hıcr 15/35; Mü'minûn 23/117; Şu'arâ 26/82, 113; Sâffât 37/20; Sâd 38/78; Ahkâf 46/31; Fetih 48/14; Zâriyât 51/6; 12; Vâkı'a 56/56; Saff 61/12; Talâk 65/8; Me'âric 70/26; Müddessir 74/46; Nebe' 78/36; İnfitâr 82/9; 15; 17; 18; Mütaffifûn 83/11; Tîn 95/7; Mâ'ûn 107/1.

edilen hesabın yakınlığı tıpkı, اِنَّهُمْ يَرَوْنَهُ بَعِيدًاۙ وَنَرٰيهُ قَرِيبًاۜ "Doğrusu onlar, o azabı uzak görüyorlar. Biz ise onu yakın görmekteyiz"[1] âyetinde olduğu gibi kıyametin ve dolayısıyla âhiret azabının Yüce Allah'a göre yakınlığıyla da örtüşmektedir. Yakın olan hesap âhirettedir. Ondan daha yakın olduğu iddia edilen kabirde azaba Kur'ân'da değinilmemiştir.

Bu arada hesabın kabirde başladığını gösteren bunca rivayet, senet bakımından veya metin açısından eleştiriye tabi tutulmadan bazılarınca kabul edildiği için, hesabın başlama zamanını bildiren âyetlerin anlamı da kapalı kalmaktadır. Bu âyetten de anlaşıldığına göre, "hesabın görülme yeri âhirettir; kabir değildir." Eğer iddia edildiği gibi kabirde de hesap olsaydı bu âyette yaklaştığı bildirilen "hesap" tekil değil, "hesaplar" şeklinde çoğul olmalıydı.

c) Bağışlanma ve azaba uğratılma yeri hakkında şöyle buyrulmaktadır:

لِلّٰهِ مَا فِي السَّمٰوَاتِ وَمَا فِي الْاَرْضِۜ وَاِنْ تُبْدُوا مَا فٖٓي اَنْفُسِكُمْ اَوْ تُخْفُوهُ يُحَاسِبْكُمْ بِهِ اللّٰهُۜ فَيَغْفِرُ لِمَنْ يَشَٓاءُ وَيُعَذِّبُ مَنْ يَشَٓاءُۜ وَاللّٰهُ عَلٰى كُلِّ شَيْءٍ قَدٖيرٌ "Göklerde ve yerdekilerin hepsi Allah'ındır. İçinizdekileri açığa vursanız da gizleseniz de Allah ondan dolayı sizi hesaba çekecektir, sonra dilediğini affeder, dilediğine de azap eder. Allah, her şeye kâdirdir."[2] Yüce Allah, bu âyette azabın ve bağışlamanın gerçekleşme zamanını ve yerini insanların hesaba çekilmesinden sonraki dönem olarak belirlemiştir ki bu dönem âhirettir.

وَالَّذٖٓي اَطْمَعُ اَنْ يَغْفِرَ لٖي خَطٖيٓـَٔتٖي يَوْمَ الدّٖينِۜ "Hesap günü hatalarımı bağışlayacağını umduğum O'dur"[3] âyetine göre Hz. İbrahim de Rabbinden, hatasının din gününde, yani hesap gününde bağışlanmasını dilemektedir. Bu âyetten de, ilgili pek çok

1 Me'âric 70/6-7.
2 Bakara 2/248.
3 Şu'arâ 26/82.

âyetten de anlaşılıyor ki, hesap âhirettedir. Azap veya ödül kararı da haliyle orada verilecektir. Daha öncesine ait herhangi bir yargılamadan ve bunun sonucunda gerçekleştirilecek ödül veya azaptan Kur'ân'da bahis yoktur.

d) İnsanların ve cinlerin sorgulanma zamanıyla ilgili şu âyet dikkat çekicidir:

سَنَفْرُغُ لَكُمْ اَيُّهَا الثَّقَلَانِ "Ey insan ve cin (topluluğu)! Sizin de hesabınızı ele alacağız."[1] Bu âyet insanların ve cinlerin hesaba çekilmeleri için yeterli imkânın var olduğunu belirtmektedir. Bu ifade aynı sûrenin "Yeryüzünde bulunan her şeyin fânî olduğu, sadece Yüce Allah'ın bâkî kalacağı" gerçeğini bildiren 26-28. âyetlerinden sonra gelmektedir. Dolayısıyla bize göre bu durum, kıyamet-âhiret sürecinde meydana gelecek olan sorgulama işleminin diğer bir şekilde ifade edilmesidir. İnsanların ve cinlerin sorgulanması eğer daha önce başka bir yerde de gerçekleştirilecek olsaydı, Kur'ân'da oraya dair de bir işarete yer verilirdi. Rahmân 55/56 ve 74'te cennetliklere verilecek ödüllerden söz edilirken, bunun ilgili sorgulama sonrasına ait olacağı anlaşılmaktadır.

e) اِلَّا مَنْ تَوَلّٰى وَكَفَرَ فَيُعَذِّبُهُ اللّٰهُ الْعَذَابَ الْاَكْبَرَ اِنَّ اِلَيْنَآ اِيَابَهُمْ ثُمَّ اِنَّ عَلَيْنَا حِسَابَهُمْ "Ancak her kim yüz çevirir inkâr ederse, işte Allah öylesini en büyük azap ile cezalandırır. Şüphesiz onların dönüşü sadece bizedir. Sonra onların sorguya çekilmesi de sadece bize aittir."[2]

Ğâşiye sûresinin son âyetinde Yüce Allah, insanlara yönelik hesabın sadece kendisine ait olduğunu belirtirken, önceki âyetlerin işaretiyle bu hesabın zamanını "kıyamet sonrası" diye belirlemektedir. Kıyamet-âhiret sürecinden daha önce bir sunulma olmayacağına göre, daha önce farklı

1 Rahmân 55/31.

2 Ğâşiye 88/23-26.

bir yerde farklı bir hesap görme de gerçekleşmeyecektir. Bu konuda İnşikâk 84/8'de dile getirilen "kolay hesap" işlemi de bağlam gereği kıyamet sonrasındaki bir işlem olarak anlaşılmak zorundadır.

f) Asıl zor gün ve sorgulama âhirette gerçekleşeceğine göre rivayetlerde yer aldığı üzere kabir aşamasını geçenin asıl zoru başarmış olacağını iddia etmek, âhireti hafife almaktır. Kaldı ki küçük-büyük her yapılanın kaydedildiği ve her şeyin bir bir sayılıp döküldüğü amel defterinin ortaya konulması, hatta Bakara 2/284'e göre niyetlerin dahi sorgulamaya tabi tutulmasına kıyasla çok daha az soru cümlesi içereceği iddia edilen kabir sorgulanmasını kabul etmek, en basit ifadesiyle kıyamet-âhiret sürecindeki asıl sorgulamayı küçümsemek anlamına gelmektedir.

g) Kur'ân'da her canın ölümü tadacağından söz eden âyetler vardır. Âl-i 'İmrân 3/185'te de ölümü tadan canların, ölümden sonra kendilerine yaptıklarının karşılığının verilme yeri âhiret olarak belirlenmektedir. Aynı âyette, âhirette ateşten uzak tutulup cennete sokulanların kurtuluşa ermiş olduklarına ve dünya hayatının ise aldatıcı bir zevkten ibaret olduğuna vurgu yapılmaktadır. Enbiyâ 21/35'te her canın ölümü tadacağı, bu dünyadaki hayır ve şerrin insanları denemeye yönelik olduğu ve dönüşün de Yüce Allah'a olacağı ifade edilmektedir. 'Ankebût 29/57'deki ifadelere göre kişi ölümü tattıktan sonra Allah'a döndürülecektir.

Mahşerdeki "diriltilme" aşamasından sonraki "toplanma" işleminin ardından, "Yüce Allah'a sunulma" gerçekleşecektir. Hesaba çekilmek için Allah'a sunulmanın yeri âhirettir; Kur'ân'da daha öncesine dair herhangi bir hesaptan da hesap için Allah'a sunulmadan da bahis yoktur.

5. ÖLENLER İÇİN ZAMAN KAVRAMI

Eğer iddia edildiği gibi kabirde azap varsa, ilk insan neslinden itibaren ölüp kabirde azaba uğratılanlar ile hemen kıyamet esnasında ölüp kabirde azabı hak etmesine rağmen, ondan kurtulanlar arasında bir adaletsizliğin olacağı herkesin malumudur. Benzer şekilde, eğer kabirde iddia edildiği gibi nimetlendirilme de varsa dünya hayatında iyilik sahibi olup kıyamet esnasında ölenlerin kabir/berzah nimetlerinden mahrum kalması sonucu ortaya çıkacaktır. Bu durum, aynı sonucu hak edenler arasında bir çeşit adaletsizlik yaşanacağını kabul etmek anlamına gelmektedir. Oysa Yüce Allah, kulları arasında adaletsizlik yapmaktan münezzehtir.

Ölüm ile kıyamet arasında geçen dönem aslında herkes için aynı süreyi içerecektir; tıpkı ashâb-ı kehfin (mağara delikanlılarının) mağarada asırlarca uyutulmalarına rağmen bu süreyi hissetmemeleri, sanki bir an uyutulup uyandırılmaları hali gibi. Esasında beden öldükten sonra mahşere kadar muhatap sadece ruhtur ve ona yönelik uygulamalar hakkında Kur'ân'da açık bilgiler yoktur. Zaman kavramı "beden-ruh" birlikteliği varsa anlaşılabilirdir; bedenden ayrılan ruh için tanımlanabilecek bir zaman kavramı da yoktur. Bu açıdan ölüm sonrasında bedene değil de ruha yönelik bildirimler yaşanacağı için konuyu bedenle ilişkilendirmek ve zamanı anlaşılamaz bir başka tarife hapsetmek doğru değildir.

6. YAKIN AZAP HANGİSİDİR?

اِنَّٓا اَنْذَرْنَاكُمْ عَذَابًا قَرِيبًاۚ يَوْمَ يَنْظُرُ الْمَرْءُ مَا قَدَّمَتْ يَدَاهُ وَيَقُولُ الْكَافِرُ يَا لَيْتَنِي كُنْتُ تُرَابًا "Biz, yakın bir azap ile sizi uyardık. O gün kişi önceden yaptıklarına bakacak ve inkârcı kişi, 'Âh, keşke toprak olsaydım!' diyecektir."[1]

1 Nebe' 78/40.

Yüce Allah, burada çok açık bir şekilde insanları "yakın bir azap" ile uyardığını söylemektedir. Söz konusu bu yakın azap, âyetin bağlamından ve devam eden cümlelerinden de kolayca anlaşılabileceği gibi "kıyamet günü gerçekleşecek azap"tır. Kâfirler işte o gün, dünyadayken yaptıkları önlerine getirildiğinde pişmanlık duyacak ve "Âh, keşke toprak olsaydım!" diyeceklerdir. Nebe' sûresinin içeriğine bakıldığında "büyük haber" diye bir soru sorulduğu ve cevabının da kıyamet-âhiret süreci şeklinde verildiği görülmektedir.

Bu arada diriltilmeyi kabul etmeyenlere yönelik olarak dünyanın sahip olduğu muhteşem düzen ibret olsun diye hatırlatılarak, tabiattaki dirilişin aslında âhiretteki dirilişi haber verdiği ve gösterdiği ifade edilmektedir. İşte bu bağlamda özellikle de Nebe' 78/17'den sonra kıyamet ve sonrası tanıtılmakta, önce 21-30. âyetler arasında cehennemliklerle ilgili yaşanacaklar verildikten sonra, 31. âyetten itibaren bu defa muttakîlerle ilgili ödüllerden söz edilmektedir. 37 ve 38. âyetlerde (o gün) Yüce Allah'ın izin verdiği meleklerden başka hiç kimsenin konuşamayacağı, onların da sadece gerçeği konuşacakları, bir anlamda gerçeğe şahitlik edecekleri belirtildikten sonra 39. âyette kıyamet gününün "gerçek" olduğu vurgulanmakta, 40. âyette de Yüce Allah'ın insanlara dünyada ilettiği "yakın azap" uyarısı yer almaktadır. Eğer iddia edildiği gibi âhiretten daha önce kabirde sorgulama ve azap/ödül söz konusu olsaydı, daha erken olan bu azaptan söz edilmesi gerekirdi ki bu iddia, yorumunu yaptığımız âyete de Kur'ân'ın konuyla ilgili diğer âyetlerine de açıkça ters olurdu.

Müddessir 74/17'deki "sarp yokuş", yine Müddessir 74/26'daki "sekar", 'Alak 96/18'deki "cehennem zebanilerinin çağrılması", Fecr 89/44'teki "Âh, keşke bu hayatım için iyilikler takdim etseydim" pişmanlığı, Leyl 92/7 ve 10'daki "kolay"ın ve "zor"un, yani cennetin ve cehennemin kolaylaştırılması, Ğâşiye 88/24'teki "büyük azap" tehdidi, hâsılı ister yakın, isterse biraz daha yakın diye tanıtılsın, hak edenlerine yönelik azap, "İnsanlar her ne kadar uzak görseler de Allah'a göre kıyamet yakındır"[1] âyetlerine göre elbette yakındır. İşte bu nedenledir ki Nebe' 40'taki "yakın azap" ifadesi, ölüm sonrasına ait tek azabı, yani âhiretteki bedensel azabı haber vermektedir.

7. KÜÇÜK GÜNAHLAR-KABİR AZABI İLİŞKİSİ

Kabirde azap, ele aldığımız çeşitli rivayetlerden de anlaşılacağı gibi, genellikle "küfür, şirk, nifak" gibi büyük günahlarla değil, "idrar sıçratma" ve "laf taşıma" gibi günahlarla ilişkilendirilmektedir. Kabirde azaba uğratılan kişi eğer büyük günahları da olan biri ise bu defa kabirde azap hafife alınmış olacak, caydırıcılık özelliğini kaybedecektir. Çünkü yakın tehditten kaçınmaya çalışmanın gerekçesi basit hatalarla sınırlı tutulamaz; yakın tehdit daima daha büyük hatalardan kaçınmayı amaçlamalıdır.

Yüce Allah da küçük günahları silmeyi, örtmeyi veya affetmeyi büyüklerinden kaçınmaya bağlamıştır. İlgili âyetler şöyledir:

a) اِنْ تَجْتَنِبُوا كَبَٓائِرَ مَا تُنْهَوْنَ عَنْهُ نُكَفِّرْ عَنْكُمْ سَيِّاٰتِكُمْ وَنُدْخِلْكُمْ مُدْخَلًا كَرِيمًا "Eğer yasaklandığınız büyük günahlardan kaçınırsanız, küçük günahlarınızı örteriz ve sizi şerefli bir yere sokarız."[2] Bu âyette Yüce Allah, insanların سَيِّاٰتِ *seyyiât* denen hatalarını örtmesini ve sahiplerini değerli bir yere, cennete koy-

---

1 Âyetlerin metni şöyledir: اِنَّهُم يَرَوْنَه بَعِيداً وَنَرٰيه قَرِيباً "Onlar onu (kıyameti) uzak görüyorlar; biz ise yakın görüyoruz" (Me'âric 70/6-7).

2 Nisâ 4/31.

masını tartışılmaz bir şekilde insanların, yasaklanan hataların büyüklerinden kaçınmaları şartına bağlamaktadır.

b) وَلِلّٰهِ مَا فِي السَّمٰوَاتِ وَمَا فِي الْاَرْضِ لِيَجْزِيَ الَّذ۪ينَ اَسَٓاؤُ۫ا بِمَا عَمِلُوا وَيَجْزِيَ الَّذ۪ينَ اَحْسَنُوا بِالْحُسْنٰى اَلَّذ۪ينَ يَجْتَنِبُونَ كَبَٓائِرَ الْاِثْمِ وَالْفَوَاحِشَ اِلَّا اللَّمَمَ اِنَّ رَبَّكَ وَاسِعُ الْمَغْفِرَةِ "Göklerde ve yerde bulunanlar hep Allah'ındır. Bu, Allah'ın, kötülük edenleri yaptıklarıyla cezalandırması, güzel davrananları da daha güzeliyle mükâfatlandırması içindir. Ufak tefek kusurları dışında, büyük günahlardan ve edepsizliklerden kaçınanlara gelince, bil ki Rabbin, affı bol olandır."[1] İşte burada da durum benzer bir şekil arz etmektedir. Yani Yüce Allah, büyük günahlardan ve edepsizliklerden kaçınıp اللَّمَم *el-lemem* denen ufak tefek hataları işleyenleri engin mağfireti gereği bağışlayacağını bildirmektedir. Demek ki büyük günahlardan kaçınanların küçük günahları Yüce Allah tarafından örtülecektir. Dolayısıyla kabirde azapla ilgili rivayetler bu ve benzer âyetler çerçevesinde yeniden değerlendirilmek zorundadır; çünkü bu âyetlerin mesajı ışığında söz konusu rivayetlerin sorunlu olduğu ortaya çıkmaktadır.

Diğer taraftan, genelde bilindiği ve bazı rivayetlerde de ifade edildiği üzere, "idrarını üzerine sıçratmak" gibi diğerlerine göre daha küçük görülen günahlardan bu şekilde azap görülürse, daha büyük günah işleyenlerin, inançsızların veya münafıkların durumu hakkında neden bilgi verilmediği ya da hiç olmazsa diğerleri kadar yaygın bilgi verilmediği de merak konusudur. Bazı nakillerde Hz. Peygamber'in kabir hayatını en önemli durak olarak tanımladığı iddia edilmektedir. Eğer bu iddia doğru ise o zaman en önemli durağın en hassas inanç aykırılıklarını ihmal edeceği sonucu kendiliğinden ortaya çıkmaz mı?

---

1 Necm 53/31-32.

8. AZAP-AĞAÇ İLİŞKİSİ

Rivayetlerde yer alan iddialara göre, Hz. Peygamber'in mezara ağaç dalı koymasıyla azap durdurulmaktadır. Öyleyse, bütün ağaçları kesip mezarlara koymak ya da mezarları ormanlarda kazmak pratik bir çözüm olamaz mı? Burada eğer "azaptan kurtarmada veya azabın hafifletilmesinde fidanı diken kişi etkilidir" denirse, "Hz. Peygamber'den sonra ölenlerin suçu nedir ki onların mezarına fidan dikilemiyor?" sorusu akla gelir. Kaldı ki o dönemde küçük günah sahibi olarak ölen herkesin mezarına fidan dikilip dikilmediği de mevcut rivayetlerden anlaşılamamaktadır. Eğer, "o dönemde ölenlerin küçük günahları da yoktu" denirse, bu ifadeye söyleyecek bir sözümüz zaten olamaz.

9. KABİRLERDEN SES İŞİTME MESELESİ

Kabirde yaşananların insanlar tarafından duyulduğundan söz eden rivayetler hakkında şu kadarını söylemekle yetinmek istiyoruz: İlk muhatap Hz. Peygamber de dâhil olmak üzere kabirlerdeki insanların hiçbirisinden herhangi bir şeyin hissedilemeyeceği Kur'ân'da şöyle beyan edilmektedir:

وَكَمْ اَهْلَكْنَا قَبْلَهُمْ مِنْ قَرْنٍ هَلْ تُحِسُّ مِنْهُمْ مِنْ اَحَدٍ اَوْ تَسْمَعُ لَهُمْ رِكْزًا

"Biz, onlardan önce nice nesilleri helâk ettik. Sen, onlardan herhangi birinden (bir varlık işareti) hissediyor veya onlara ait cılız bir ses işitiyor musun?"[1] Şüphesiz bu âyetteki asıl anlam, eski kavimlerin helâk olduğunu, artık ses anlamında onlara ait herhangi bir varlık işaretinin bulunmadığını beyandır.

Ancak özellikle son cümledeki, اَوْ تَسْمَعُ لَهُمْ رِكْزً "Onlara ait cılız bir ses işitiyor musun?" ifadesi, bizim işlediğimiz konuya

---

1 Meryem 19/98.

da delil olabilir. Hz. Peygamber'in, geçmiş din mensuplarına, mesela Yahudilere ait olan kabirlerden ölülerin sesini duyduğu ifade edilen rivayetlerdeki bilgiler, işte bu âyetin son cümlesiyle açıkça çelişmektedir. Çünkü buradaki, مِنْ اَحَدٍ *min edah* ifadesi, mutlak anlamda "herhangi bir kimse" anlamına gelmektedir. Dolayısıyla geçmiş nesillerden hiç kimsenin sesinin duyulamayacağı bu şekilde ifade edilmiş olmaktadır.

10. SORGULAMADA ŞAHİTLİK

Âhiret sürecinden söz eden âyetlerde dikkatimizi çeken konulardan biri de sorgulamada her ümmetten bir şâhidin getirilmesi konusudur. Bu anlamda Kur'ân'da örnekler bulunmaktadır.

a) وَيَوْمَ نَبْعَثُ مِنْ كُلِّ اُمَّةٍ شَهِيدًا ثُمَّ لَا يُؤْذَنُ لِلَّذِينَ كَفَرُوا وَلَا هُمْ يُسْتَعْتَبُونَ
"Her ümmetten bir şahit göndereceğimiz gün, artık ne kâfir olanların (özür dilemelerine) izin verilir ne de onların özür dilemeleri istenir."[1]

b) وَيَوْمَ نَبْعَثُ فِي كُلِّ اُمَّةٍ شَهِيدًا عَلَيْهِمْ مِنْ اَنْفُسِهِمْ وَجِئْنَا بِكَ شَهِيدًا عَلٰى هٰٓؤُلَٓاءِ وَنَزَّلْنَا عَلَيْكَ الْكِتَابَ تِبْيَانًا لِكُلِّ شَيْءٍ وَهُدًى وَرَحْمَةً وَبُشْرٰى لِلْمُسْلِمِينَ
"O gün her ümmetin içinden kendilerine birer şahit göndereceğiz. Seni de hepsinin üzerine şahit olarak getireceğiz. Ayrıca bu Kitâb'ı da sana, her şey için bir açıklama, bir hidayet ve rahmet kaynağı, Müslümanlar için bir müjde olarak indirdik."[2]

Sorguda şahitlik kurumunun esas olduğunun anlaşıldığı bu âyetler, bize şahitsiz sorgulamanın yapılamayacağını göstermektedir. Kabirde iddia edilen sorgulama bu esastan yoksun olacağı için gerçekliği de delilsiz kalmaktadır.

---

1 Nahl 16/84.

2 Nahl 16/89.

c) Şahitlik konusunda şu âyet de ilginç bir mesaj taşımaktadır:

ذٰلِكَ يَوْمٌ مَجْمُوعٌ لَهُ النَّاسُ وَذٰلِكَ يَوْمٌ مَشْهُودٌ "O gün bütün insanların bir araya toplandığı bir gündür ve o gün (bütün mahlûkatın) hazır bulunduğu bir gündür."[1] Bu âyete göre bütün insanlar kıyamet gününde hazır bulundurulacaktır ve işte o gün, şahitli bir gün olacaktır. Bu âyetteki, وَذٰلِكَ يَوْمٌ مَشْهُودٌ "O gün (bütün mahlûkatın) hazır bulunduğu bir gündür" cümlesi hem her şeyin ortaya konacağını bildirmekte hem de insanların yargılanmasının şahitler huzurunda yapılacağını ifade etmektedir.

d) اِنَّا لَنَنْصُرُ رُسُلَنَا وَالَّذِينَ اٰمَنُوا فِي الْحَيٰوةِ الدُّنْيَا وَيَوْمَ يَقُومُ الْاَشْهَادُ يَوْمَ لَا يَنْفَعُ الظَّالِمِينَ مَعْذِرَتُهُمْ وَلَهُمُ اللَّعْنَةُ وَلَهُمْ سُوٓءُ الدَّارِ "Şüphesiz peygamberlerimize ve iman edenlere, hem dünya hayatında hem şahitlerin şahitlik edecekleri günde yardım ederiz. O gün zalimlere, özür dilemeleri hiçbir fayda sağlamaz. Artık lanet de onlarındır, kötü yurt da!"[2]

Yüce Allah, bu âyetlerde elçilerine ve inananlara hem dünya hayatında hem de şahitlerin (şahitliğe) duracağı günde yardım edeceğini belirtmektedir. Buradan açıkça anlaşılıyor ki, yardımın yapılma yeri hem dünyadır hem de âhirettir. Şahitlik kurumu dünya ve âhiret dışında başka yerlerle ilişkilendirilmemektedir.

Âhiretteki yargılamanın en önemli özelliklerinden biri, sorgulamanın açık yapılacak olmasıdır. İnsanların dünyadayken belki de gizlice yaptıkları günahlar âhiretteki yargılamada insanlar veya diğer şahitler önünde meydana dökülecektir. Bu durum, suçlular için ayrı bir utanç sebebi ve farklı bir azap türü olacaktır.

1 Hûd 11/103.
2 Mü'min 40/51-52.

e) Hz. Peygamber'in gönderiliş misyonunun ele alındığı âyetlerden birinde şöyle buyrulmaktadır:

يَٓا اَيُّهَا النَّبِيُّ اِنَّٓا اَرْسَلْنَاكَ شَاهِدًا وَمُبَشِّرًا وَنَذٖيرًاۙ "Ey Peygamber! Biz seni hakikaten bir şahit, bir müjdeleyici ve bir uyarıcı olarak gönderdik."[1] Bu âyette Hz. Peygamber'in bu dünyadaki şahitlik görevine dikkat çekilmektedir. Aynı şekilde bu görevin âhirette de gerçekleşeceğini ise şu âyetler haber vermektedir:

وَكَذٰلِكَ جَعَلْنَاكُمْ اُمَّةً وَسَطًا لِتَكُونُوا شُهَدَٓاءَ عَلَى النَّاسِ وَيَكُونَ الرَّسُولُ عَلَيْكُمْ شَهٖيدًا "İşte böylece sizin insanlığa şahitler olmanız, Rasûl'ün de size şahit olması için sizi orta/dengeli bir millet kıldık."[2]

فَكَيْفَ اِذَا جِئْنَا مِنْ كُلِّ اُمَّةٍ بِشَهٖيدٍ وَجِئْنَا بِكَ عَلٰى هٰٓؤُلَٓاءِ شَهٖيدًا "Her bir ümmetten bir şahit getireceğimiz ve seni de bu ümmete şahit olarak sunacağımız zaman, halleri nice olacaktır!"[3]

Her ümmetten âhiret sürecinde bir şahit getirileceğine ve Hz. Peygamber de, bu ümmet için âhirette şahitlik edeceğine göre, bu durumun kabir hayatında neden gerçekleşmeyeceği cevap bekleyen sorulardandır. Eğer kabirde sorgulama olacaksa, o esnada şâhidin getirilmesinin gerekmediğini iddia etmek doğru olmasa gerektir. Çünkü âhiretteki zorluklar, iddiaya göre büyük oranda kabirde de gerçekleşeceğine göre kabirde şâhidin getirilmesinden söz edilmemesi, kabir sorgulaması kabulünü bu konuda da delilsiz bırakmaktadır.

11. SORGULAMADAKİ ÖNDERLER

يَوْمَ نَدْعُوا كُلَّ اُنَاسٍ بِاِمَامِهِمْۚ فَمَنْ اُو۫تِيَ كِتَابَهُ بِيَمٖينِهٖ فَاُو۬لٰٓئِكَ يَقْرَؤُ۫نَ كِتَابَهُمْ وَلَا يُظْلَمُونَ فَتٖيلًا "Her insan topluluğunu önderleri ile birlikte çağıracağımız o günde; kimlerin kitabı (amel defteri) sağın-

1 Ahzâb 33/45. Benzer âyetler için ayrıca bk. Fetih 48/8.

2 Bakara 2/143.

3 Nisâ 4/41. Ayrıca Âl-i 'Imrân 140. âyette de dünyadaki fedakârlıkların var edilme sebeplerinden birisi "insanlardan şahitler edinilmesi" olarak belirlenmektedir.

dan verilirse, onlar en küçük bir haksızlığa uğramamış olarak kitaplarını (amel defterlerini) okuyacaklardır."[1]

Sorgulamada yaşanacaklar arasında "önderlerin de duruşmaya çağrılacağı" bu âyette ifade edilmektedir. Âhiret sorgulamasında her insan topluluğu önderleriyle birlikte çağrılacaktır. Bu duruşmada amel defteri kendisine sağ tarafından verilenler, kitaplarını okuyacak ve hiçbir şekilde haksızlığa da uğratılmayacaklardır. Her ümmetin, ilâhî huzurda diz çökmüş olarak toplanmasından söz eden Câsiye 45/28 ile birlikte bu âyeti düşündüğümüzde, kitabı sağ tarafından verilenlerin hiçbir şekilde haksızlığa uğratılmadan kitaplarını (amel defterlerini) okuyacakları anlaşılmaktadır.

Bilgilendirilme ve sorgulamadaki sıkıntı anında ümmetler, kendi önderleriyle çağrılmış oldukları, ayrıca kendilerine kendi grupları içinden birer şahidin getirileceği de hükme bağlanmış olacaktır. Bu nedenle, bütün bu uygulamaların âhiret sürecine dahil olduğu, daha önceki herhangi bir dönem veya mekânda buna benzer uygulamaların meydana gelmeyeceği açıkça ortadadır. Başka bir ifadeyle, kabirde eğer iddia edildiği gibi bir sorgulanma yaşanacaksa o sorgulamada ümmetlerin peygamberlerinin de bulunması gerekecektir. Denilebilir ki zaten peygamberler de ölmüş oldukları için belki onlar da orada bulunuyorlardır. Ancak bu ifade peygamberlerinden önce ölenler için kesinlikle doğru olmayacaktır.

12. HAYATIN BEŞ AŞAMASI

كَيْفَ تَكْفُرُونَ بِاللّٰهِ وَكُنْتُمْ اَمْوَاتًا فَاَحْيَاكُمْۚ ثُمَّ يُمِيتُكُمْ ثُمَّ يُحْيِيكُمْ ثُمَّ اِلَيْهِ تُرْجَعُونَ "(Ey kâfirler!) Siz ölüler iken sizi dirilten (dünyaya

1 İsrâ 17/71.

getirip hayat veren) Allah'ı nasıl inkâr ediyorsunuz? Sonra sizi öldürecek, tekrar sizi diriltecek ve sonunda sadece O'na döndürüleceksiniz."[1]

Bu âyette hayatın bütün aşamalarından söz edilmektedir. Bu aşamalar "bedenin can ve ruhtan yoksun olduğu ilk dönem, dünya hayatı, ölüm, diriltilme ve Allah'a döndürülmedir." Âhirette diriltilme sonrasında yaşanacaklar arasında "mahşerde diriltilme aşaması" da yer almaktadır. Bu âyete göre ölümden sonra gerçekleştirilecek diriltilme işleminin ardından toplanma ve Allah'a sunulma yaşanacağı için âhiretteki diriltilmenin öncesinde başka bir dönemden söz etmek, bu âyete göre doğru değildir. Çünkü insanın dünya hayatının öncesi ve sonrası itibarıyla bütün aşamaları söz konusu âyette yer almaktadır.

13. DÜNYAYA GÖNDERİLME VE CEHENNEMDEN ÇIKARTILMA İSTEKLERİ

Bu konuda Kur'ân'da çeşitli âyetler yer almakta, söz konusu isteklerin yeri "mahşer" olarak belirlenmektedir:

a) وَقَالَ الَّذِينَ اتَّبَعُوا لَوْ اَنَّ لَنَا كَرَّةً فَنَتَبَرَّاَ مِنْهُمْ كَمَا تَبَرَّؤُا مِنَّا كَذٰلِكَ يُرِيهِمُ اللّٰهُ اَعْمَالَهُمْ حَسَرَاتٍ عَلَيْهِمْ وَمَا هُمْ بِخَارِجِينَ مِنَ النَّارِ "(Kötülere) uyanlar şöyle derler: Keşke bir daha dünyaya geri gitmemiz mümkün olsaydı da, şimdi onların bizden uzaklaştıkları gibi biz de onlardan uzaklaşsaydık! Böylece Allah onlara, işlerini pişmanlık ve üzüntü kaynağı olarak gösterir ve onlar artık ateşten çıkamazlar."[2] Bu âyetin öncesinde, yani Bakara 2/165 ve 166. âyetlerdeki ifadeler bu isteğin mahşerde gerçekleşeceğini açıkça göstermektedir. Çünkü "zalimlerin azabı görmel-

---

1 Bakara 2/28.

2 Bakara 2/167.

eri, saptıranların sapanlardan uzaklaşması" ve "aralarındaki bütün ilişkilerin kopması" şeklindeki ifadeler bu isteğin mahşerde yaşanacağının delilidir.

b) يُرِيدُونَ اَنْ يَخْرُجُوا مِنَ النَّارِ وَمَا هُمْ بِخَارِجِينَ مِنْهَا وَلَهُمْ عَذَابٌ مُقِيمٌ "Ateşten çıkmak isterler, fakat onlar oradan çıkacak değillerdir. Onlar için devamlı bir azap vardır."[1] Bu âyet, hemen öncesindeki âyetin devamı olduğu için içerisinden çıkılması istenen ateş azabı da cehennem ateşidir.

c) وَلَوْ تَرَى اِذْ وُقِفُوا عَلَى النَّارِ فَقَالُوا يَا لَيْتَنَا نُرَدُّ وَلَا نُكَذِّبَ بِاٰيَاتِ رَبِّنَا وَنَكُونَ مِنَ الْمُؤْمِنِينَ "Onların ateşin karşısında durdurulup 'Âh, keşke dünyaya geri gönderilsek de bir daha Rabbimizin âyetlerini yalanlamasak ve inananlardan olsak!' dediklerini bir görsen!"[2] Âyetteki mesajın mahşerdeki ateş azabını ifade ettiği ve oradan bir daha dünyaya geri gönderilme isteğinin dile getirildiği anlaşılmaktadır. Bir sonraki âyette, yani En'âm 6/28'de de dünyaya bir daha geri gönderilseler de aynı hataları yapacakları, çünkü yalancı oldukları haber verilmektedir.

Bu konuda benzer bir istek olarak A'râf 7/53'te şefaatçi arama veya dünyaya geri gönderilip iyi işler yapma isteğinin dile getirileceği, fakat bunun sonuçsuz kalacağı ifade edilmektedir.

d) فَلَوْ اَنَّ لَنَا كَرَّةً فَنَكُونَ مِنَ الْمُؤْمِنِينَ "Keşke bizim için (dünyaya) bir dönüş olsa da, müminlerden olsak!"[3] Bu âyetteki istek, kıyamet sonrası dönemin bir isteğidir. Çünkü âyetin öncesi yani Şu'arâ' 26/87'den itibaren devam eden bölümde bütünüyle mahşerde yaşanacaklar dile getirilmektedir. Âhiretteki durumunun çetin olacağını gören veya yaşayanlar bu talebi dile getireceklerdir; âyette söylenmek istenen husus budur.

---

1 Mâide 5/37.
2 En'âm 6/27.
3 Şu'arâ 26/102.

e) وَلَوْ تَرٰى اِذِ الْمُجْرِمُونَ نَاكِسُوا رُؤُ۫سِهِمْ عِنْدَ رَبِّهِمْۜ رَبَّنَٓا اَبْصَرْنَا وَسَمِعْنَا فَارْجِعْنَا نَعْمَلْ صَالِحًا اِنَّا مُوقِنُونَ "O günahkârların, Rableri huzurunda başlarını öne eğecekleri, 'Ey Rabbimiz! Gördük, duyduk, şimdi bizi (dünyaya) geri gönder de, iyi işler yapalım, artık kesin olarak inandık' diyecekleri zamanı bir görsen!"[1] Bu âyette dünyaya geri gönderilme isteği, kıyamet sonrası dönemde, suçluların Rableri huzurundaki boyun bükmüş hallerinde gerçekleşecektir. Eğer daha önce kabirde bir hayat olsaydı aynı isteğin o hayatta da gerçekleşeceğinin bildirilmesi beklenirdi.

f) وَهُمْ يَصْطَرِخُونَ ف۪يهَاۚ رَبَّنَٓا اَخْرِجْنَا نَعْمَلْ صَالِحًا غَيْرَ الَّذ۪ي كُنَّا نَعْمَلُۜ اَوَلَمْ نُعَمِّرْكُمْ مَا يَتَذَكَّرُ ف۪يهِ مَنْ تَذَكَّرَ وَجَٓاءَكُمُ النَّذ۪يرُۜ فَذُوقُوا فَمَا لِلظَّالِم۪ينَ مِنْ نَص۪يرٍ "Onlar orada, 'Ey Rabbimiz! Bizi (bu ateş azabından) çıkar, (dünya hayatında) yaptığımızın yerine iyi işler yapalım!' diye feryat ederler. (Bunun üzerine kendilerine:) 'Size düşünecek kimsenin düşünebileceği kadar bir ömür vermedik mi? Size uyarıcı da gelmedi mi? (Niçin inanmadınız?) Şimdi tadın (azabı, denilir)!' Zalimlerin yardımcısı yoktur."[2] Bu âyete göre de ateşten çıkartılma ve dünyaya geri gönderilme isteği yine âhirette gerçekleştirilecektir, daha öncesinde değil.

g) فَاِنْ يَصْبِرُوا فَالنَّارُ مَثْوًى لَهُمْۚ وَاِنْ يَسْتَعْتِبُوا فَمَا هُمْ مِنَ الْمُعْتَب۪ينَ "Şimdi eğer dayanabilirlerse, onların yeri ateştir. Ve eğer (tekrar dünyaya dönüp Allah'ı) hoşnut etmek isterlerse, memnun edilecek değillerdir."[3] Bu âyetteki istek de, isteğe verilen cevap da mahşerde gerçekleşecektir ve istek sahipleri memnun edilmeyecektir; çünkü arzuları dikkate alınmayacaktır. Cehennemden çıkartılmama ve özür beyanlarının kabul edilmemesiyle ilgili bir başka ifade de Câsiye 45/35'te yer almaktadır.

---

1 Secde 32/12.

2 Fâtır 35/37.

3 Fussılet 41/24.

h) وَمَنْ يُضْلِلِ اللّٰهُ فَمَا لَهُ مِنْ وَلِيٍّ مِنْ بَعْدِهِ وَتَرَى الظَّالِمِينَ لَمَّا رَاَوُا الْعَذَابَ يَقُولُونَ هَلْ اِلٰى مَرَدٍّ مِنْ سَبِيلٍ "Allah kimin sapıklığını onaylarsa, bundan sonra artık onun hiçbir dostu yoktur. Azabı gördüklerinde zalimlerin, 'Dönecek bir yol var mı?' dediklerini görürsün."[1] Bu âyetteki mesaj, bir sonraki âyetin, yani Şûrâ 42/45'in delalet etmesiyle, zalimlerin mahşerde Allah'a sunulmaları esnasında dile getirecekleri istek olarak anlaşılmalıdır.

Bu ve benzer âyetlerde azaptan çıkartılma veya dünyaya geri gönderilme isteği dile getirilmekte ve bu isteğin gerçekleşme yerine ve zamanına değinilmektedir. Konuyla ilgili hiçbir âyette âhiret öncesi bir dönemde "ateş azabından çıkartılma" şeklinde bir istek yer almamaktadır.

"Ateş azabından çıkartılma isteği"nin yeri ve zamanı âhiret olarak belirlendiği için, daha önceki bir döneme gönderme de yapılmamaktadır. Aynı şekilde ilgili âyetlerde, ateş azabına atılanların oradan çıkartılmayacağı ve âhirette Allah'ı memnun etmelerinin kendilerinden hiçbir şekilde istenmeyeceği de belirlenen konular arasında yer almaktadır.

Azabı görünce oradan çıkış yolu aranmasına dair dile getirilen feryatların yer aldığı azap durumları için kabirdeki herhangi bir ateş azabından söz edilmemekte ve konu hep cehennem azabıyla ilişkilendirilmektedir.

Kabirde ateş azabını kabul edenler bile bu azaptan çıkartılma isteğine dair herhangi bir bilgi nakletmediklerine göre, onlar da bu azabı cehennem azabından daha hafif görmektedirler, diyebiliriz. Ancak Hz. Osman kaynaklı bir rivayette kabir sorgulamasını veya kabir durağını en zor durak olarak kendileri kabul etmektedirler;[2] bu da açık bir çelişkidir. İşin gerçeği şudur: Kur'ân'da kabirde ateş azabı ve bundan kurtulma isteğini bildiren herhangi bir âyet bulunmamaktadır.

---

1 Şûrâ 42/44.

2 Tirmizi, Zühd, 5.

14. DÜNYA VE ÂHİRETTE İYİLİK VE ATEŞ AZABINDAN KORUNMA İSTEĞİ

a) وَمِنْهُمْ مَنْ يَقُولُ رَبَّنَآ اٰتِنَا فِي الدُّنْيَا حَسَنَةً وَفِي الْاٰخِرَةِ حَسَنَةً وَقِنَا عَذَابَ النَّارِ "Onlardan bir kısmı da, 'Ey Rabbimiz! Bize dünyada da iyilik ver, âhirette de iyilik ver. Bizi cehennem azabından koru!' derler."[1]

Bu âyette yer alan dua, hem dünyada hem de âhirette iyilik isteyip özellikle âhirette ateş azabından korunma dileğini içermekte, üçüncü bir döneme ait herhangi bir bilgiye veya işarete yer verilmemektedir. Kur'ân'da örneğini bu âyetle verdiğimiz dua cümlelerinde, dünya ve âhiret için iyilik istemek bir sistem halinde yer almaktadır. Bu dualarda kabre dair bir istekte bulunulmamaktadır. Bu arada sakınılması arzu edilen azap ise, kabirdeki azap değil, ateş azabı olarak belirlenmiş olmaktadır. Eğer kabirde azap olsaydı bu dualarda mutlaka ona da değinilirdi.

b) وَاكْتُبْ لَنَا فِي هٰذِهِ الدُّنْيَا حَسَنَةً وَفِي الْاٰخِرَةِ اِنَّا هُدْنَآ اِلَيْكَ "Bize, bu dünyada da iyilik yaz, âhirette de. Şüphesiz biz sana döndük."[2] Hz. Mûsâ'nın, yukarıdaki âyette de olduğu gibi dünya ve âhiret iyiliğini isteyip, istekleri arasına üçüncü bir hayat anlamında, mesela kabirde iyilik isteğini dile getirmemesi, kabirde azabın veya nimetlendirmenin bulunmadığına dair önemli bir delildir.

c) فَاٰتٰيهُمُ اللّٰهُ ثَوَابَ الدُّنْيَا وَحُسْنَ ثَوَابِ الْاٰخِرَةِ وَاللّٰهُ يُحِبُّ الْمُحْسِنِينَ "Allah da onlara dünya nimetini ve (daha da önemlisi,) âhiret sevabının güzelliğini verdi. Allah, iyi davrananları sever."[3] Yüce Allah'ın, sözlerini dua ile güzelleştirenlere bu âyette verdiği cevapta da dünya sevabının ve âhiret karşılığının en

1 Bakara 2/201.
2 A'râf 7/156.
3 Âl-i 'Imrân 3/148.

güzelini vermesinden söz etmesi, yukarıdaki âyetlerde olduğu gibi üçüncü bir hayatın olmadığını açıkça göstermektedir. Belli ki istekler dünya ve âhiret hayatıyla şekillendirildiği için Yüce Allah'ın icabeti de bu şekilde tecelli etmekte, duada yer almayan ara döneme doğal olarak cevapta da yer verilmemektedir.

15. ÖLÜLERİN KONUŞAMAMASI

وَلَوْ اَنَّنَا نَزَّلْنَآ اِلَيْهِمُ الْمَلٰٓئِكَةَ وَكَلَّمَهُمُ الْمَوْتٰى وَحَشَرْنَا عَلَيْهِمْ كُلَّ شَيْءٍ قُبُلًا
مَا كَانُوا لِيُؤْمِنُوٓا اِلَّآ اَنْ يَشَٓاءَ اللّٰهُ وَلٰكِنَّ اَكْثَرَهُمْ يَجْهَلُونَ "Eğer biz onlara melekleri indirseydik, ölüler onlarla konuşsaydı ve her şeyi toplayıp önlerine getirseydik, Allah dilemedikçe yine de inanacak değillerdi; fakat çokları bunu bilmezler."[1]

Bu âyete göre Yüce Allah, inanmamakta ısrarcı olan kâfirlere yönelik olarak çeşitli olağanüstülükleri sıralamakta, bu arada "ölüler onlara konuşsaydı bile" diyerek ölülerin dirilere konuşmasının imkânsızlığını dile getirmektedir. İddia edildiği gibi, eğer kabirdeki ölülerin konuştuğu ve bunu dirilerin duyduğu şeklindeki yaygın kabul gerçek olsaydı, o zaman Yüce Allah inanmayan kâfirler için bunu imkânsızlar arasında saymazdı.

Benzer bir ifade bu defa Kur'ân'a yönelik özellikler arasında şu şekilde yer almaktadır: وَلَوْ اَنَّ قُرْاٰنًا سُيِّرَتْ بِهِ الْجِبَالُ اَوْ قُطِّعَتْ بِهِ الْاَرْضُ اَوْ كُلِّمَ بِهِ الْمَوْتٰى "Eğer Kur'ân'la dağlar yürütülseydi veya onunla yer parçalansaydı, yahut onunla ölüler konuşturulsaydı..."[2] Bu âyetin ifadesine göre müşrikler böyle bir kitapla karşılaşsaydılar bile yine de ona itibar etmezlerdi. Dolayısıyla burada da "kendisiyle

---

1 En'âm 6/111.
2 Ra'd 13/31.

ölülerin konuşturulduğu kitap" ifadesi bir başka imkânsızı dile getirmesi bakımından ilginçtir.

Demek ki kabirdeki ölüleri konuşturmak öylesine imkânsız bir durumdur ki Yüce Allah, "inanmayacaklarını haber verdiği kâfirlerin imansızlığı" ile "ölülerin konuşamamasını" bir tutmuştur. Buradan anlaşılıyor ki iddiaların aksine ölüler hiçbir şekilde konuşamazlar. Dolayısıyla kabirdekilerin birbirleriyle konuştuğu iddiaları da dünyadakilerin onlarla konuştuğu iddiaları da bu âyetle açıkça çelişmektedir. Zaten Fâtır 35/22'de "kabirlerde olanlara hiçbir şey işittirilemeyeceği" beyan edilerek aynı konuya temas edilmiş olunmaktadır.

16. AZABIN TAHİR YERİ VE ZAMANI

وَلَا تَحْسَبَنَّ اللّٰهَ غَافِلًا عَمَّا يَعْمَلُ الظَّالِمُونَ اِنَّمَا يُؤَخِّرُهُمْ لِيَوْمٍ تَشْخَصُ فِيهِ الْاَبْصَارُ "(Ey Peygamber!) Allah'ı, zalimlerin yaptıklarından sakın ha habersiz sanma! Ancak, Allah onları (cezalandırmayı), korkudan gözlerin dışarı fırlayacağı bir güne erteliyor."[1]

Yüce Allah, bu âyette azabı hak edenlerin dünyada azaba uğratılmamışlarsa unutulmadıklarını, azaplarının sadece tehir edildiğini belirtmektedir. İşte geciktirmeden söz eden bu âyette ve devam eden 43-44. âyetlerde geciktirilme yeri ve zamanı âhiret olarak belirlenmektedir. Daha önce herhangi bir azap söz konusu olsaydı tehirin öncelikle ona, yani daha yakın olan "kabir"e yönelik olması gerekirdi.

17. İKİ PEYGAMBER'LE İLGİLİ HATIRLATMA

Bakara 2/28'de olduğu gibi Kur'ân'da bütün insanların varlık sürecini özetleyen âyetler olduğu gibi, bazı özel insan-

1 İbrâhim 14/42.

ların da hayatlarını özetleyen âyetler vardır. Bu bağlamda Hz. Yahyâ ve Hz. Îsâ ile ilgili âyetleri hatırlatmak istiyoruz.

a) وَسَلَامٌ عَلَيْهِ يَوْمَ وُلِدَ وَيَوْمَ يَمُوتُ وَيَوْمَ يُبْعَثُ حَيًّا "Doğduğu gün, öleceği gün ve diriltileceği gün ona esenlik olsun."[1]

b) وَالسَّلَامُ عَلَيَّ يَوْمَ وُلِدْتُ وَيَوْمَ اَمُوتُ وَيَوْمَ اُبْعَثُ حَيًّا "Doğduğum gün, öleceğim gün ve diriltileceğim gün esenlik banadır."[2]

Birer peygamber olmaları hasebiyle Hz. Îsâ'nın kendi ifadesi ve Hz. Yahya hakkında Yüce Allah'ın söylediği سَلَامٌ *selâm*, yani "bir esenlik dileği" ile ilgili yukarıdaki âyetlere bakıldığında insan hayatının şu üç farklı dönemine değinildiği açıkça görülmektedir: "Doğum, ölüm ve diriltilme." Eğer iddia edildiği gibi ölümden sonra ve kıyamet-âhiret sürecinden önce herhangi bir hayat söz konusu olsaydı, bu iki âyette de ilgili hayata dair mutlak surette bir işaretin bulunması gerekirdi. Şayet "onlar peygamber oldukları için kabirde azap çekmeleri mümkün değildir, onun için ilgili âyetlerde kabre işaret edilmemiştir" denirse o zaman şöyle deriz: Kabirde de kendilerine esenlik bulunduğunu söylemeleri, kabirde azaba uğratılacaklar için son derece etkili bir uyarı olurdu. Çünkü asıl yakın olan yer kabirdir ve oradaki esenlik, azaba uğratılması gerekenler için çok daha fazla caydırıcı olacaktır. Buradan da anlaşılıyor ki kabirde azap yoktur.

18. HÜZNÜN KALDIRILMA YERİ

وَقَالُوا الْحَمْدُ لِلّٰهِ الَّذ۪ي اَذْهَبَ عَنَّا الْحَزَنَ اِنَّ رَبَّنَا لَغَفُورٌ شَكُورٌ اَلَّذ۪ي اَحَلَّنَا دَارَ الْمُقَامَةِ مِنْ فَضْلِه۪ لَا يَمَسُّنَا ف۪يهَا نَصَبٌ وَلَا يَمَسُّنَا ف۪يهَا لُغُوبٌ "(Cennette şöyle) derler: Bizden tasayı gideren, lütfuyla bizi asıl oturulacak yurda (cennete) yerleştiren Allah'a hamdolsun! Doğrusu,

1 Meryem 19/15.

2 Meryem 19/33.

Rabbimiz çok bağışlayandır; çok nimet verendir. Artık orada bize ne bir yorgunluk dokunacak, ne de orada bize bir usanç gelecektir."[1]

İyi insanlardan hüznün kaldırılma yeri, kabir azabının olmadığı konusunda önemli mesajlar içermektedir. İşte bu iki âyete göre iyi insanlardan hüznün giderileceği yer, cennet olarak belirlenmektedir. Eğer kabirde hüzünden kurtulma diye bir şey olsaydı burada ona da değinilirdi. Özellikle bu âyetler, ölümden sonra ve âhiret sürecinden önce herhangi bir hüzünden ve onun kaldırılmasından söz edilemeyeceğini göstermesi bakımından son derece önemlidir. Kabirde bir hüzün giderilme operasyonu olmadığı için, Kur'ân'da buna yönelik bir hatırlatma da yer almamıştır.

19. UYKU YERİNDEN KALDIRILMA

قَالُوا يَا وَيْلَنَا مَنْ بَعَثَنَا مِنْ مَرْقَدِنَا "(Kâfirler, mahşerde) 'Âh, eyvâh! Bizi şu kabrimizden kim kaldırdı (bizi kim uyandırdı)?' demiş olacaklardır."[2]

Bu ifadeler mahşer duruşması için kalkışta bir şaşkınlık göstergesidir. Ölüler kıyamet günü yeniden diriltildiğinde hesap günü gerçeğiyle karşı karşıya geleceklerdir. Kur'ân'da, "kabirden kaldırılmak (uyandırılmak)"tan söz edilmesine rağmen, "kabirde diriltilme"den söz edilmemektedir. İşte Yâsîn sûresinden naklettiğimiz bu âyet, sorgulama için kabirlerden diriltilmeyi temsil etmektedir. Ayrıca bu âyetteki "uyku yerinden kaldırılma" ifadesi, kabirde bir uykunun söz konusu olduğunu göstermektedir. Ancak bu uykuda kötü veya güzel rüyaların görülebileceği de unutulmamalıdır.

---

1 Fâtır 35/34-35.

2 Yâsîn 36/52.

20. ÖLÜM ANINDAKİ KONUŞMA

وَجَٓاءَتْ سَكْرَةُ الْمَوْتِ بِالْحَقِّ ذٰلِكَ مَا كُنْتَ مِنْهُ تَحِيدُ "Ölüm sarhoşluğu gerçekten gelecek, 'İşte ey insan, bu, senin öteden beri kaçtığın şeydir' denecektir."[1]

Ölüm anında özellikle kötü insanlara yönelik olarak bu sözlerin söyleneceği Kur'ân'da haber verilmektedir. Bazen "kabir âlemindeki konuşmalar" diye verilen bu tür âyetler, bağlamdan da anlaşılacağı üzere esasında ölüm anıyla ilişkilidir. Çünkü 17-18. âyetlerde insanların dünya hayatlarında yaptıklarının melekler tarafından kaydedildiğinden söz edilmekte, 19. âyette kişiye ölüm sarhoşluğunun gerçeği getirip gösterdiği belirtilmekte, sonraki âyetlerde de Sûr'a üflenip kıyametin kopması ve sorgulamanın başlaması ifade edilmektedir. Aslında bu âyetler grubu insanın hayatını ve âhiret sürecini özetleyen bir mahiyet arz etmektedir. Dolayısıyla 19. âyette örneği verilen bu tür konuşmalar, ölüm meleği tarafından ölüm anında ölmekte olan kişiye yönelik olarak gerçekleştirilmekte ve muhatabı da kötü insanlar olmaktadır.

21. İNKÂRCILAR HANGİ AZABI BEKLEMEKTEDİR?

بَلِ السَّاعَةُ مَوْعِدُهُمْ وَالسَّاعَةُ اَدْهٰى وَاَمَرُّ اِنَّ الْمُجْرِمِينَ فٖي ضَلَالٍ وَسُعُرٍ يَوْمَ يُسْحَبُونَ فِي النَّارِ عَلٰى وُجُوهِهِمْ ذُوقُوا مَسَّ سَقَرَ "Aslında onlar sadece bir ânı bekliyorlar; (bekledikleri) kıyamet çok daha dehşetli, korkunç ve daha acıdır. Yüzüstü ateşe sürüklenip (kendilerine), 'cehennemin dokunuşunu, elemini tadın!' dendiği gün suçlular şaşıracak ve çılgınlaşacaklardır."[2]

Bu âyetler grubu, genel olarak Kamer sûresinde ele alınan peygamberlerin ümmetlerinin, özel olarak da Mekkeli

1 Kâf 50/19.
2 Kamer 54/46-48.

müşriklerin yargılanmalarıyla ilgilidir. Onların beklemek durumunda olduğu şey kıyamettir ve sonrasında da cehenneme atılmalarıdır. Yargılama için buluşma yeri ve zamanı hakkında daha öncesine dair herhangi bilgi olsaydı, bu tür azap ve tehdit konularının işlendiği yerlerde ona da mutlaka değinilmesi gerekirdi.

22. BİLGİLENDİRMEDEN AZAP İDDİASI

Ateş azabına uğratılmak için yaşanacak işlemlerden biri "kişinin amel defterinin kendisine verilmesi" olacaktır. Beled sûresinde de belirtildiği gibi,[1] kişi kitabını (amel defterini) sol tarafından almış olacak ki kapatılmış, kilitlenmiş bir ateş azabına uğratılsın; henüz durumu hakkında bilgilendirilme aşamalarını yaşamadan veya ne ile suçlandığı kendisine bildirilmeden, özetle kişi henüz yargılanmadan, Yüce Allah tarafından ateşe atılmayacaktır.

Aynı şekilde A'lâ 87/11-12 ve Leyl 92/15-16'ya göre ateşe atılacak kişinin *şakî* (azgın) olduğunun belirlenmiş olması gerekir ki bunun belirlenme yeri ve zamanı mahşerdir; daha öncesi değil. Hûd 11/106-108'de de *şakî* (azgın) olanların yerinin cehennem, *sa'îd* yani mutlu kılınanların yerinin de cennet olduğu belirtilmekte, bu âyetlerin öncesinde ise bu karar ve uygulamanın zamanının mahşer olduğu ifade edilmektedir.

23. DAVRANIŞLAR KİŞİLERE NEREDE GÖSTERİLECEK?

Zilzâl sûresinin son âyetlerinde de belirtildiği gibi, insanların dünyada yaptıkları hayır ve şerrin, maddi olarak karşı-

1 Beled 90/19-20.

lığının görülme yeri âhirettir. Nitekim Tekâsür sûresinin son âyetlerinde de cehennemin görülmesi ve nimetlerden sorguya çekilme, âhiret süreciyle ilişkilendirilmek için gelecek zaman edatlarıyla kullanılmıştır. Âl-i 'Imrân 3/30. âyetinde herkesin, iyilik olarak da kötülük olarak da dünyada yaptıklarını tam olarak âhirette hazır bulacağı ifade edilmektedir. Âl-i 'Imrân 3/87. âyette ise İslâm'dan başka bir din edinenin cezası Yüce Allah'ın, meleklerin ve tüm insanların laneti olarak zikredilmekte, bu lanetin yeri de âhiret ve cehennem olarak belirlenmekte, daha önce herhangi bir yere değinilmemektedir.

Bu arada Nisâ sûresinde iki âyette konu سَوْفَ *sevfe* edatıyla dile getirilmekte ve şöyle buyrulmaktadır:

a) وَمَنْ يَفْعَلْ ذٰلِكَ عُدْوَانًا وَظُلْمًا فَسَوْفَ نُصْلِيهِ نَارًا "Kim düşmanlık ve haksızlık ile bunu (haram yemeyi veya öldürmeyi) yaparsa, (bilsin ki) onu ateşe koyacağız."[1]

b) اِنَّ الَّذِينَ كَفَرُوا بِاٰيَاتِنَا سَوْفَ نُصْلِيهِمْ نَارًا كُلَّمَا نَضِجَتْ جُلُودُهُمْ بَدَّلْنَاهُمْ جُلُودًا غَيْرَهَا لِيَذُوقُوا الْعَذَابَ "Şüphesiz, âyetlerimizi inkâr edenleri gün gelecek bir ateşe sokacağız; onların derileri pişip acı duymaz hale geldikçe, derilerini başka derilerle değiştireceğiz ki acıyı duysunlar!"[2] Bu âyetlerde cehenneme atılmanın zamanı "ileriki dönem" veya "ileriki hayat" anlamında âhiret olarak belirlenmektedir. Bu konuda Kur'ân'da başka örnek kullanımlar da vardır.[3]

24. KABİRDEKİ AZABIN SÜRESİ

Burada gözden kaçırılmaması gereken noktalardan biri de şudur: Kıyametten sonraki sorgulama işleminde daha

1 Nisâ 4/30.
2 Nisâ 4/56.
3 Örnekler için bk. Nisâ 4/10; Müddessir 74/26; Mesed 111/3.

önce insanların dünyada kalış sürelerinin sorulacak olmasına veya bu konuda çeşitli bilgiler verilmesine rağmen,[1] kıyametten önceki bir dönem olarak kabul edilen kabirdeki bedensel ve ruhsal hayata dair hiçbir bilgiye veya orada kalış süresi hakkında herhangi bir soruya Kur'ân'da yer verilmemektedir.

Dünyada kalış süreleri sorusuna verilen cevap yine dünya hayatıyla ilgili kavramlarla şekillenmektedir. Şöyle ki:

a) يَتَخَافَتُونَ بَيْنَهُمْ اِنْ لَبِثْتُمْ اِلَّا عَشْرًا نَحْنُ اَعْلَمُ بِمَا يَقُولُونَ اِذْ يَقُولُ اَمْثَلُهُمْ طَرِيقَةً اِنْ لَبِثْتُمْ اِلَّا يَوْمًا "Dünyada sadece on gün kaldınız" diyerek aralarında fısıldaşırlar. En olgun ve akıllı olanı, 'Bir günden fazla kalmadınız' dediğinde hem onu hem de diğerlerinin dediklerini gayet iyi biliriz."[2]

b) لَبِثْنَا يَوْمًا اَوْ بَعْضَ يَوْمٍ "Bir gün veya günün bir kısmı kadar kaldık."[3]

c) لَمْ يَلْبَثُوا اِلَّا عَشِيَّةً اَوْ ضُحٰيهَا "Sadece bir akşam veya bir kuşluk vakti kadar kaldık."[4]

d) لَمْ يَلْبَثُوا اِلَّا سَاعَةً مِنَ النَّهَارِ "Sadece günün bir saati kadar kaldılar."[5] Bu âyetlerde kullanılan ifadeler hep dünyevî zaman dilimleridir. Eğer iddia edildiği gibi kabirde bir hayat olsaydı bu tür konuların işlendiği yerlerde o hayata dair küçük de olsa bir işaret bulunurdu.

---

1 Bu konudaki âyetler için bk. Yûnus 10/45; İsrâ 17/52; Mü'minûn 23/112-114; Rûm 30/55-56; Ahkâf 46/35; Nâzi'ât 79/46.

2 Tâhâ 20/103-104.

3 Mü'minûn 23/113.

4 Nâzi'ât 79/46.

5 Yûnus 10/45. Benzer ifadeler için ayrıca bk. Rûm 30/55; Ahkâf 46/35.

25. İBLÎS KABİR AZABINA UĞRAYACAK MI?

İblîs'e verilen mühlet de oldukça dikkat çekicidir. Kur'ân'da İblîs'e verilen mühlet, "insanların diriltilme gününe kadar" diye belirlenmiştir.[1] Eğer kabirde bedensel ve ruhsal bir hayat varsa acaba İblîs, insanları azdırma konusunda kabir hayatında da etkin midir? Bu soruya olumlu cevap vermek mümkün olmadığı için ölümden sonra, kıyametten önce bir dönemde bir hayatın varlığı iddiası gerçekten düşündürücüdür.

Bu arada Yüce Allah, cehennemi İblîs'e uyanlarla dolduracağını söylemekte, ancak onları kabir azabına tâbi tutacağından söz etmemektedir. Bu durum, onların âhiretteki cezalandırmadan daha önce ve daha yakın olan kabir azabından kurtulup kurtulmadıkları sorusunu akla getirmektedir.

Eğer kabirde azap varsa o zaman İblîs ve ona tâbi olanların da o azaba tabi tutulmaları gerekirdi. Çünkü azabın hak ediliş gerekçeleri İblîs'e dayanmasına rağmen, asıl suçlunun bu azaptan kurtulup, saptırılan veya günaha sokulan insanların bundan kurtarılmaması Yüce Allah'ın adaletiyle nasıl izah edilebilir? Eğer "o da kabir azabı çekiyor" denirse bu durumda, İblîs'in kıyamete kadar mühlet almış olması gerçeğiyle çelişmek kaçınılmaz olacaktır. Kaldı ki İblîs ve ona tâbi olanların azap karşılığının cehennemde olduğu, Kur'ân'da çok açık bir şekilde ifade edilen gerçeklerdendir.[2]

Bu arada İblîs'in de dahil olduğu cinlerin âhiretteki cezalarından söz eden pek çok âyete rağmen, kabir hallerinden söz edilmemesi de elbette önemli bir husus olarak dikkatleri çekmektedir. Kabirde azabı kabul edenler, bu konuda sessizliğe gömülmüş görünmektedir.

---

1 A'râf 7/14-15; Hıcr 15/36-37; Sâd 38/79-80.

2 İsrâ 17/63.

26. ACELE AZAP İSTEĞİ

Kur'ân'da pek çok âyette[1] kâfirlerin azabı acele istemelerinden söz edilmektedir. 'Ankebût 29/53'te kâfirlerin azabı acele istemelerine karşılık, onun hiç farkına varmadan kendilerine aniden geleceği belirtilmiş, daha sonraki âyetlerde de aslında onların beklediği azabın cehennem ateşi olduğu, azabın onları üstlerinden ve altlarından çepeçevre kuşatacağı ve kendilerine "şimdi yaptıklarınızın karşılığı olarak azabı tadın" denileceği ifade edilmektedir. Buradan anlaşılıyor ki kâfirlerin alay ederek de olsa acele istedikleri azap onlara âhirette verilecektir; daha öncesinde eğer bir azap olsaydı elbette bu acele azap isteğinin ilk karşılığı olarak ondan da söz edilmesi gerekirdi.

Bu anlamda ele alınabilecek elbette başka âyetler de vardır. Âl-i 'Imrân 3/14'te insanlara çeşitli dünya nimetlerinin süslü gösterildiği, ancak asıl güzel hedefin Yüce Allah'ın katında olduğu hatırlatılmakta, aynı sûrenin 15. âyetinde ise dünya süslerinden çok daha hayırlısının muttakî insanlar için Rableri katında kendilerine verilecek cennetler, tertemiz eşler ve Yüce Allah'ın hoşnutluğu olduğu belirtilmektedir. Dünya süslerinin karşılığında âhiretteki nimetlerin hatırlatılması, daha öncesinde herhangi maddi bir nimetlendirmenin olmadığını gösterir. Eğer dünya hayatından sonra âhiretten önce iddia edilen anlamda maddi bir nimetlendirme olsaydı, bu arada ona da değinilirdi.

27. MEZARLIKTA VERİLEN SELÂMI KİMİN RUHU DUYAR?

Müminlerin ruhlarının cennette bulunduğu görüşüyle kabristanı ziyarete gidenlerin orada verdiği selamın kime

---

1 Âyetler için bk. Yûnus 10/50; Nahl 16/1; Hacc 22/47; Şu'arâ 204; Sâffât 37/176.

gittiği sorusu da cevap bekleyen hususlar arasında yer almaktadır. Eğer ölünün ruhu kabrin çevresinde ise selâmı belki duyar; ama bu durum onun cennette oluşu iddiasıyla çelişki arz eder. Yok eğer ruh cennette ise ziyarete gidenlerin kime selâm verdiği de daima bir muamma olarak ortada kalır. Hâlbuki mezarlıkta verilen selâm, ölen kişi için rahmet isteğinin dile getirildiği bir duadır.

Yüce Allah, Zümer 39/42. âyetine göre ölümüne hükmettiği ruhları yanında tuttuğunu, diğerlerini, yani uykudan uyanacak ve belli bir süreye kadar yaşayacak olanların ruhlarını geri göndermekte olduğunu söylemektedir. Durum böyle olunca, belli ki ölen cesede ait ruh Allah'ın kontrolündedir; onu mezarların çevresinde veya başka yerlerde kabul etmek söz konusu âyete göre doğru değildir. Çünkü Allah'ın, yanında tuttuğunu söylediği ruhları başka vesilelerle bir yerlere gönderdiğine dair Kur'ânî bir bilgi olmadığına göre, dahası şehitlerin de Allah'ın katında bulundukları gerçeği dikkate alındığında, ruhlara yeni mekân isnadının doğru olmayacağı açıktır.

İnsan ruhu bedenden ayrılınca bedene "ölü" denir; ruh ölmez. Ölüm, görünen bedene aittir. İşte beden öldükten sonra kıyamet sabahına kadar ruh o bedene dönmez. Ölen bedenin durumu tıpkı tutuklanan bir zanlıya benzer. Artık onun kaçmaya veya yeni fiiller işlemeye imkânı kalmamıştır. Mezar, ölü beden için bir nezarethanedir; orada ruhuyla buluşturulup yeniden diriltileceği ve yargılanacağı günü bekler. Ölen insan için bedeniyle ilgili işlem anlamında saat durdurulmuştur; bir daha kıyamet sonrasında, yani mahşerde çalışmaya başlatılacaktır.

28. KABİRDEKİ AZAP NEDEN TEBLİĞİN PARÇASI OLMADI?

Kabirde azap konusunda akla gelen soruların en ilginç olanlarından birisi de şudur: Eğer iddia edildiği gibi kabirde fiilî bir sorgulama var, bunun sonucunda kabirde azap veya ödülden söz edilebiliyor ve bunu da Hz. Peygamber ve sayılı bazı insanlar duyabiliyor idiyse, o zaman konuyu bazı müminlerin birkaç hatasıyla sınırlı tutmak yerine, Hz. Peygamber acaba bunu neden tebliğinin bir parçası hâline getirmemiştir?

Mademki kabirde yaşananlar dünyadaki bazı kişiler tarafından rahatlıkla duyulabiliyor ve kabirdekilerle kolayca irtibat sağlanabiliyordu, o zaman yapılması gereken iş, kabirdekilerin konuşturulmasıyla âhirete veya öldükten sonra diriltilmeye inanmayanların inanmalarının sağlanmasıydı. Kabirdeki tanışlar dünyadakilere yeterince mesaj verir, seslerini duyurur, böylece inanmayanlar inanmış olurdu; üstelik bu konu inanmayanlar için "acaba" olmaktan çıkar, hakikat olarak insanların gözünün önüne serilirdi.

Benzer bir durum Hz. İbrahim'in Yüce Allah'ın ölüleri nasıl dirilteceği meselesinde de söz konusudur. Bakara 2/260'ta yer alan bu konu dört kuşun insana alıştırılmasının sonunda farklı yerlere bırakılması, sonra çağrılmaları durumunda, sahibine geri dönecekleri şeklinde beyan edilmektedir.

Öldükten sonra diriltilmenin nasıl olacağını soran Hz. İbrahim'e, kabirdekilerin zaten diriliğiyle hazır cevap verilip, kabirdekilerin canlı oluşunun ona gösterilmesi sağlanabilecekken, bunun tercih edilmemiş olması kabirde herhangi bir canlılığın olmadığının en belirgin delillerindendir. O günün tartışma konusu insanların âhirette diriltilmesine dair bir inanç konusuydu. Zaten ölmüş olan ve kabirde de diriltileceklerine inanılan kabir ehlinden muhatapların da tanıdığı birinin diriltilip gösterilmesi, aslında meseleyi kökünden halledebilecekken, durum bu şekilde cereyan etmemiş, kuş örneğinin verilmesi tercih edilmiştir.

29. AÇIK YARGILAMA MI, GİZLİ YARGILAMA MI DAHA CAYDIRICIDIR?

Kabirde sorgulanma olacağını kabul edenler, aslında dehşet verici bir yalnızlıkta bulunmanın ve kaçıp kurtulabilmenin imkânsız olduğu bir mekânda iki sorgu meleğine hesap vermenin zorluğuyla insanları korkutmaktadırlar. Oysa bu şekilde başkalarının şahit olmadığı bir halde hesap vermek, meleklerin, peygamberlerin ve diğer insanların huzurunda, herkese açık bir ortamda hesap vermeye göre çok daha kolaydır. Şahitlerin huzurunda ve alenî olarak yapılacak sorgulamaya dikkat çekmek ve insanları bununla uyarmaya çalışmak düşünen insanlar için elbette çok daha etkili olacaktır.

Kur'ân'da ölüm sonrası azap ve ödüle yönelik âyetlerin hepsi âhiretle ilgilidir. Hiçbir yerde kabirde azap ve ödülden bahsedilmez. Diğer bir deyişle Kur'ân'da, kabir hayatına, kabirde azaba ya da fizikî herhangi bir ödüle dair bilgi yoktur. Ölülerin ruhları Allah'ın katındadır. Ölüm sonrası kıyamet öncesine dair alan, gayb alanı olduğu için Kur'ân'dan kesin delil bulunmadığı sürece o alanla ilgili tahminde bulunmak veya bilgi vermeye kalkışmak gayba taş atmaktan başka bir şey değildir.

SON SÖZ

Kur'ân-ı Kerîm'den uzak, sorunlarla dolu ve sıkıntılı bir anlayışın ortaya koyduğu "kabirde azap" iddiası Kur'ân-ı Kerîm'de olmadığı gibi, dünya hayatında yaşananların sorgulanmasıyla ilgili Kur'ân-ı Kerîm'in getirdiği "âhiretteki sorgulanma" ilkelerine de tamamen aykırıdır. Dinî inançlar doğru kaynaklardan beslenmeli, kendi içinde tutarsızlıklar taşımamalıdır. İslâm kültüründeki bu türden kabuller, yeniden Kur'ân aynasına vurulmalı ve eğer doğru iseler inanç hâline getirilmelidir. Bid'atlerle mücadele etmek dinî eğitimin vazgeçilmez uğraşlarından biri olmalıdır. Dinî kültürümüzü bu şekildeki yanlışlardan ve hurafelerden arındırmaya çalışmak, dini doğru anlamanın ve Kur'ân okulunun önde gelen konuları arasında yer almalıdır.

Ölüm anındaki sıkıntıları, ölüm sonrasında ruhun Allah'ın kontrolünde oluşu gerçeğini, sorgulamanın sadece mahşerde yapılacağını, mahşerdeki yedi aşamanın önemini ve yargısız infaz yapılmayacağını unutmadan, bu konudaki yaklaşımları yeniden değerlendirmek bir zorunluluktur. Azabı, cehennem ateşinden ibaret sayıp, başka sıkıntıları görmezlikten gelerek, kabirle ilgili doğru tespitlerde bulunmak mümkün değildir. Bu nedenle, biz kabirde bedene yönelik fiziksel azabın olmayacağını, çünkü ruhun bedenden ayrı olduğunu, ruh-beden birlikteliğinin olmadığı şartlarda maddi bir azaptan veya ödülden söz edilemeyeceğini düşünmekteyiz.

Kur'ân'ın "kabirlerde diriltilmeyi" değil, "kabirlerden diriltilmeyi" öngördüğünü, ölen insanların bu durumda bir uyku halini yaşadığını, ancak bu uykuda kötü veya iyi rüyalar görebileceğini özellikle vurgulamak isteriz. İyi rüya görmeyi bir çeşit ödül, kötü rüyaları da bir çeşit manevi azap olarak gördüğümüzü belirterek, cehennem ateşine girmenin zamanının mahşer olduğunu özellikle belirtmek durumundayız. Ne dünyada ne de kabirde cehennem ateşinden söz edilemez. Dünyadaki azap ile kabirdeki sıkıntıların âhiretteki azaba göre son derece az veya zayıf olduğunu belirterek, azabın kabre nispetinin de ölüm sonrası için kabir isimlendirmesinin de aslında bir mecaz olduğunu beyan etmeliyiz. Kabirde azap yoktur; çünkü kabirde ruh yoktur; zira ruhlar Yüce Allah'ın katındadır.

Ölen insan için ruh-beden birlikteliği anlamında saat durdurulmuştur; onun yeniden çalıştırılma zamanı âhirettir. O dönemde mutlu olanlardan ve ödülle buluşturulanlardan olmayı niyaz ediyoruz. Gerçeği elbette sadece Yüce Allah bilir, *vesselâm*.

BİBLİYOGRAFYA

Abdülbâkî, Muhammed Fuad, *el-Mu'cemü'l-Müfehres li Elfâzı'l-Kur'âni'l-Kerîm*, Kahire, 1991.

'Aclûnî, İsmail b. Muhammed, *Keşfu'l-Hafâ ve Müzîlü'l-İlbâs 'ammâ İştehera Mine'l-Ehâdîs 'alâ Elsineti'n-Nâs*, Beyrut, 1988.

Ahmed b. Hanbel, Ebû Abdillâh, *Müsned*, İstanbul, 1992.

Ahmet Refik, *Büyük Târîh-i Umumi*, İstanbul, 1328.

Altuntaş, Halil; Muzaffer Şahin, *Kur'ân-ı Kerîm Meâli*, Türkiye Diyanet Vakfı, Ankara, 2001.

Âlûsî, Ebü'l-Fadl Şihâbuddîn Mahmûd, *Rûhu'l-Ma'ânî fî Tefsîri'l-Kur'âni'l-'Azîm ve's-Seb'i'l-Mesânî*, Beyrut, 1985.

Apaydın, H. Yunus, "İbn Kayyim el-Cevziyye" maddesi, *Diyanet İslâm Ansiklopedisi*, İstanbul, 1999.

Asım Efendi, *Kâmus Tercemesi*, İstanbul, 1888.

Ateş, Süleyman, *İnsan ve İnsanüstü Varlıklar Ruh, Melek, Cin, İnsan*, İstanbul, 2002.

___, *Kur'ân Ansiklopedisi*, İstanbul, 1997.

___, *Yüce Kur'ân'ın Çağdaş Tefsîri*, İstanbul, 1990.

Aydınlı, Abdullah, *Hadiste Tesbit Yöntemi*, İstanbul, 2003.

Bardelli, P. Raimondo, *Sevgi Yolumuz Mesih İsa*, baskı yeri ve tarihi yok.

Bayraklı, Bayraktar, *Yeni Bir Anlayışın Işığında Kur'ân Tefsîri*, İstanbul, 2000-2007.

Beğavî, Ebû Abdillâh Hüseyin b. Mes'ûd, *Me'âlimu't-Tenzîl*, Beyrut, 1987.

Bilmen, Ömer Nasuhi, *Kur'ân-ı Kerîm'in Türkçe Meâl-i Âlîsi ve Tefsîri*, İstanbul, 1979.

Buhârî, Ebû Abdillâh Muhammed b. İsmail, *el-Câmi'u's-Sahîh*, İstanbul, 1992.

Canan, İbrahim, *Kütüb-i Sitte Tercüme ve Şerhi*, Akçağ Yayınları, Ankara, 1995.

Cerrahoğlu, İsmail, *Tefsîr Usûlü*, Ankara, 1979.

Cevad Ali, *Târîhu'l-'Arab Kable'l-İslâm*, Bağdat, 1956.

Cevherî, Ebû Nasr İsmail b. Hammâd, *es-Sıhâh fi'l-Lüğa ve'l-'Ulûm*, Beyrut, 1974.

Cezâirî, Ebû Bekir Câbir, *Eyseru't-Tefâsîr*, Medine, 1995.

Çağatay, Neşet, *İslâm Öncesi Arap Tarihi ve Câhiliye Çağı*, Ankara, 1982.

Çantay, Hasan Basri, *Kur'ân-ı Hakîm ve Meâl-i Kerîm*, İstanbul, 1984.

Demirci, Kürşat, "Kabir" maddesi, *Diyanet İslâm Ansiklopedisi*, İstanbul, 2001.

Derveze, Muhammed İzzet, *et-Tefsîru'l-Hadîs*, tercüme: Muharrem İnce, İstanbul, 1997.

Devellioğlu, Ferit, *Osmanlıca Türkçe Ansiklopedik Lügat*, Ankara, 1970.

Doğrul, Ömer Rıza, *Yeryüzündeki Dinler Tarihi*, İstanbul, 1947.

___, Ömer Rıza, *Tanrı Buyruğu*, İstanbul, 1947.

Draz, Abdullah, *Kur'ân'ın Anlaşılmasına Doğru*, tercüme: Salih Akdemir, Ankara, 1983.

Ebû Dâvûd, Süleyman b. Eş'as es-Sicistânî, *es-Sünen*, İstanbul, 1992.

Ebû Hanîfe, Nu'mân b. Sâbit, İmam A'zam, *el-'Âlim ve'l-Müte'allim*, tercüme: Mustafa Öz, İstanbul, 2002.

Ebû Hayyân, Muhammed b. Yûsuf, *el-Bahru'l-Muhît fi't-Tefsîr*, Beyrut, 1992.

Ebu's-Suûd, Muhammed b. Muhammed el-İmâdî, *İrşâdü'l-Akli's-Selîm ilâ Mezâye'l-Kur'âni'l-Kerîm*, Beyrut, 1990.

Ebû Zehrâ, Muhammed, *İslâm'da İtikâdî, Siyâsî ve Fıkhî Mezhepler Tarihi*, tercüme: Sıbğatullah Kaya, İstanbul, baskı tarihi yok, Yeni Şafak Gazetesi Yayınlar.

Erdoğan, Mehmet, *Akıl-Vahy Dengesi Açısından Sünnet*, İstanbul, 1995.

Erul, Bünyamin, "Hz. Peygamber'e Kur'ân Dışında Vahiy Geldiğini İfade Eden Rivayetlerin Tahlil ve Tenkidi", *İslâmiyat*, c. I, sayı. 1, Ankara, 1998.

___, *Hz. Ayşe'nin Sahâbeye Yönelttiği Eleştiriler*, Ankara, 2000.

Esed, Muhammed, *Kur'ân Mesajı Meal-Tefsir*, tercüme: Cahit Koytak, Ahmet Ertürk, İstanbul, 1997.

Eş'arî, Ebü'l-Hasan, *Makâlâtü'l-İslâmiyyîn ve'Htilâfü'l-Musallîn, (İlk Dönem İslâm Mezhepleri)*, tercüme: Mehmet Dalkılıç, Ömer Aydın, İstanbul, 2005.

___, *Makâlâtü'l-İslâmiyyîn ve'Htilâfü'l-Musallîn*, Beyrut, 1990.

Ezherî, Ebû Mansûr Muhammed b. Ahmed, *Mu'cemü Tehzîbi'l-Lüğa*, tahkik: Rıyâd Zekî Kâsım, Beyrut, 2001.

Feyyûmî, Ahmed b. Muhammed b. Ali, *el-Misbâhu'l-Münîr*, Beyrut, baskı tarihi yok.

Gazâlî, Ebû Hâmid Muhammed b. Muhammed, *İhyâu 'Ulûmi'd-Dîn*, Kahire, 1987.

___, *el-Iktısâd fi'l-İ'tikâd*, tercüme: Kemal Işık, Ankara, 1971.

Gökçe, Cüneyt, "Berzah" maddesi, *Diyanet İslâm Ansiklopedisi*, İstanbul, 1992.

Gölcük, Şerafettin, *İslâm Akaidi*, Konya, 1992.

Güç, Ahmet, "Yahudilik'te Defin ve Sonrasına Ait Gelenekler", *Uludağ Üniversitesi İlâhiyat Fakültesi Dergisi*, cilt: X, sayı: 1, Bursa, 2001.

Gündüz, Şinasi, *Sâbiîler Son Gnostikler*, Ankara, 1995.

Güngör, Mevlüt, "Hz. Peygamber'in Kur'ân'ın Dışında da Vahiy Aldığının Kur'ân'dan Delilleri", *Kur'ân Araştırmaları*, c. II, sayı. 2, İstanbul, 1996.

Halil b. Ahmed, Ebû Abdirrahmân el-Ferâhîdî, *Kitâbü'l-'Ayn*, Beyrut, 1988.

Halil el-Meys, *el-'Ilelü'l-Mütenâhiye Şerhi*, Beyrut, 1983.

Hamevî, Yâkut, *Mu'cemu'l-Büldân*, Beyrut, baskı tarihi yok.

Hatip, Abdülkerim, *Allah ve'l-İnsan*, Beyrut, 1975.

Hatipoğlu, Mehmet Said, "Hz. Peygamber'i Yanlış Yorumlama Tezahürleri", *Müslüman Kültürü Üzerine*, Ankara, 2004.

Heyet, *Kur'ân Yolu Türkçe Meal ve Tefsir*, Ankara, 2003, Diyanet İşleri Başkanlığı yayınları.

Heyet, *Kur'ân Yolu*, Diyanet İşleri Başkanlığı, Ankara, 2004.

Hitchcock, Mark, *55 Answers to Questions About Life After Death*, Mulnomah Publishers, Oregon 2005.

Işık, Kemal, *Mutezilenin Doğuşu ve Kelâmî Görüşleri*, Ankara, 1967.

Isfehânî, Rağıb, Hüseyin b. Muhammed, *Müfredâtü Elfâzı'l-Kur'ân*, Beyrut, 1997.

İbn Ebi'd-Dünyâ, *Men 'Âşe ba'de'l-Mevt,* baskı yeri ve yılı yok.

İbn Fâris, Ebü'l-Hüseyin Ahmed b. Zekeriyya, *Mu'cemü Mekâyîsi'l-Lüğa*, Beyrut, 2001.

___, *Mecmû'u Mekâyîsi'l-Lüğa*, Kahire, 1972.

___, *Mücmelü'l-Lüğa*, Beyrut, 1986.

İbn Hacer el-Askalânî, Ahmed b. Ali, *Fethu'l-Bârî Şerhu Sahîhi'l-Buhârî*, Beyrut, baskı tarihi yok.

İbn Hazm, Ebû Muhammed Ali b. Ahmed, *el-Fasl fi'l-Milel ve'l-Ehvâ' ve'n-Nihal*, Beyrut, 1996.

___, *el-Usûl ve'l-Furû'*, Beyrut, 1984.

İbn Kayyim el-Cevziyye, Ebû Abdillah Muhammed b. Ebî Bekir b. Eyyûb Şihâbüddîn, *er-Rûh fi'l-Kelâm 'alâ Ervâhı'l-Emvât ve'l-Ahyâ'*, Beyrut, 1975.

___, *Hâdi'l-Ervâh ilâ Bilâdi'l-Ferâh*, Kahire, baskı tarihi yok.

___, *Nakdü'l-Menkûl*, baskı yeri ve tarihi yok.

___, *Envâ'u 'Azâbi'l-Kabr*, ter. Muhammed b. Müslim Şahin, Riyad, 2007.

İbn Kesîr, Ebu'l-Fidâ İsmail, *Tefsîru'l-Kur'âni'l-'Azîm*, İstanbul, 1986.

İbn Mâce, Ebû Abdillâh Muhammed b. Yezîd, *es-Sünen*, İstanbul, 1992.

İbn Manzûr, Cemâlüddîn Muhammed b. Mükerrem, *Lisânü'l-Arabi'l-Muhît*, Kahire, baskı tarihi yok.

İbn Receb, Zeynü'd-Dîn Abdurrahman b. Ahmed, *Ehvâlü'l-Kubûr ve Ahvâlü Ehlihâ ile'n-Nüşûr*, Beyrut, 1985.

İbn Teymiyye, Takıyyüddîn Ebü'l-Abbâs Ahmed b. Abdülhalîm, *Mecmû'u Fetâvâ*, Riyad, 1991.

İbnü'l-Cevzî, Ebü'l-Ferac Cemalüddîn Abdurrahman b. Ali. b. Muhammed, *Zâdü'l-Mesîr fî 'Ilmi't-Tefsîr*, Beyrut, 1994.

___, *Kitâbü'l-Mevdû'ât*, Beyrut, 1983.

___, *el-'Ilelü'l-Mütenâhiye fi'l-Ehâdîsi'l-Vâhiye*, Beyrut, 1983.

İbrahim Hakkı, *Ma'rifetnâme*, sadeleştiren: M. Fuad Başar, İstanbul, 1984.

İslâmoğlu, Mustafa, *Hayat Kitabı Kur'ân Gerekçeli Meal-Tefsîr*, İstanbul, 2008.

___, *Üç Muhammed İki Tasavvur Bir Gerçek*, İstanbul, 2004.

İzutsu, Toshihiko, *Kur'ân'da Allah ve İnsan*, tercüme: Süleyman Ateş, Ankara, 1975.

Kadı Abdülcebbâr, Ebü'l-Hasan Abdülcebbâr b. Ahmed, *Şerhu'l-Usûli'l-Hamse*, tahkik: Abdülkerim Osman, Mektebetü Vehbe, Kahire, 1988.

Kadı Beydâvî, Ebû Sa'îd Abdullah Ebû Ömer b. Muhammed, *Envâru't-Tenzîl ve Esrâru't-Te'vîl*, Beyrut, 1996.

Karacabey, Salih, *Hz. Peygamber'de Nebevî ve Beşerî Bilgi*, İstanbul, 2002.

Karaman, Hayrettin, *Ebediyet Yolcusunu Uğurlarken*, Ankara, 2006.

Kâsımî, Muhammed Cemâlüddîn, *Mehâsinü't-Te'vîl*, Kahire, baskı tarihi yok.

Kavakcî, Ebü'l-Mehâsin, *el-Lü'lü'ü'l-Marsû'*, baskı yeri ve tarihi yok.

Keleş, Ahmet, *Hadislerin Kur'ân'a Arzı*, İstanbul, 1998.

Kırbaşoğlu, Hayri, *Alternatif Hadis Metodolojisi*, Ankara, 2004.

___, *İslâm Düşüncesinde Sünnet -Eleştirel Bir Yaklaşım-*, Ankara, 1997.

Kırca, Celal, "İslâm Dinine Göre Reenkarnasyon", *Erciyes Üniversitesi İlâhiyât Fakültesi Dergisi*, sayı: 3, Kayseri, 1986.

Kitab-ı Mukaddes, İstanbul, 1997.

Kurtubî, Ebû Abdillah Muhammed b. Ahmed, *el-Câmi' li Ahkâmi'l-Kur'ân*, Beyrut, 1988.

Mahallî, Muhammed b. Ahmed, Abdurrahman b. Ebî Bekir, *Tefsîru'l-Celâleyn*, Kahire, baskı tarihi yok.

Makrizî, Ebû Muhammed Takıyyüddîn Ahmed b. Ali b. Abdilkadir b. Muhammed, *Kitabü'l-Hıtat*, Kahire, 1324-1326.

Mâlik b. Enes, *el-Muvatta'*, İstanbul, 1992.

Mâtürîdî, Ebû Mansûr Muhammed b. Muhammed, *Te'vîlâtu Ehli's-Sünne*, Bağdat, 1983.

Mâverdî, Ali b. Muhammed b. Habîb, *en-Nüketü ve'l-'Uyûn*, Beyrut, baskı tarihi yok.

Merâğî, Ahmed Mustafa, *Tefsîr*, Beyrut, 1974.

Mevdûdî, Ebu'l-A'lâ, *Tefhîmu'l-Kur'ân*, Kur'ân'ın Anlamı ve Tefsiri, Heyet, İnsan Yayınları, İstanbul, 1996.

Mübârekfûrî, Abdurrahman b. Abdirrahîm, *Tuhfetü'l-Ahvezî bi Şerhi Câmi'i't-Tirmizî*, Beyrut, baskı tarihi yok.

Müslim, Ebu'l-Hüseyin Müslim b. Haccâc, *el-Câmi'u's-Sahîh*, İstanbul, 1992.

Nesâî, Ebû Abdirrahman Ahmed b. Şuayb, *es-Sünen*, İstanbul, 1992.

___, *Tefsîr*, Beyrut, 1990.

Nesefî, Abdullah b. Ahmed, *Medâriku't-Tenzîl ve Hakâiku't-Te'vîl*, baskı yeri ve tarihi yok.

Nesefî, Ömer, *Metnü'l-Akâid*, İstanbul, baskı tarihi yok.

Okuyan, Mehmet, "Kur'ân'da Gizemli Bir Yolculuğun Kıssası", *Din Eğitimi Araştırmaları Dergisi*, sayı: XIII, İstanbul, 2004.

___, *Kur'ân'da Vücûh ve Nezâir*, Samsun, 2000.

___, *Kısa Sûrelerin Tefsîri 1*, İstanbul, 2011.

___, *Kısa Sûrelerin Tefsîri 2*, İstanbul, 2011.

___, *Kısa Sûrelerin Tefsîri 3*, İstanbul, 2011.

___, *Kısa Sûrelerin Tefsîri 4*, İstanbul, 2011.

___, *Son Dönem Osmanlı'da İki Müfessir: Bereketzade İsmail Hakkı ve Gazi Ahmet Muhtar Paşa*, Samsun, 2001.

Öz, Mustafa, "Dırâr b. Amr" maddesi, *Diyanet İslâm Ansiklopedisi*, İstanbul, 1994.

Öztürk, Mustafa, *Kur'ân-ı Kerîm Meâli*, İstanbul, 2011.

Öztürk, Yaşar Nuri, *Kur'ân'ın Temel Kavramları*, İstanbul, 1994.

Paçacı, Mehmet, *Kutsal Kitaplarda Ölümötesi*, Ankara, 2001.

Pezdevi, Ebu'l-Yüsür, *Ehl-i Sünnet Akaidi*, tercüme: Şerafeddin Gölcük, İstanbul 1980.

Râzî, Ebû Abdillah Muhammed b. Ömer Fahruddîn, *Mefâtîhu'l-Ğayb*, Beyrut, baskı tarihi yok.

Râzî, Muhammed b. Ebî Bekir b. Abdilkâdir, *Tefsîru Ğarîbi'l-Kur'âni'l-'Azîm*, tahkik: Hüseyin Elmalı, Ankara, 1997.

___, *Muhtâru's-Sıhâh*, Beyrut, 1995.

Reşid Rıza, *Tefsiru'l-Kur'âni'l-Hakîm (el-Menâr)*, Kahire, 1990.

Sâbûnî, M. Ali; S. Ahmed Rıza, *Taberî Tefsiri*, tercüme: Mehmet Keskin, İstanbul, baskı tarihi yok.

Sâbûnî, Nureddîn, *Mâtürîdî Akaidi*, tercüme: Bekir Topaloğlu, İkinci Baskı, Ankara, 1978.

San'ânî, Abdürrezzak b. Hümâm, *Tefsîru'l-Kur'ân*, Riyad, 1410/1989.

Sarıkçıoğlu, Ekrem, *Başlangıçtan Günümüze Dinler Tarihi*, Isparta, 2002.

Sarmış, İbrahim, *Hz. Muhammed'i Doğru Anlamak*, Konya, 2005.

Se'âlebî, Abdurrahman b. Muhammed b. Mahlûf, *el-Cevâhiru'l-Hisân fî Tefsîri'l-Kur'ân*, Beyrut, baskı tarihi yok.

Semerkandî, Nasr b. Muhammed b. Ahmed Ebu'l-Leys, *Bahru'l-'Ulûm*, Beyrut, 1996.

Semîn el-Halebî, Ahmed b. Yûsuf Abdüddâim, *'Umdetü'l-Huffâz fî Eşrafi'l-Elfâz*, Beyrut, 1996.

Senâ, Cemil, *Hz. Muhammed'in Felsefesi*, İstanbul, 1975.

Serahsî, Ebû Bekir Muhammed b. Ahmed b. Ebî Sehl, *Usûl*, İstanbul, 1984.

Subhi es-Sâlih, *Hadis İlimleri ve Hadis Istılahları*, tercüme: Yaşar Kandemir, İstanbul, 1996.

Suyûtî, Abdurrahman b. Kemâl Celâlüddîn, *ed-Dürrü'l-Mensûr fi't-Tefsîr bi'l-Me'sûr*, Beyrut, 1993.

___, *'Âlemu'l-Berzah*, tercüme: Bahaeddin Sağlam, İstanbul, 1985.

___, *Tedrîbu'r-Râvî*, Medine, 1972.

Şâfi'î, Muhammed b. İdris, *er-Risâle*, Kahire, baskı tarihi yok.

Şehristani, Ebü'l-Feth Muhammed b. Abdülkerim, *el-Milel ve'n-Nihal*, Beyrut, 1975.

Şevkânî, Muhammed b. Ali b. Muhammed, *Fethu'l-Kadîr el-Câmi' Beyne'r-Rivâye ve'd-Dirâye fî İlmi't-Tefsîr*, Kahire, 1964.

Tabâtabâî, Muhammed Hüseyin, *el-Mîzân fî Tefsîri'l-Kur'ân*, Tahran, 1952.

Taberî, Ebû Ca'fer Muhammed b. Cerîr, *Câmi'u'l-Beyân 'an Te'vîli Âyi'l-Kur'ân*, Beyrut, 1988.

Tabresî, Ebû Ali ibnü'l-Hasan, *Mecme'u'l-Beyân*, Beyrut, 1994.

Taftazânî, Sa'düddîn, *Şerhu'l-Akaid*, İstanbul, baskı tarihi yok.

Tâi, Kemalettin, *Min Hüde'n-Nübüvve*, Bağdat, 1973.

Tirmizî, Ebû İsa Muhammed b. İsa, *es-Sünen*, İstanbul, 1992.

Topaloğlu, Bekir, "Âhiret" maddesi, *Diyanet İslâm Ansiklopedisi*, İstanbul, 1988.

___, "Cehennem" maddesi, *Diyanet İslâm Ansiklopedisi*, İstanbul, 1993.

___, "Cennet" maddesi, *Diyanet İslâm Ansiklopedisi*, İstanbul, 1993.

Toprak, Süleyman, "Kabir" maddesi, *Diyanet İslâm Ansiklopedisi*, İstanbul, 2001.

___, *Ölümden Sonraki Hayat Kabir Hayatı*, Konya, 1991.

Tritton, A. S., *İslâm Kelâmı*, tercüme: Mehmet Dağ, Ankara, 1983.

Turgut, Ali, *Kur'ân-ı Kerîm ve Açıklamalı Meâli*, Türkiye Diyanet Vakfı, Ankara, 1993.

Vâhıdî, Ebü'l-Hasan Ali b. Ahmed, *el-Vecîz fî Tefsîri'l-Kitâbi'l-Azîz*, Beyrut, 1995.

Vaux, B. Cara, "Berzah" maddesi, *Milli Eğitim Bakanlığı İslâm Ansiklopedisi*, İstanbul, 1944.

Vehbi, Mehmed, *Hulâsatü'l-Beyân fî Tefsîri'l-Kur'ân*, İstanbul, 1968.

Yar, Erkan, *Ruh Beden İlişkisi Açısından İnsanın Bütünlüğü Sorunu*, Ankara, 2000.

Yavuz, Yusuf Şevki, "Azap" maddesi, *Diyanet İslâm Ansiklopedisi*, İstanbul, 1991.

Yazır, Elmalılı Muhammed Hamdi, *Hak Dini Kur'ân Dili*, Azim Neşriyat, İstanbul, baskı tarihi yok.

Yeni Ahit, İstanbul, 1996.

Yıldırım, Enbiya, *Geleneksel Hadis Yorumculuğu*, İstanbul, 2001.

Yıldırım, Suat, *Kur'ân-ı Hakîm ve Açıklamalı Meâli*, İstanbul, 1998.

___, *Peygamberimizin Kur'ân'ı Tefsîri*, İzmir, 2006.

Yılmaz, Mehmet Nuri, *Kur'ân-ı Kerîm ve Meâli*, Ankara, 1998.

Zebîdî, Muhammed Murteza el-Hüseynî, *Tâcü'l-'Arûs*, Dârü'l-Fikr, baskı tarihi yok.

Zebîdî, Zeynüddîn Ahmed b. Ahmed b. Abdüllatif, *Sahîh-i Buhârî Muhtasarı Tecrîd-i Sarih Tercemesi ve Şerhi*, tercüme: Kâmil Miras, Ankara 1985.

Zemahşerî, Mahmûd b. Ömer b. Muhammed, *el-Keşşâf 'an Hakâikı Ğavâmidı't-Tenzîl*, Beyrut, 1995.

Zerkeşî, Bedruddîn, *el-İcâbe li Îrâdi Me'stedrekethu 'Âişe 'ale's-Sahâbe*, tercüme: Bünyamin Erul, Ankara, 2000.

Zuhaylî, Vehbe, *et-Tefsîru'l-Münîr*, Beyrut, 1991.